고등학교 영어

자습서

최인철 | 박리리 | 장민경 | 채지선
김근영 | 최수하 | 김주혜 | 손지해
전예지 | Ksan Rubadeau

금성출판사

Contents

High School English

구성과 특징

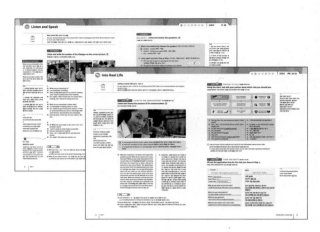

Key Concept
자기 주도 학습을 위한 교과서의 충실한 해설서

01 교과서 모든 내용에 대한 자세한 해석이 들어있습니다.

02 자기 주도 학습 요소를 설명하고 부연설명을 제공합니다.

03 수준별로 다양한 보충 자료를 제시하여 완전한 이해를 돕습니다.

04 필요한 단계에서 내신대비를 위한 충분한 평가문항을 제공합니다.

🎧 Listen and Speak   💬 Into Real Life

- Topic과 Review Points 등 자기주도 학습 요소의 해석을 제시하여 교과서의 기본 방향을 쉽게 이해하도록 돕습니다.
- 단원의 주요 의사소통 표현에 대한 개략적인 설명을 제시하였습니다.
- script의 해석과 상세한 어휘 및 구문 설명을 제시하였습니다.
- 듣기 문제에 대한 친절한 해설과 배경지식에 대한 간단한 설명을 담았습니다.

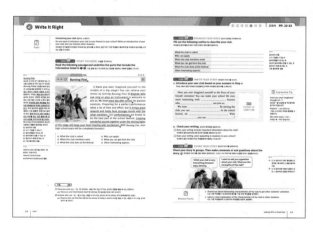

✏️ Write It Right

- 쓰기 모델의 해석, 정답, 어휘 및 구문 설명을 통해 어려운 쓰기 활동을 주도적으로 할 수 있도록 돕습니다.

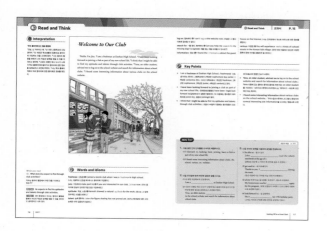

📖 Read and Think

- 본문에 나오는 어휘와 구문을 이해하기 쉽게 예문과 함께 자세히 설명하였습니다.
- 본문의 문장 구조 속에 숨어 있는 문법 요소들을 자세하게 설명하였습니다.
- 핵심 내용을 문제화한 Mini Test를 통해 본문에 사용된 구문과 문법 요소를 완벽하게 이해할 수 있도록 하였습니다.

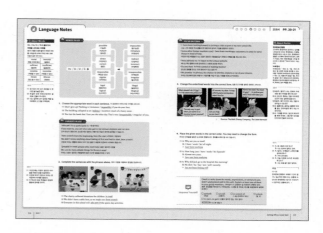

📖 Language Notes

- 주요 어휘와 표현에 대한 해석과 충분한 해설을 제시하여 기초 지식을 완벽하게 정리할 수 있도록 돕습니다.
- 단원의 핵심 문법 사항에 대한 개략적인 설명을 제시하였습니다.

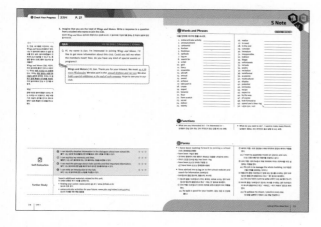

S Note

- 단원의 주요 학습 내용을 마지막으로 정리 및 점검하는 단계를 제공하였습니다.

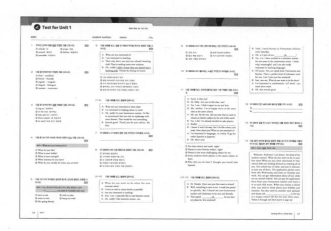

✏️ Test for Unit 1

- 매 단원별로 단원형성평가를 풀어봄으로써 학교 내신시험에 대비할 수 있도록 하였습니다.
- 모의 서술형 평가와 모의 수행 평가를 통해서 빈틈없는 시험 대비가 가능하도록 하였습니다.

When life gets rough, I like to hold on to my dream,
살면서 힘이 들 땐 여름의 태양 아래서

Of relaxing in the summer sun, just lettin' off steam.
열을 식히는 꿈꾸면서 참아낼 거야.

- 겨울왕국, 올라프의 대사 중에서

UNIT 1

Getting Off to a Great Start

Topic	학교생활, 동아리 가입하기, 신학기
Functions	What are you interested in? (관심 묻기) What do you want to do? (바람 묻기)
Forms	1. I **have been looking** forward to joining a school club. (현재완료진행형) 2. Yena advised me **to log** on to the school website and search for information. (to부정사)

Listen and Speak

New school life (새로운 학교생활)

Are you excited about your new school life? Listen to dialogues and think about what you want to do in your high school.

새로운 학교생활에 기분이 들뜨나요? 대화를 듣고 고등학교에서 하고 싶은 것들에는 어떤 것들이 있는지 생각해 보세요.

● GET READY ●

Listen and write the number of the dialogue on the correct picture. 🎧

대화를 듣고 어울리는 사진에 알맞은 번호를 쓰시오.

📖 About Functions

What are you interested in?은 어떤 것에 흥미가 있냐고 물을 때 쓰이며, 대답할 때는 I'm interested in ~의 형식으로 대답한다. Are you interested in ~?으로 물을 때는 in 다음에 명사(구)가 온다.

What do you want to do?는 '무엇을 하고 싶니?'라는 뜻으로 원하는 것을 물을 때 쓰인다.

해설

1. 남학생은 볼링에 관심이 있다고 말했고 여학생은 남학생에게 학교의 볼링 동아리에 가입하도록 권하고 있다.

2. 남학생은 다른 사람을 돕는 것에 관심이 있다고 말했고 여자는 고아원을 방문할 것을 권했다.

3. 남학생은 책을 많이 읽고 싶다고 말했고 독서를 좋아하냐는 여학생의 물음에 남학생은 특히 추리 소설을 좋아한다고 말했다.

어휘

seek [siːk] 찾다
recommend [rèkəménd] 권하다
orphanage [ɔ́ːrfənidʒ] 고아원
rewarding [riwɔ́ːrdiŋ] 보람된
especially [ispéʃəli] 특히
detective story 추리[탐정] 소설

미니 백과

detective novel

'탐정[추리] 소설'이라는 뜻으로 대표적인 작품들로는 Arthur Conan Doyle(아서 코난 도일)의 Sherlock Holmes(셜록 홈즈), Agatha Christie(아가사 크리스티)의 오리엔트 특급 살인(Murder on the Orient Express) 등이 있다.

1.
W: What are you interested in?
M: I am interested in bowling.
W: Then ① **why don't you** join our school's bowling club? They're seeking some new students.
M: Oh, really? I didn't know that our school had a bowling club. Thanks for letting me know.

2.
W: What are you interested in these days?
M: I'm interested in helping others in need.
W: Oh, really? As your homeroom teacher, I'd like to recommend that you visit an orphanage with some friends. That would be very rewarding.
M: Sounds good. Thank you for your advice, Ms. Kim.

3.
W: ② **What do you want to do** when the new semester starts?
M: I want to read as many books as possible.
W: Are you interested in reading?
M: Sure, I am. I especially like to read detective novels.
W: Oh, really? I like detective stories, too.

여: 너는 무엇에 관심이 있니?
남: 나는 볼링에 관심이 있어.
여: 그럼 우리 학교의 볼링 동아리에 가입하는 것이 어떠니? 신입 회원을 모집하고 있던데.
남: 오, 정말? 우리 학교에 볼링 동아리가 있는지 몰랐네. 알려줘서 고마워.

여: 요즘 너는 무엇에 관심이 있니?
남: 저는 도움이 필요한 사람들을 돕는 것에 관심이 있어요.
여: 오, 정말? 네 담임 선생님으로서 난 네가 몇몇 친구들과 고아원을 방문하는 것을 권할게. 매우 뿌듯할 거야.
남: 좋은 생각이네요. 조언에 감사드려요, 김 선생님.

여: 새 학기가 되면 무엇을 하고 싶니?
남: 나는 가능한 한 많은 책을 읽고 싶어.
여: 독서에 관심이 있니?
남: 물론이지. 나는 특히 추리 소설 읽는 것을 좋아해.
여: 오, 정말? 나도 추리 소설 좋아하는데.

● 구문 📖

① Why don't you ~?는 '~하는 것이 어때?'라는 뜻으로 어떤 행위를 권할 때 쓰인다. Why don't you 다음에 동사가 온다는 점에 유의한다.
ex.) Why don't you come to the party?(파티에 참석하는 것이 어떠니?)

② What do you want to do?는 '너는 무엇을 하고 싶니?'라는 뜻으로 원하는 것을 물을 때 쓰인다.
ex.) What do you want to do in the future?(너는 미래에 무엇을 하고 싶니?)

DIALOGUE 1 | Listen and answer the questions. 🎧

다음을 듣고 물음에 답하시오.

1. What is the relationship between the speakers? (화자 간의 관계는 무엇인가?)
   ⓐ student – student (학생 – 학생)
   b. student – homeroom teacher (학생 – 담임 선생님)
   c. son – mother (아들 – 엄마)

2. Listen again and select True or False. (다시 듣고, 내용과 맞으면 T, 틀리면 F에 체크하시오.)
   (1) The boy and the girl are meeting for the first time.
      (남학생과 여학생은 처음 만나고 있다.)　☐ True　☑ False
   (2) The girl decided which subject to choose as an elective.
      (여학생은 선택 과목을 결정했다.)　☑ True　☐ False
   (3) The boy is considering choosing one of the science subjects as an elective.
      (남학생은 선택 과목으로 과학을 생각하고 있다.)　☐ True　☑ False

M: Sumi, is that you?
W: Hi, Eddy. Are you in this class, too?
M: Yes, I am. I didn't ① **expect to** see you here.
W: ② **Me, neither.** I'm so happy we're in the same class at the same school.
M: Me, too. ③ **By the way,** did you hear that we need to choose an elective subject by the end of this week?
W: Yes, I did. I've already decided to take physics.
M: Really? Physics is the most challenging subject for me.
W: I know it won't be easy, but I do like science and math. How about you? What are you interested in?
M: I'm interested in languages, so I think I'll go for ④ **either** Spanish **or** Japanese.
W: Oh, that's cool.

남: 수미야, 너니?
여: 안녕, Eddy. 너도 이 반이니?
남: 응. 너를 여기서 보게 될 줄은 몰랐어.
여: 나도 그래. 같은 학교에 같은 반이 되어서 정말 기쁘다.
남: 나도 그래. 그런데 말이야, 이번 주 금요일까지 선택 과목을 골라야 한다는 거 들었니?

여: 응, 들었어. 나는 이미 물리를 듣기로 했어.
남: 정말? 물리는 나에게 가장 어려운 과목이야.

여: 나도 쉽지 않을 거라는 걸 알아, 하지만 나는 과학과 수학을 좋아해. 너는 어떠니? 어떤 것에 관심이 있니?
남: 나는 언어에 관심이 있어서, 스페인어나 일본어를 들을 거야.
여: 오, 그거 괜찮겠다.

---

1. 같은 반이 되어서 기쁘다는 것과 이번 주까지 선택 과목을 결정해야 한다는 대화 내용으로 미루어보아 둘은 학생 사이임을 알 수 있다.

2. (1) Sumi, is that you?라는 표현을 통해서 남학생은 여학생을 이미 알고 있었음을 알 수 있다.

(2) 여학생은 이미 물리를 선택 과목으로 정했다고 말했다.

(3) 남학생은 스페인어 또는 일본어에 관심이 있다고 했다.

elective subject 선택 과목
physics [fíziks] 물리(학)
challenging [tʃǽlindʒiŋ] 어려운, 도전적인

📖 **구문**

① expect to~는 '~하는 것을 기대하다'라는 뜻이다.
   ex.) I expect to learn how to play the piano. (나는 피아노 배우는 것을 기대한다.)

② Me, neither.는 '나도 역시 ~아니야'라는 뜻으로 앞 문장에 나온 부정의 의미나 행위 등에 대해 동조할 때 쓰인다.
   ex.) A: I don't like hamburgers. (나는 햄버거를 좋아하지 않아.)
       B: Me, neither. (나도 좋아하지 않아.)

③ by the way는 '그런데, 그나저나'라는 뜻으로 화제를 바꿀 때 쓰인다.
   ex.) Yeah, the movie was really exciting. By the way, what would you recommend to eat for lunch? (그래, 그 영화 진짜 재미있었어. 그나저나 점심으로 뭘 권하고 싶니?)

④ either *A* or *B*는 'A 또는 B'라는 뜻으로 둘 중에 하나를 언급할 때 쓰인다.
   ex.) Either you or I have to go. (너 혹은 나 둘 중 하나가 가야 한다.)
   cf.) both *A* and *B*는 'A와 B 둘 다'라는 뜻이며 neither *A* nor *B*는 'A와 B는 모두 ~아닌'이라는 뜻이다.
   ex.) Both you and I are in the same class. (너와 나 둘 다 같은 반이다.)
       Neither Jack nor Kevin has parked here. (Jack이나 Kevin 모두 이곳에 차를 대지 않았다.)

🎧 Listen and Speak

DIALOGUE 2 | Listen and answer the questions. 🎧

다음을 듣고 물음에 답하시오.

해설

1. 베트남 아이들에게 한국어를 가르치는 자원봉사를 한다는 여학생의 말에 남학생은 이번 주말에 같이 가도 되냐고 물었고, 여학생은 이를 받아들였으므로 둘은 이번 주말에 선생님 자원봉사를 할 것이다.

2.(1) 여학생은 2년 동안 자원봉사 선생님을 했다고 말했다.

(2) 여학생은 베트남 아이들에게 한국어를 가르치므로 베트남어와 한국어 둘 다 할 수 있다.

(3) 남학생은 수학에 관심이 있다고 했다.

어휘

Vietnamese [vìètnəːmíːz] 베트남의; 베트남 사람, 베트남어
community service 지역 봉사
meaningful [míːniŋfəl] 의미심장한, 뜻있는

---

1. **What are the speakers going to do this weekend?**(화자들은 이번 주말에 무엇을 할 것인가?)
   a. clean the school garden (학교 정원을 청소한다)
   b. work as volunteer teachers (자원봉사 선생님이 된다)
   c. talk with an elderly person living alone (독거노인과 대화한다)

2. **Listen again and fill in the blanks.**(다시 듣고, 빈칸을 완성하시오.)
   (1) The girl has worked as a volunteer teacher for <u>two</u> year(s).
      (여학생은 __2__ 년 동안 자원봉사 선생님을 했다.)
   (2) The girl can speak both <u>Vietnamese</u> and <u>Korean</u>.
      (여학생은 __베트남어__ 와 __한국어__ 를 할 수 있다.)
   (3) The boy is interested in <u>mathematics</u>.
      (남학생은 __수학__ 에 관심이 있다.)

M: Hi, Hwajin. How was your first week at school?

W: Well, everything is new to me. A week has passed so quickly. But I found my new homeroom teacher and classmates to be nice and friendly.

M: That's good. By the way, do you have any plans for this weekend?

W: Yeah, I teach Korean to Vietnamese children every Saturday.

M: Oh, is it part of a community service?
   📋 Listening Tip 1

W: Yes, it is. I ① **have worked** as a volunteer teacher **for** two years at the community center. I think it's meaningful, and I am also really interested in teaching languages.

M: ② **Of course.** You can speak both Vietnamese and Korean. That's a perfect kind of volunteer work for you. ③ **Can I join** you this weekend?

W: Sure, you can. What do you want to do for them?

M: I'm interested in mathematics, so I think I can teach them math. 📋 Listening Tip 2

W: Oh, that sounds good.

남: 안녕, 화진. 학교 첫 주는 어땠니?

여: 음, 모든 것이 새로워. 한 주가 정말 빠르게 지나갔어. 하지만 나는 담임 선생님과 친구들이 멋지고 친절하다는 걸 알게 되었어.

남: 잘됐다. 그런데 말이야. 이번 주말에 어떤 계획이라도 있니?

여: 응, 나는 매주 토요일에 베트남 아이들에게 한국어를 가르쳐.

남: 오, 봉사활동 같은 것이니?

여: 응. 지역 센터에서 2년 동안 자원봉사 선생님으로 일하고 있어. 나는 그것이 의미 있다고 생각하고, 또 난 언어를 가르치는 것에 매우 관심이 많아.

남: 물론이지. 너는 베트남어와 한국어를 할 수 있잖아. 너한테는 완벽한 봉사활동이야. 나도 이번 주말에 같이 할 수 있을까?

여: 물론이지. 그들에게 무엇을 해주고 싶니?

남: 나는 수학에 관심이 있으니까, 그들에게 수학을 가르칠래.

여: 오, 잘됐다.

📋 Listening Tip

To find out what the speakers will do next
화자의 다음 행동이 무엇인지 알기 위해서는

1. Get the main idea of the dialogue.
   대화의 중심 생각을 파악하는 데 중점을 둔다.

2. Pay special attention to the last part of the dialogue.
   대화의 마지막 부분을 특히 집중해서 듣는다.

📖 **구문**

① have worked for ~는 '~ 동안 일해 왔다'는 뜻으로 과거의 어느 시점부터 현재까지의 행위를 나타내는 현재완료의 계속 용법으로 쓰였다. for 다음에는 기간을 나타내는 부사구가 온다는 점에 유의한다.
   ex.) I've lived in Seoul for ten years.(나는 서울에서 10년 동안 살고 있다.)

② Of course.는 '물론.'이라는 뜻이다.
   ex.) A: Is it true that Korea beat Spain in the yesterday's match?(어제 시합에서 한국이 스페인을 이긴 게 사실이니?)
      B: Of course! It was a really tough game.(물론이지! 정말 힘든 경기였어.)

③ Can I join ~?은 어떤 것에 참여하거나 함께해도 되는지 허락을 묻는 표현이다.
   ex.) Can I join your pajama party?(파자마 파티에 함께 해도 되겠니?)

SPEAK OUT

Read the story and practice the dialogue with your partner using the expressions in the box as well as your own.
다음 이야기를 읽고 여러분 자신의 표현과 글상자 안의 표현을 이용해서 짝과 대화를 연습하시오.

> **Example** « make a lot of new friends / singing / the school chorus
> (친구 많이 사귀기 / 노래 부르기 / 학교 합창단)
>
> keep in shape / swimming / the swimming club
> (건강한 몸 유지하기 / 수영하기 / 수영 동아리)
>
> **Your Own** ▶ _____

해석

A: 안녕, Kate. 새 학년인데 무엇을 하고 싶니?
B: 난 <u>새로운 친구들을 많이 사귀고</u> 싶어.
A: 멋진데. <u>새로운 친구를 많이 사귀</u>려면, 동아리에 가입하는 것이 어떠니?
B: 좋은 생각이야! 권할 만한 동아리가 있니?
A: 넌 무엇에 관심이 있니?
B: 난 <u>노래 부르는 것</u>을 좋아해.
A: 그럼, <u>학교 합창단</u>에 가입하는 것이 어떠니?
B: 완벽한 생각이야!

구문

① What do you want to do?는 '무엇을 하고 싶니?'라는 뜻으로 원하는 것이 무엇인지 물을 때 쓰인다. 대답할 때는 I want to ~, I hope to ~ 등의 형식으로 답한다.
ex.) A: What do you want to be when you grow up?(너는 커서 무엇이 되고 싶니?)
　　　 B: I want to be an astronaut.(나는 우주비행사가 되고 싶어.)

② If는 '만약 ~라면'이라는 뜻으로 현재나 과거 사실을 가정할 때 쓰인다. 여기서는 뒤에 why don't you ~?가 왔으므로 현재를 가정하고 있다.
ex.) If you want me to help you, be polite.(내가 너를 돕기를 원한다면, 예의 바르게 행동해.)
　　　 If I were a bird, I could fly to you.(내가 새라면, 너에게 날아갈 수 있을 텐데.)
　　　 If he comes home tomorrow, we will have a party.(그가 내일 집에 도착한다면, 우리는 파티를 열 것이다.)

③ Do you have any recommendations?는 '권할 만한 것이라도 있니?'라는 뜻으로 상대방으로부터 권유, 조언을 얻을 때 사용하는 표현이다. recommendation은 동사 recommend(권하다)의 명사이다.

Review Points

1. After listening to the dialogues, I identified detailed information and understood the speakers' plans.
대화를 듣고, 나는 세부 정보를 파악하고 화자들의 계획을 이해하였다.

2. I made plans for my new school life.
나는 나의 새로운 학교생활에 대한 계획을 세웠다.

Into Real Life

	Joining a school club (동아리 가입하기)
Topic	Do you want to join a club for an exciting school life? Listen to an announcement and prepare to join a club. 활기찬 학교생활을 위해서 동아리에 가입하고 싶은가요? 안내 방송을 듣고 동아리 가입을 준비해 보세요.

STEP 1 **LISTEN TO THE ANNOUNCEMENT** 안내 방송을 들으시오.

Listen and choose the purpose of the announcement.
듣고 안내 방송의 목적을 고르시오.

해설

처음에는 신입생에게 인사하고 중간에는 신입 동아리원들을 모집하고 있다고 했으며 마지막에는 자신에게 알맞은 동아리를 찾는 것이 행복한 학교생활의 열쇠라고 했으므로 이 안내 방송은 동아리 가입을 권하기 위한 것임을 알 수 있다.

어휘

freshman [fréʃmən] 신입생
student council 학생회
application [æpləkéiʃən] 신청, 지원
period [píːəriəd] 기간
consider [kənsídər] 고려하다
dream job 미래의 직업, 희망 직업
think through 충분히 생각하다

a. to encourage freshmen to join school clubs (신입생들에게 학교 동아리 가입을 권하기 위해서)
b. to seek new members for the school council (학생회의 새로운 회원을 찾기 위해서)
c. to congratulate freshmen on entering high school (고등학교에 입학하는 신입생들을 축하하기 위해서)

W: Welcome, freshmen! I am Jiwon, the head of the student council. What do you want to do in your free time? What are you most interested in? Our school clubs are ① **looking forward** to meeting all of you. Our school has 35 clubs, and you're welcome to join any of them. The application period starts from this Wednesday and ends on Tuesday next week. You can get information about all our clubs on our school website. You can get the application form from your homeroom teacher and ② **hand it in** to each club room. When you choose a school club, you need to think about your hobbies and interests. You also need to consider your aptitude and dream job. ③ **Finding the right club** is the key to a happy school life for the next three years. Think it through and then hurry to sign up!

여: 안녕하세요, 신입생 여러분! 저는 학생회 회장 지원입니다. 여러분은 여가 시간에 무엇을 하고 싶으신가요? 여러분이 가장 관심 있어 하는 것은 어떤 것인가요? 우리 학교 동아리들은 여러분 모두를 만나기를 고대하고 있습니다. 우리 학교에는 35개의 동아리가 있고, 여러분은 어떤 동아리도 환영받으며 등록할 수 있습니다. 가입 기간은 이번 주 수요일부터 다음 주 화요일까지입니다. 우리 학교 홈페이지에서 모든 동아리에 대한 정보를 얻을 수 있습니다. 담임 선생님께 가입 신청서를 받아서 각 동아리 교실에 제출해 주세요. 동아리를 고를 때는, 여러분의 취미와 흥미를 고려해야 합니다. 여러분의 적성과 미래의 직업도 생각해야 합니다. 자신에게 맞는 동아리를 고르는 것은 앞으로 3년 동안 행복한 학교생활의 열쇠입니다. 충분히 생각하고 가입은 서두르세요!

구문

① look forward to ~는 '~을 갈망하다'라는 뜻으로 to 다음에는 명사나 대명사가 온다.
   ex.) I'm looking forward to visiting my hometown. (나는 내 고향 방문을 갈망하고 있다.)
② hand+목적어+in은 '~을 제출하다'라는 뜻이다. 참고로 「hand+목적어+out」은 '~을 나눠주다'라는 뜻이다.
③ find에 -ing를 붙여서 동명사 형태로 나타냈으며 뒤에 the right club은 동명사의 목적어이며 finding the right club은 문장의 주어 역할을 한다.

 **PREPARE TO TALK** 대화를 준비하시오.

Using the chart, talk with your partner about which club you should join.

차트를 이용하여, 어떤 동아리에 가입할 것인지에 대해서 짝과 대화를 나누시오.

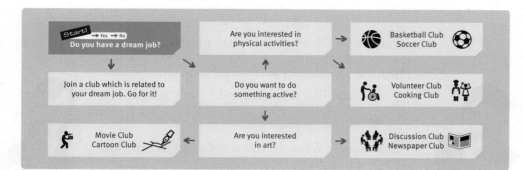

해석

희망 직업이 있나요?
여러분의 희망 직업과 관련이 있는 동아리에 가입하세요. 힘내세요!
신체 활동에 흥미가 있나요?
활동적인 것을 원하나요?
예술에 흥미가 있나요?
영화/만화/농구/축구/자원봉사/요리/토론/신문 동아리

A: Did you hear the announcement about school clubs?	A: 너 학교 동아리에 대한 안내 방송 들었니?
B: Yes, I did. I am thinking about which club I should join.	B: 응, 들었어. 난 내가 어떤 동아리에 가입해야 하는지 생각 중이야.
A: Do you want to do <u>something active</u>?	A: 넌 <u>뭔가 활동적인 것을</u> 하고 싶니?
B: No, not really.	B: 아니, 그렇지 않아.
A: Are you interested <u>in art</u>?	A: 예술에 관심이 있니?
B: Yes, I am.	B: 응, 그래.
A: How about joining the <u>cartoon club</u> then?	A: 그럼, <u>만화 동아리</u>에 가입하는 것이 어떠니?
B: That sounds interesting!	B: 그거 좋겠다!

Log on to your school's website and search for the information about school clubs.
당신의 학교 홈페이지에 접속하여 학교의 동아리에 관한 정보를 찾으시오.
- a story about three girls who joined a boy's soccer club: www.pbs.org/video/2365856014
남학생의 축구 동아리에 가입한 세 여학생들에 관한 이야기

 **THINK AND WRITE** 생각하고 쓰시오.

Fill out the application form for the club you chose in Step 2.

Step 2에서 선택한 동아리의 가입 신청서를 작성하시오.

어휘

cartoonist [kɑːrtúːnist] 만화가
comic book 만화책
facial expression 얼굴 표정

» Example «

Cartoon Club Application Form

Name: <u>Siwon Moon</u>
Year/Class: <u>1/1</u>
Contact No.: <u>010-1234-5678</u>

Why do you want to join this club?
<u>I really like cartoons, and I want to be a cartoonist.</u>

What are you interested in?
<u>I am interested in reading comic books.</u>

What are you good at?
<u>I am good at drawing facial expressions.</u>

What do you want to do in this club?
<u>I want to draw cartoons and read a lot of comic books.</u>

(예시)

만화 동아리 지원서

이름: <u>문시원</u>
학년/반: <u>1학년 1반</u>
연락처: <u>010-1234-5678</u>

왜 이 동아리에 가입하려고 합니까?
<u>저는 만화를 정말 좋아하고, 만화가가 되고 싶기 때문입니다.</u>

당신은 어떤 것에 흥미가 있습니까?
<u>저는 만화책을 읽는 것에 흥미가 있습니다.</u>

당신은 어떤 것을 잘합니까?
<u>저는 얼굴 표정을 잘 그립니다.</u>

당신은 이 동아리에서 무엇을 하고 싶습니까?
<u>저는 만화를 그리고 만화책을 많이 읽고 싶습니다.</u>

STEP 4 INTERVIEW FOR THE CLUB 동아리에 관한 인터뷰

Imagine you have an interview for the club you chose. Practice the interview with your partner.

여러분이 선택한 동아리에 관한 인터뷰를 한다고 상상해 보시오. 짝과 함께 인터뷰를 연습하시오.

해석

동아리 회장: 우리 동아리에 왜 가입하고 싶은가요?

당신: 저는 <u>만화를 매우 좋아하고, 미래에 만화가가 되고 싶어서 만화 동아리에 가입하기로 결심</u>했어요.

동아리 회장: 이 동아리에서 무엇을 하고 싶나요?

당신: 저는 <u>만화를 그리고 싶고 많은 만화책을 읽고 싶어</u>요.

동아리 회장: 그럼 완벽한 선택인 것 같네요!

Club leader: Why do you want to join our club?

You: I've decided to join the cartoon club because I really like cartoons, and I want to be a cartoonist in the future.

Club leader: What do you want to do in this club?

You: I want to draw cartoons and read a lot of comic books.

Club leader: Then it sounds like a perfect choice!

활동 팁

면접 시 가져야 할 태도

1. 면담자와 시선을 맞추고 경청하는 자세를 취한다.
2. 질문 중 딴짓을 하거나 다리를 떠는 등의 태도는 지양한다.
3. 질문을 제대로 듣지 못했을 때는 정중하게 다시 묻는다.
4. 목소리는 상대방이 알아들을 수 있도록 크게 하고, 발음은 가급적 정확하게 하도록 노력한다.
5. 밝은 표정과 자신감 있는 모습을 남길 수 있도록 노력한다.

1~2차시 어휘 정리

- ▶ application 신청, 지원
- ▶ challenging 어려운, 도전적인
- ▶ community service 지역 봉사
- ▶ detective story 추리 소설
- ▶ elective subject 선택 과목
- ▶ facial expression 얼굴 표정
- ▶ meaningful 의미심장한, 뜻있는
- ▶ period 기간
- ▶ recommend 권하다
- ▶ seek 찾다
- ▶ think through 충분히 생각하다

- ▶ cartoonist 만화가
- ▶ comic book 만화책
- ▶ consider 고려하다
- ▶ dream job 미래의 직업, 희망 직업
- ▶ especially 특히
- ▶ freshman 신입생
- ▶ orphanage 고아원
- ▶ physics 물리(학)
- ▶ rewarding 보람된
- ▶ student council 학생회
- ▶ Vietnamese 베트남의; 베트남 사람, 베트남어

Review Points

1. I understood the purpose of the announcement.
   나는 안내 방송의 목적을 이해했다.
2. I prepared to join a club that I'm interested in.
   나는 내가 관심 있어 하는 동아리에 가입할 준비를 했다.

Topic

Extracurricular activities (특별 활동)

Do you think that extracurricular activities can be a stepping stone to your dream job? Find out about the characteristics of some clubs through the information on the school website.

여러분은 특별 활동이 희망 직업을 위한 초석이 될 수 있다고 생각하나요? 학교 홈페이지에 있는 몇몇 동아리에 관한 정보를 통해서 주요 특징들을 살펴보세요.

1. Find out what these people did for extracurricular activities when they were students. 이 사람들이 학생이었을 때 어떤 특별 활동들을 했는지 알아보시오.

I participated in a volunteer club. The club experience was a great help to me because it broadened my horizons.

When I was a student, I formed a movie club with some of my friends. I learned about movies and made some films there.

I was in a computer programming club when I was young. Computers have been my best friends since then.

해석

A: 나는 자원봉사 동아리에 참여했어. 동아리 경험은 나의 시야를 넓혀 주었기에 큰 도움이 되었어.

B: 내가 학생이었을 때, 나는 친구들과 함께 영화 동아리를 만들었어. 나는 그곳에서 영화에 대해서 배우고 몇몇 영화를 만들었어.

C: 나는 어릴 때 컴퓨터 프로그래밍 동아리에 있었어. 컴퓨터는 그때부터 나의 가장 친한 친구였어.

어휘

participate in ~에 참여하다, 참가하다

2. Talk with your partner about what you should consider when you choose your extracurricular activities. 특별 활동을 고를 때 어떤 점을 고려해야 하는지 짝과 함께 대화해 보시오.

A: What do you think you should consider when you choose your extracurricular activities?
B: I think I should consider how fun the activities are.
A: Why is that?
B: I'd like to ① **spend my time having** fun through my extracurricular activities.

해석

A: 너는 특별 활동을 고를 때 무엇을 고려해야 한다고 생각하니?

B: 나는 활동이 얼마나 재미있는지를 살펴봐야 한다고 생각해.

A: 왜?

B: 난 특별 활동을 하면서 내 시간을 즐겁게 보내고 싶거든.

어휘

extracurricular activity
특별 활동

구문 ① spend one's time -ing는 '~하는 데 시간을 보내다'라는 뜻이다.

On Your Own

Read the passage quickly and match each club with its name. 본문을 빠르게 읽고 각 동아리와 이름을 연결하시오.

(1) No Limits　　　　　　　　　　　ⓐ baking club (제빵 동아리)

(2) Wings and Motors　　　　　　　ⓑ volunteer club (자원봉사 동아리)

(3) From Scratch　　　　　　　　　ⓒ filmmaking club (영화 제작 동아리)

(4) Little Helpers　　　　　　　　　ⓓ model building club (모형 공작 동아리)

Read and Think

Interpretation

¹우리 동아리에 온 것을 환영해

²안녕, 난 지수라고 해. ³난 대한 고등학교의 신입생이야. ⁴난 새로운 학교생활의 일환으로 동아리에 가입하는 것을 고대해 왔어. ⁵나는 동아리 활동을 하면서 나의 적성과 능력을 찾을 수 있을 것이라고 생각해. ⁶나보다 선배인 예나 누나가 나에게 학교 홈페이지에 들어가서 동아리에 관한 정보를 살펴보라고 조언해 주었어. ⁷나는 학교 홈페이지에서 여러 동아리에 관한 흥미로운 정보를 찾았어.

¹*Welcome to Our Club*

²Hello. I'm Jisu. ³I am a freshman at Daehan High School. ⁴I have been looking forward to joining a club as part of my new school life. ⁵I think that I might be able to find my aptitudes and talents through club activities. ⁶Yena, an older student, advised me to log on to the school website and search for information about school clubs. ⁷I found some interesting information about various clubs on the school website.

While you read

Q1. What does Jisu expect to find through club activities?

지수는 동아리 활동에서 어떤 것을 기대하고 있는가?

예시 답안 He expects to find his aptitudes and talents through club activities.

해설 5번 문장에서 지수는 동아리 활동을 통해서 자신의 적성과 능력을 찾을 수 있을 것이라고 생각한다고 나와 있다.

Words and Idioms

freshman: 신입생 ▶ I joined a tennis club when I was a freshman in high school. (나는 고등학교 신입생 때 테니스 동아리에 가입했다.)

join: 가입하다(=take part in) ▶ If you are interested in our club, join us now. (우리 동아리에 관심이 있다면 지금 당장 가입하세요.)

aptitude: 적성, 소질 ▶ Hannah showed a natural aptitude for the work. (한나는 그 일에 천부적인 소질을 보였다.)

talent: 능력 ▶ His talent for figure skating has not proved yet. (피겨스케이팅에 대한 그의 능력은 아직 입증되지 않았다.)

log on: 접속하다 ▶ I can't **log on** the website now. (지금은 그 웹사이트에 접속할 수 없다.)

search for: ~를 찾다, 탐색하다 ▶ Can you help me **search for** my missing dog? (내 잃어버린 개를 찾는 것을 도와줄 수 있나요?)

information: 정보 ▶ I found the **information** about the guest

house on the Internet. (나는 인터넷에서 게스트 하우스에 대한 정보를 찾았다.)

various: 다양한 ▶ You will experience **various** kinds of cultural assets in the Korean folk village. (한국 민속 마을에서 당신은 다양한 종류의 문화 자산을 경험하게 될 것이다.)

Key Points

3 I am a **freshman** at Daehan High School.: freshman은 '신입생'이라는 뜻이다. 고등학교에서 2학년은 sophomore 또는 junior, 3학년은 senior라고 한다. 그리고 대학교에서 1학년은 freshman, 2학년은 sophomore, 3학년은 junior, 4학년은 senior라고 한다.

4 I **have been looking forward to joining** a club as part of my new school life.: 현재완료진행형인 have been -ing와 look forward to(갈망하다)가 결합한 형태이다. to 다음에는 명사형이 와야 하므로 join이 아닌, 동명사 joining이 왔다.

5 I think that I **might be able to** find my aptitudes and talents through club activities.: 조동사 might 다음에는 동사원형이 오므

로 be동사의 원형인 be가 쓰였다.

6 **Yena, an older student, advised me to** log on to the school website and search for information about school clubs.: Yena 다음에 오는 콤마는 동격의 콤마로 뒤에 있는 an older student를 가리킨다. 「advise+목적어+to부정사」는 '목적어가 ~하도록 조언하다'라는 뜻이다.

7 **I found some interesting information** about various clubs on the school website.: 「주어+동사+목적어」의 3형식 문장이며 some과 interesting 모두 information을 수식하는 형용사로 쓰였다.

Mini Test

정답과 해설 p. 352

1. 다음 괄호 안의 단어들을 순서대로 배열하시오.

(1) I (forward, to, looking, been, joining, have) a club as part of my new school life.

(2) I found some interesting information about (clubs, the, school, various, on, website).

2. 다음 우리말에 맞게 빈칸에 알맞은 말을 쓰시오.

(1) 난 대한 고등학교의 신입생이야.
I am a _____ at Daehan High School.

(2) 나보다 선배인 예나 누나가 나에게 학교 홈페이지에 들어가서 동아리에 관한 정보를 살펴보라고 조언해 주었다.
Yena, an older student, _____ to the school website and search for information about school clubs.

3. 다음 주어진 표현을 이용하여 문장을 완성하시오.

(1) be able to: ~할 수 있다
John _____ read the whole storybook at the age of 5.
(John은 5살 때 그 이야기 책 전부를 읽을 수 있었다.)

(2) get used to: ~에 익숙해지다
Thanks to you, I _____ driving the truck.
(당신 덕분에 나는 트럭을 모는 것에 익숙해졌다.)

(3) advise 목적어 to+동사원형: 목적어가 ~하도록 조언하다
My homeroom teacher _____ apply for the program. (담임 선생님이 나에게 그 프로그램에 지원하도록 조언해 주셨다.)

(4) look forward to: ~을 갈망하다
She is _____ her 17th birthday party.
(그녀는 자신의 17번째 생일 파티를 갈망하고 있다.)

Interpretation

No Limits

¹*No Limits*에 온 것을 환영한다! ²영화를 만드는 주역이 되고 싶은가? ³상상한 것을 영화 대본으로 만들고 싶은가? ⁴영화 장면을 흥미 있는 음향으로 보다 더 생동감 있고 사실적으로 만들고 싶은가? ⁵액션 영화의 영웅이 되어서 극한의 전투에서 승리하고 싶은가? ⁶로맨틱 영화의 달콤한 주인공이 되고 싶은가? ⁷이들 질문 중에 하나라도 '예'라고 답한다면 *No Limits*로 오라. ⁸가입하면, 당신은 매년 열리는 학교 축제에서 단편 영화를 제작하는 데 참여할 수 있다. ⁹친구들의 큰 환호와 외침을 들을 때 당신의 노력의 결실은 매우 달콤할 것이다. ¹⁰고통이 없으면, 얻는 것이 없다? ¹¹*No Limits*면, 얻을 것이 많다!

Wings and Motors

¹²하늘을 높이 나는 꿈을 꿔본 적이 있는가? ¹³고급차를 운전하고 싶은가? ¹⁴우리가 당신의 꿈의 비행기나 자동차를 소유할 기회를 당신에게 주겠다고 약속한다. ¹⁵너무 듣기에만 좋은 말이라고? ¹⁶전혀 그렇지 않다! ¹⁷*Wings and Motors*에 가입하면, 당신만의 모형 비행기나 자동차를 조립할 수 있다. ¹⁸당신만의 비행기나 탈 것을 만듦으로써 당신은 집중력을 향상시킬 수 있다. ¹⁹원한다면, 당신은 우리가 매년 개최하는 비행기와 자동차 경주에도 참여할 수 있다. ²⁰누가 알겠는가? ²¹가장 멀리 나는 비행기나 가장 빠른 자동차에 대한 다음 수상자가 당신이 될지도 모른다. ²²당신의 꿈을 성취할 기회를 놓치지 마라. ²³*Wings and Motors*와 함께 하늘을 날고 빠르게 움직여 보라!

No Limits

¹Welcome to *No Limits*! ²Do you want to be in control of making movies? ³Do you want to turn your fantasies into a movie script? ⁴Do you want to make movie scenes more alive and realistic with interesting sounds? ⁵Do you want to be a cool action hero and win an impossible fight? ⁶Do you want to play the sweet guy or girl in a romantic movie? ⁷If your answer is "yes" to any of these questions, then come to *No Limits*. ⁸If you join us, you can take part in producing short films every year for the school festival. ⁹The fruits of your effort will taste so sweet when you hear the loud cheers and shouts of your friends. ¹⁰No pain, no gain? ¹¹*No Limits*, and great gains!

Wings and Motors

¹²Have you ever dreamed of flying high in the sky? ¹³Do you wish to drive a fancy car? ¹⁴We promise to give you the chance to own the airplane or car of your dreams. ¹⁵Does this sound too good to be true? ¹⁶Not at all! ¹⁷Join *Wings and Motors*, and you can assemble your own model airplane or car. ¹⁸By making your own aircraft and vehicles, you can improve your concentration. ¹⁹If you want to, you can also take part in our annual airplane and car race. ²⁰Who knows? ²¹The next award for the farthest-flying airplane or the fastest car may be yours. ²²Do not miss this chance to achieve your dream. ²³Fly high and move fast with *Wings and Motors*!

While you read

Q2. What do *No Limits* members do for the school festival?

No Limits 동아리원들은 학교 축제 때 무엇을 하는가?

[예시 답안] They take part in producing short films every year for the school festival.

[해설] 8번 문장에서 만약 No Limits에 가입하게 된다면 매년 열리는 학교 축제에서 단편 영화를 제작할 수 있을 것이라고 했다.

Words and Idioms

script: 대본, 스크립트 ⊙ We need actors, stage, and **script** to prepare the play. (우리는 연극을 준비하기 위해서 배우, 무대, 그리고 대본이 필요하다.)

take part in: 참여하다 ⊙ This message will be sent only to the students who **took part** in the contest. (이 메시지는 콘테스트에 참여했던 학생들에게만 보내질 것이다.)

gain: 얻다 ⊙ You should exercise harder to **gain** muscles. (근육을 얻기 위해서는 더 열심히 운동해야 한다.)

fancy: 값비싼 ⊙ One thing I want to do with you is having dinner in **fancy** restaurants. (당신과 함께하고 싶은 한 가지는 고급 식당에서 저녁을 먹는 것이다.)

assemble: 조립하다 ▶ How long will it take to assemble the computer? (컴퓨터를 조립하는 데 얼마나 걸리니?)

aircraft: 항공기 ▶ Model aircrafts and tanks are more popular than model houses. (모형 항공기와 탱크가 모형 집보다 더 인기가 많다.)

annual: 매년의, 연례의 ▶ We will talk about this issue at the annual meeting. (우리는 이 이슈를 연례 회의에서 얘기할 것이다.)

award: 상 ▶ This movie award goes to the worst movie of this year. (이 영화상은 올해 최악의 영화에 돌아간다.)

achieve: 달성하다, 성취하다 ▶ It won't take so much time to achieve the goal. (그 목표를 달성하는 데 시간이 그리 오래 걸리지 않을 것이다.)

Key Points

2 Do you want to be **in control of** making movies?: in control of는 '~을 관리하고 있는'이라는 뜻이다.

7 If your **answer** is "yes" to any of **these questions**, then come to *No Limits*.: 여기서의 answer는 '~에 대한 답'이라는 뜻으로 명사이다. / these questions는 앞에서 했던 모든 질문들을 가리킨다.

8 If you join us, you can **take part in** producing short films every year for the school festival.: take part in은 '~에 참가하다'라는 뜻으로 join과 바꿔 쓸 수 있다.

10 **No pain, no gain?:** '고통이 없으면 얻는 것이 없다'는 뜻으로 노력의 중요성을 강조하는 속담이다. 비슷한 뜻의 속담으로는 Heaven helps those who help themselves.(하늘은 스스로 돕는 자를 돕는다.)가 있다.

12 **Have you** ever **dreamed of flying** high in the sky?: 현재완료의 경험 용법으로 '~해본 적이 있는지'를 묻는 표현이다. dream of는 '~을 꿈꾸다'라는 뜻으로 of 다음에 명사형인 flying이 온 것에 유의한다.

14 We **promise to give** you the chance to own the airplane or car of your dreams.: promise 다음에는 to부정사가 오며 to 이하를 약속한다는 뜻이다.

15 Does this sound **too good to** be true?: too … to ~는 '너무 … 해서 ~할 수 없다'라는 뜻이다. 여기서는 문맥을 고려하여 해석하는 것이 자연스러우므로 '진실일 수 없다'로 해석하지 않도록 유의한다.

16 **Not at all!:** '전혀 ~이 아니다'라는 뜻으로 비슷한 표현으로는 Absolutely not., Certainly not. 등이 있다.

18 **By making** your own aircraft and vehicles, you can improve your concentration.: by making ~을 주절 앞에 보내서 모형 조립 활동을 강조하고 있다.

19 **If you want to**, you can also take part in our annual airplane and car race.: if you want to를 주절 앞에 보내서 본인 의사의 중요함을 강조하고 있다.

22 Do not **miss this chance** to achieve your dream.: miss the chance는 '기회를 놓치다'라는 뜻인데 앞에 Do not을 붙여서 '기회를 놓치지 마라'라는 뜻으로 쓰였다.

Mini Test

정답과 해설 **p. 352**

1. 다음 괄호 안의 단어들을 순서대로 배열하시오.

(1) We promise to (to, chance, you, give, the) own the airplane or car of your dreams.

(2) (own, by, making, your) aircraft and vehicles, you can improve your concentration.

2. 다음 우리말에 맞게 빈칸에 알맞은 말을 쓰시오.

(1) 영화 장면을 흥미 있는 음향으로 보다 더 생동감 있고 사실적으로 만들고 싶은가?
Do you want to make movie scenes _____ _____ with interesting sounds?

(2) 원한다면, 당신은 우리가 매년 개최하는 비행기와 자동차 경주에도 참여할 수 있다.
If you want to, you can also _____ our annual airplane and car race.

3. 다음 주어진 표현을 이용하여 문장을 완성하시오.

(1) in control of: ~을 관리하고 있는
This area _____ the farmers in the village.
(이 지역은 마을 농부들의 관리 아래에 있다.)

(2) answer to: ~에 답하다
If you feel difficulty in _____ my question, just say "I'm not sure."
(내 질문에 답하는 것이 어렵다고 느껴진다면 그냥 "확실치 않아요"라고 답하라.)

(3) promise to: ~을 약속하다
Mom _____ buy me a new swimsuit last night.
(엄마는 어젯밤에 내게 새 수영복을 사주겠다고 약속하셨다.)

(4) miss the chance: 기회를 놓치다
This is a special offer. _____ to buy a car at a reasonable price.
(이것은 특별한 제안입니다. 합리적인 가격에 차를 살 수 있는 기회를 놓치지 마세요.)

🏠 Interpretation

From Scratch

[1]학교에 있으면 항상 배고픈가? [2]음, 당신만 배고 픈 게 아니다! [3]우리 모두는 에너지를 만들기 위해서 먹어야 한다. [4]그래서 우리는 제빵 동아리를 신설해서 몸에 좋고 맛도 좋은 빵과 과자를 우리 스스로 만들기로 결심했다. [5]우리는 처음에 제빵에 대해서 아무 것도 몰랐고 바닥부터 시작해야 했기에 우리 동아리 이름은 *From Scratch*이다. [6]하지만 이제 우리는 브라우니 만드는 데 전문가이다! [7]우리는 매년 학교 축제 때 좌판을 열어서 우리가 손수 만든 빵을 판매한다. [8]친구들은 우리의 빵을 먹는 것이 축제 최대의 묘미라고 말한다. [9]우리는 당신이 우리와 함께해서 제빵의 기쁨과 함께 풍성한 학교생활을 하도록 당신을 초대한다.

[10]**브라우니 만드는 방법**

[11]1. 약간의 밀가루, 설탕, 코코아, 소금을 그릇에 넣어라.

[12]2. 큰 스푼으로 전부 잘 섞어라.

[13]3. 그릇에 기름과 물을 첨가한 다음 다시 섞어라.

[14]4. 전자레인지에 넣고 50초 동안 데워라.

[15]이 맛있는 브라우니를 맛보고 싶니?

[16]이리 와서 우리 동아리의 문을 두드려라!

🔍 | From Scratch

[1]Do you always feel hungry when you are in school? [2]Well, you are not the only one! [3]We all need to eat to keep our energy up. [4]So we decided to create a baking club and make healthy and delicious bread and cookies ourselves. [5]Our club is called *From Scratch* because we didn't know anything about baking at first and had to start from scratch. [6]But now we are experts in making brownies! [7]We open a bakery stand at the school festival every year to sell our own baked goods. [8]Our friends say that eating our bread is the best part of the festival. [9]We invite you to join us and fill your school life with the joy of baking.

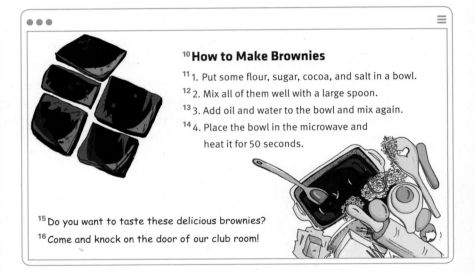

[10]**How to Make Brownies**

[11]1. Put some flour, sugar, cocoa, and salt in a bowl.

[12]2. Mix all of them well with a large spoon.

[13]3. Add oil and water to the bowl and mix again.

[14]4. Place the bowl in the microwave and heat it for 50 seconds.

[15]Do you want to taste these delicious brownies?

[16]Come and knock on the door of our club room!

✍️ Words and Idioms

from scratch: 맨 처음부터 ▶ We lost everything in the flood and had to start from scratch. (우리는 홍수로 모든 것을 잃었기 때문에 처음부터 시작해야 했다.)

create: 만들다 ▶ Create an account and log in right now. (계정을 만들고 지금 당장 접속하세요.)

expert: 전문가 ▶ IT experts say installing unknown programs may damage your computer seriously. (IT 전문가들은 알려지지 않은 프로그램을 설치하게 되면 컴퓨터에 심각한 피해가 발생할지 모른다고 말한다.)

brownie: 브라우니 ▶ When you are invited to someone's house, I recommend you to

---

While you read

Q3. What does *From Scratch* mean?

*From Scratch*의 의미는 무엇인가?

〔예시 답안〕 It means "from the beginning."

〔해설〕 제빵에 대해서 아무 것도 몰랐다는 내용으로 미루어 *From Scratch*는 '처음부터, 바닥부터' 등의 의미임을 짐작할 수 있다.

buy brownies as a gift. (당신이 누군가의 집에 초대 받는다면, 나는 선물로 브라우니를 살 것을 권한다.)

flour: 밀가루 ▶ It was made of flour so it doesn't get digested easily for elderly. (그것은 밀가루로 만들어졌기 때문에 노인들이 섭취했을 때 쉽게 소화되지 않는다.)

Key Points

1 Do you always **feel hungry** when you are in school?: 2형식 동사 feel 다음에 형용사인 hungry가 왔음에 유의한다.

2 Well, you are not **the only one**!: only one 앞에 the를 붙여서 '오직 단 한 사람'이라는 의미를 전달하고 있다.

3 We all **need to** eat to keep our energy up.: need to는 '~할 필요가 있다'라는 뜻으로 to 다음에는 동사원형이 온다. 참고로 need to의 부정은 needn't, don't need to, don't have to(~할 필요가 없다)이다.

4 So we **decided to create** a baking club and **make** healthy and delicious bread and cookies ourselves.: create와 make는 앞에 있는 decided to에 연결되는 병렬구조이다.

5 Our club is called *From Scratch* because we didn't know anything about baking at first and had to start **from scratch**.: from scratch는 '맨 처음부터'라는 뜻으로 from the beginning과 바꿔 쓸 수 있다.

6 But now we are experts **in making** brownies!: in, of, at과 같은 전치사 다음에 오는 동사는 동명사의 형태를 취해서 명사의 역할을 한다.

7 We open a bakery stand **at the school festival every year to sell our own baked goods**.: 「주어+동사+목적어」의 3형식 문장으로 목적어 a bakery stand 뒤에 나오는 at the school festival 이하는 모두 부사구이다.

8 Our friends say that eating our bread is **the best part of the festival**.: the best part of something은 '어떤 것의 가장 최고인 부분'이라는 뜻이다.

9 We **invite you to join** us and **fill** your school life with the joy of baking.: 「invite+목적어+to부정사」는 '…하도록 ~을 초대하다'라는 뜻이다.

10 **How to Make** Brownies: 「how+to부정사」는 '~하는 방법'으로 해석한다.

12 2. Mix all of them well **with** a large spoon.: 여기서 전치사 with는 '~을 가지고'라는 의미이다.

14 4. **Place** the bowl in the microwave and heat it **for** 50 seconds.: place가 동사이므로 명령문이며 it은 the bowl을 가리킨다. 기간을 나타낼 때는 전치사 for를 쓴다는 점에 유의한다.

Mini Test

정답과 해설 p. 352

1. 다음 괄호 안의 단어들을 순서대로 배열하시오.

(1) We all need to eat (keep, to, up, energy, our).

(2) We invite you to join us and fill your school life (baking, of, with, the, joy).

2. 다음 우리말에 맞게 빈칸에 알맞은 말을 쓰시오.

(1) 그래서 우리는 제빵 동아리를 신설해서 몸에 좋고 맛도 좋은 빵과 과자를 우리 스스로 만들기로 결심했다.
So we _____ create a baking club and make healthy and delicious bread and cookies ourselves.

(2) 친구들은 우리의 빵을 먹는 것이 축제 최대의 묘미라고 말한다.
Our friends say that eating our bread is _____ _____ of the festival.

3. 다음 주어진 표현을 이용하여 문장을 완성하시오.

(1) feel+형용사: ~하게 느끼다
I _____ when I see your smile.
(네 미소를 볼 때 나는 행복한 느낌이 든다.)

(2) need to: ~하는 것을 필요로 하다
I _____ a new cell phone.
(난 새 전화기를 사야할 필요가 있었다.)

(3) decide to: ~하는 것을 결심하다
Kelly _____ her job and go to school again.
(Kelly는 일을 그만두고 다시 학교로 가기로 결심했다.)

(4) the best part of something: ~의 최고의 부분
You can _____ a pork.
(당신은 돼지고기의 가장 최고의 부분을 맛볼 수 있습니다.)

🏛 Interpretation

Little Helpers

¹더 행복한 사람이 되고 싶은가? ²더욱 의미 있는 삶의 비밀을 배우고 싶은가? ³그렇다면, 우리 동아리의 문을 두드려라. ⁴당신은 행복의 열쇠가 남을 돕는 데에 있다는 것을 알게 될 것이다. ⁵자원봉사는 어려워 보이지만, 그렇지 않다. ⁶노인에게 식사를 가져다드리거나, 혼자 사는 사람들에게 말벗이 되어주거나, 교육을 받을 기회가 적은 아이들을 가르치는 것처럼 도움을 필요로 하는 사람들에게 많은 단순한 것들을 해줄 수 있다. ⁷우리 동아리 출신의 몇몇 이전 회원들은 고등학교 졸업 후에도 도움이 필요한 사람들을 돕기 위해서 자원봉사를 계속 하고 있다. ⁸약간의 시간과 노력은 당신 삶의 행복을 두 배로 만들어 줄 것이다. ⁹*Little Helpers*에 가입해서 기부와 나눔의 큰 기쁨을 경험해라.

¹⁰안녕, 내 이름은 지형이야. ¹¹난 *Little Helpers*의 이전 회원이야. ¹²고등학교 때부터, 몇몇 이전 회원들과 나는 도움을 필요로 하는 사람들을 위해서 자원봉사를 하고 있어. ¹³우리는 고등학생 때보다 서로 더욱 가까워졌다고 느끼고 있어. ¹⁴이 동아리에 가입하면, 넌 분명 고등학교에서의 최고의 경험을 하게 될 거야!

¹⁵학교 홈페이지에서 정보를 얻은 뒤, 나는 많은 흥미로운 학교 동아리들 사이에서 하나를 고르는 것에 대해 생각했다. ¹⁶예나 누나는 나에게 동아리를 고를 때는 기량과 흥미를 고려해야 한다고 말했다. ¹⁷그래서 나는 내 취미를 생각한 후 내가 영화 보는 것과 이야기 집필을 좋아한다는 것을 깨닫게 되었다. ¹⁸결국에는, 난 영화 동아리인 *No Limits*에 가입하기로 결심했다.

🔍 | Little Helpers

¹Do you want to be a happier person? ²Do you want to learn the secrets to a more meaningful life? ³If so, then knock on the door of our club room. ⁴You will see that the key to happiness lies in helping others. ⁵Volunteer work may seem difficult, but it's not. ⁶We can do many simple things for those in need, such as delivering food to the elderly, talking with people living alone, and teaching children with fewer opportunities for education. ⁷Some former members of our club have continued their volunteer work after high school in order to serve those in need of help. ⁸Just a little bit of time and effort will double the happiness in your life. ⁹Join *Little Helpers* and experience the great joy of giving and sharing.

¹⁰Hi, my name is Jihyeong. ¹¹I am a former member of *Little Helpers*. ¹²Since high school, some other former members and I have been working as volunteers in order to serve those in need of help. ¹³We feel closer to each other than we used to when we were in high school. ¹⁴If you join this club, you'll surely have the best high school experience!

¹⁵After I got information from the school website, I thought about choosing one among the many interesting school clubs. ¹⁶Yena told me that I should consider my skills and interests when I choose a club. ¹⁷So I thought about my hobbies and realized that I liked watching movies and making stories. ¹⁸In the end, I decided to join the filmmaking club, *No Limits*.

Over to you

Among the four clubs in the reading passage, which club do you want to join and why?

독해 지문의 네 동아리 중에서, 어떤 동아리에 가입하고 싶으며 그 이유는 무엇인가?

📖 Words and Idioms

secret: 비밀 ▶ I can't tell you the reason for it. It's a secret. (난 그것의 이유를 말해줄 수 없다. 그것은 비밀이다.)

in need: 도움이 필요한 (사람들) ▶ We donate some money and lend it to the people in need. (우리는 약간의 돈을 기부하고 도움이 필요한 사람들에게 그것을 빌려준다.)

deliver: 배달하다 ▶ I should deliver 10 more parcels by 11. (난 11시까지 10개의 소포를 더 배달해야 한다.)

elderly: 나이 많은, 노인 ▶ This food is good for the elderly or kids because it is easy to be digested. (이 음식은 소화가 잘 되기 때문에 나이 드신 분들이나 아이들에게 좋다.)

realize: 깨닫다 ▶ Some people never **realize** that they are precious. (어떤 이들은 그들이 소중하다는 것을 절대 깨닫지 못한다.)

in the end: 결국에는 ▶ **In the end**, everything is a gag. (결국, 모든 것은 우스개다.)

Key Points

1. Do you want to be a **happier** person?: 비교급 happier를 써서 '이전보다 더 행복한 사람'의 의미를 전달하고 있다. happy-happier-happiest

2. Do you want **to learn** the secrets **to a more meaningful life**?: to learn은 목적어 역할을 하는 to부정사이고 to a more meaningful life에서 to는 전치사로 쓰였다.

4. You will see that **the key to happiness lies in** helping others.: that 이하에서 주어는 the key to happiness이고 동사는 lies이다. lie in은 '~에 놓여 있다'라는 뜻이다.

5. Volunteer work may seem difficult, **but it's not**.: but it's not 다음에 difficult가 생략되었다.

6. We can do many simple things for **those in need, such as delivering** food to the elderly, **talking** with people living alone, and **teaching** children with **fewer** opportunities for education.: those in need는 '도움이 필요한 사람들'이라는 뜻이며, such as 다음에 어떤 것을 나열할 때(병렬구조)는 동일한 문법 형태를 취해야 한다. 따라서 delivering, talking, teaching과 같이 동명사로 나타냈다. / few는 셀 수 있는 명사 앞에 쓰이며 '적은'이라는 뜻

이다. 같은 뜻으로 셀 수 없는 명사 앞에는 little이 쓰인다.

7. Some **former** members of our club have continued their volunteer work after high school **in order to** serve those in need of help.: former는 '예전의'라는 뜻이며 in order to는 '~하기 위해서'라는 뜻이다.

12. Since high school, some other former members and I **have been working** as volunteers in order to serve those in need of help.: have been -ing는 현재완료진행형으로 과거에서부터 현재까지 어떤 행위가 계속 진행되고 있음을 나타낼 때 쓰인다.

13. We feel closer to **each other** than we used to when we were in high school.: 보통 둘일 때는 each other를, 셋 이상일 때는 one another를 쓰지만, 셋 이상일 때도 each other를 쓰기도 한다.

15. After I **got information from** the school website, I thought about choosing one among the many interesting school clubs.: get something from은 '~로부터 어떤 것을 얻다'라는 뜻이다.

18. **In the end**, I decided to join the filmmaking club, *No Limits*.: in the end는 '결국에는'이라는 뜻으로 비슷한 뜻의 숙어로는 finally, after all 등이 있다.

Mini Test

정답과 해설 p. 352

1. 다음 괄호 안의 단어들을 순서대로 배열하시오.

(1) You will see that the (lies, to, key, happiness) in helping others.

(2) After I got information from the school website, I thought about (among, one, choosing) the many interesting school clubs.

2. 다음 우리말에 맞게 빈칸에 알맞은 말을 쓰시오.

(1) 우리 동아리 출신의 몇몇 이전 회원들은 고교 졸업 후에도 도움이 필요한 사람들을 돕기 위해서 자원봉사를 계속 하고 있다.
Some former members of our club have continued their volunteer work after high school _____ serve those in need of help.

(2) 고등학교 때부터 몇몇 이전 회원들과 나는 도움을 필요로 하는 사람들을 돕기 위해서 자원봉사를 하고 있어.
Since highschool, some other former members and I _____ as volunteers in order to serve those in need of help.

3. 다음 주어진 표현을 이용하여 문장을 완성하시오.

(1) lie in: ~에 놓여 있다
Happiness _____ the inside of your mind.
(행복은 당신의 마음 속에 있다.)

(2) (those) in need: 도움이 필요한 (사람들)
We gather some food and donate it to the people
_____.
(우리는 약간의 음식을 모아서 도움이 필요한 사람들에게 그것을 기부한다.)

(3) such as *A*, *B*, and *C*: A, B, C와 같은
We played ball games _____.
(우리는 축구, 야구, 농구 같은 구기종목을 했다.)

(4) get something from: ~로부터 어떤 것을 얻다
I _____ social networking service.
(나는 그에 관한 정보를 SNS로부터 얻었다.)

📖 After You Read

해석

No Limits
영화 제작에 참여한다 /
학교 축제 때 단편 영화를 제작한다
Wings and Motors
모형 비행기와 자동차를 조립한다 /
매년 열리는 비행기와 자동차 경주에
참가한다
From Scratch
빵과 쿠키를 만든다 /
학교 축제에서 빵 좌판을 연다
Little Helpers
노인분들에게 음식을 배달한다 /
혼자 사는 사람들과 이야기를 나눈다

해설

*No Limits*는 영화 동아리이며 학교
축제 때 단편 영화를 제작한다고 했
으며, *Wings and Motors*에서는
모형 비행기와 자동차를 조립한다고
했다. 그리고 *From Scratch*에서는
빵 좌판을 연다고 했다. 또한 *Little
Helpers*에서는 노인들에게 음식을
배달한다고 했다.

해석

음식을 배달하다
단편 영화를 제작하다
빵 좌판을 열다
모형 비행기와 자동차를 조립하다

1. Complete the summary of the information about the club activities using the words in the box. 글상자 안의 표현을 이용하여 동아리 활동에 관한 정보의 요약을 완성하시오.

Name	What the club does
No Limits 🎬	· take part in making movies · <u>produce short films</u> for the school festival
Wings and Motors ✈	· <u>assemble model airplanes and cars</u> · take part in the annual airplane and car race
From Scratch 🥖	· make bread and cookies · <u>open a bakery stand</u> at the school festival
Little Helpers 👫	· <u>deliver food</u> to the elderly · talk with people living alone

deliver food   produce short films
open a bakery stand   assemble model airplanes and cars

2. Listen and select True or False. 🎧 듣고 맞으면 True, 틀리면 False를 고르시오.

(1) Yena told Jisu where to find the information about school clubs.

(2) *No Limits* produces full-length films for the school festival.

(3) Making model vehicles can be a good way of improving your concentration.

(4) *From Scratch* sells bread and cookies at stores to make money.

(5) *Little Helpers* usually donates money for elderly people in need.

(1) 예나는 지수에게 어디에서 학교 동아리에 관한 정보를 찾을 수 있는지 말했다.

(2) *No Limits*는 학교 축제 때 장편 영화를 제작한다.

(3) 모형 차량을 만드는 것은 집중력을 향상시킬 수 있다.

(4) *From Scratch*는 돈을 벌기 위해서 가게에서 빵과 쿠키를 판매한다.

(5) *Little Helpers*는 도움이 필요한 노인들을 위해서 대개 돈을 기부한다.

해설

(2) *No Limits*는 학교 축제 때 단편 영화를 출품한다고 했다.

(4) *From Scratch*는 학교 축제에서 가게가 아닌 좌판을 열어서 빵을 판매한다고 했다.

(5) *Little Helpers*는 노인들에게 음식을 배달한다고 했다.

어휘

improve [imprúːv] 향상시키다
make money 돈을 벌다
donate [dóuneit] 기증하다, 기부하다

(1) ☑ True ☐ False   (2) ☐ True ☑ False   (3) ☑ True ☐ False   (4) ☐ True ☑ False   (5) ☐ True ☑ False

THINK AND TALK

3. Talk with your partner about the clubs in the reading passage. Compare your answer with the one in Before You Read No. 2.

본문에 나온 동아리들에 대해서 짝과 대화하시오. Before You Read 2번에서 말했던 것과 비교해 보시오.

A: Which club did you find most interesting?

B: I found *From Scratch* most interesting.

A: You did? Why did you think so?

B: That's because I am interested in baking.

A: Now, what do you think you should consider when you choose your extracurricular activities?

B: I think I should consider my future dream.

A: Why is that? Has your opinion changed?

B: Yes, it has changed. That way I can experience my dream job in advance.

해석

A: 너는 어떤 동아리가 가장 인상 깊었니?

B: 나는 *From Scratch*가 가장 인상 깊었어.

A: 그랬니? 왜 그렇게 생각하니?

B: 나는 제빵에 관심이 있기 때문이야.

A: 이제, 넌 방과 후 활동을 선택할 때 무엇을 가장 고려해야 한다고 생각하니?

B: 나는 미래의 직업을 고려해야 한다고 생각해.

A: 왜 그런 거야? 네 생각이 바뀐 거니?

B: 응, 바뀌었어. 그렇게 하면 나는 꿈의 직업을 미리 경험할 수 있어.

활동 팁

읽기 후 의견 나누기

1. 말하기에 앞서 자신이 할 말을 빈칸에 적는다.

2. 사용하고 싶은 단어나 표현들이 떠오르지 않을 때는 짝에게 묻거나 선생님께 여쭤본다.

3. 대화를 나누면서 상대방이 느낀 점이 무엇인지 간단히 적는다.

4. 대화를 마친 후에는 상대방의 의견에 대한 자신의 생각을 말하거나 적는다.

5. 교과서에 제시된 대화 내용 외에 추가로 더 묻고 답해 본다.

3~5차시 어휘 정리

- achieve 달성하다, 성취하다
- aptitude 적성
- brownie 브라우니
- donate 기증하다, 기부하다
- extracurricular activity 특별 활동
- gain 얻다
- impossible 불가능한
- in the end 결국에는
- log on (to) 접속하다
- participate in 참여하다, 참가하다
- search 찾다, 탐색하다
- talent 능력

- aircraft 항공기
- assemble 조립하다
- create 만들다
- elderly 나이 많은, 노인
- fancy 값비싼
- improve 향상시키다
- interesting 흥미로운
- information 정보
- make money 돈을 벌다
- realize 깨닫다
- secret 비밀
- various 다양한

- annual 매년의
- award 상
- deliver 배달하다
- expert 전문가
- flour 밀가루
- (those) in need 도움이 필요한 (사람들)
- in advance 미리
- join 가입하다
- part 부분
- script 대본, 스크립트
- take part in 참여하다

Review Points

1. I identified detailed information in the reading passage.
   나는 본문에서 세부 정보를 파악했다.
2. I thought about which club would help me achieve my dream.
   나는 내 꿈을 이루는 데 어떤 동아리가 도움이 될지 생각했다.

Language Notes

About Words

im- / in-/ ir- / il-이 들어가서 부정을 나타내는 어휘들

명사나 형용사 앞에 붙여서 부정의 의미를 나타낼 때 쓰이며 주어진 예시 외에 다음과 같은 것이 있다.

mortal (죽을 수밖에 없는)	immortal (불멸의)
sufficient (충분한)	insufficient (불충분한)
resistible (저항할 수 있는)	irresistible (저항할 수 없는)
literate (읽고 쓸 수 있는)	illiterate (문맹의)

해석

(1) 포기하지 마! 네가 최선을 다 한다면 불가능은 없어.
(2) 폭설로 인한 여파(간접적인 결과)로 건물이 무너졌다.
(3) 너는 일전에 내가 빌려준 책을 잃어버렸어. 넌 정말 무책임해.

WORDS IN USE

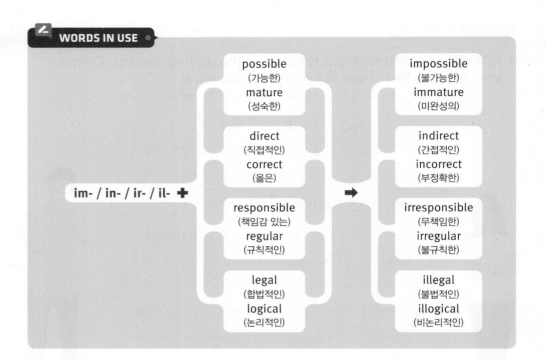

im- / in- / ir- / il- **+**

possible (가능한) mature (성숙한)	impossible (불가능한) immature (미완성의)
direct (직접적인) correct (옳은)	indirect (간접적인) incorrect (부정확한)
responsible (책임감 있는) regular (규칙적인)	irresponsible (무책임한) irregular (불규칙한)
legal (합법적인) logical (논리적인)	illegal (불법적인) illogical (비논리적인)

1. Choose the appropriate word in each sentence. 각 문장에서 자연스러운 단어를 고르시오.

(1) Don't give up! Nothing is (immature / <u>impossible</u>) if you do your best.

(2) The building collapsed as an (<u>indirect</u> / incorrect) result of a heavy snow.

(3) You lost the book that I lent you the other day. That's very (<u>irresponsible</u> / irregular) of you.

PHRASES IN USE

take part in: to participate in ~에 참가하다
If you want to, you can also *take part in* our annual airplane and car race.
만약 당신이 원한다면, 당신은 매년 열리는 비행기와 자동차 경주에 참가할 수 있습니다.

from scratch: from the beginning, from the start 시작부터, 처음부터
We didn't know anything about baking at first and had to start *from scratch*.
처음에 우리는 제빵에 대해서 아무 것도 몰랐기 때문에 처음부터 시작해야 했습니다.

(people) in need: people who need help 도움이 필요한 사람들
We can do many simple things for those *in need*.
우리는 도움이 필요한 사람들에게 많은 단순한 일들을 해 줄 수 있다.

해석

(1) 자선단체는 도움이 필요한 아이들을 위해서 돈을 모금하였다.
(2) 이곳에 탁자가 없어서 우리는 맨 처음부터 탁자를 만들었다.
(3) 이 학교의 모든 학생들이 운동회 활동에 참여할 것이다.

2. Complete the sentences with the phrases above. 위의 구문을 이용해서 문장을 완성하시오.

(1) The charity collected donations for children <u>in need</u>.

(2) We didn't have a table here, so we made one <u>from scratch</u>.

(3) Everyone in this school will <u>take part in</u> the sports day activities.

FOCUS ON FORM

- I **have been looking** forward to joining a club as part of my new school life.
  나는 나의 새로운 학교생활의 한 부분으로 동아리 가입을 갈망하고 있었다.
- Some other former members and I **have been working** as volunteers in order to serve those in need of help.
  이전의 다른 회원들과 나는 도움이 필요한 사람들을 돕기 위해서 자원봉사를 계속 하고 있다.

- Yena advised me **to log** on to the school website.
  예나는 학교 홈페이지에 접속하라고 나에게 조언해 주었다.
- Do you want **to be** in control of making movies?
  당신은 영화를 만드는 것의 관리자가 되고 싶은가?
- We promise **to give** you the chance **to own** the airplane or car of your dreams.
  우리는 당신에게 꿈의 비행기나 자동차를 가질 수 있는 기회를 주겠다고 약속한다.

About Forms

현재완료진행형
과거부터 현재까지의 동작이나 상태를 나타낼 때 쓰이는 현재완료는 진행형, 완료형으로도 쓰일 수 있다. 현재완료진행형은 과거부터 현재까지의 동작, 상태가 지금도 계속 진행 중임을 나타낼 때 쓰이며 그 형식은 「have been -ing」이다.

to부정사
to부정사는 '~하는 것, ~할, ~하기 위해서' 등 다양한 의미로 해석할 수 있다. 이를 구분하여 to부정사의 명사적 용법(~하는 것), 형용사적 용법(~할), 부사적 용법(~하기 위해서)으로 분류하며, 문장에서 명사적 용법의 to부정사는 주어, 목적어, 보어 역할을 한다.

3. Change the underlined words into the correct form. 밑줄 친 단어를 알맞은 형태로 고치시오.

What should I do (1) live (→ to live) where the prince is?

The only way to get what you want is to become human yourself.

Of course, my dear. To help unfortunate mermaids is what I live for.

Can you help me do that?

Here's the deal. You need (2) give (→ to give) me your voice. And I will make you human.

Source: The Walt Disney Company, *The Little Mermaid*

해석
인어공주: 왕자가 사는 곳에서 지내려면 제가 무엇을 해야 하나요?
마녀: 당신이 원하는 것을 이루려면 인간이 되는 길밖에 없습니다.
인어공주: 제가 인간이 되는 것을 도와주실 수 있나요?
마녀: 물론이죠, 공주님. 불행한 인어를 돕는 것이야말로 제가 사는 이유이지요.
마녀: 거래를 하지요. 당신의 목소리를 제게 주세요. 그럼 제가 당신을 인간으로 만들어 드리지요.

4. Place the given words in the correct order. You may need to change the form.
주어진 단어들을 알맞은 순서대로 정렬하시오. 형태를 바꿔야 할 수도 있습니다.

(1) A: Why are you so tired?
   B: I (have / work / be) all night.
   ▶ <u>have been working</u>

(2) A: How long (you / have / study / be) Spanish?
   B: Almost two years.
   ▶ <u>have you been studying</u>

(3) A: Why did Jack go to the hospital this morning?
   B: He (feel / be / has / not / well) recently.
   ▶ <u>has not been feeling well</u>

해석
(1) A: 왜 그렇게 지쳐 있니?
   B: 나는 밤새서 일하고 있어.
(2) A: 얼마나 오랫동안 스페인어를 공부해 왔니?
   B: 거의 2년 동안.
(3) A: 오늘 아침에 Jack은 왜 병원에 갔니?
   B: 그는 요즘 몸이 좋지 않아요.

해설
(1)~(3)
현재완료진행형이 대체로 기간이 짧거나 일시적인 행위 또는 상황에 쓰인다면 현재완료는 장기간 지속되거나 영구적인 상황에 쓴다.

Improve Yourself

Check or write down the words, expressions, or sentences you didn't understand well in this unit. Explain at least one of them to your group members. (여러분이 이 단원에서 잘 이해하지 못했던 단어, 표현, 문장들을 체크하거나 적어보세요. 그것들 중 적어도 하나를 모둠원에게 설명해 보세요.)

☐ aptitude (적성) ☐ aircraft (비행기) ☐ in control of (~을 관리하고 있는) ☐ vehicle (탈 것)
☐ no pain, no gain (고통이 없으면 얻는 것도 없다)

Your Own ▶ 스스로 해보기

Write It Right

Topic

Introducing your club (동아리 소개하기)

Do you want to introduce your club to your friends in your school? Write an introduction of your own club that can interest other students.

여러분은 친구들에게 여러분의 학교에 있는 동아리를 소개하고 싶은가요? 다른 학생들이 흥미로워 할 여러분의 동아리를 소개하는 글을 써 보세요.

STEP 1 STUDY THE MODEL 모델을 연구하시오.

Read the following passage and underline the parts that include the information listed in ❶-❻. 다음 글을 읽고 리스트에 있는 정보를 포함하는 부분에 밑줄을 그으시오.

해석

Burning Fire!

당신은 큰 무대 한 가운데에 있는 자신을 상상해 본 적이 있는가? 당신은 *Burning Fire*에 가입함으로써 당신의 스트레스를 날려버릴 수 있다! 노래나 연주가 가능한 사람은 누구나 환영이다. 우리는 매일 방과 후에 연습하러 모인다. 완벽한 공연을 준비하는 것은 많은 시간과 노력이 필요하지만 우리에게 많은 뿌듯함을 주고 다른 멤버들과의 관계도 돈독하게 만든다. 우리 동아리의 공연은 학교 축제에서 가장 훌륭한 부분으로 알려져 있다. 함께 무대 위 조명 아래에서 멋진 연주를 하는 것은 흥분으로 당신의 심장을 두근거리게 할 것이다. *Burning Fire*와 함께라면 당신의 고등학교 생활은 환상적일 것이다!

❶ 동아리의 이름
❷ 누가 가입할 수 있는가
❸ 동아리원들이 만나는 때
❹ 동아리에서 얻을 수 있는 것
❺ 동아리가 축제 때 하는 것
❻ 다른 흥미로운 점들

어휘

relieve [rilíːv] 휴식을 취하다, 해방하다, 안심시키다
reward [riwɔ́ːrd] 보상
excitement [iksáitmənt] 흥분

Burning Fire!❶

① **Have you ever** imagined yourself in the middle of a big stage? You can relieve your stress by joining *Burning Fire*! ② **Anyone who can** sing or play an instrument ❷ is welcome to join us. We meet every day after school ❸ for practice sessions. Preparing for a perfect performance takes a lot of time and effort, but it brings great rewards and helps form stronger bonds with the other members. ❹ Our performances are known to ❺ be the best part of the school festival. Creating wonderful sounds together under the shining lights of the stage will keep your heart beating with excitement. ❻ With *Burning Fire*, your high school years will be completely fantastic!

❶ What the club is called
❸ When the club members meet
❺ What the club does at the festival
❷ Who can apply
❹ What you can get from the club
❻ Other interesting aspects

구문

① Have you ever p.p. ~?는 '한 번이라도 ~해본 적이 있는가?'라는 뜻으로 경험을 물을 때 쓰는 표현이다.
  ex.) Have you ever tried Korean food?(한 번이라도 한국 음식을 먹어본 적이 있나요?)

② Anyone who can ~은 '~할 수 있는 사람은 누구나'라는 뜻으로 여기서 who는 주격 관계대명사로 쓰였다.
  ex.) Anyone who can find this will be the winner of today's match.(이것을 찾을 수 있는 사람은 누구나 오늘 경기의 승자가 될 것이다.)

STEP 2 ORGANIZE YOUR IDEAS 당신의 생각을 조직화하시오.

Fill out the following outline to describe your club.
여러분의 동아리를 묘사하기 위한 아래의 개요도를 완성하시오.

What the club is called	
Who can apply	
When the club members meet	
What you can get from the club	
What the club does at the festival	
Other interesting aspects	

해석

동아리의 이름
누가 가입할 수 있는가
동아리원들이 만나는 때
당신이 동아리에서 얻을 수 있는 것
동아리가 축제 때 하는 것
다른 흥미로운 점들

STEP 3 WRITE YOUR STORY 여러분의 이야기를 쓰시오.

1. Introduce your own club based on your answers in Step 2.
Step 2에서 썼던 여러분의 답변들에 근거하여 여러분의 동아리를 소개하시오.

  Have you ever imagined yourself as the focus of your friends' attention? You can make your school life even more interesting with _____. Anyone who _____ can join us.
  We meet _____. By joining the club, you can _____. At the school festival, we _____. With _____, you can _____!

PICTURE OF YOUR CLUB

TIP Expression Tip

· Have you ever imagined/ thought of ~?
당신은 ~을 상상해 본 적/생각해 본 적이 있습니까?

· Anyone ~ can join us.
~하는 누구라도 우리와 함께할 수 있습니다.

· We meet every ~/on ~.
우리는 매 ~마다 만납니다.

2. Check your writing. 당신의 영작문을 점검하시오.
☐ Does your writing include important information about the club?
여러분의 글은 동아리에 대한 중요한 정보를 포함하고 있나요?

☐ Does your writing seem appealing to students in your school?
여러분의 글은 여러분의 학교 학생들에게 어필하는 것 같나요?

STEP 4 SHARE YOUR STORY 당신의 이야기를 공유하시오.

Share your story in groups. Then make comments or ask questions about the story. 여러분의 이야기를 모둠 내에서 공유하시오. 그리고 나서 이야기에 대해서 논평을 하거나 질문을 하시오.

I think your club is very interesting because I enjoy dancing.

I want to ask you a question about your club. What are the strengths of the club?

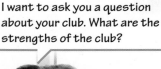

해석

A: 난 네 동아리가 매우 흥미롭다고 생각해. 왜냐하면 난 춤을 좋아하거든.

B: 난 네 동아리에 대해서 질문이 있어. 그 동아리의 강점은 무엇이니?

Review Points

1. I found out about interesting characteristics of my club to get other students' attention.
나는 다른 학생들이 내 동아리에 흥미를 가질 만한 특징들을 발견했다.

2. I gave a clear explanation of the characteristics of my club to other students.
나는 다른 학생들에게 내 동아리의 특징들을 분명히 설명했다.

Around the World

Interesting School Events 흥미로운 학교 행사들

High schools around the world hold various kinds of interesting events. Let's take a look at some of them.

세계의 고등학교들은 다양한 종류의 흥미로운 행사를 연다. 그들 중 일부를 살펴보자.

Poetry Night

On poetry night, works of students' poetry are displayed, and sometimes guest readers and poets are invited to the school. There is usually a public recitation or performance of poetry.

시가 있는 밤

시가 있는 밤에는 학생들의 시 작품이 전시되고, 때때로 낭송가와 시인들이 학교에 초대된다. 대개 대중 앞에서의 시 낭송 혹은 공연이 있다.

Prom

This is a semiformal school dance or gathering usually held at the end of the academic year. On prom night, boys usually wear black or white suits while girls wear evening dresses.

무도회

이것은 비공식적인 학교 댄스 또는 모임으로 대개 학년의 마무리 즈음에 열린다. 이날 밤, 남학생들은 보통 검정 혹은 흰색 정장을 입고 여학생들은 이브닝드레스를 입는다.

Art Celebration Day

Students show their artistic and musical abilities on the day of concerts and shows.

예술 축하 행사의 날

학생들은 공연과 쇼가 펼쳐지는 날에 자신들의 예술적 그리고 음악적 능력을 뽐낸다.

Multicultural Fair

Some schools hold a multicultural fair each year where the foods, dances, and languages of different cultures are displayed.

다문화 축제

몇몇 학교들은 매년 다문화 축제를 열며, 그곳에서는 음식, 춤, 그리고 다른 문화의 언어들이 전시된다.

CREATIVE PROJECT: An Interesting School Event

STEP 1

Form groups of five and think about the type of events that you and your group members would like to hold in your school. 다섯 명이 한 모둠을 만들고 여러분과 여러분의 그룹 구성원들이 학교에서 개최하고 싶은 행사를 생각해 보시오.

예시 답안

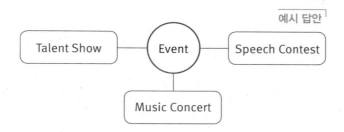

Talent Show — Event — Speech Contest

Music Concert

STEP 2

Decide what type of event you want to hold in your school and then complete the table.
여러분의 학교에서 어떤 행사를 개최할 것인지 결정한 후에 다음 표를 완성하시오.

예시 답안

Title of the event	Hit the Stage!
Target grade level for the event	10~11th graders
Brief description of the event	Show your talents!
A list of the resources required	stage, broadcasting system
Potential guests	neighboring students
Budget	5,000,000 won
Other	6 months needed to prepare

STEP 3

Make a poster to advertise your school event. 여러분의 학교 행사를 홍보할 포스터를 만드시오.

학생 작품 예시

학교 축제

학교 축제

학교 축제

학교 축제

STEP 4

Show your poster to the other groups and share some information about your event.
여러분의 포스터를 다른 모둠들에게 보여주고 여러분의 행사에 대한 정보를 공유하시오.

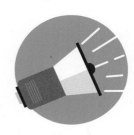

Check Your Progress

● LISTEN / SPEAK ►

[1-3] Listen and answer the questions. 🔊 듣고 질문에 답하시오.

W: Freshmen, your attention, please. I am Lee Sia, the head of the school orchestra. What do you want to do for extracurricular activities? If you are interested in playing any musical instrument, why don't you try out for the school orchestra? Tomorrow we are going to have auditions for new members of the orchestra in the auditorium after school at 5 p.m. There will be a brief introduction to our club and some great performances by senior students. Each individual audition will last about 10 minutes. Don't forget to bring the musical instrument you want to play. For more information, please visit our club room. We hope to see you at the auditions. Thank you for your attention.

여: 신입생 여러분, 주목해 주세요. 저는 이시아이며, 학교 오케스트라의 단장입니다. 여러분은 방과 후 활동으로 어떤 것을 하고 싶나요? 여러분이 악기 연주에 관심이 있다면, 학교 오케스트라에 참여하는 것은 어떤가요? 내일 우리는 방과 후 오후 5시에 신입 오케스트라 부원 모집을 위한 오디션을 열 예정입니다. 우리 동아리에 대한 짧은 소개와 선배들의 멋진 연주회가 있을 예정입니다. 개인별 오디션은 10분입니다. 연주하고 싶은 악기를 챙겨오는 것을 잊지 마세요. 더 많은 정보를 원한다면, 우리 동아리 방을 찾아주세요. 오디션에서 볼 수 있기를 바랍니다. 주목해 주셔서 감사합니다.

해설

신입생에게 인사를 하고 있고 내일 학교 오케스트라 오디션이 있다고 알리는 것으로 미루어 이 안내 방송의 목적은 신입생들에게 오케스트라 오디션을 알리기 위함임을 알 수 있다.

어휘

orchestra [ɔ́ːrkəstrə] 오케스트라
brief [briːf] 짧은
introduction [ìntrədʌ́kʃən] 소개

1. **What is the purpose of the announcement?** 안내 방송의 목적은 무엇인가?

a. to explain how to play musical instruments 악기 연주하는 법을 설명하기 위해서
ⓑ to encourage freshmen to audition for the school orchestra
   신입생들이 학교 오케스트라 오디션을 보도록 북돋기 위해서
c. to invite students to the performance of the school orchestra
   학생들을 학교 오케스트라 연주회에 초대하려고

해석

학교 오케스트라에 가입하세요!
누구에게: 신입생들에게
언제: 오후 4시에
어디서: 동아리 교실에서
더 많은 정보: 동아리 회장에게 연락하세요.

해설

안내 방송에서 오디션은 오후 5시에 강당에서 열린다고 했으며 더 자세한 정보를 얻으려면 동아리방으로 오라고 했다.

어휘

contact [kántækt] 연락하다

2. **Listen again and correct all the wrong information on the club poster.**
다시 듣고 동아리 포스터에 적힌 모든 잘못된 정보를 고치시오.

JOIN THE SCHOOL ORCHESTRA!

For whom: ⓐ Freshmen
When: ⓑ After school at 4 p.m.
Where: ⓒ Club room
For more information: ⓓ Contact the head of the club

ⓑ 4 p.m. → <u>5 p.m.</u>
ⓒ Club room → <u>Auditorium</u>
ⓓ Contact the head of the club → <u>Visit the club room</u>

3. Look at the club posters. Choose one club and complete the sentences in the following box. Then introduce it to your friend based on what you heard in the announcement.

동아리 포스터를 보시오. 하나의 동아리를 고르고 아래의 글상자 안의 문장들을 완성하시오. 그리고 안내 방송에서 들었던 내용에 근거하여 해당 동아리를 친구에게 소개하시오.

COOKING CLUB
- Apply through the school website by tomorrow
- Attach your own secret recipe for one dish

ART CLUB
- Hand in the application form by next Monday
- Bring some of your works

DANCE CLUB
- Have an audition on March 13th at the gym
- Prepare a song and a performance

예시 답안

Hey, <u>Jiwon</u>. I heard you are really good at <u>cooking</u>. Did you see the poster for the <u>cooking club</u>? If you are interested in joining <u>the cooking club</u>, you need to <u>apply through the school website by tomorrow</u>. Don't forget to <u>attach your own secret recipe for one dish</u>. Good luck!

READ / WRITE

[4-5] Read the passage and answer the questions. 글을 읽고 물음에 답하시오.

Have you ever dreamed of flying high in the sky? Have you ever imagined yourself driving a fancy car? Now you have the chance to own the airplane or car of your dreams. Does this sound too good to be true? Not at all! Join *Wings and Motors* and you can assemble your own model airplane or car. We meet at 4:30 every Wednesday in Room 201. You can take part in our annual airplane and car race if you want to. Who knows? The next award for the farthest-flying airplane or the fastest car may be yours. We also hold a special exhibition at the end of each semester. Do not miss this chance to achieve your dream. Fly high and move fast with *Wings and Motors*!

4. What is the purpose of the passage? 이 글의 목적은 무엇인가?

a. to promote the annual airplane and car race
매년 열리는 비행기와 자동차 경주 대회를 홍보하기 위해서

ⓑ. to introduce the club and invite students to join
동아리를 소개하고 학생들에게 가입하라고 초대하기 위해서

c. to teach how to assemble model airplanes and cars
모형 비행기와 자동차를 조립하는 법을 가르쳐 주기 위해서

해석

요리 동아리 ⊙ 내일까지 학교 홈페이지를 통해서 지원하세요. ⊙ 당신만의 특급 비밀 요리 레시피를 첨부하세요.

미술 동아리 ⊙ 다음 주 월요일까지 지원서를 제출하세요. ⊙ 당신의 작품들 몇 점을 가져오세요.

춤 동아리 ⊙ 체육관에서 3월 13일에 오디션을 보세요. ⊙ 노래 한 곡과 춤을 준비하세요.

해설

be good at은 '~을 잘한다'라는 뜻이므로 포스터에서 cooking, art, dance 중 하나를 골라서 넣고 그 다음 두 빈칸에는 해당 동아리의 이름을 쓰는 것이 자연스럽다. you need to 다음에는 오디션을 보기 위해 필요한 정보를 넣고 don't forget to 다음에는 특별히 요구되는 사항을 넣어서 말한다.

해석

안녕, 지원. 나는 네가 요리를 정말 잘 한다고 들었어. 요리 동아리 포스터를 봤니? 요리 동아리에 가입하고 싶으면, 내일까지 학교 웹사이트를 통해 지원하면 돼. 너만의 특급 비밀 요리 레시피를 첨부하는 것을 잊지 마.

해석

하늘을 높이 나는 꿈을 꿔본 적이 있는가? 고급차를 운전하는 상상을 해본 적이 있는가? 이제 당신은 꿈의 비행기나 자동차를 소유할 기회를 갖게 될 것이다. 너무 듣기에만 좋은 말이라고? 전혀 그렇지 않다! *Wings and Motors*에 가입하면 당신만의 모형 비행기나 자동차를 조립할 수 있다. 우리는 매주 수요일 201호에서 4시 30분에 만난다. 원한다면, 당신은 매년 열리는 비행기와 자동차 경주에도 참여할 수 있다. 누가 알겠는가? 가장 멀리 나는 비행기나 가장 빠른 자동차에 대한 다음 수상자가 당신이 될지도 모른다. 우리는 또한 매학기 말에 특별한 전시회를 연다. 당신의 꿈을 성취할 수 있는 이 절호의 기회를 놓치지 마라. *Wings and Motors*와 함께 높이 날고 빠르게 움직여 보라!

해설

동아리의 주요 활동을 소개하고 꿈의 비행기나 자동차를 가질 수 있는 기회를 놓치지 말라고 했으므로 동아리에 가입하게 하기 위함임을 알 수 있다.

어휘

imagine [imǽdʒin] 상상하다
award [əwɔ́ːrd] 상
exhibition [èksəbíʃən] 전시회

5. Imagine that you are the head of *Wings and Motors*. Write a response to a question from a student who wants to join the club.

당신이 *Wings and Motors* 동아리의 회장이라고 상상해 보시오. 이 동아리에 가입하기를 원하는 한 학생의 질문에 답변을 써 보시오.

해석

Q. 안녕, 내 이름은 지안이야. 나는 *Wings and Motors*에 흥미가 있어. 나는 이 동아리에 대해서 더 많은 정보를 얻고 싶어. 동아리회원들이 언제 만나는지 알려줄 수 있니? 또, 특별한 행사나 프로그램이 있는지도 알려줄래?

Wings and Motors 안녕, 지안아. 우리 동아리에 흥미가 있다니 고맙구나. 우리는 매주 수요일 4시 30분에 만나. 우리는 매년 열리는 비행기와 자동차 경주에 참여해. 우리는 또 매학기 말에 특별한 전시회를 개최해. 우리 동아리에서 만날 수 있기를 바랄게.

해설

글에 따르면 동아리원들이 모이는 때는 수요일 4시 30분이고, 매년 비행기와 자동차 경주를 한다고 했으며 매학기 말에 특별한 전시회를 연다고 했다.

| **Q&A** | 03-08-2018 | 2 Responses | 15 Views |

Q. Hi, my name is Jian. I'm interested in joining *Wings and Motors*. I'd like to get more information about this club. Could you tell me when the members meet? Also, do you have any kind of special events or programs?

예시 답안

Wings and Motors | Hi, Jian. Thank you for your interest. We meet <u>at 4:30 every Wednesday</u>. We take part in the <u>annual airplane and car race</u>. We also <u>hold a special exhibition at the end of each semester</u>. Hope to see you in our club.

Self-Evaluation

🎧 I can identify detailed information in the dialogues about new school life. **듣기** 나는 새로운 학교생활에 관한 대화를 듣고 세부 사항을 파악할 수 있다.	☆ ☆ ☆
💬 I can express my interests and likes. **말하기** 나는 내가 흥미로워 하는 것과 좋아하는 것들을 표현할 수 있다.	☆ ☆ ☆
📖 I can read the passage about clubs quickly and find important information. **읽기** 나는 동아리에 관한 글을 빠르게 읽고 중요한 정보를 찾아낼 수 있다.	☆ ☆ ☆
✏️ I can write an introduction to my club. **쓰기** 나는 내 동아리에 관한 소개글을 작성할 수 있다.	☆ ☆ ☆

Further Study

Search additional materials related to this unit.
이 단원과 관련된 추가 자료를 검색하시오.

- finding your career: www.career.go.kr / www.jinhak.or.kr
  당신의 진로 찾기
- extracurricular activities for your future: www.pbs.org/video/2365437614
  당신의 미래를 위한 특별 활동들

😀 Words and Phrases

정답과 해설 p. 352

다음 단어와 어구의 뜻을 쓰시오.

1. extracurricular activity _____
2. announcement _____
3. cartoonist _____
4. horizon _____
5. freshman _____
6. aptitude _____
7. log on _____
8. search for _____
9. script _____
10. gain _____
11. fancy _____
12. assemble _____
13. aircraft _____
14. annual _____
15. award _____
16. achieve _____
17. take part in _____
18. create _____
19. expert _____
20. brownie _____
21. flour _____
22. from scratch _____
23. secret _____
24. deliver _____
25. elderly _____

26. realize _____
27. in need _____
28. in the end _____
29. consider _____
30. immature _____
31. irresponsible _____
32. indirect _____
33. illegal _____
34. unfortunate _____
35. include _____
36. poetry _____
37. recitation _____
38. semiformal _____
39. academic _____
40. multicultural _____
41. display _____
42. potential _____
43. orchestra _____
44. recipe _____
45. expect to _____
46. by the way _____
47. of course _____
48. look forward to _____
49. spend one's time -ing _____
50. 나만의 단어 / 어구 _____

😀 Functions

▶ What are you interested in? - I'm interested in ~.
상대방이 관심 있어 하는 것이 무엇인지 묻고 답할 때 쓰는 표현.

▶ What do you want to do? - I want to make many friends.
상대방이 원하는 것이 무엇인지 묻고 답할 때 쓰는 표현.

😀 Forms

▶ **I have been looking** forward to joining a school club. (현재완료진행형)
- have been -ing의 형태
- 과거부터 현재까지 어떤 행위가 계속되고 있음을 나타낼 때 쓰인다.
- 주어가 3인칭 단수일 때는 has been -ing
- have been p.p.의 의미와 구분할 것
  cf.) have been p.p.는 현재완료수동태

▶ Yena advised me **to log** on to the school website and search for information. (to부정사)
- to부정사의 용법 (명사적, 형용사적, 부사적)
- (1) 명사적 용법: to부정사가 주어, 목적어, 보어로 쓰이는 경우 to부정사의 명사적 용법이라고 하고 '~하는 것' 등으로 해석한다.
  ① 주어 역할: to부정사가 주어의 위치에 오면서 문장의 주어 역할을 한다.
  ex.) **To walk** is good for your health. (걷는 것은 네 건강에 좋다.)

② 목적어 역할: 대개 일반동사 뒤에 위치하며 문장의 목적어 역할을 한다.
  ex.) I want **to assemble** model air planes and cars. (나는 모형 비행기와 자동차를 조립하고 싶다.)

③ 보어 역할: 대개 be동사 뒤에 위치하며 주어나 목적어를 부연 설명하는 역할을 한다.
  ex.) My job is **to manage** the whole building. (내 직업은 건물 전체를 관리하는 것이다.)

(2) 형용사적 용법: to부정사가 앞에 오는 명사를 수식하는 경우 to부정사의 형용사적 용법이라고 하고 '~할' 등으로 해석한다.
  ex.) Do you have a pen **to write** with? (너는 쓸 펜이 있니?)

(3) 부사적 용법: to부정사가 동사나 부사를 수식하는 경우 to부정사의 부사적 용법이라고 하고 '~하려고, ~하기 위해서' 등으로 해석한다.
  ex.) **To achieve** my dream, I practice every day. (내 꿈을 실현하기 위해서 나는 매일 연습한다.)

✎ Test for Unit 1

정답과 해설 pp. 352-353

date: . . . student number: name: /25

1 주어진 단어의 뜻을 <u>잘못</u> 연결한 것을 고르시오. `3점`
① vehicle: 약
② script: 대본
③ annual: 매년의
④ deliver: 배달하다
⑤ assemble: 조립하다

2 다음 중 반의어끼리 연결된 것을 고르시오. `3점`
① final – semifinal
② friend – friendly
③ regular – irregular
④ lingual – bilingual
⑤ counter – encounter

3 다음 중 숙어의 뜻이 <u>잘못</u> 연결된 것을 고르시오. `3점`
① log on: 접속하다
② in the end: 결국에는
③ take part in: 나눠먹다
④ from scratch: 맨 처음부터
⑤ in need: (도움 등이) 필요한

4 다음 중 〈보기〉와 비슷한 의미의 표현이 <u>아닌</u> 것을 고르시오. `3점`

보기 » What are you interested in?

① What do you like?
② What is your hobby?
③ What is your strength?
④ What interests do you have?
⑤ What do you usually do when you are free?

5 다음 〈보기〉의 우리말과 같도록 할 때, 빈칸에 알맞은 표현을 고르시오. `3점`

보기 » 나는 내년에 호주에 계신 이모 댁을 방문하고 싶어.
→ I _____ my aunt in Australia next year.

① have to ask
② wish to plan
③ want to visit
④ hang out with
⑤ like going abroad

6 다음 대화를 읽고, 밑줄 친 부분의 우리말 뜻으로 알맞은 것을 고르시오. `3점`

> A: What are you interested in?
> B: I am interested in bowling.
> A: Then why don't you join our school's bowling club? They're seeking some new students.
> B: Oh, really? <u>I didn't know that our school had a bowling club.</u> Thanks for letting me know.

① 나는 볼링에 관심이 있다.
② 볼링 동아리에 가입시켜준 것이 고맙다.
③ 우리 학교에 볼링 동아리가 있는지 몰랐다.
④ 좋아하는 것이 무엇인지 물어봐줘서 고맙다.
⑤ 볼링 동아리에서 신입 부원을 모집하고 있다.

[7~8] 다음 대화를 읽고, 물음에 답하시오.

> A: What are you interested in these days?
> B: I'm interested in helping others in need.
> A: Oh, really? As your homeroom teacher, I'd like to recommend that you visit an orphanage with some friends. That would be very rewarding.
> B: Sounds good. Thank you for your advice, Ms. Kim.

7 위 대화에서 A가 B에게 원한 것은 무엇인지 우리말로 쓰시오. `5점`

_____

8 위 대화에서 B의 다음 행동으로 알맞은 것을 고르시오. `3점`
① 양로원을 방문한다.
② 고아원에 자원봉사를 간다.
③ 김 선생님께 상담을 받는다.
④ 자원봉사 동아리를 알아본다.
⑤ 친구들과 담임 선생님 댁을 방문한다.

[9~10] 다음 대화를 읽고, 물음에 답하시오.

> A: What do you want to do when the new semester starts?
> B: I want to read as many books as possible.
> A: Are you interested in reading?
> B: Sure, I am. I especially like to read detective novels.
> A: Oh, really? I like detective stories, too.

9 위 대화에서 B가 이번 신학기에 원하는 것은 무엇인지 고르시오.

[3점]

① 글을 쓴다.　　　② 탐정 학교에 등록한다.
③ 많은 책을 읽는다.　　　④ 독서 동아리에 가입한다.
⑤ 경찰 시험을 알아본다.

10 위 대화에서 B가 좋아하는 소설은 무엇인지 우리말로 쓰시오.

[5점]

_____

11 다음 대화를 읽고, 빈칸에 들어갈 말로 가장 적절한 것을 고르시오.

[3점]

> A: Sumi, is that you?
> B: Hi, Eddy. Are you in this class, too?
> A: Yes, I am. I didn't expect to see you here.
> B: Me, neither. I'm so happy we're in the same class at the same school.
> A: Me, too. By the way, did you hear that we need to choose an elective subject by the end of this week?
> B: Yes, I did. I've already decided to take physics.
> A: Really? _____
> B: I know it won't be easy, but I do like science and math. How about you? What are you interested in?
> A: I'm interested in languages, so I think I'll go for either Spanish or Japanese.
> B: Oh, that's cool.

① You hate science and math, right?
② Physics is your favorite subject, right?
③ Physics is the most challenging subject for me.
④ Some students think physics is the easiest subject to learn.
⑤ Why did you do that? I thought you would take Spanish.

[12~13]　다음 대화를 읽고, 물음에 답하시오.

> A: Hi, Hwajin. How was your first week at school?
> B: Well, everything is new to me. A week has passed so quickly. But I found my new homeroom teacher and classmates to be nice and friendly.
> A: That's good. _____(a)_____, do you have any plans for this weekend?

> B: Yeah, I teach Korean to Vietnamese children every Saturday.
> A: Oh, is it part of a(n) _____(b)_____?
> B: Yes, it is. I have worked as a volunteer teacher for two years at the community center. I think (c)it's meaningful, and I am also really interested in teaching languages.
> A: Of course. You can speak both Vietnamese and Korean. That's a perfect kind of volunteer work for you. Can I join you this weekend?
> B: Sure, you can. What do you want to do for them?
> A: I'm interested in mathematics, so I think I can teach them math.
> B: Oh, that sounds good.

12 위 대화의 빈칸 (a)와 (b)에 들어갈 말을 각각 쓰시오.　[5점]

(a) _____

(b) _____

13 위 대화의 밑줄 친 (c)it이 의미하는 바를 위에서 찾아 영어로 쓰시오.

[5점]

_____

14 다음 글의 빈칸에 들어갈 알맞은 말을 〈보기〉의 단어들을 이용하여 쓰시오. (필요한 경우 형태를 바꾸시오.)　[5점]

보기 » club, right, find, the

> Welcome, freshmen! I am Jiwon, the head of the student council. What do you want to do in your free time? What are you most interested in? Our school clubs are looking forward to meeting all of you. Our school has 35 clubs, and you're welcome to join any of them. The application period starts from this Wednesday and ends on Tuesday next week. You can get information about all our clubs on our school website. You can get the application form from your homeroom teacher and hand it in to each club room. When you choose a school club, you need to think about your hobbies and interests. You also need to consider your aptitude and dream job. _____is the key to a happy school life for the next three years. Think it through and then hurry to sign up!

15 다음 글을 읽고, 내용과 일치하지 <u>않는</u> 것을 <u>모두</u> 고르시오. [3점]

Freshmen, your attention, please. I am Lee Sia, the head of the school orchestra. What do you want to do for extracurricular activities? If you are interested in playing any musical instrument, why don't you try out for the school orchestra? Tomorrow we are going to have auditions for new members of the orchestra in the auditorium after school at 5 p.m. There will be a brief introduction to our club and some great performances by senior students. Each individual audition will last about 10 minutes. Don't forget to bring the musical instrument you want to play. For more information, please visit our club room. We hope to see you at the auditions. Thank you for your attention.

① This is an announcement.
② Lee Sia is the head of the school orchestra.
③ Applicants don't need to bring musical instruments.
④ The audition will be held at 5 p.m. in the auditorium.
⑤ There will be an introduction to the club and great performances by graduated students.

[16~17] 다음 글을 읽고, 물음에 답하시오.

Welcome to *No Limits*! Do you want to be in control of making movies? Do you want to turn your fantasies into a movie script? Do you want to make movie scenes more alive and realistic with interesting sounds? Do you want to be a cool action hero and win an impossible fight? Do you want to play the sweet guy or girl in a romantic movie? If your answer is "yes" to any of these questions, then come to *No Limits*. If you join us, you can take part in producing short films every year for the school festival. The fruits of your effort will taste so sweet when you hear the loud cheers and shouts of your friends. No pain, no gain? *No Limits*, and great gains!

Have you ever dreamed of flying high in the sky? Do you wish to drive a fancy car? We promise to give you the chance to own the airplane or car of your dreams. Does this sound too good to be true? Not at all! Join *Wings and Motors*, and you can assemble your own model airplane or car. _____ _____ aircraft and vehicles, you can improve your concentration.

If you want to, you can also take part in our annual airplane and car race. Who knows? The next award for the farthest-flying airplane or the fastest car may be yours. Do not miss this chance to achieve your dream. Fly high and move fast with *Wings and Motors*!

16 다음 〈보기〉의 단어들을 이용하여 윗글의 빈칸에 들어갈 알맞은 말을 쓰시오. (필요한 경우 형태를 바꾸시오.) [5점]

보기 » your, own, make, by

→ _____

17 윗글의 내용과 일치하지 <u>않는</u> 것을 고르시오. [3점]

① 동아리를 홍보하는 글이다.
② *No Limits*는 영화 제작 동아리이다.
③ *No Limits*에서는 주로 공포 영화를 만든다.
④ *Wings and Motors*에서는 모형 비행기를 만든다.
⑤ *Wings and Motors*는 경주 대회에 참가한다.

[18~20] 다음 글을 읽고, 물음에 답하시오.

Do you want to be a happier person? Do you want to learn the secrets to a more meaningful life? If so, then knock on the door of our club room. You will see that the key to happiness lies in ____(a)____ others. Volunteer work may seem difficult, but it's not. We can do many simple things for those in need, such as delivering food to the elderly, talking with people living alone, and teaching children with fewer opportunities for education. Some former members of our club have continued their volunteer work after high school in order to serve those in need of help. Just a little bit of time and effort will double the ____(b)____ in your life. Join *Little Helpers* and experience the great joy of giving and sharing.

After I got information from the school website, I thought about choosing one among the many interesting school clubs. Yena told me that I should consider my skills and interests when I choose a club. So I thought about my hobbies and realized that I liked watching movies and making stories. In the end, I decided to join the filmmaking club, *No Limits*.

18 윗글의 빈칸 (a)에 들어갈 말로 알맞은 것을 고르시오. 　[3점]

① asking　　　　② talking
③ joining　　　　④ helping
⑤ visiting

19 윗글의 빈칸 (b)에 들어갈 알맞은 단어를 본문에서 찾아 쓰시오.
　[5점]

_____

20 윗글의 내용과 일치하는 것을 고르시오. 　[3점]

① *Little Helpers*는 아이들만 돕는 동아리이다.
② *Little Helpers*는 기금 마련이 주요 활동이다.
③ 예나는 미래의 직업을 고려하라고 했다.
④ 'I'는 모형 비행기를 만드는 것을 좋아한다.
⑤ 'I'는 *No Limits*에 가입하기로 했다.

21 다음 〈보기〉의 우리말과 같도록 주어진 단어를 이용하여 빈칸에 알맞은 말을 쓰시오. 　[5점]

> **보기 »** 그는 우리 회사를 관리하고 있습니다. (control)

→ He is _____ our company.

22 다음 중 밑줄 친 부분의 용법이 나머지와 <u>다른</u> 하나를 고르시오.
　[3점]

① I like <u>to watch</u> movies.
② <u>To do</u> so, we need a lot of money.
③ He asked me <u>to log</u> on the website.
④ <u>To know</u> someone is really difficult.
⑤ I want <u>to stay</u> here for a very long time.

23 다음 중 어법상 <u>어색한</u> 것을 고르시오. 　[3점]

① Paul hasn't arrived yet.
② I have been watching you.
③ He has been worked for you.
④ Jina has been playing badminton.
⑤ How long have you been studying Math?

24 다음 〈보기〉의 우리말과 같도록 주어진 단어들을 바르게 배열하시오. 　[5점]

> **보기 »** 자원봉사 동아리들에 대한 정보를 찾아라.
> (the volunteering clubs, for, search, information, about)

→ _____

25 다음 〈보기〉를 참조하여 자신만의 요리 방법을 소개하는 글을 쓰시오. 　[10점]

> **보기 »** How to Make Brownies
> 1. Put some flour, sugar, cocoa, and salt in a bowl.
> 2. Mix all of them well with a large spoon.
> 3. Add oil and water to the bowl and mix again.
> 4. Place the bowl in the microwave and heat it for 50 seconds.

1 다음 뜻풀이에 해당하는 말을 주어진 철자로 시작하여 쓰시오. 각 5점

(1) d_____: to give to a charity or good cause

(2) p_____: to come together in a group, usually for a particular purpose such as a meeting

(3) d_____: to put something in a particular place, so that people can see it easily

(4) e_____: a person who is very skilled at doing something or who knows a lot about a particular subject

2 다음 우리말과 같도록 빈칸에 알맞은 말을 쓰시오. 각 6점

(1) I have already promised that I'd _____ that event. (나는 이미 그 행사에 참여하겠다고 약속했다.)

(2) _____, are you still working at the public library? (그런데, 너 아직 그 공공 도서관에서 일하니?)

(3) I'm sure that he will win _____. (결국에는 그가 승리할 것이라고 확신한다.)

(4) Now I have to start _____. (이제, 나는 밑바닥부터 시작해야 한다.)

(5) There are two different ways to _____ a book in library. (도서관에서 책을 찾는 데는 두 가지 다른 방법이 있다.)

(6) _____, you must give as much as you take. (짧게 요약하자면, 당신은 받는 만큼 주어야 한다.)

3 우리말에 맞게 괄호 안의 어휘를 사용하여 문장을 완성하시오. 각 6점

(1) 곤경에 빠진 친구를 저버리지 마라.
Don't leave your friend _____.
(need/ when/ in/ is/ he)

(2) 메시지가 너무 커서 내려받을 수가 없습니다.
The message is _____.
(to/ large/ too/ download)

(3) 전 국민이 그의 공연에 반했다.
All the country _____.
(performance/ by/ fascinated/ his/ was)

(4) 그 빌딩은 폭설의 간접적인 결과로 무너졌다.
The building collapsed as _____
a heavy snow.
(of/ result/ indirect/ an)

4 다음 〈보기〉를 참조하여 자신의 동아리를 홍보하는 글을 쓰시오. 20점

> 보기 » **Ride, ride, ride with 1976 MTB**
>
> 1976 MTB is our school's super famous biking club. You don't have bikes? Don't worry. Our club has five bikes for new club members. You can use it for three months for free. We ride bikes every Sunday morning. Just come and knock the door. You won't be disappointed. Please contact me if interested.

UNIT **2**

Living Life to the Fullest

Topic	시간의 중요성, 시간 관리법
Functions	Can I get your advice on ways to stay more positive? (충고 구하기)
	Can you make it at 4? (가능성 묻기)
Forms	1. Let's say that this is the only bank account **that** you have. (관계대명사 that)
	2. You **see** some people **keeping** a calendar or **making** a daily to-do list. (지각동사의 목적보어)

Listen and Speak

Topic	**Daily schedule** (일일 일정표) Do you often find yourself leaving important things until the last minute as you waste your time on less important things? Think of the importance of time management. 종종 덜 중요한 일에 시간을 낭비하느라 중요한 일을 마지막까지 남겨두나요? 시간 관리의 중요성에 대해 생각해 봅시다.

GET READY

Listen and write the number of the dialogue on the correct picture. 🎧
대화를 듣고 어울리는 사진에 알맞은 번호를 쓰시오.

1.

M: ① **What time do you think is best to** watch *The Lion King* this Saturday?
W: Can you make it at 3? I think we could watch the 3:30 show.
M: That sounds perfect.
W: Great. I'll mark it on my calendar.
M: ② **I can't wait for the show!**

남: 이번 토요일에 '라이온 킹' 보기에 어느 시간이 가장 좋아?
여: 3시에 가능할까? 3시 30분 것을 볼 수 있을 것 같아.
남: 잘됐다.
여: 좋아. 달력에 표시해야겠다.
남: 영화가 정말 기대돼!

2.

M: I'm so lost in my science class. It's so hard to catch up with the new lessons.
W: Really? I'm actually quite enjoying it.
M: How do you do that? Can I get your advice on effective ways to study science?
W: Of course. I'd love to help you.
M: Thank you so much! It means a lot to me.

남: 요즘 과학 수업 시간에 어떻게 해야 할지 모르겠어. 새 수업을 따라 잡기 너무 힘들어.
여: 정말? 사실 나는 과학 수업을 무척 즐기고 있어.
남: 어떻게 그래? 과학 공부하는 효과적인 방법에 대해 충고해 줄 수 있어?
여: 물론이지. 기꺼이 도울게.
남: 정말 고마워! 나한테는 정말 중요해.

3.

W: This cookie is amazing! Did you bake it?
M: Yes, I did. Glad you like it!
W: I love it! How did you bake it? Can you teach me?
M: Sure. I can give you the recipe.
W: ③ **It'd be even better if I could** learn as we bake it together.
M: That works for me, too. Come over to my place tomorrow. Can you make it at 3?

여: 이 과자 맛있다! 네가 구웠니?
남: 응. 네가 좋아해서 기뻐!
여: 맛있어! 어떻게 구웠어? 가르쳐 줄 수 있니?
남: 물론이지. 요리법을 줄 수 있어.
여: 함께 구우면서 배울 수 있으면 훨씬 좋을 텐데.
남: 나도 좋아. 내일 우리 집으로 와. 3시에 올 수 있니?

구문

① What time do you think is best to ~?는 '~하기에 가장 좋은 시간은 언제니?'의 뜻으로 시간을 정하고자 할 때 상대방의 의향을 묻는 표현이다.
    ex.) What time do you think is best to throw a party? (파티를 여는 데 가장 좋은 시간이 언제인 것 같아?)
② I can't wait for ~는 '~이 몹시 기대돼'의 뜻으로 I'm looking forward to ~의 의미이다.
    ex.) I can't wait for the trip. (여행이 몹시 기대돼.)
③ It'd be even better if + 주어 ~는 '~한다면 훨씬 더 좋을 텐데'의 뜻으로 원하는 바를 나타낼 때 쓰인다.
    ex.) It'd be even better if we became friends again. (우리가 다시 친구가 된다면 훨씬 좋을 텐데.)

LISTEN IN

DIALOGUE 1 | Listen and answer the questions. 🔊

다음을 듣고 물음에 답하시오.

---

1. **According to the article, what activity do people spend most of their time doing?**
   (기사에 따르면, 사람들은 대부분의 시간을 무슨 활동을 하며 보낼까요?)
   We spend most of our life <u>working</u>. (우리는 우리 삶의 가장 많은 부분을 일하면서 보낸다.)

2. **Listen again and choose what the girl is going to do after the conversation.**
   (다시 듣고, 대화를 한 후 여학생이 할 일을 고르시오.)
   a. tell the boy where she found the article (기사문을 어디서 찾았는지 남학생에게 말하기)
   ⓑ give the boy advice on how to be more positive (남학생에게 더 긍정적이 되는 법에 대해 충고해 주기)
   c. make a plan with the boy for the following day (다음 날을 위해, 남학생과 계획하기)

해설

1. The article says it is working.이라고 여학생이 말하고 있으므로 우리는 가장 많은 시간을 일하면서 보낸다는 것을 알 수 있다.

2. 남학생이 Can I ~ to stay more positive and smile more?이라고 충고를 요청하자 여학생이 기꺼이 돕겠다고 대답하고 있다.

어휘

article [áːrtikl] 기사
on average 평균적으로
least [liːst] 가장 적은, 가장 적게
positive [pázətiv] 긍정적인
notice [nóutis] 알아차리다; 공지

W: Hey, I found a very interesting article.
M: What is it about?
W: It's about how many days or years we spend on certain activities in our whole life.
M: Sounds interesting. What do we ① **spend** most of our life **on**?
W: This might ② **make you sad**. The article says it is working. We spend 26 years working when we consider people live for 80 years on average.
M: Really? I'm surprised it's not sleep. What do we spend the least time on, then?
W: ③ **It says** it's smiling. We only spend about 88 days doing this.
M: That is very disappointing. I think we'd better smile more, even when there is nothing to smile about.
W: ④ **I think so, too.**
M: Can I get your advice on ways to stay more positive and smile more? I noticed you smile more than most people do.
W: I'm glad you think so. I'm happy to help you.

여: 나 아주 재미있는 기사를 찾았어.
남: 무엇에 관한 건데?
여: 우리 인생에서 특정한 활동을 하는 데 며칠 혹은 몇 년을 보내는지에 관한 거야.
남: 재미있겠다. 우리는 대부분의 인생을 무엇을 하며 보내는데?
여: 좀 슬플 수도 있어. 기사에 따르면 일하는 거래. 사람이 평균 80년을 산다고 간주할 때 우리는 26년을 일하면서 보낸대.
남: 정말? 수면이 아니라니 놀랍다. 그럼, 무엇을 하는 데 가장 적은 시간을 보내지?
여: 웃는 거래. 웃는 데는 약 88일 정도 밖에 안 보낸대.
남: 아주 실망스럽구나. 웃을 일이 없을 때도 더 웃어야겠다.
여: 나도 그렇게 생각해.
남: 더 긍정적이고 더 웃으며 지낼 방법에 대한 충고를 해 줄 수 있니? 네가 다른 사람들보다 더 많이 웃는다는 걸 알아차렸지.
여: 그렇게 생각해주다니 기뻐. 기꺼이 도울게.

구문

① spend A on B는 'B 하느라 A(시간, 돈)를 쓰다'의 뜻이다.
   ex.) How long do you spend on your homework? (숙제에 얼마나 오래 시간을 보내니?)

② make + 목적어(사람) + 감정을 나타내는 형용사는 '~을 …하게 느끼게 하다'의 의미이다.
   ex.) That makes me so mad. (그거 정말 화난다.)

③ It says ~는 '~라고 쓰여 있다'의 의미이다.
   ex.) The sign says, "No smoking." (표지판에 '금연'이라고 쓰여 있다.)

④ I think so, too.는 상대방의 말에 동의할 때 쓰인다. That's the way to go. / I agree. / I feel the same way. / That's what I say. / You can say that again. 등도 상대방의 말에 동의하는 표현이다.
   ex.) A: We should hold our meeting tomorrow. (우리 회의를 내일로 미뤄야겠어.)
   B: I think so, too. (나도 그렇게 생각해.)

DIALOGUE 2 | Listen and answer the questions. 🎧

다음을 듣고 물음에 답하시오.

해설

1. How come you always come late?에서 여학생이 늦은 것에 대해 화가 난 남학생의 감정을 알 수 있고, Oh, no. Sorry to hear that.에서 걱정하는 마음으로 심경의 변화가 왔음을 알 수 있다.

2. Can you make it at 4?라고 남학생이 묻자 여학생이 긍정의 답을 하고 있으므로 4시에 만날 것임을 알 수 있다.

어휘

be running late 늦어지다
ask for help 도움을 요청하다
take one's time 천천히 하다
concerned [kənsə́:rnd] 관심이 있는, 걱정하는

1. **How do the boy's feelings toward the girl change?** (여학생에 대한 남학생의 감정이 어떻게 변하나요?)
   a. angry → disappointed (화난 → 실망한)
   ⓑ annoyed → worried (화난 → 걱정하는)
   c. excited → concerned (신나는 → 걱정하는)

2. **Listen again and choose what time the speakers will meet.** (다시 듣고 화자들이 몇 시에 만날지 고르시오.)
   a. 3:30   ⓑ 4:00   c. 4:30

(Phone rings.)

M: Hello?

W: Hi, Jinho. It's Jin. ① **I'm so sorry, but** I'm running a little late....

M: You're late again? ② **How come** you always come late? 📋 Listening Tip 1

W: I really tried not to be late, but my mom asked for help when I was about to leave.

M: Is everything okay?

W: Actually, she is very sick. She needed me to stay until my brother came back home.

M: Oh, no. ③ **Sorry to hear that.** Well, now I'm worried. 📋 Listening Tip 2

W: Sorry I couldn't let you know earlier.

M: It's okay. I can wait. What time should I expect you? Can you make it at 4?

W: Yes, I think I can make it by then. I'll run.

M: Take your time.

(벨이 울린다.)

남: 여보세요?

여: 안녕, 진호. 나 진이야. 미안한데 나 좀 늦을 것 같아서....

남: 또 늦는다고? 어째서 항상 늦게 오니?

여: 정말 늦지 않으려고 노력했지만, 막 나가려고 할 때 엄마가 도움을 요청하셨어.

남: 다 괜찮니?

여: 사실, 엄마가 많이 아프셔. 남동생이 집에 돌아올 때까지 내가 있어야 했어.

남: 이런. 안됐구나. 정말 걱정된다.

여: 미리 알려주지 못해서 미안해.

남: 괜찮아. 기다릴 수 있어. 몇 시에 올 수 있을 것 같니? 4시에 가능해?

여: 응, 그때까지 갈 수 있을 것 같아. 뛰어갈게.

남: 천천히 와.

📋 **Listening Tip**

To guess the change of the speaker's feelings
화자의 감정의 변화 추측하기

1. Understand the situation.
   상황을 이해한다.

2. Catch how the situation changes.
   상황이 어떻게 변하는지 감지한다.

 구문

① I'm so sorry, but ~은 상대방에게 사과하면서 변명을 덧붙일 때 쓰인다.
   ex.) A: Oh, no! You stepped on my foot. (이런! 내 발 밟았잖아.)
   B: I'm sorry, but I didn't mean it. (미안해. 하지만 일부러 그런 건 아니야.)
② How come + 주어 + 동사 ~?는 이유를 물을 때 쓰인다.
   ex.) How come you say so? (어째서 그렇게 말하니?)
③ Sorry to hear that.은 '그 말 들으니 안됐구나.'의 뜻으로 동정을 나타낸다. 「I'm sorry to hear that + 주어 + 동사 ~」의 형태로 '~해서 유감이다'의 의미를 나타내기도 한다. 같은 표현으로 It's a pity! / What a pity! 등이 있다.

SPEAK OUT

Discuss with your partner some advice the girl can give to the boy. Then practice the dialogue using your own ideas.

여학생이 남학생에게 할 수 있는 충고를 짝과 토론하시오. 그런 뒤 자신의 생각을 이용하여 대화를 연습하시오.

해석

A: 수학 숙제가 어제까지였는데 제 때 제출을 못 했어.

B: 이런. 시간이 충분하지 않았겠지.

A: 솔직히, 의미 없는 일을 하느라 시간을 낭비했어.

B: 효율적인 시간 관리 방법을 배우는 게 나을 것 같구나.

A: 응, 정말 필요해! 좋은 시간 관리 방법에 대해 충고를 얻을 수 있을까?

B: 물론이지. 개인 수첩을 쓰는 게 많은 도움이 될 거야.

A: 노력했지만, 제대로 하기가 어려웠어. 나를 도와줄 수 있니?

B: 물론이야. 시간이 더 있을 때 더 많은 이야기를 할 수 있겠지만. 내일 몇 시가 좋니?

A: 3시 가능해?

B: 좋아. 학교에서 만나자.

어휘

be due ~할 예정이다
hand in 제출하다 (= submit)
meaningless [míːniŋlis] 의미 없는

>> Example <<　Using a personal planner can help you a lot.
(개인 수첩을 이용하는 것이 도움이 많이 될 거야.)

Your Own ▶ _____

📖 **구문**

① To be honest (with you) ~는 '솔직히 말해서'의 뜻으로 To be frank (with you) / Frankly / Honestly와 같은 뜻이다.

② It looks like + 주어 + 동사 ~는 '~인 것 같다'의 뜻으로 가정, 추측 등을 나타낸다.
　　ex.) It looks like it's going to rain. (비가 올 것 같다.)

③ What time's good for you?는 몇 시가 가능한지 상대방에게 묻는 말로 What time can you make it?으로 바꾸어 쓸 수 있다.

Review Points

1. After listening to the dialogues about daily schedules, I recognized changes in the speakers' feelings.
일일 일정표에 관한 관화를 듣고, 나는 화자들의 감정 변화를 알아냈다.

2. I shared advice about time management skills with my partner.
나는 짝과 시간 관리법에 관한 충고를 나누었다.

Into Real Life

Topic

Personality types (성격 유형)

Did you know understanding your personality type can assist your learning? Find out about your own personality type and the learning strategy just right for you!

여러분의 성격 유형을 이해하는 것이 학습에 도움을 줄 수 있다는 것을 알고 있었나요? 여러분의 성격 유형과 여러분에게 꼭 맞는 학습 전략을 알아보세요!

STEP 1 **LISTEN TO THE LECTURE** 강의를 들으시오.

Listen and fill in the blanks to find out the main idea.

듣고 주제문의 빈칸을 채우시오.

You can be more productive in your studies if you know the <u>learning strategies</u> that match your <u>personality type</u>. (여러분은 성격 유형에 어울리는 학습 전략을 안다면 학습에서 더 생산적일 수 있다.)

해설

성격 유형과 관련된 학습 전략을 알면 학습에 도움이 될 거라고 하면서 각 유형에 따른 학습법을 소개하며 조언하고 있다.

어휘

struggle to ~하려고 애쓰다
personality [pə̀ːrsənǽləti] 성격
associate [əsóusièit] 관련시키다
strategy [strǽtədʒi] 전략
process [práses] 과정, 가공하다
investigate [invéstəgèit] 조사하다
routine [ruːtíːn] 일상

M: Everyone struggles to learn something new. However, if you know your personality type and the associated learning strategies, your learning will be assisted to a great extent. For example, if you are outgoing, having a discussion on the topic will help you investigate the topic further. Even teaching your friends will help you process the content better. If you are not so outgoing and rather shy, making mind maps could assist your learning. If you are reflective, ask yourself questions about the concept you are learning ① **so that** you can process it step by step. You might already have your own learning style that you developed, but ② **I advise you not to** stick to your own routine. It might not suit your personality type.③ **What you are used to** is not always the best! For further information, consult my blog. Good luck with your studies!

남: 모두가 새로운 것을 배우려 애씁니다. 그러나 여러분의 성격 유형과 관련된 학습 전략을 알고 있다면, 학습에 상당 부분 도움이 될 것입니다. 예를 들어, 여러분이 외향적이면, 그 주제에 대해 토론하는 것이 그 주제를 더 깊이 조사하도록 도움을 줄 것입니다. 친구들을 가르치는 것조차 내용을 처리하는 데 도움이 될 것입니다. 여러분이 외향적이 아니고 약간 수줍어 한다면, 마인드맵을 만드는 것이 학습에 도움을 줄 것입니다. 여러분이 사색적이라면, 배우고 있는 개념을 차근차근 처리할 수 있도록 스스로에게 질문하십시오. 이미 여러분이 발달시킨 자신만의 학습 스타일을 가지고 있을 수도 있지만, 자신의 일상에 집착하지 말 것을 충고 드립니다. 여러분의 성격 유형과 맞지 않을 수도 있으니까요. 익숙한 것이 항상 최고는 아닙니다! 더 많은 정보를 원하시면 제 블로그를 참고하세요. 여러분의 학습에 행운이 있기를 바랍니다!

구문

① ~ so that you can process it step by step에서 「so that + 주어 + 동사 ~」는 '~하기 위해서'의 뜻으로 목적을 나타낸다. so that 대신 in order that 을 쓸 수 있다.

② I advise you not to stick to your own routine에서 to부정사의 부정은 「not + to ~」의 형태를 취한다.

③ What you are used to is not always the best!에서 주어는 What ~ to 까지이며 이때 what은 관계대명사이다. 여기서 be used to ~는 '~에 익숙하다'라는 뜻이다. 뒤에 오는 not always는 '항상 ~한 것은 아닌'이라는 뜻의 부분부정을 나타낸다.

 **STEP 2** **PREPARE TO TALK** 대화를 준비하시오.

Find out about your own personality type by doing the following test.

다음에 나오는 테스트를 해서 여러분의 성격 유형에 대해 알아보시오.

A Shy (I enjoy being and working by myself.)

☐ I do not mind doing routine jobs by myself.

☐ I usually don't enjoy adjusting to a new environment.

☐ I prefer to meet people on the Internet rather than in person.

B Outgoing (I enjoy being and working with others.)

☐ I hate working alone in an isolated place.

☐ I am good at solving problems with others.

☐ I enjoy meeting new people and developing new relationships.

C Bold (I can solve problems without much reflection.)

☐ I usually follow my heart in making a decision.

☐ I have confidence in myself and enjoy taking risks.

☐ I am good at solving problems without taking too much time to think about them.

D Reflective (I am good at logical reasoning skills.)

☐ I have a high degree of curiosity in everything.

☐ I like being organized and analyzing information.

☐ I enjoy reading and thinking hard to solve difficult problems.

Source: Daniel Nettle, *Personality: What Makes You the Way You Are*

해석

A: 수줍어하는 (혼자 있고 혼자 일하기를 좋아한다.)

나는 혼자 일상적인 일을 하기를 꺼리지 않는다. / 나는 보통 새로운 환경에 적응하는 것을 좋아하지 않는다. / 나는 사람을 직접 만나기보다 인터넷으로 만나기를 더 좋아한다.

B: 외향적인 (다른 사람들과 함께 있고 일하기를 즐긴다.)

나는 고립된 장소에서 일하기를 싫어한다. / 나는 다른 사람들과 문제 해결을 잘한다. / 나는 새로운 사람들을 만나 새로운 관계를 발전시키기를 즐긴다.

어휘

in person 직접 대하는
isolated [áisəlèitid] 고립된
take risks 위험을 감수하다
degree [digríː] 정도

C: 대담한 (많이 고심하지 않고 문제를 해결할 수 있다.)

나는 보통 결정하는 데 있어서 내 마음을 따른다. / 나는 내 자신에게 자신이 있고 위험 감수하기를 즐긴다. / 나는 문제들에 대해 시간을 너무 많이 쓰지 않고 문제 해결을 잘한다.

D: 사색적인 (논리적인 추론 기술에 능하다.)

나는 모든 것에 높은 수준의 호기심이 있다. / 나는 정돈되어 있는 것과 정보 분석하는 것을 좋아한다. / 나는 어려운 문제를 해결하기 위해 읽기와 열심히 생각하기를 좋아한다.

 **STEP 3** **ADVISE YOUR FRIENDS** 친구들에게 충고하시오.

Have a conversation with a classmate who has a different personality from you and get advice on ways you can strengthen some of the qualities you don't have.

여러분과 다른 성격을 가진 친구와 대화를 하고 여러분에게 없는 자질을 강화시킬 방법에 대해 충고를 얻으시오.

A: Which category did you check most often? What does it say about your personality type?

B: I checked the category <u>B</u> most often. It says I'm <u>outgoing</u>.

A: Great! Which statement explains your personality best among the three?

B: I think <u>enjoying meeting new people and developing new relationships</u> explains my personality very well.

A: Can I get your advice on ways to be more like you?

B: Of course. I think you could <u>try not to be afraid of others' opinions of you but be yourself</u>.

A: 어느 항목에 가장 많이 체크했니? 그것이 너의 성격 유형에 대해 무엇을 말해 주니?

B: B 항목에 가장 체크를 많이 했어. 내가 외향적이라고 되어 있어.

A: 좋구나! 셋 중 어느 진술이 너의 성격을 가장 잘 설명해 주니?

B: 새로운 사람들을 만나서 새로운 관계를 발전시키기 좋아하는 것이 내 성격을 아주 잘 설명해 줘.

A: 너처럼 될 수 있는 방법에 대해 충고해 줄 수 있니?

B: 물론이지. 너에 대한 다른 사람들의 의견을 두려워하지 말고 너 자신이 되려고 노력해 봐.

어휘

personality [pə̀ːrsənǽləti] 성격
relationship [rileíʃənʃìp] 관계
opinion [əpínjən] 의견

 Expression Tip

· Could you advise me on ~?
  ～에 대해 충고해 줄 수 있나요?

· What's your advice on ~?
  ～에 대한 너의 충고는 무엇이니?

· Can you give me advice on ~?
  ～에 대한 충고를 줄 수 있나요?

· What do you think I should do to ~?
  ～하려면 내가 어떻게 해야 한다고 생각하니?

STEP **4** **SHARE YOUR IDEA** 여러분의 의견을 나누시오.

Find a classmate who has the same personality as you and learn about his or her own effective learning strategies. 여러분과 같은 성격을 가진 친구를 찾아 그 친구의 효과적인 학습 전략에 대해 배우시오.

해석

A: 너는 좋은 학습 전략을 가지고 있니?

B: 내 경우는, 배우는 새로운 개념에 대해 마인드 맵 만드는 것을 좋아해.

1~2차시 어휘 정리

▶ article 기사
▶ associate 관련시키다
▶ be running late 늦어지다
▶ curiosity 호기심
▶ in person 직접 대하는
▶ isolated 고립된
▶ mark 표시하다; 표시
▶ on average 평균적으로
▶ process 과정; 가공하다
▶ routine 일상
▶ struggle to ~하려고 애쓰다
▶ take risks 위험을 무릅쓰다

▶ analyze 분석하다
▶ be due ~할 예정이다
▶ catch up with ~을 따라잡다
▶ hand in 제출하다
▶ investigate 조사하다
▶ least 가장 적은
▶ meaningless 의미 없는
▶ personality 성격
▶ reasoning 추론
▶ strategy 전략
▶ take one's time 천천히 하다

Review Points

1. I understood the main idea of the lecture.
   나는 강의의 주제를 이해했다.

2. I found out about my personality type and effective learning strategies I could use.
   나는 나의 성격 유형과 내가 사용할 수 있는 효율적인 학습 전략에 대해 찾아냈다.

Topic

> **How to use your valuable time** (소중한 시간을 사용하는 법)
> Don't you get annoyed sometimes because of having too many things to do but not enough time? You will learn effective tips to deal with this problem from the reading passage.
> 때때로 할 일은 너무 많은데 시간이 충분하지 않아 기분이 나빠질 때가 있지 않나요? 본문을 읽으면서 이 문제를 해결할 효과적인 충고를 배우게 될 것입니다.

1. Read the story and fill in the blanks with an appropriate word. (Both blanks share the same answer.)

다음 이야기를 읽고 빈칸에 적절한 단어를 채우시오. (두 빈칸의 답은 같습니다.)

Source: William Makepeace Thayer, *From Boyhood to Manhood Life of Benjamin Franklin*

해석

A: 책이 얼마죠?
B: 1달러입니다.
A: 참 비싸네요. 할인해 주실 수 없나요?
B: 네. 1달러 20센트입니다.
A: 뭐라고요? 농담이시죠?
B: 좋아요. 이제 1달러 50센트입니다.
A: 왜 자꾸 비싸지죠? 할인해 달라고 요청했는데요!
B: 나한테 가장 중요한 것은 <u>시간</u>인데 당신이 질질 끌면서 내 <u>시간</u>을 낭비하고 있잖아요. 그래서 더 부과하는 겁니다. 이제 1달러 80센트예요.

2. List the things you WANT to do and HAVE TO do. Put them in the order of importance and share with your partner the reason you chose that order.

하고 싶은 일과 해야 할 일의 목록을 적으시오. 중요도에 따라 순서를 배치하고 그 순서를 고른 이유를 짝과 이야기 나누시오.

What I WANT to do (내가 하고 싶은 일)	Rank (순위)	What I HAVE TO do (내가 해야 할 일)	Rank (순위)

어휘

order [ɔ́ːrdər] 성격
hang out with ~와 어울리다

e.g., Watch TV / Do homework / Read a book / Have family time / Hang out with friends
(TV 보기 / 숙제하기 / 책 읽기 / 가족과 시간 보내기 / 친구들과 놀기)

On Your Own

Read the passage quickly and find four ways to manage your time effectively.
본문을 빨리 읽고 시간을 효과적으로 관리할 방법 4가지를 찾으시오.

Plan Ahead / Put Your Responsibilities in the Order of Importance /
Make Every Second Count / Find Your Most Productive Time

Read and Think

Interpretation

¹오늘을 즐겨라!

²여러분이 은행 계좌를 가지고 있다고 상상해 보라. ³이것이 여러분이 가진 단 하나의 은행 계좌라고 하자. ⁴매일 아침 정확히 86,400원이 계좌로 들어가서 매일 밤 모든 돈이 사라진다. ⁵다음날을 위한 돈을 모을 수 없다. ⁶이런 경우라면 여러분은 하루 동안 돈을 현명하게 쓰려고 노력하고 싶고 최대한 활용하고 싶을 것이다. ⁷시간은 바로 그와 같은 방식으로 작동한다. ⁸매일 아침 정확히 86,400초가 여러분에게 주어진다. ⁹다음날 정확히 같은 금액을 받기 때문에 가치 있게 보이지 않을 수도 있다. ¹⁰그러나 여러분은 하루에 오직 제한된 양의 시간만 가지고 있고 일부분이라도 저장할 수 없다. ¹¹따라서 오늘을 즐겨야 한다! ¹²그렇게 하기 위해서 이 제한되고 귀중한 시간을 관리하는 방법을 배워야 한다. ¹³시간 관리에 실패하는 것이 큰 낭비이긴 해도 시간을 현명하게 사용하는 것은 종종 어렵다. ¹⁴때때로 여러분은 해야 할 일이 너무 많아 쩔쩔 맨다. ¹⁵또 때때로 완수할 긴급한 일이 없기 때문에 어떤 압박도 없이 시간을 보내기도 한다. ¹⁶그렇다면 이 86,400초를 가지고 우리 일상을 살아갈 가장 좋은 방법은 무엇일까?

¹*Seize the Day!*

²Imagine that you have a bank account. ³And let's say that this is the only bank account that you have. ⁴Every morning, exactly 86,400 won goes into it, and every night, all of the money disappears. ⁵You cannot save the money for the next day. ⁶If this is the case, you would want to try very hard to spend your money wisely and get the most out of it during the day.

⁷Time works just the same way. ⁸Every morning, exactly 86,400 seconds are given to you. ⁹It may not seem valuable because you will get the exact same amount the next day. ¹⁰However, you only have a limited amount of time in a day, and you cannot save any part of it. ¹¹Therefore, you should seize the day! ¹²In order to do so, you need to learn ways to manage this limited and precious time. ¹³Although failing to manage time is a huge waste, spending it wisely is often difficult. ¹⁴Sometimes, you struggle with too much work to do. ¹⁵At other times, you find yourself passing the time without any pressure because there is no urgent task to fulfill. ¹⁶So what is the best way to lead our daily lives with these 86,400 seconds?

Words and Idioms

seize: 붙잡다 ▶ He seized the chance of a free ticket. (그는 공짜 표의 기회를 잡았다.)

account: 계좌 ▶ Please tell us your bank account number for a refund. (환불을 위해 계좌 번호를 알려 주세요.)

get the most out of ~: ~를 최대한 활용하다 ▶ Make sure you get the most out of your vacation. (반드시 휴가를 최대한 활용하세요.)

valuable: 가치 있는 ▶ This is the highly valuable painting. (이것은 아주 가치 있는 그림이다.)

precious: 귀중한 ▶ Time is the most precious to me. (시간은 나에게 가장 소중하다.)

huge: 거대한 ▶ A huge number of people attended the lecture. (엄청나게 많은 사람들이

Over to you

Imagine you get only 18 hours a day. How would you use this time?

하루에 18시간만 있다고 상상해 보시오. 어떻게 이 시간을 이용하겠습니까?

그 강의를 들었다.)

struggle: 투쟁하다, 해결하려고 노력하다 ▶ I know many students are struggling with math. (많은 학생들이 수학에 고심하고 있다는 것을 알고 있다.)

pressure: 압력, 압박 ▶ The minister is under pressure to resign. (장관은 사임 압박을 받고 있다.)

urgent: 다급한, 시급한 ▶ There was an urgent whisper. (다급한 속삭임이 있었다.)

fulfill: 이행하다, 완수하다 ▶ I will try to fulfill my dream of being a director. (나는 감독이 되려는 나의 꿈을 이루기 위해 노력할 것이다.)

lead a life: 생활을 하다 ▶ Hope you lead a happy life! (행복한 생활하기를 바라!)

Key Points

3 And **let's say that this is** the only bank account that you have.: 「let's say (that) + 주어 + 동사 ~」는 '이를테면 ~하다', '~한다고 하자'의 뜻으로 가정할 때 쓰인다.

4 Every morning, exactly 86,400 won goes into **it**, and every night, all of the money disappears.: it이 가리키는 것은 앞 문장의 the only bank account이다.

6 If this is the case, you would want to try very hard **to spend** your money wisely and get the most out of it during the day.: to spend ~는 '~하기 위해서'의 뜻으로 목적을 나타내는 to부정사의 부사적 용법이다.

8 Every morning, exactly 86,400 seconds **are given** to you.: 능동태의 주어가 불분명하므로 수동태에서는 보통 「by + 주어」가 생략된다.

9 It may not **seem valuable** because you will get the exact same amount the next day.: 「seem + 형용사」는 '~인 것 같다'의 뜻이다.

10 However, you only have a limited amount of time in a day, and you cannot save any part of **it**: it은 앞의 time을 가리킨다.

12 **In order to do so**, you need to learn ways to manage this limited and precious time.: in order to seize the day의 의미이다.

13 Although **failing** to manage time is a huge waste, **spending** it wisely is often difficult.: failing to manage time에서 failing과, spending it wisely에서 spending은 주어 역할을 하는 동명사이다.

14 Sometimes, you struggle with too much work **to do.**: to do는 앞의 명사 work를 꾸며주는 to부정사의 형용사적 용법으로 쓰였다.

15 **At other times**, you **find yourself passing** the time without any pressure because there is no urgent task to fulfill.: sometimes, ~ at other times는 '때로는 ~', '또 때로는~'의 뜻이다. / 「find + 목적어 + -ing」 구문은 '~가 …하는 것을 알다'의 뜻으로 목적어와 목적보어의 관계가 능동이므로 -ing가 쓰였다.

Mini Test

정답과 해설 p. 353

1. 다음 괄호 안의 단어들을 순서대로 배열하시오.

(1) (do, order, in, to, so), you need to learn ways to manage this limited and precious time.

(2) It (valuable, may, not, seem) because you will get the exact same amount the next day.

2. 다음 우리말에 맞게 빈칸에 알맞은 말을 쓰시오.

(1) 이것이 여러분이 가진 유일한 은행 계좌라고 치자.
_____ that this is the only bank account that you have.

(2) 시간 관리에 실패하는 것이 큰 낭비이긴 해도 시간을 현명하게 사용하는 것은 종종 어렵다.
_____ to manage time is a huge waste, spending it wisely is often difficult.

3. 다음 주어진 표현을 이용하여 문장을 완성하시오.

(1) get the most out of ~: ~을 최대한 활용하다
_____ online shopping.
(온라인 쇼핑을 최대한 활용하자.)

(2) struggle with ~: ~와 씨름하다
Some people are _____ financial problems.
(재정적 문제를 갖고 힘들어 하는 사람들도 있다.)

(3) lead a life: 생활을 하다
As far as I know, he _____.
(내가 아는 한, 그는 비참한 삶을 살았다.)

(4) sometimes, ~ at other times ~: 어떤 때는 ~, 또 어떤 때는 ~
_____ my computer works well, but _____ it is horrible.
(내 컴퓨터는 어떤 때는 잘 되는데, 하지만 또 어떤 때는 엉망이다.)

[1]여기 시간을 더 효과적으로 관리하도록 도울 조언들이 있다.

1. 미리 계획하라.

[2]활동을 위해 필요한 총 시간을 알아보고 주 단위 계획을 세워라. [3]이런 식으로 시간을 더 잘 제어할 수 있고 제 때에 책임을 수행할 수 있을 것이다. [4]계획이 없으면 여러분은 아마 틀림없이 한 개 이상의 일에 쫓겨 어떤 것도 끝마치지 못하게 될 것이다. [5]달력에 계속 기록하거나 매일 할 일의 목록을 작성하는 사람들을 보게 된다. [6]이것들 역시 미리 계획을 정리하는 좋은 방법들이다. [7]정리하느라 보내는 매 순간 동안 1시간이 얻어진다는 것을 잊지 말아라.

2. 할 일을 중요도의 순으로 배치하라.

[8]활동을 네 가지 항목으로 나누어라: (1) 중요하고 긴급한 (2) 중요하지만 급하지 않은 (3) 중요하지 않지만 급한 (4) 중요하지 않고 급하지 않은. [9]첫 번째 항목에 들어가는 것들이 제일 먼저 할 일이다. [10]이 모든 것들이 여러분이 덜 중요하거나 덜 급한 것으로 넘어가기 전에 반드시 처리되게 하라. [11]예를 들어, 다음 주에 시험이 있다고 치자. [12]아마도 친구들과 놀기 (중요하지만 급하지는 않은) 전에 먼저 공부하기 (중요하고 급한)를 원할 것이다. [13]먼저 하고 싶은 것을 하는 것이 쉽다. [14]그러나 분류하는 것이 집중력을 잃는 것을 막고 실제로 중요한 일들을 완수하도록 도울 것이다.

---

[1]Here are some tips that will help you manage your time more effectively.

1 Plan Ahead

[2]Figure out the amount of time you need for your activities and make a weekly plan. [3]This way, you'll be able to take greater control of your time and perform your responsibilities in a timely fashion. [4]Without planning, you may find yourself easily caught up with more than one task and end up finishing none of them. [5]You see some people keeping a calendar or making a daily to-do list. [6]These are also good ways to organize your schedule in advance. [7]Don't forget that for every minute you spend organizing, an hour is earned.

2 Put Your Responsibilities in the Order of Importance

[8]Divide your activities into four categories: (1) important and urgent, (2) important but not urgent, (3) unimportant but urgent, and (4) unimportant and not urgent. [9]Those that fall under the first category are your top responsibilities. [10]Make sure that all of these are met before you move on to those that are less important or urgent. [11]For example, let's say there will be an exam next week. [12]You might want to study (important and urgent) first before you hang out with your friends (important but not urgent). [13]It is easy to do the things you want to do first. [14]However, categorizing will prevent you from losing focus and will help you accomplish the things that actually matter.

While you read

Q1. What is the benefit of planning ahead?

미리 계획하는 것의 이점은 무엇인가?

예시 답안 You can take greater control of your time and perform your responsibilities in a timely fashion.

시간을 더 잘 제어하고 제 때에 할 일을 수행할 수 있다.

해설 시간을 제어하고 제 시간에 할 일을 끝낼 수 있다는 내용이 Plan Ahead의 두 번째 문장에 나온다.

 ## Words and Idioms

figure out: 계산해내다, 이해하다 ▶ Let me know how you figured out this problem. (이 문제를 푼 방법을 알려줘.)

take control of: ~을 장악하다, 통제하다 ▶ He attempted to take control of the company. (그가 회사를 장악하려 시도했다.)

responsibility: 책임, 할 일 ▶ It's our responsibility to care for our children. (우리 아이들을 돌보는 것이 우리의 책임이다.)

be caught up with: ~하느라 정신 없다, ~에 쫓기다 ▶ He is caught up with his work and has little time for his family. (그는 일에 쫓겨서 가족을 위한 시간이 거의 없다.)

organize: 정리하다, 체계화하다 ▶ We need some time to organize our ideas better. (우리는 우리 생각들을 더 잘 정리할 약간의 시간이 필요하다.)

in advance (= beforehand): 미리 ▶ Let me know a week in advance when you would like to cancel. (취소하고 싶으시면 1주일 전에 알려 주세요.)

category: 범주, 항목 ▶ Bears belong to the category of mammals. (곰은 포유류과에 속한다.)

hang out: 시간을 보내다, 어울려 지내다 ▶ I often hang out with my friends on weekends. (나는 주말에 친구들과 종종 시간을 보낸다.)

prevent + A from -ing: A가 ~하는 것을 막다 ▶ What should we do to prevent the war from happening? (전쟁이 일어나는 것을 막으려면 무엇을 해야 할까?)

accomplish: 성취하다, 완수하다 ▶ We can think of many different ways to accomplish this task. (우리는 이 일을 완수할 많은 다른 방법들을 생각해 낼 수 있다.)

Key Points

2 Figure out the amount of time **you need for your activities** and make a weekly plan.: you need for your activities의 앞에는 목적격 관계대명사 that이 생략되어 있다.

3 This way, you'll be able to **take** greater control of your time and **perform** your responsibilities in a timely fashion.: take와 perform은 둘 다 be able to에 연결되는 병렬구조를 이룬다.

5 You **see** some people **keeping** a calendar or **making** a daily to-do list.: 지각동사 see, watch, listen to, feel 등은 목적보어로 분사나 동사원형을 취한다. 여기서는 지각동사 see 뒤에 목적어 people이 오고 목적보어 keeping ~과 making ~이 병렬구조를 이룬다.

6 These are also good ways **to organize** your schedule in advance.: to organize 이하는 good ways를 꾸며주는 to부정사의 형용사적 용법이다.

8 **Divide** your activities **into** four categories: (1) important and urgent, (2) important but not urgent, (3) unimportant but urgent, and (4) unimportant and not urgent.: divide A into B는 'A를 B로 나누다'의 의미이다.

9 **Those that fall under the first category** are your top responsibilities.: 주격 관계대명사 that이 이끄는 that ~ category는 문장의 주어인 앞의 those를 꾸민다.

10 **Make sure that** all of these are met before you move on to those that are less important or urgent.: 「make sure that + 주어 + 동사」 ~는 '~할 것을 명심하라'의 의미이다. that은 생략할 수 있다.

14 However, categorizing will prevent you from losing focus and will help you accomplish **the things that actually matter**.: 주격 관계대명사 that이 이끄는 that actually matter는 선행사 the things를 꾸며준다.

Mini Test

정답과 해설 p. 353

1. 다음 괄호 안의 단어들을 순서대로 배열하시오.

   (1) You (people, see, some, keeping) a calendar or making a daily to-do list.

   (2) (under, fall, those, that) the first category are your top responsibilities.

2. 다음 우리말에 맞게 빈칸에 알맞은 말을 쓰시오.

   (1) 분류하는 것이 실제로 중요한 일을 완수하는 데 도움을 줄 것이다.
   Categorizing will help you accomplish the things
   _____.

   (2) 계획하지 않으면, 한 가지 이상의 일에 쉽게 쫓기는 자신을 발견할 지도 모른다.
   _____, you may find yourself easily caught up with more than one task.

3. 다음 주어진 표현을 이용하여 문장을 완성하시오.

   (1) figure out: 이해하다, 문제를 해결하다
   Can you _____ of this paragraph?
   (이 단락의 주제를 이해할 수 있니?)

   (2) be caught up with ~: ~에 쫓기다
   I've _____ my work long enough.
   (나는 일에 충분히 오래 쫓겨왔다.)

   (3) prevent + 목적어 + from -ing : ~가 …하는 것을 막다
   This alarm system will help _____
   _____ their babies in the backseat.
   (이 경보 시스템은 부모가 아기들을 뒷자석에 놔두는 것을 막는 데 도움이 될 것이다.)

   (4) take control of: 통제하다
   The book was about a scientist who wanted to
   _____.
   (그 책은 세계를 통제하려는 한 과학자에 관한 것이었다.)

Interpretation

3. 매 초를 중요시하라.

¹여유 시간을 현명하게 사용하라. ²때때로 다음 활동 전에 딱 10분 정도 시간이 있을 수도 있을 것이다. ³여러분은 이 짧은 시간 동안 할 수 있는 것이 별로 없다고 생각할지도 모른다. ⁴하지만 실제로 과제를 위해 한 단락을 쓰거나 약 5개의 수학 문제를 푸는 것과 같은 많은 일들을 10분 만에 할 수 있다. ⁵심지어 전철에서 독서를 할 수도 있다.

4. 가장 생산적인 시간을 찾아라.

⁶여러분은 상태가 최상일 때 더 잘 집중하고 더 효율적으로 일할 수 있다. ⁷언제 가장 일을 잘 할 수 있다고 느끼는가? ⁸보고서 쓰는 것을 아침에 더 잘 처리한다고 생각하면 밤에 하려고 늦게까지 기다리지 마라. ⁹당신이 올빼미형 인간이라면, 그때가 가장 생산적일 수 있는 때이므로 공부 시간을 늦게 잡아라.

3 Make Every Second Count

¹Use your spare time wisely. ²Sometimes you may find yourself having only ten minutes before the next activity. ³You may think that nothing much can be done during this short time. ⁴However, you can actually do many things in just ten minutes, like writing a paragraph for an assignment or solving about five math problems. ⁵You can even do some reading on the subway.

4 Find Your Most Productive Time

⁶You'll be able to concentrate better and work more efficiently when you are at your best. ⁷When do you feel you can do your best work? ⁸If you think you can handle writing papers better in the morning, don't wait until late at night to do it. ⁹If you think you are a night person, then schedule your study time for late hours because that's when you can be most productive.

Words and Idioms

count: 중요하다, 세다 ▶ Age doesn't count much. (나이는 중요하지 않다.)

spare: 남은, 여가의 ▶ What do you do in your spare time? (여가 시간에 주로 무엇을 하니?)

actually: 실제로, 정말로, 사실은 ▶ What did she actually say? (그녀가 정말 뭐라고 했니?)

assignment: 과제 ▶ Can you give me some comments on my writing assignment? (제 작문 숙제에 대해 의견을 주실 수 있나요?)

productive: 생산적인 ▶ We will find out more productive education program. (우리는 더 생산적인 교육 프로그램을 찾아낼 것이다.)

Over to you

Do you have your own effective time management skills? If so, what are they?

자신만의 효과적인 시간 관리법을 갖고 있나요? 그렇다면 그것은 무엇입니까?

concentrate: 집중하다, 농축시키다 ▶ You should concentrate your attention in class. (수업에 주의를 집중해야 한다.)

efficiently: 효율적으로, 효과적으로 ▶ Alex will help us do the same job much more efficiently. (Alex는 우리가 같은 작업을 훨씬 더 수월하게 처리할 수 있도록 도울 것이다.)

at one's best: 가장 좋은 상태에서 ▶ Manage your emotions to perform at your best! (가장 좋은 상태에서 공연하도록 감정을 조절하라!)

handle: 처리하다, 다루다; 손잡이 ▶ It seems that the task is too hard for me to handle. (그 임무는 내가 감당하기에 너무 어려운 것처럼 보여.)

until late at night: 밤늦게까지 ▶ He often plays computer games until late at night. (그는 종종 밤늦게까지 컴퓨터 게임을 한다.)

a night person: 올빼미형 인간 ▶ Are you a day person or a night person? (당신은 낮에 활동하기를 좋아하는 사람인가요, 혹은 밤에 활동하기를 좋아하는 사람인가요?)

Key Points

2 Sometimes you may **find yourself having** only ten minutes before the next activity.: 「find + 목적어 + 목적보어」 구문으로 '~가 …한다는 것을 알다'의 의미이다. 이때 목적보어로 쓰이는 분사의 경우 목적어와의 관계가 능동이면 현재분사, 수동이면 과거분사의 형태가 된다.

3 You may think that **nothing much can be done** during this short time.: -thing 으로 끝나는 명사는 뒤에서 꾸며준다. / 조동사가 있는 수동태는 「조동사 + be + 과거분사」의 형태이다.

4 However, you can actually do many things in just ten minutes, like **writing a paragraph for an assignment** or **solving about five math problems.**: or를 사이에 두고 writing ~과 solving ~이 병렬구조를 이룬다. A or B의 경우 A와 B는 같은 문법요소이다.

6 You'll be able to **concentrate better** and **work more efficiently** when you are at your best: concentrate better와 work more efficiently는 and를 사이에 두고 병렬구조를 이룬다.

8 If you think you can handle writing papers better in the morning, don't wait **until late at night** to do **it.**: until late at night는 '밤늦게까지'라는 뜻이다. / it 이 가리키는 것은 writing papers이다.

9 If you think you are a night person, then schedule your study time for late hours because **that's when you can be most** productive.: 「that's when + 주어 + 동사~」는 '그때가 ~한 때이다'의 뜻이다. / 최상급이 서술적 용법의 형용사로 쓰일 경우 the를 생략하고 most만 쓰기도 한다.

Mini Test

정답과 해설 p. 353

1. 다음 괄호 안의 단어들을 순서대로 배열하시오.

(1) You'll be (better, to, able, concentrate) and work more efficiently.

(2) Schedule your study time for late hours because that's when (most, can, you, be, productive).

2. 다음 우리말에 맞게 빈칸에 알맞은 말을 쓰시오.

(1) 이 짧은 시간 동안 할 수 있는 것이 별로 없다고 생각할지도 모른다.
You may think that _____
can be done during this short time.

(2) 때때로 여러분은 다음 활동 전에 여러분에게 딱 10분만 시간이 있다는 것을 알아차릴 수도 있다.
Sometimes you may find _____
only ten minutes before the next activity.

3. 다음 주어진 표현을 이용하여 문장을 완성하시오.

(1) until late at night : 밤늦게까지
The rain started early in the morning and _____
_____.
(비가 아침 일찍 내리기 시작해서 밤늦게까지 계속 되었다.)

(2) at one's best : ~의 한창 때에
When are you _____?
(너는 언제가 상태가 가장 좋은 때니?)

(3) that's when ~ : 그 때가 ~할 때이다
_____ that something was wrong
for the first time.
(그때가 내가 처음으로 뭐가 잘못됐다는 걸 깨달았던 때야.)

Interpretation

너무나 생산적인 날!

¹오늘 나는 아주 생산적인 방식으로 시간을 사용했다! ²그것은 모두 며칠 전에 읽은 하나의 기사 덕분이었다. ³그 기사는 효율적인 시간 관리에 대한 유용한 조언들로 가득했다. ⁴그것을 읽은 후, 나는 나의 모든 할 일을 중요도 순으로 배치하고 미리 계획하기로 결심했다. ⁵나는 역사와 영어 과목에서 둘 다 과제가 있어서 정말 스트레스를 받았다. ⁶그래서 나는 내가 해야 할 일들을 미리 적었고 긴급함과 중요성에 기초한 네 가지의 다른 항목에 집어넣었다. ⁷나는 역사 보고서를 위해 조사하는 것이 제일 먼저 할 일이라는 것을 알았다. ⁸나의 영어 숙제는 두 번째로 중요한 일이었다. ⁹그 다음에 나는 제일 먼저 할 일에 더 많은 시간을 배당함으로써 하루를 위한 계획을 만들었다. ¹⁰그것은 대성공이었다! ¹¹먼저, 나는 역사 숙제를 위한 조사를 끝낼 수 있었다. ¹²이제 내가 할 일은 조직화된 방식으로 정보를 배치하고 그것을 읽을 만하게 만드는 것이다. ¹³또한 나는 영어 수업을 위한 읽기를 끝냈다. ¹⁴이 중요한 활동들을 끝낸 후, 나는 가족과 질적으로 좋은 시간을 보냈다. ¹⁵나는 계획을 잘 짜는 것이 기적을 만들어 낸다는 것을 배웠다. ¹⁶우리 모두 하루에 제한된 양의 시간을 가지고 있다. ¹⁷우리는 어제에서 단 일 초도 반복할 수 없다. ¹⁸또한 미리 내일의 시간을 사용할 수 없다. ¹⁹하루의 끝에 우리가 한 일과 하지 않은 일은 바뀔 수 없다. ²⁰그러므로, 우리는 매일 우리가 갖는 시간에 최선을 다해야 한다. ²¹시간은 우리를 기다려주지 않는다. ²²오늘이 없다면 내일도 없다. ²³우리는 오늘에 감사해야 한다. ²⁴그것이 우리가 현재를 "선물"이라고 부르는 이유이다.

While you read

Q2. How many tips did Jinu apply from the article? What are they?

진우는 기사에서 얼마나 많은 조언을 채택했나요? 그 조언들은 무엇인가요?

예시 답안 Jinu applied two tips from the article. They are putting the responsibilities in the order of importance and planning ahead.

진우는 기사에서 두 가지 조언을 채택했다. 그것들은 할 일을 중요도에 따라 배치하는 것과 미리 계획하는 것이다.

해설 After reading it, I decided to put my responsibilities in the order of importance and plan ahead.에서 진우가 기사에서 채택한 행동을 알 수 있다.

Jinu's Diary

What a productive day!

April 10

¹I used my time in a very productive way today! ²It was all thanks to an article I read the other day. ³It had a lot of useful tips on effective time management. ⁴After reading it, I decided to put my responsibilities in the order of importance and plan ahead. ⁵I was really stressed out because I had assignments in both History and English. ⁶So, I first wrote down the activities I had to do and then put them into four different categories based on their urgency and importance. ⁷I figured out that doing research for my history paper was my top responsibility. ⁸My English assignment was the second most important thing. ⁹After that, I made a schedule for the day by assigning more time to my top responsibilities.

¹⁰It was a great success! ¹¹First, I was able to finish my research for the history assignment. ¹²All I have to do now is arrange the information in an organized fashion and make it readable. ¹³Also, I finished some reading for my English class. ¹⁴After finishing these important activities, I spent some quality time with my family. ¹⁵I learned that good planning works wonders.

¹⁶We all have a limited amount of time in a day. ¹⁷We cannot repeat a single second from yesterday. ¹⁸Also, we cannot use tomorrow's time in advance. ¹⁹At the end of the day, the things we did or didn't do cannot be changed. ²⁰Therefore, we need to do our best with the time we have each day. ²¹Time does not wait for us. ²²If there is no today, there is no tomorrow. ²³We need to be thankful for today. ²⁴That is why we call the present the "present."

Source: 1. Sandra J. Schwarz, *MyPURSUIT: Live YOUR Dreams*;
2. Stephen R. Covey, A. Roger Merrill, and Rebecca R. Merrill, *First Things First*

 Words and Idioms

thanks to: ~ 덕분에 ▶ Thanks to your support, we did it. (당신의 후원 덕에, 우리는 그 일을 해냈습니다.)

article: 글, 기사 ▶ She has written articles for some magazines. (그녀는 몇몇 잡지에 기사를 써 왔다.)

the other day: 며칠 전에 ▶ A strange thing happened to me the other day. (일전에 이상한 일이 나에게 일어났다.)

based on: ~을 기초로 한 (= grounded on) ▶ This is going to be an awesome romance movie based on a true story! (이것은 실화를 기초로 한 대단한 로맨스 영화가 될 것이다!)

urgency: 긴급함 ▶ We must deal with this as a matter of urgency. (우리는 이것을 긴급 문제

로 다루어야 한다.)

do research: 조사하다 ▶ Please do some research before writing a paper. (논문을 쓰기 전에 조사를 좀 하세요.)

assign A to B: A를 B에 배정하다 ▶ I will assign different roles to each of you. (여러분 각자에게 다른 역할을 배정하겠습니다.)

success: 성공 ▶ The concert proved a great success. (그 콘서트는 대단히 성공적이었다.)

arrange 마련하다, 배치하다 ▶ I will phone you to arrange a meeting. (회의 일정을 잡기 위해 전화하겠습니다.)

readable: 읽을 수 있는, 읽기 쉬운 ▶ The handwriting on the letter is readable by everyone. (그 편지의 손글씨는 모든 사람들에게 쉽게 읽힌다.)

present: 현재(의); 선물 ▶ What will be a good present for him? (그에게 좋은 선물이 무엇일까?)

Key Points

3 **It had** a lot of useful tips on effective time management.: There were a lot of useful tips on effective time management in it.의 의미이다.

4 After reading it, I **decided to** put my responsibilities in the order of importance and plan ahead.: decide는 plan, intend 등과 같이 목적어로 to부정사를 취한다. to put과 (to) plan이 이에 해당한다.

6 So, I first wrote down the activities I had to do and then put **them** into four different categories **based on their urgency and importance.**: them은 앞의 the activities를 가리킨다. / based on their urgency ~는 앞의 명사를 꾸며주는 분사구이다.

7 I figured out that **doing research for my history paper** was my top responsibility.: doing research for my history paper가 that절 이하의 주어이다.

8 My English assignment was **the second most important** thing.: 최상급에서 순서를 나타낼 때는 「the + 서수 + 최상급」의 형태이며 '~번째로 가장 …한'의 의미이다.

12 **All I have to do** now is arrange the information in an organized fashion and make it readable.: All I have to do ~는 단수 취급하며 보어로 동사원형 또는 to부정사 등이 온다.

13 Also, I **finished** some reading for my English class.: finish는 mind, deny 등과 함께 -ing를 목적어로 취하는 동사이다.

19 At the end of the day, **the things we did or didn't do** cannot be changed.: 목적격 관계대명사 that이 생략된 (that) we did or didn't do가 선행사 the things를 꾸민다.

20 Therefore, we need to do our best with **the time we have each day.**: we have each day 앞에 목적격 관계대명사 that이 생략되어 있다.

Mini Test

정답과 해설 p. 353

1. 다음 괄호 안의 단어들을 순서대로 배열하시오.

(1) (do, I, all, have, to) now is arrange the information in an organized fashion.

(2) At the end of the day, (we, or, the, did, things, didn't) do cannot be changed.

2. 우리말에 맞게 빈칸에 알맞은 말을 쓰시오.

(1) 내 영어숙제는 두 번째로 중요한 것이었다.
My English assignment was ＿＿＿＿＿＿＿＿ important thing.

(2) 따라서 우리는 매일 우리가 가진 시간에 최선을 다해야 한다.
Therefore, we need to do our best with ＿＿＿＿＿ ＿＿＿＿＿＿ each day.

3. 다음 주어진 표현을 이용하여 문장을 완성하시오.

(1) assign A to B: A를 B에 배정하다
I can't ＿＿＿＿＿＿＿＿＿＿ our group members.
(나는 우리 모둠 멤버들에게 새 역할을 부과할 수가 없다.)

(2) do research: 조사하다
This is why we should ＿＿＿＿＿＿＿＿＿ on the candidates.
(이것이 우리가 후보자들에 대해 좀 조사해야 하는 이유이다.)

(3) based on: ~을 기초로 한
The film ＿＿＿＿＿＿＿＿＿, *The Count of Monte Cristo* will be released soon.
('몬테크리스토 백작'이라는 소설에 기초한 영화가 곧 개봉될 것이다.)

After You Read

1. Choose a saying that best describes the main idea of the reading passage.
본문의 주제를 가장 잘 서술한 속담을 고르시오.

ⓐ Time is money. (시간이 돈이다.)
b. Better late than never. (하지 않는 것보다는 늦더라도 하는 것이 낫다.)
c. Two heads are better than one. (백지장도 맞들면 낫다.)

해석

(1) 미리 계획하라.
미리 계획하는 것은 시간을 <u>더 잘 제어하게</u> 한다.
(2) 할 일을 중요도에 따라 배치하라.
중요도와 긴급성에 기초하여 할 일을 분류하고 가장 <u>중요하고 긴급한</u> 활동들을 먼저 시작하라.
(3) 매 순간을 중요시하라.
<u>여가시간을</u> 현명하게 사용하라.
(4) 가장 생산적인 시간을 찾아라.
생산적인 시간 동안 <u>더 효율적으로</u> 일할 수 있다.

해설

(1) 계획이 시간을 통제하게 돕는다는 뜻이다.

(2) 중요도와 긴급성에 따라 할 일을 구별하라는 내용이다.

(3) 여가 시간도 중요시하라는 뜻이다.

(4) 가장 생산적인 시간이 가장 효율적이라는 내용이다.

어휘

categorize [kǽtəgəràiz] 분류하다

start with ~부터 시작하다

2. Complete the summary of the four time management tips.
4가지 시간 관리법에 대한 요약문을 완성하시오.

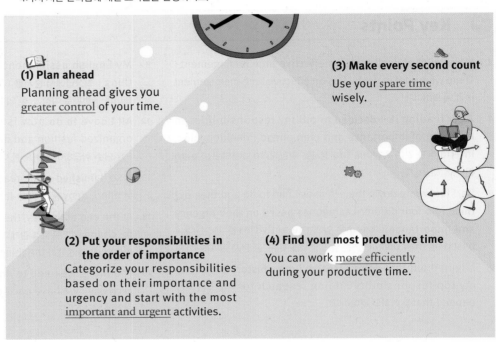

(1) Plan ahead
Planning ahead gives you <u>greater control</u> of your time.

(3) Make every second count
Use your <u>spare time</u> wisely.

(2) Put your responsibilities in the order of importance
Categorize your responsibilities based on their importance and urgency and start with the most <u>important and urgent</u> activities.

(4) Find your most productive time
You can work <u>more efficiently</u> during your productive time.

해설

(1) Every morning, exactly 86,400 seconds are given to you.라고 본문에 나와 있으므로 일치한다.

(2) you may find yourself easily caught up with more than one task ~라고 본문에 나와 있으므로 일치한다.

(3) 가장 중요하고 가장 급한 일을 먼저 해야 한다고 했으므로 일치하지 않는다.

(4) 10분 안에 많은 것을 할 수 있다고 본문에 나와 있다.

(5) 사람에 따라 아침형, 저녁형 인간으로 나누어질 수 있으므로 반드시 아침이 최적의 시간이 아님을 알 수 있다.

3. Listen and select True or False. 듣고 맞으면 True, 틀리면 False를 고르시오.

(1) We get 86,400 seconds each day.

(2) We may find ourselves easily caught up with more than one task when we don't plan ahead.

(3) Activities that are less urgent and important have to be done first.

(4) We can get a lot of things done, even within ten minutes.

(5) Morning is always the best time to get some work done.

(1) 우리는 매일 86,400초를 얻는다.

(2) 우리가 미리 계획을 세우지 않을 때 한 가지 이상의 일에 쉽게 쫓기는 자신을 발견할 수 있다.

(3) 덜 급하고 덜 중요한 활동들이 먼저 실행되어야 한다.

(4) 우리는 10분 안에라도 많은 일들을 할 수 있다.

(5) 아침은 항상 일이 행해질 최적의 시간이다.

어휘

less [les] 덜 ~한

within [wiðín, wiθín] ~ 이내에

(1) ☑ True ☐ False
(2) ☑ True ☐ False
(3) ☐ True ☑ False
(4) ☑ True ☐ False
(5) ☐ True ☑ False

THINK AND WRITE

4. Complete the list again and compare how it may have changed after you read the passage.

목록을 다시 완성하고 본문을 읽고 난 후 어떻게 바뀌었는지 비교하시오.

What I WANT to do (내가 하고 싶은 일)	Rank (순위)	What I HAVE TO do (내가 해야 할 일)	Rank (순위)

활동 팁

표 작성 후 대화 방법

1. 빈칸에 자신의 생각을 적는다.

2. Before You Read에서 적었던 내용과 비교하고 바뀐 부분을 간단히 적는다.

3. 대화를 나누면서 상대방이 변화한 내용과 비교하여 이야기한다.

4. 대화를 마친 후에는 상대방의 의견에 대한 자신의 생각을 말하거나 적는다.

3~5차시 어휘 정리

- accomplish 성취하다, 완수하다
- a night person 올빼미형 인간
- article 글, 기사
- assignment 과제
- based on ~을 기초로 한
- concentrate 집중하다
- do research 조사하다
- exact 정확한
- fulfill 이행하다, 완수하다
- get the most out of ~을 최대한 활용하다
- hang out 시간을 보내다, 어울리다
- in advance 미리
- limited 한정된
- paragraph 단락
- present 현재(의); 선물
- productive 생산적인
- prevent A + from -ing A가 ~하는 것을 못하게 하다
- responsibility 책임, 할 일
- seize 붙잡다
- struggle with ~로 고심하다
- thanks to ~ 덕분에
- urgency 긴급
- valuable 가치 있는

- account 계좌
- arrange 마련하다, 배치하다
- assign A to B A를 B에 배정하다
- at one's best 가장 좋은 때에
- category 범주, 항목
- count 중요하다
- efficiently 율적으로
- figure out 계산해 내다, 이해하다
- forget 잊다
- handle 처리하다
- huge 거대한
- lead a life 생활을 하다
- organize 정리하다, 체계화하다
- precious 귀중한
- pressure 압력, 압박
- problem 문제
- readable 읽을 수 있는, 읽기 쉬운
- take control of ~을 장악하다
- spare 남은, 여가의
- success 성공
- the other day 며칠 전에
- until late at night 밤늦게까지
- without ~없이

Review Points

1. I read an article and understood the main idea and the details.
   나는 기사를 읽고 주제와 세부 사항들을 이해했다.
2. I learned effective ways to manage my time and thought about ways to apply the tips from the article to my own life.
   나는 시간을 관리할 효과적인 방법들을 배웠고 기사에 나온 조언들을 나의 삶에 적용할 방법들에 관해 생각했다.

Language Notes

About Words

다양한 뜻을 가진 어휘들

past: 과거(의); 지나서
We can learn a lot from our past experience. (우리는 과거 경험에서 많이 배울 수 있다.)
It's five past three. (3시 5분이다.)
tear: 눈물; 찢다, 찢어지다
Did you notice the tears in his eyes? (그의 눈에 맺힌 눈물을 알아챘니?)
I tore my skirt on the chair as I stood up. (일어서다가 의자에 치마가 찢겼다.)

해석
(1) 회의는 상당히 편안한 방식으로 진행됐다.
이 잡지에서, 독자들은 음악과 패션에 대해 배울 수 있다.
(1) 미래를 걱정하지 말고 현재 속에 살아라.
엄마 생신이 오늘이어서 엄마 선물을 살 거다.

WORDS IN USE

fashion: n. ① a style that is popular at a particular time, especially in clothes, hair, or make-up
특히, 옷이나 머리, 혹은 화장에서 특정한 시기에 인기 있는 스타일
② a way of doing things
어떤 것들을 하는 방식
present: n. ① something that you are given, without asking for it, on a special occasion
특별한 경우에 요청하지 않는데도 주어지는 어떤 것
② the period of time that is happening now, not the past or the future
과거나 미래가 아니라 지금 일어나고 있는 시간의 기간

1. **Find the appropriate definition for each underlined word from the box and put down the right number.** 위 글상자에서 각각 밑줄 친 단어에 대한 적절한 정의를 찾고 맞는 번호를 적으시오.

(1) The meeting was run in quite a casual <u>fashion</u>. (②)

In this magazine, readers can learn about music and <u>fashion</u>. (①)

(2) Don't worry about the future and live in the <u>present</u>. (②)

I'm going to get a <u>present</u> for my mom because it is her birthday today. (①)

PHRASES IN USE

figure out: to understand or solve something 이해하다: 어떤 것을 이해하거나 해결하다
Figure out the amount of time you need for your activities.
여러분의 활동을 위해 필요한 시간의 총량을 계산하라.

in advance: before a particular time 미리: 특정한 시간 이전에
These are also good ways to organize your schedule *in advance*.
이것들은 미리 스케줄을 체계화할 좋은 방법들이기도 하다.

thanks to: because of someone or something ~덕분에: 누군가 또는 어떤 것 때문에
It was all *thanks to* an article I read the other day.
그것은 모두 내가 며칠 전에 읽었던 기사 덕분이었다.

2. **Complete the sentences with the phrases above.** 위의 구문을 이용해서 문장을 완성하시오.

해석
(1) 나는 민호의 도움 덕에 숙제를 끝낼 수 있었다.
(2) 내 컴퓨터가 갑자기 안 됐는데 이유를 알 수 없다.
(3) 수업 자료를 더 잘 이해하기 위해서 여러분은 미리 그것을 읽고 싶을지도 모른다.

(1) I was able to finish my homework <u>thanks to</u> Minho's help.
(2) My computer suddenly froze, but I can't <u>figure out</u> why.
(3) To understand your class material better, you might want to read it <u>in advance</u>.

FOCUS ON FORM

- Let's say that this is the only bank account **that** you have.
  이것이 여러분이 가진 단 하나의 은행 계좌라고 치자.
- Here are some tips **that** will help you manage your time more effectively.
  여기 여러분이 시간을 더 효과적으로 관리하는 데 도움을 줄 충고들이 있다.

- At other times, you **find** yourself **passing** the time without any pressure.
  때때로 여러분은 어떤 압박도 없이 시간을 보내고 있는 자신을 발견한다.
- You **see** some people **keeping** a calendar or **making** a daily to-do list.
  여러분은 어떤 사람들이 달력에 기록하거나 매일 할 일의 목록을 작성하는 것을 본다.

3. Choose the appropriate form in each sentence. 각 문장에 적절한 형태를 고르시오.

I heard the doll on my bed (1) (singing / to sing) today!

Are you sure you are telling me the truth?
Of course, I am!

You lied! I just saw your nose (2) (growing / grown).

Source: The Walt Disney Company, *Pinocchio*

4. Fill in the blanks with the same word to make the sentences meaningful.
각 문장들이 의미가 있도록 같은 단어로 빈칸을 채우시오.

Imagine you have a big empty pickle jar that you have to fill up by using golf balls, marbles, sand, and water. You have to use as much of all four of these items as you can.

Drop in as many golf balls as you can. After that, drop in some marbles and shake the jar so that the marbles can drop into the gaps <u>that 또는 which</u> are left by the golf balls. Next, take some sand. Pour it into the even smaller spaces that are left. Finally, finish it off with water. This way, you have a full pickle jar without wasting any space.

The pickle jar itself represents your time. The golf balls are the things <u>that 또는 which</u> are most important to you. The marbles mean the things you need to do but don't have to. The sand stands for all the small, time-taking tasks that are easy to do but not as important. The water is for anything <u>that 또는 which</u> takes time but that doesn't really add anything, such as the hours you waste online. What will you fill your jar with for the rest of today?

Source: Nick Owen, *The Magic of Metaphor: 77 stories for teachers, trainers and thinkers*

Improve Yourself

Check or write down the words, expressions, or sentences you didn't understand well in this unit. Explain at least one of them to your group members. (여러분이 이 단원에서 잘 이해하지 못했던 단어, 표현, 문장들을 체크하거나 적어보세요. 그것들 중 적어도 하나를 모둠원에게 설명해 보세요.)

☐ matter (중요하다) ☐ assist (도와주다) ☐ fulfill a task (임무를 다하다) ☐ take control of (~을 통제하다)

☐ to a great extent (상당히)

Your Own ▶ 스스로 해보기

About Forms

관계대명사 that
선행사가 사람 또는 사물, 동물일 때 who, whom, which를 대신해서 쓸 수 있다.

지각동사의 목적보어
see, hear, listen to, feel, smell, taste 등의 지각동사는 목적보어로 동사원형, 현재분사, 과거분사 등을 취할 수 있다.

*find는 목적보어로 분사를 취할 수 있다. 목적어와의 관계가 능동이면 현재분사, 수동이면 과거분사가 온다.

해석
피노키오: 오늘 침대에서 인형이 노래 부르는 것을 들었어요!
할아버지: 진실을 말하는 게 확실하니?
피노키오: 그럼요!
할아버지: 거짓말이구나! 코가 길어지는 것을 보았어.

해설
(1) doll과 sing의 관계가 능동이므로 singing이 온다.
(2) nose와 grow의 관계가 능동이므로 growing이 온다.

해석
골프공, 대리석, 모래, 물을 이용하여 채워야 하는 커다란 텅 빈 피클 항아리를 갖고 있다고 상상해 보아라. 할 수 있는 한 이 네 가지 물품 모두를 많이 이용해야 한다.
할 수 있는 한 많은 골프공을 안에 떨어뜨려라. 그 후 대리석 몇 개를 떨어뜨리고 대리석들이 골프공들에 의해 남겨진 빈 곳에 떨어지도록 항아리를 흔들어라. 다음에 모래를 집어라. 모래를 남아 있는 더 작은 공간들에까지 넣어라. 마지막으로 그것을 물로 마무리하라. 이런 식으로 여러분은 어떤 공간도 낭비하지 않고 피클 항아리를 채운다.
피클 항아리는 여러분의 시간을 나타낸다. 골프공은 여러분에게 가장 중요한 것들이다. 대리석은 해야 할 필요는 있지만 꼭 할 필요는 없는 것들을 의미한다. 모래는 하기는 쉽지만 그만큼 중요하지는 않은, 시간을 소모하는 모든 사소한 일들을 나타낸다. 물은 온라인에서 몇 시간을 낭비하는 것 같은, 시간은 걸리되 별 도움이 되지 않는 것들을 나타낸다. 오늘의 나머지 동안 여러분은 항아리를 무엇으로 채울 것인가?

해설
각 빈칸에는 사물인 the gap, the things, anything을 선행사로 취하는 주격 관계대명사 that(또는 which)이 들어간다.

Write It Right

 **Topic**	**Looking back on your day** (하루 돌아보기) Are you keeping a journal? If you are not, why don't you keep one, so you could look back on your day to make better use of your time? 일기를 쓰나요? 만약 쓰지 않는다면, 시간을 더 잘 이용하도록 하루를 돌아보기 위해 일기를 써 보는 것은 어떨까요?

STEP 1 GET READY 준비하시오.

In groups, think of the benefits of keeping a journal. 모둠별로 일기 쓰기의 장점에 대해 생각해 보시오.

해석

A: 우리는 일기를 다시 읽음으로써 귀중했던 순간들을 돌이켜 볼 수 있을 거야.

B: 일기를 쓰는 것의 장점들이 무엇일까?

C: 우리는 좋았던 기억들을 적을 수 있어.

어휘

benefit [bénəfit] 이익
memory [méməri] 기억

> We can recall our precious moments ① **by reading** them again.

> What could be the benefits of keeping a journal?

> We can write down good memories.

구문

① by -ing는 '~함으로써'의 의미이다. 이때의 by는 수단을 나타낸다.
　ex.) You can improve your English reading skills by reading English short stories. (영어 단편 소설들을 읽음으로써 영어 읽기 기술을 향상시킬 수 있다.)

STEP 2 ORGANIZE YOUR IDEAS 여러분의 생각을 조직화하시오.

Look back on your day yesterday and write down the things you did and didn't do well in terms of using your time. 어제의 하루를 돌아보고 시간을 활용하는 면에서 잘한 일과 잘하지 못한 일을 적으시오.

1. Things I did well (잘한 일들)	• read a book that my teacher recommended (선생님께서 권해 주신 책 읽음) • memorized ten new English words (10개의 새 영단어 암기함) • _____ • _____
2. Things I didn't do well (잘하지 못한 일들)	• spent too much time playing on my smartphone (스마트폰으로 노느라 너무 많은 시간을 보냄) • _____
3. I will change and... (나는 바꿀 것이고...)	• spend my time more wisely (시간을 현명하게 보내겠다) • read thirty minutes and then play on my smartphone for only twenty minutes (30분간 독서하고 스마트폰은 20분만 하고 놀겠다) • _____

 **STEP 3** **WRITE YOUR JOURNAL ENTRY** 여러분의 일기를 쓰시오.

1. Write your own journal entry based on your reflections on yesterday from Step 2.

어제를 돌아본 Step 2를 근거로 해서 여러분의 일기를 쓰시오.

> Today was a great success! Most things went as I had planned. First, I was able to <u>read a book that my teacher recommended</u>. Also, I <u>memorized ten new English words</u>. However, I regret one thing. I spent too much time <u>playing on my smartphone</u>. I'll try to <u>spend my time more wisely</u> from now on. Also, I will continue to write in this journal. It is a great way to look back on the way I use my time and will help me with time management.

2. Check your writing. 여러분의 영작문을 점검하시오.

☐ Does the content stay on topic?
내용이 주제에 계속 집중되어 있나요?

☐ Does your writing contain effective ways to manage your time?
작문에 시간을 관리할 효과적인 방법이 담겨 있나요?

해석

오늘은 무척 성공적이었다! 대부분의 일들이 내가 계획한 대로 흘러갔다. 먼저 나는 선생님께서 추천해 주신 책을 <u>읽을 수 있었다</u>. 또한, 나는 <u>10개의 새 영어 단어들을 암기했다.</u> 그러나 한 가지 후회가 된다. 너무 많은 시간을 <u>스마트폰을 하고 노느라 허비했다</u>. 나는 이제부터 시간을 더 현명하게 쓰도록 노력할 것이다. 또한 이 일기를 계속 쓸 것이다. 내가 시간을 이용한 방식에 대해 돌아보는 것은 좋은 방법이고 내가 시간 관리하는 데 도움을 줄 것이다.

TIP Expression Tip

· spend time -ing
~하느라 시간을 보내다
· continue -ing/to~
계속 ~하다
· look back on
돌아보다

 **STEP 4** **SHARE YOUR PLAN** 여러분의 계획을 공유하시오.

Now talk with your classmates about your time management plan for the next week. 이제 다음 주 시간 관리 계획에 대해 친구와 이야기를 나누시오.

> What will be the primary thing you will focus on for the next week?

> I'll plan out my studying schedule for the midterm exam.

해석

여: 다음 주에 네가 집중할 주된 일이 무엇이니?
남: 중간고사를 대비할 공부 계획을 세울 거야.

Review Points

1. I looked back on my day yesterday and made resolutions to make better use of my time.
나는 어제 나의 하루를 뒤돌아보고 시간을 더 잘 이용할 결심을 했다.

2. I organized my ideas and wrote a journal entry based on them.
나는 생각을 조직화하고 그것을 기반으로 일기를 썼다.

Famous People's Time Management 유명인들의 시간 관리

Benjamin Franklin, an American philosopher and politician, invested at least one hour each weekday so that he could spend five hours deliberately learning new things. (The Five-Hour Rule)

미국의 철학자이자 정치가인 Benjamin Franklin은 의도적으로 새로운 것들을 배우는 데 5시간을 쓰기 위해 평일마다 적어도 한 시간을 투자했다. (5시간의 법칙)

The former Prime Minister of the United Kingdom, Winston Churchill, deliberately took time to take a nap every day so that he could be more productive during the rest of the day.

영국의 전 수상인 Winston Churchill은 남은 하루 동안 더 생산적이 되도록 매일 의도적으로 시간을 들여 낮잠을 잤다.

Bill Gates invests at least one hour every night on weekdays in reading books and reads for four to five hours on weekends. Thanks to this habit, he reads about 50 books per year and claims that this is one of the chief ways for him to learn.

Bill Gates는 책을 읽는 데 평일 밤마다 적어도 1시간을 투자하고 주말에는 4시간에서 5시간 동안 독서한다. 이 습관 덕분에 그는 매년 50권 가량을 독서하며 이것이 그가 배우는 주요한 방식들 중 하나라고 주장한다.

Mark Zuckerberg, the CEO of a social media company, sets himself an annual self-improvement challenge.

2013: Meet a new person outside of social media every day.

2014: Write one thoughtful thank-you note every day.

2015: Read one book per week.

2016: Run 365 miles during the year.

소셜 미디어 회사의 CEO인 Mark Zuckerberg는 매년 자기를 향상시키는 도전을 설정한다.
2013: 매일 소셜 미디어 밖에서 새로운 사람 만나기
2014: 매일 사려 깊은 감사 메모 쓰기
2015: 매주 책 한 권 읽기
2016: 연간 365마일 달리기

CREATIVE PROJECT: The Five-Hour Rule Project

STEP 1

Set yourself a self-improvement goal for this week. 스스로 이번 주의 자기 향상 목표를 정하시오.

e.g., - Finish reading one book (책 한 권 읽기 마치기)
- Start learning a new language (새로운 언어 학습 시작하기)
- Workout every day (매일 운동하기)

STEP 2

Mark your daily routines on the table and find one hour during the day you can invest in achieving the goal you set yourself in Step 1. 표에 매일의 일과를 표시하고, 하루 중 Step 1에서 여러분이 정한 목표를 이루는 데 투자할 수 있는 1시간을 찾으시오.

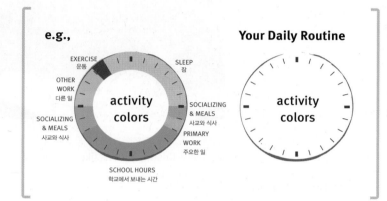

e.g.,

EXERCISE 운동
SLEEP 잠
OTHER WORK 다른 일
SOCIALIZING & MEALS 사교와 식사
SOCIALIZING & MEALS 사교와 식사
PRIMARY WORK 주요한 일
SCHOOL HOURS 학교에서 보내는 시간

activity colors

Your Daily Routine

activity colors

STEP 3

Keep a record of the time you invest each day to reach your goal for the week. 1주 동안 목표를 이루기 위해 매일 투자한 시간을 기록하시오.

Day	Time I invested	Activity I did
	e.g.,	e.g.,
Monday	From 8 p.m. to 9 p.m.	I read 40 pages of a book.
Tuesday	From to	
Wednesday	From to	
Thursday	From to	
Friday	From to	

STEP 4

How did this daily one-hour investment change your entire week? Share your results with your classmates. 이 매일 1시간의 투자가 여러분의 한 주 전체를 어떻게 바꾸었나요? 결과를 짝과 나누시오.

• LISTEN / SPEAK •

[1-2] Listen and answer the questions. 🎧 듣고 질문에 답하시오.

M: Wow, Kristin, it looks like you already finished your math project.

W: Hey, Tyler! Yes, I got it done yesterday.

M: How do you do that? I always finish everything at the last minute.

W: I used to be like that, too, but I'm trying to treat my time like money these days.

M: Can I get your advice on how to manage my time?

W: Well, it takes some time to fully explain it. Let's meet up some time and talk about it.

M: Why don't we do it tomorrow? Can you make it at 4 tomorrow to the school library after school?

W: I don't think I can make it by then. Can we push it back by 30 minutes?

M: Yes, that's fine too. Thanks a lot, Kristin!

남: 와, Kristin, 너 벌써 수학 프로젝트를 끝 낸 것 같구나.

여: 어, Tyler! 응, 어제 끝냈어.

남: 너는 어떻게 그렇게 하니? 나는 항상 마지 막 순간에 모든 걸 끝내.

여: 나도 그랬었는데, 요즘은 내 시간을 돈처 럼 다루려고 노력하고 있어.

남: 내 시간을 관리하는 방법에 대해 충고를 얻을 수 있을까?

여: 전부 다 설명하는 데는 시간이 걸릴 것 같 아. 언제 만나서 그것에 대해 이야기하자.

남: 내일 만나는 게 어때? 방과 후에 학교 도 서관에서 내일 4시 가능해?

여: 그때까지는 안될 것 같아. 30분 늦출 수 있을까?

남: 그것도 좋아. 고마워, Kristin!

해설

1. I always finish everything at the last minute.라고 말한 것 에서 시간 관리에 문제가 있음을 알 수 있다.

2. 4시를 제안하자 Can we push it back by 30 minutes?라고 미 룬 것으로 보아 4시 30분에 만날 것 임을 알 수 있다.

어휘

used to + 동사원형 ~하고는 했다
fully [fúlli] 완전히, 전적으로

---

1. What problem does the boy have? 남학생은 어떤 문제를 가지고 있는가?

ⓐ He has issues with time management. 시간 관리에 문제가 있다.
b. He hasn't finished his math project yet. 수학 프로젝트를 아직 끝내지 못했다.
c. He is finding his math project difficult. 수학 프로젝트가 어렵다는 것을 알고 있다.

2. When are the speakers going to meet? 두 사람은 언제 만날까?

a. today at 4 p.m. 오늘 오후 4시
b. tomorrow at 4 p.m. 내일 오후 4시
ⓒ tomorrow at 4:30 p.m. 내일 오후 4시 30분

3. Suppose you have one of the following problems. Have a conversation with your partner by filling in the blanks.

여러분이 다음 문제 중 하나를 가지고 있다고 가정해 보시오. 빈칸을 채워서 짝과 대화해 보시오.

toothache
- stop having sweets

time management
- make a schedule for a week

science project
- look up websites that explain the concept you want to learn

A: I'm so stressed about my <u>science project</u>. Can I get your advice on this problem?

B: Sure. I think you could <u>look up websites that explain the concept you want to learn</u>.

해석 ┌

치통 단것 먹는 것을 중단한다
시간 관리 한 주일의 계획 세우기
과학 프로젝트 배우고 싶은 개념을 설명해 주는 웹사이트 찾기
A: 나 과학 프로젝트 때문에 너무 스트레스 받아. 이 문제에 대해 충고해 줄 수 있니?
B: 응. 너는 배우고 싶은 개념을 설명해 주는 웹사이트를 찾을 수 있을 거야.

어휘 ┌

concept [kάnsept] 개념

READ / WRITE

4. What is the writer's message in the underlined sentence?

밑줄 친 문장에서 필자의 메시지는 무엇인가?

Most of us start a day knowing the things we have to do that day: go to school, hang out with friends, finish our homework, and so on. To manage our time better, we list them, decide the importance of each activity and make a schedule based on it. <u>However, a lot of us don't think enough about the time we spend with our family.</u> Even when you are caught up with a long to-do list, you should never miss out on the quality time you share with family, especially when you are busy. Therefore, when you are making a daily or weekly schedule, don't forget to include family time on the list of duties. Make sure family time ranks just as high as other important tasks.

a. You need to have good family time. 가족과 좋은 시간을 보내야 한다.

b. Making a to-do list can help you manage your time better.
   할 일의 목록을 만드는 것이 시간을 더 잘 관리하는 데 도움을 줄 수 있다.

ⓒ We need to consider family time when we make our schedule.
   우리는 계획을 정할 때 가족과의 시간을 고려해야 한다.

해석 ┌

우리 대부분은 그날 해야 할 일들을 알고 하루를 시작한다: 학교에 가기, 친구와 놀기, 숙제 끝내기 등. 우리의 시간을 더 잘 관리하기 위해, 우리는 그것들의 목록을 만들고, 각 활동의 중요도를 결정하고 그것에 기초해서 계획을 짠다. 그러나 많은 사람들은 가족과 보내는 시간에 대해서는 충분히 생각하지 않는다. 여러분이 해야 할 긴 목록에 쫓긴다고 해도, 특히 바쁠 때, 가족과 보내는 귀중한 시간을 놓쳐서는 안된다. 따라서 하루 또는 주 단위 계획을 짜고 있을 때 해야 할 일의 목록에 가족과 보내는 시간을 포함시키는 것을 잊어서는 안된다. 반드시 가족과 보내는 시간을 다른 중요한 일들만큼 상위에 놓아라.

해설 ┌

마지막 부분인 Therefore, when you are making a daily or weekly schedule, don't forget to include family time on the list of duties. Make sure family time ranks just as high as other important tasks.에서 필자의 의도인 가족과의 귀중한 시간을 최상위로 선택하라는 주제가 드러난다.

어휘 ┌

miss out on ~을 놓치다
include [inklúːd] 포함하다
duty [djúːti] 의무, 직무
rank [ræŋk] 자리잡다, 차지하다

5. Look at the pictures and place the given words in the correct order in the journal entry below.

그림들을 보고 아래 일기의 순서에 맞도록 주어진 단어를 배열하시오.

6 p.m.

8 p.m.

I will never forget today. I finally got to see a concert by my favorite singer! My friend and I had dinner at 6. We ate <u>grilled beef that was exceptionally well seasoned</u> (grilled beef / well seasoned / was / that / exceptionally). After having dinner, we ran to the concert hall. The concert started at 8, so we tried not to be late. Finally, we entered the hall. I <u>watched my favorite singer sing and dance</u> (watched / sing and dance / my favorite singer) for an hour. It was very exciting!

해석

오늘을 절대 잊지 못할 것이다. 나는 마침내 내가 제일 좋아하는 가수의 콘서트를 보러 갔다! 내 친구와 나는 6시에 저녁을 먹었다. 우리는 특별히 잘 양념된 구운 소고기를 먹었다. 저녁 식사 후, 우리는 콘서트장으로 뛰어갔다. 콘서트는 8시에 시작해서 우리는 늦지 않으려고 노력했다. 마침내 우리는 콘서트장에 들어갔다. 나는 가장 좋아하는 가수가 노래하고 춤추는 것을 1시간 동안 관람했다. 정말 신났다!

해설

선행사 grilled beef를 설명하는 that was exceptionally well seasoned의 관계대명사절이 뒤에 이어진다.
「지각동사 + 목적어 + 분사/동사원형」의 어순이므로 목적어인 my favorite singer 뒤에 동사원형인 sing and dance 가 온다.

어휘

grilled [grild] 그릴에 구운
season [síːzn] 양념하다
exceptionally [iksépʃənli] 예외적으로

Self-Evaluation

🎧 I can recognize changes in the way a speaker expresses feelings. ☆ ☆ ☆
듣기 나는 화자가 감정을 표현하는 방식에 있어서 변화를 알 수 있다.

💬 I can ask for and give advice on ways to strengthen personal qualities. ☆ ☆ ☆
말하기 나는 개인 능력을 강화할 방법들에 대한 충고를 구하고 줄 수 있다.

📖 I can get the key information from the article on time management. ☆ ☆ ☆
읽기 나는 시간 관리에 관한 기사에서 주요 정보를 얻을 수 있다.

✍ I can write a journal entry to look back on my day. ☆ ☆ ☆
쓰기 나는 하루를 돌아보기 위해 일기를 쓸 수 있다.

Further Study

Watch the video and think about the elements of good resolutions. Also, think about how these tips could help you make plans that you can keep up better.
비디오를 보고 바람직한 결심의 요소에 대해 생각해 보세요. 또한 이 충고들이 여러분이 더 잘 해나갈 수 있는 계획을 세우는 데 어떻게 도움이 되는지 생각해 보세요.

• how to make better resolutions: www.pbs.org/video/2365819541
결심을 더 잘하는 방법: : www.pbs.org/video/2365819541

Words and Phrases

정답과 해설 p. 353

다음 단어와 어구의 뜻을 쓰시오.

1. article _____
2. analyze _____
3. associate _____
4. be due _____
5. be running late _____
6. catch up with _____
7. curiosity _____
8. in person _____
9. investigate _____
10. isolated _____
11. meaningless _____
12. on average _____
13. personality _____
14. process _____
15. reasoning _____
16. strategy _____
17. struggle to _____
18. take one's time _____
19. take risks _____
20. accomplish _____
21. a night person _____
22. arrange _____
23. assign *A* to *B* _____
24. at one's best _____
25. category _____

26. concentrate _____
27. count _____
28. do research _____
29. efficiently _____
30. figure out _____
31. fulfill _____
32. get the most out of _____
33. hang out _____
34. huge _____
35. lead a life _____
36. limited _____
37. in advance _____
38. organize _____
39. readable _____
40. precious _____
41. present _____
42. pressure _____
43. productive _____
44. prevent ~from _____
45. responsibility _____
46. take control of _____
47. seize _____
48. thanks to _____
49. valuable _____
50. 나만의 단어 / 어구 _____

Functions

► Can I get your advice on ways to stay more positive?
특정한 주제에 관해 상대방에게 충고를 구할 때 쓰는 표현.

► Can you make it at 4?
상대방에게 몇 시가 가능한지 묻는 표현.

Forms

► Let's say that this is the only bank account **that** you have. (관계대명사 that)
선행사가 사람 또는 사물, 동물일 때 who, whom, which를 대신해서 쓸 수 있다.

• 주격으로 쓰인 관계대명사: 선행사 + that + 동사
  ex.) There are <u>some people</u> **that[who]** <u>let</u> their dogs run
  loose.　　선행사　　관계대명사 동사
  (개들을 묶지 않고 풀어놓은 채 달리게 하는 사람들이 있다.)

• 목적격으로 쓰인 관계대명사: 선행사 + that + 주어 + 동사
  ex.) That was <u>the best movie</u> **that** <u>I</u> <u>have</u> ever seen.
  　　　　선행사　관계대명사 주어 동사
  (내가 여태 본 중 최고의 영화였다.)
  – 목적격으로 쓰인 관계대명사는 생략할 수 있다.

► You **see** some people **keeping** a calendar or **making** a daily to-do list. (지각동사의 목적보어)
see, hear, listen to, feel, smell, taste 등 지각동사는 목적보

어로 동사원형, 현재분사, 과거분사 등을 취할 수 있다.
• 목적어와 보어의 관계가 능동인 경우: 지각동사 + 목적어 + 동사원형[-ing]
  ex.) I watched <u>her</u> **walk** out of the door.
  　　　　목적어 동사원형(-ing)
  (나는 그녀가 문 밖으로 걸어나가는 것을 보았다.)
  – -ing가 동사원형보다 좀 더 진행의 의미를 담고 있다.

• 목적어와 보어의 관계가 수동인 경우: 지각동사 + 목적어 + p.p.
  ex.) I saw <u>the bridge</u> **destroyed** by bombing.
  　　　　목적어　　과거분사
  (나는 폭격으로 다리가 파괴되는 것을 보았다.)
  * find는 목적보어로 현재분사 또는 과거분사를 취할 수 있다. 목적어와의 관계가 능동이면 현재분사, 수동이면 과거분사가 온다.
  ex.) I <u>found</u> myself **lost** in the forest.
  　　　find + 목적어 + p.p.
  (나는 숲속에서 길을 잃었다.)

date: . . .   student number: name: /25

1 주어진 단어의 뜻을 잘못 연결한 것을 고르시오. `3점`
① article: 기사   ② strategy: 전략
③ seize: 붙잡다   ④ valuable: 가치 없는
⑤ concentrate: 집중하다

2 다음 중 숙어를 바꾸어 쓸 수 없는 것을 고르시오. `3점`
① hand in = submit
② in advance = later
③ to be honest = frankly
④ in a fashion = in a way
⑤ based on = grounded on

3 다음 중 숙어의 뜻이 잘못 연결된 것을 고르시오. `3점`
① hang out: 어울리다
② thanks to: ~덕분에
③ figure out: 오해하다
④ take control of: ~를 통제하다
⑤ until late at night: 밤늦게까지

4 다음 중 〈보기〉가 설명하는 영단어를 고르시오. `3점`

> 보기 » something that is your job or duty to deal with

① success
② pressure
③ category
④ paragraph
⑤ responsibility

5 주어진 문장의 뒤에 이어질 대화의 순서가 바르게 배열된 것을 고르시오. `3점`

> This cookie is amazing! Did you bake it?

(A) Sure. I can give you the recipe.
(B) Yes, I did. Glad you like it!
(C) I love it! How did you bake it? Can you teach me?

① (A) – (C) – (B)   ② (B) – (A) – (C)
③ (B) – (C) – (A)   ④ (C) – (A) – (B)
⑤ (C) – (B) – (A)

[6~7] 다음 대화를 읽고, 물음에 답하시오.

A: My math assignment was due yesterday, but I couldn't hand it in on time.
B: Oh no. I guess you didn't have enough time.
A: To be honest, I wasted my time on meaningless things.
B: (a)It looks like you'd better learn efficient time management skills.
A: Yes, I really need some! Can I get your advice on good time management skills?
B: Sure. Using a personal planner can help you a lot.
A: I've tried, but it has been hard to make (b)it work. Can you help me?
B: Of course. I think we can talk more when we have some more time, though.

6 위 대화의 밑줄 친 (a)의 의도로 알맞은 것을 고르시오. `3점`
① to advise   ② to refuse
③ to accept   ④ to advertise
⑤ to appreciate

7 위 대화의 밑줄 친 (b)it이 가리키는 것을 우리말로 쓰시오. `5점`

_____

[8~9] 다음 글을 읽고, 물음에 답하시오.

We all have a limited amount of time in a day. We cannot repeat a single second from yesterday. Also, we cannot use tomorrow's time in advance. At the end of the day, the things we did or didn't do cannot be changed. _____, we need to do our best with the time we have each day. Time does not wait for us. If there is no today, there is no tomorrow. We need to be thankful for today. That is why we call the present the "present."

8 윗글의 주제로 가장 알맞은 것을 고르시오 `3점`
① importance of time
② time management skills
③ ways to make good plans
④ how to organize spare time
⑤ how to make a good resolution

9 윗글의 빈칸에 가장 알맞은 것을 고르시오. **[3점]**

① Therefore　　　　② However
③ For example　　　④ By the way
⑤ Nevertheless

[10~11] 다음 대화를 읽고, 물음에 답하시오.

> A: Hello?
> B: Hi, Jinho. It's Jin. I'm so sorry, but I'm running a little late….
> A: You're late again? How come you always come late?
> B: I really tried not to be late, but my mom asked for help when I was about to leave.
> A: Is everything okay?
> B: Actually, she is very sick. She needed me to stay until my brother came back home.
> A: Oh, no. Sorry to hear that. Well, now I'm worried.
> B: Sorry I couldn't let you know earlier.
> A: It's okay. I can wait. <u>What time should I expect you?</u> Can you make it at 4?
> B: Yes, I think I can make it by then.

10 위 대화의 밑줄 친 부분과 바꾸어 쓸 수 있는 것을 고르시오. **[3점]**

① What time do you leave?
② What time can you come?
③ What time will you be back?
④ How long have you been there?
⑤ When do you think it happened?

11 위 대화의 내용으로 보아 빈칸에 알맞은 말을 본문에서 찾아 한 단어로 쓰시오. **[5점]**

Jin couldn't leave earlier because her mom needed some

_____.

[12~13] 다음 대화를 읽고, 물음에 답하시오.

> A: Hey, I found a very interesting article.
> B: What is it about?
> A: It's about how many days or years we spend on certain activities in our whole life.
> B: Sounds interesting. What do we spend most of our life on?

> A: This might make you sad. The article says it is working. We spend 26 years working when we consider people live for 80 years on average.
> B: Really? I'm surprised it's not sleep. What do we spend the least time on, then?
> A: It says it's smiling. We only spend about 88 days doing this.
> B: That is very disappointing. I think we'd better smile more, even (when, about, to, there, is, nothing, smile).
> A: I think so, too.
> B: Can I get your advice on ways to stay more positive and smile more? I noticed you smile more than most people do.
> A: I'm glad you think so. I'm happy to help you.

12 According to the article, what activity do we spend the least time on? **[5점]**

_____

13 위 대화의 괄호 안에 주어진 단어들을 문맥에 맞게 배열하시오. **[5점]**

_____

14 다음 글의 빈칸에 공통으로 알맞은 말을 한 단어로 쓰시오. **[5점]**

> Use your spare _____ wisely. Sometimes you may find yourself having only ten minutes before the next activity. You may think that nothing much can be done during this short _____. However, you can actually do many things in just ten minutes, like writing a paragraph for an assignment or solving about five math problems. You can even do some reading on the subway.

15 다음 〈보기〉의 우리말과 같도록 괄호 안에 주어진 단어들을 이용하여 빈칸에 알맞은 말을 쓰시오. [5점]

> **보기 »** 너의 상황을 최대한 활용하려고 노력하라.
> (the, get , most, of, out)

→ Try to _____ your situation.

16 다음 문장의 빈칸에 가장 알맞은 것을 고르시오. (정답 2개) [3점]

> I heard someone _____ my name while I was sleeping.

① whisper
② whispered
③ to whisper
④ whispering
⑤ be whispered

[17~18] 다음 글을 읽고, 물음에 답하시오.

> I used my time in a very productive way today! It was all thanks to an article I read the other day. It had a lot of useful tips on effective time management. After reading it, I decided to put my responsibilities in the order of importance and plan ahead. I was really stressed out because I had assignments in both History and English. So, I first wrote down the activities I had to do and then put them into four different categories based on their urgency and importance. I figured out that doing research for my history paper was my top responsibility. My English assignment was the second most important thing. After that, I made a schedule for the day by assigning more time to my top responsibilities.
>
> It was a great success! First, I was able to finish my research for the history assignment. All I have to do now is arrange the information in an organized fashion and make it readable. Also, I finished some reading for my English class. After finishing these important activities, I spent some quality time with my family. I learned that good planning works wonders.

17 윗글의 내용으로 보아 다음 문장의 빈칸에 알맞은 말을 본문에서 찾아 쓰시오. [5점]

The writer divided his responsibilities into four categories according to its _____ and _____.

18 윗글의 밑줄 친 fashion과 같은 뜻으로 쓰인 것을 고르시오. [3점]

① Fur coats have gone out of fashion.
② She always wears the latest fashions.
③ Long hair is back in fashion for men.
④ The meeting began in a friendly fashion.
⑤ That is a program on sport and fashion.

[19~21] 다음 글을 읽고, 물음에 답하시오.

> Time works just the same way. Every morning, exactly 86,400 seconds are given to you. It may not seem valuable because you will get the exact same amount the next day. However, you only have a limited amount of time in a day, and you cannot save any part of it. Therefore, you should seize the day! In order to do so, you need to learn ways to manage this limited and precious time. Although failing to manage time is a huge waste, spending it wisely is often difficult. Sometimes, you struggle with too much work to do. At other times, you find yourself _____ the time without any pressure because there is no urgent task to fulfill. So what is the best way to lead our daily lives with these 86,400 seconds?

19 윗글의 밑줄 친 do so가 가리키는 것을 본문에서 찾아 쓰시오. [5점]

_____

20 윗글의 빈칸에 들어갈 말로 알맞은 것을 고르시오. [3점]

① pass
② to pass
③ passed
④ passing
⑤ is passing

21 윗글의 뒤에 이어질 내용으로 가장 알맞은 것을 고르시오. [3점]

① how to avoid being stressed out
② how to reduce pressures at work
③ how to finish your work in time
④ how to manage your time wisely
⑤ how to lead a happy life when young

22 주어진 문장에 이어질 글의 순서로 가장 알맞은 것을 고르시오. [3점]

Divide your activities into four categories: (1) important and urgent, (2) important but not urgent, (3) unimportant but urgent, and (4) unimportant and not urgent.

(A) However, categorizing will prevent you from losing focus and will help you accomplish the things that actually matter.

(B) Those that fall under the first category are your top responsibilities. Make sure that all of these are met before you move on to those that are less important or urgent.

(C) For example, let's say there will be an exam next week. You might want to study (important and urgent) first before you hang out with your friends (important but not urgent). It is easy to do the things you want to do first.

① (A) – (C) – (B)   ② (B) – (A) – (C)
③ (B) – (C) – (A)   ④ (C) – (A) – (B)
⑤ (C) – (B) – (A)

23 다음 두 문장의 빈칸에 공통으로 알맞은 것을 고르시오. [3점]

- This is the tea _____ will keep you healthy.
- Of all my friends, she's the one _____ I know I can rely on.

① who
② that
③ whom
④ whose
⑤ whatever

24 다음 〈보기〉의 우리말과 같도록 괄호 안에 주어진 단어들을 이용하여 영작하시오. (형태가 바뀔 수도 있음) [5점]

보기 » 여러분은 새해 첫날을 위해 결심을 찾고 있는 자신을 발견할 수도 있다.
(find, yourself, a, resolution, for, look)

→ You may _____ for the first day of the year.

25 다음 〈보기〉를 참조하여 자신만의 일기를 써 보시오. [10점]

보기 » I will never forget today. I finally got to see a concert by my favorite singer! My friend and I had dinner at 6. We ate grilled beef that was exceptionally well seasoned. After having dinner, we ran to the concert hall. The concert started at 8, so we tried not to be late. Finally, we entered the hall. I watched my favorite singer sing and dance for an hour. It was very exciting!

서술형 평가

1 다음 뜻풀이에 해당하는 말을 주어진 철자로 시작하여 쓰시오. [각 4점]

(1) u_____: needing attention very soon, especially before anything else

(2) c_____: a type, or a group of things having same features

(3) p_____: the force you produce when you press something

(4) a_____: an arrangement with a bank to keep your money there and to allow you to take it out when you need to

(5) p_____: resulting in or providing a large amount or supply of something

2 다음 우리말과 같도록 빈칸에 알맞은 말을 쓰시오. [각 6점]

(1) Can you _____ at five? (5시 가능하니?)

(2) Are you still _____ that puzzle? (아직도 그 퍼즐과 씨름하고 있니?)

(3) Let me know _____ if you are coming. (올 거면 미리 알려줘.)

(4) It's all _____ my coach that I won the gold medal. (내가 금메달을 딴 것은 모두 코치님 덕분이다.)

(5) It takes some time for most people to _____ _____ the new system. (대부분의 사람들이 그 새로운 시스템을 이해하는 데 시간이 좀 걸린다.)

(6) I am _____ in the morning. (나는 아침에 상태가 가장 좋다.)

3 우리말에 맞게 괄호 안의 어휘를 사용하여 문장을 완성하시오. [각 6점]

(1) 그 문제에 대해 너의 충고를 얻을 수 있을까?
Can _____ that matter?
(get / I / advice / your / on)

(2) 내일 몇 시가 좋니?
What _____ tomorrow?
(time / for / good / you / is)

(3) 나는 점점 더 수학에 관심을 갖게 되었다.
I found _____ in math.
(interested / getting / myself / more)

(4) 나는 개미들이 사과 여기저기에 올라가는 것을 보았다.
I saw _____ the apple.
(climbing / over / some / ants / all)

수행 평가

4 다음 〈보기〉를 참조하여 자신의 시간 관리법에 대한 결심을 5가지 쓰시오. [20점]

보기 » **My Resolution**

- I will spend my time more wisely.
- I will put my responsibilities in the order of importance.
- I will use a personal planner and make a daily schedule.
- I will make a weekly plan in advance.
- I will find when I am at my best and make use of it.

UNIT 3

Together We Make a Family

Topic 가족, 디지털 격차, 세대 차이, 디지털 기기

Functions I'm not satisfied with this situation. (불만족 표현하기)
I think you should consider their age. (충고하기)

Forms 1. I wondered **why he held on** to his negative attitudes toward digital technologies. (명사절을 이끄는 의문사)
2. He also introduced me to a lot of songs I **had never heard** before. (과거완료)

Listen and Speak

	Digital devices and our daily lives (디지털 기기와 우리의 일상생활)
Topic	How digital are you? Nowadays we use many kinds of digital devices in our daily lives. Think about how to use digital devices wisely. (당신은 얼마나 디지털화 되어 있습니까? 요즘 우리는 일상생활 속에서 다양한 종류의 디지털 기기를 사용합니다. 디지털 기기를 현명하게 사용하는 방법에 관해 생각해 봅시다.)

● GET READY

Listen and write the number of the dialogue on the correct picture. 🎧
대화를 듣고 어울리는 사진에 알맞은 번호를 쓰시오.

📑 About Functions

I'm not satisfied with~는 '나는 ~이 마음에 들지 않아'라는 뜻으로 어떤 일이나 상황이 만족스럽지 않다는 것을 표현할 때 쓰이며, be satisfied with 뒤에는 명사가 온다.

I think you should ~ 는 '나는 네가 ~해야 한다고 생각해'라는 뜻으로 충고를 할 때 쓰인다. 조동사 should 뒤에는 동사원형이 온다.

해설

1. 남자는 태블릿에 대한 불만족을 표현하고 있고 여자는 남자에게 태블릿 사용 방법을 알려주고 있다.

2. 여학생은 남학생이 언급한 영화를 시청했으나 TV 스피커가 형편없어서 영화에 집중할 수 없었다고 말했다.

3. 여학생의 휴대폰이 작동하지 않자 남학생은 여학생에게 휴대폰을 고칠 것을 권유하고 있다.

어휘

work [wərk] (기계, 장치 등이)작동하다
complicated [kámpləkèitid] 복잡한
focus [fóukəs] 집중하다
fix [fiks] 고치다

1.

W: Honey, what's wrong? Is it not working again?
M: It's working, but I'm not happy with this tablet. It's too complicated.
W: It's really easy. ① **Let me** show you how to use it.
M: Okay, thanks.

2.

M: Did you watch the movie *My Life* last night on TV? It was wonderful!
W: I did, but I couldn't focus on the movie.
M: Really? Why not?
W: It was because of my old TV. I'm not satisfied with my TV's bad speakers.

3.

W: Oh, no. I'm not really satisfied with this old cell phone.
M: ② **What's the matter?**
W: It's not working again.
M: Again? **I think you should** fix it.

여: 여보, 뭐가 문제죠? 또 작동이 안 돼요?
남: 작동은 되는데, 이 태블릿이 마음에 들지 않아. 너무 복잡해.
여: 이건 아주 쉬워요. 내가 사용하는 방법을 보여줄게요.
남: 그래, 고마워요.

남: 어젯밤 TV에서 방영된 '내 인생'이라는 영화 봤어? 굉장했어!
여: 봤어, 그런데 영화에 집중을 할 수 없었어.
남: 정말? 왜?
여: 내 TV가 오래돼서 그래. 난 내 TV의 형편없는 스피커가 마음에 들지 않아.

여: 이런. 나는 이 오래된 휴대폰이 마음에 들지 않아.
남: 무슨 일인데?
여: 이게 또 작동하지 않아.
남: 또? 난 그걸 고쳐야 한다고 생각해.

🚩 미니 백과

영화 "My Life"

영화 속 주인공인 Bob Jones는 LA에서 광고업자로 큰 성공을 거둔다. 그러나 그의 아내가 임신한 후 Bob은 신장암에 걸려 시한부 인생을 선고받게 된다. 그는 태어날 아기에게 자신의 모습과 아기에게 가르쳐 주고 싶은 것들을 비디오에 담기 시작한다. 아직 태어나지 않았지만 아기에게 한없는 사랑을 갖고 있던 주인공의 이야기를 담은 영화이다.

◀ 구문

① Let me~ 는 '내가 ~할게'라는 뜻으로 상대방에게 허락이나 무엇을 할 기회를 요청할 때 쓰인다. Let me 다음에는 동사가 온다는 점에 유의한다.
  ex.) Let me open the door for you. (내가 너를 위해 문을 열게.)

② What's the matter?는 '무슨 일이니?'라는 뜻으로 상대방의 슬픔이나 불만족, 실망의 원인에 대해 물을 때 쓰인다. What's wrong?, What's the problem?, What happened? 등의 표현도 같은 의미이다.
  ex.) What's the matter? You look upset. (무슨 일이야? 기분이 안 좋아 보이는데.)

LISTEN IN

DIALOGUE 1 | Listen and answer the questions. 🎧
다음을 듣고 물음에 답하시오.

1. **What are the speakers mainly talking about?** 화자는 주로 무엇에 대하여 이야기하고 있는가?
   a. using inappropriate words (부적절한 단어를 사용하는 것)
   b. wasting time playing online games (온라인 게임을 하느라 시간을 허비하는 것)
   c. depending too much on digital devices (디지털 기기에 과하게 의존하는 것)

2. **Listen again and complete the speakers' sentences.** 다시 듣고 화자의 문장을 완성하시오.
   A: I have a hard time talking with <u>my parents</u>. (저는 제 부모님과 대화하는 것이 힘들어요.)
   B: Try to avoid <u>using Internet slang</u>. (인터넷 속어를 사용하는 것을 피하도록 노력해 보세요.)

W: Welcome back. This is your DJ Jennifer on FM *Forever Teen*. Here is our second caller. Hello?

M: Hi, Jennifer. My name is Ted, and I'm calling from Seattle.

W: Hi, Ted. What can we help you with?

M: I'm ① **having a hard time talking** with my parents. ② **I'm not satisfied with** this situation.
   📋 Listening Tip 1

W: I'm sorry to hear that. Can you tell me more about it?

M: When I talk to my parents, they ③ **keep asking** me so many questions because they don't understand some of the words that I use.
   📋 Listening Tip 2

W: Do you use Internet slang when you talk to them?

M: Yes, sometimes.

W: I know a lot of teens ④ **tend to** use that kind of language, but we should watch our words.

M: But I like using those words because they are fun and cool.

W: Let's suppose your parents used words that you didn't understand. How would you feel?

M: Well... I guess I would feel pretty bad.

W: ⑤ **How about avoiding** language like that when you talk with your parents?

M: I think it will take time to change my habit, but I'll try. Thanks for the tip.

여: 다시 오신 것을 환영합니다. FM *Forever Teen*의 라디오 진행자 Jennifer입니다. 두 번째 전화 연결이네요. 안녕하세요?

남: 안녕하세요, Jennifer. 제 이름은 Ted이고 Seattle에서 전화하고 있습니다.

여: 안녕하세요, Ted. 무엇을 도와드릴까요?

남: 저는 제 부모님과 대화할 때 어려움을 겪고 있어요. 저는 이 상황이 마음에 들지 않아요.

여: 안됐군요. 더 자세히 이야기해 주실 수 있나요?

남: 부모님과 얘기할 때, 부모님은 제가 사용하는 몇몇 단어들을 이해하지 못하기 때문에 저에게 계속 질문을 해요.

여: 부모님과 대화할 때 인터넷 속어를 사용하세요?

남: 네, 가끔요.

여: 많은 청소년들이 그런 종류의 언어를 사용하는 경향이 있긴 하지만, 말조심해야 해요.

남: 하지만 저는 그런 단어들이 재미있고 멋져서 사용하는 것을 좋아해요.

여: 부모님께서 당신이 이해하지 못하는 단어들을 사용했다고 가정해봅시다. 기분이 어떨 것 같아요?

남: 글쎄요... 기분이 꽤 안 좋을 것 같네요.

여: 부모님과 대화할 때 그런 언어를 피하는 것이 어때요?

남: 제 습관을 바꾸는 데에 시간이 걸리겠지만 노력할게요. 조언해주셔서 고맙습니다.

해설

1. 인터넷 속어 사용으로 인해 부모님과 의사소통이 되지 않는다는 대화 내용으로 미루어 볼 때 두 화자는 '부적절한 단어를 사용하는 것'에 대해 이야기하고 있음을 알 수 있다.

2. 남자는 '부모님'과 대화할 때 어려움을 겪고 있다고 하고 있으므로 빈칸에 들어갈 말은 my parents가 적절하다. 여자는 '인터넷 속어를 사용하는 것'을 피하라고 조언하고 있으므로 빈칸에는 using Internet slang이 와야 한다. Avoid 뒤에는 동명사인 using이 와야 함에 유의하자.

어휘

situation [sìtʃuéiʃən] 상황
Internet slang 인터넷 속어
watch [watʃ] 조심하다
suppose [səpóuz] 가정하다
pretty [príti] 꽤
habit [hæbit] 습관

📋 구문

① have a hard time -ing는 '~하는 데에 어려움을 겪다'라는 뜻이다.
   ex.) I'm having a hard time fixing the computer. (나는 컴퓨터를 고치는 데에 어려움을 겪고 있다.)

② be not satisfied with는 '~에 만족하지 않다'라는 뜻이다.
   ex.) I'm not satisfied with the book review. (나는 그 서평이 마음에 들지 않는다.)

③ keep -ing는 '계속 ~하다'라는 뜻으로 어떤 동작을 쉬지 않고 계속하거나 반복되는 경우에 쓰인다.
   ex.) I kept falling asleep in math class. (나는 수학시간에 계속 졸았어.)

④ tend to는 '~하는 경향이 있다'라는 뜻이다.
   ex.) People tend to use a lot of disposable products. (사람들은 일회용품을 많이 사용하는 경향이 있어.)

⑤ how about -ing?는 '~하는 것이 어때?'라는 뜻으로 제안을 하거나 상대방의 의향이 어떤지 물어볼 때 쓰인다.
   ex.) How about eating out tonight? (오늘 저녁에 외식하는 건 어때?)

📋 Listening Tip

To get the main idea of the dialogue
대화의 주제를 알기 위해서는

1. Try to figure out the topic of the dialogue.
   대화의 중심 내용을 이해하는 데에 중점을 둔다.

2. Focus on the words that are repeated.
   반복되는 단어들을 특히 집중해서 듣는다.

🎧 Listen and Speak

DIALOGUE 2 | Listen and answer the questions. 🎧
다음을 듣고 물음에 답하시오.

해설

1. Dad, I was planning to go to the library with Tyler.라는 미나의 말로 미루어 볼 때 미나는 Tyler와 도서관에 가기로 했었다.

2. 미나는 할아버지, 할머니와 대화할 때 '지루함'을 느낀다고 했으므로 빈칸에 올 말은 bored가 적절하며, 미나의 아빠는 할아버지가 휴대폰으로 '사진'을 보낼 수 있도록 도와드리라는 조언을 했고 미나는 '이메일'을 작성하는 것도 알려드리겠다고 했으므로 빈칸에는 photo와 email이 와야 한다.

어휘

actually [ǽktʃuəli] 사실은
consider [kənsídər] 고려하다
natural [nǽtʃərəl] 정상적인, 당연한

1. What was Mina's plan with Tyler? (Tyler와 세웠던 미나의 계획은 무엇인가?)
   a. to go shopping (쇼핑하러 가기)
   b. to watch a movie (영화 보기)
   ⓒ. to go to the library (도서관에 가기)

2. Listen again and complete the sentences. (다시 듣고, 문장을 완성하시오.)

Mina's Problem (미나의 고민)	Solution (해결책)
When Mina visits her grandparents, she feels <u>bored</u>. (미나가 조부모님을 만날 때, 그녀는 <u>따분</u>하다.)	She can help her grandfather send a(n) <u>photo</u> and write a(n) <u>email</u> with a cell phone. (그녀는 할아버지께서 휴대폰으로 사진을 보내는 것과 이메일을 작성하시도록 도와드릴 수 있다.)

M: Mina, ① **we're going to** visit your grandparents this weekend.
W: This weekend? Dad, I was planning to go to the library with Tyler.
M: Come on, it's been a while since you last saw them.
W: Well actually, when I talk to them, I get bored.
M: I think you should consider their age. It's natural to feel a generation gap.
W: Dad, I'd love to go, but I have nothing to do at their house.
M: Hmm… Why don't you ② **try helping** your grandfather this time?
W: Help? ③ **What do you mean?**
M: Your grandfather told me that he wanted to learn how to send a photo with his cell phone. Can you help him?
W: Oh, I can do that. Also, I can show him how to write an email on his phone.
M: That's great. I'm sure your grandfather will be happy. What about your plans with Tyler, then?
W: I'll cancel plans with him.

남: 미나야, 우리 이번 주말에 할머니, 할아버지 댁에 갈 거야.
여: 이번 주말이요? 아빠, 저 Tyler랑 도서관에 갈 계획이었어요.
남: 에이 그건 아냐, 그분들을 마지막으로 본지 꽤 됐어.
여: 사실은요, 그분들과 대화하는 게 지루해요.
남: 그분들의 나이를 고려해야 해. 세대 차이를 느끼는 것은 당연한 일이야.
여: 아빠, 가고 싶지만 저는 할아버지 댁에서 할 게 없어요.
남: 음… 이번엔 할아버지를 도와드려 보는 게 어떠니?
여: 도와드리라고요? 무슨 뜻이에요?
남: 할아버지께서 휴대폰으로 사진을 보내는 방법을 배우고 싶다고 나에게 말씀하셨어. 할아버지를 도와드릴 수 있니?
여: 아, 그건 할 수 있어요. 또, 휴대폰으로 이메일을 작성하는 방법도 알려드릴 수 있어요.
남: 좋아. 할아버지께서 좋아하실 거라고 확신해. 그러면 Tyler와의 계획은 어떻게 할 거야?
여: Tyler와의 약속은 취소할게요.

📖 **구문**

① be going to ~는 '~하려고 하다'라는 뜻으로 이전에 계획된 미래의 일을 나타낼 때 쓰인다. be going to 뒤에는 동사가 온다는 것에 유의하자.
  ex.) I'm going to study harder next month. (나는 다음 달에 더 열심히 공부하려고 해.)

② try -ing는 '시험 삼아 ~해보다'라는 뜻이다. 이와 비슷한 try to ~는 '~하려고 노력하다'라는 뜻이다.
  ex.) I tried opening the window. (나는 시험 삼아 창문을 열어봤다.)→실제로 창문이 열림.
  cf.) I tried to open the window. (나는 창문을 열기 위해 노력했다.)→창문이 열렸는지 안 열렸는지는 알 수 없음.

③ What do you mean?은 상대방의 말이 이해되지 않아 그 말에 대한 보충 설명이 필요할 때 쓰는 표현이다.
  ex.) What do you mean it didn't work? (그것이 효과가 없었다는 게 무슨 뜻이죠?)

SPEAK OUT

Read the story and practice the dialogue about each digital device's problem with your partner. 다음 이야기를 읽고 각 디지털 기기의 문제에 관해 짝과 대화를 연습하시오.

Hi, everyone. ① **Have you ever felt** uncomfortable using digital devices? Let me give you some tips today.

② **Stop playing** games on your phone.

Adjust the display settings.

The battery dies so fast.

The screen is too dark.

Cool down your laptop.

It feels too hot.

A: I'm not satisfied with my smartphone.
B: What's wrong?
A: The battery dies so fast.
B: I think you should stop playing games on your phone.

해석

안녕, 여러분. 디지털 기기를 사용하면서 불편함을 느꼈던 적이 있나요? 오늘 여러분에게 몇 가지 조언을 줄게요.
배터리가 너무 빨리 닳아요. – 휴대폰으로 게임을 그만 하세요.
화면이 너무 어두워요. – 디스플레이 설정을 조정하세요.
너무 뜨거워요. – 노트북을 식혀주세요.

A: 나는 내 휴대폰이 마음에 들지 않아.
B: 무슨 문제야?
A: 배터리가 너무 빨리 닳아.
B: 휴대폰으로 게임을 그만 하는 게 좋을 것 같아.

어휘

uncomfortable
[ənkʌ́mfərtəbəl] 불편한
digital devices 디지털 기기
adjust [ədʒʌ́st] 조정하다

구문

① Have you ever ~?는 '~해 본 적 있니?'라는 뜻으로 현재완료 시제(have+p.p.)이며 경험을 물을 때 쓰인다.
　ex.) Have you ever heard the story about the two-year-old girl who called 911? (911에 전화를 건 두 살짜리 여자아이에 대한 이야기를 들어본 적 있니?)

② Stop은 동명사를 목적어로 취하는 동사에 속한다. 「stop -ing」는 '~하는 것을 멈추다'라는 뜻으로 stop 뒤에 동명사가 목적어로 와야 한다. 「stop to +동사」는 '~하기 위해서 (잠시) 멈추다'라는 뜻으로 이때의 to부정사는 부사의 역할을 하는 수식어구다.
　ex.) Suddenly everyone stopped talking. (갑자기 모든 사람들이 말하기를 멈췄다.)
　cf.) On the way to Edinburgh, we stopped to look at an old castle. (에든버러로 가는 길에, 우리는 오래된 성을 보기 위해 멈췄다.)

Review Points

1. After listening to the dialogues about digital devices in our daily lives, I understood the main idea and details.
우리의 일상생활 속의 디지털 기기에 관한 대화를 듣고 난 후, 나는 주제와 세부 사항을 이해했다.

2. I gave my friend advice on using digital devices wisely.
나는 내 친구에게 디지털 기기를 현명하게 사용하는 방법에 관해 조언을 했다.

Into Real Life

Topic

The digital divide (디지털 격차)

Have you heard about the "digital divide"? Find out what it is and talk about its effect on our lives.

"디지털 격차"에 대해 들어봤나요? 그것이 무엇인지 알아보고 우리의 삶에 미치는 영향에 관해 이야기해보세요.

STEP 1 **LISTEN TO THE TALK SHOW** 토크쇼를 들으시오.

Listen and fill in the blanks. 듣고 빈칸을 채우시오.

> Many of us cannot imagine our life without <u>communication devices</u>, but life for some people in the Amazon Rainforest may be <u>different</u> from ours. Not everyone in the world has access to <u>communication technology</u>. To describe this difference, we can use the term <u>digital divide</u>. This divide exists not only between areas, but also between <u>generations</u>.
>
> 많은 이들이 통신 기기가 없는 삶을 상상할 수 없지만, 아마존 열대우림의 사람들의 삶은 우리의 삶과 다를 수도 있다. 세상의 모든 사람들이 통신 기기에 대한 접근성을 갖고 있는 것은 아니다. 이 차이를 묘사하기 위해, 우리는 디지털 격차라는 용어를 사용한다. 이 격차는 지역 간에만 존재하는 것이 아니라, 세대 간에도 존재한다.

해설

남자는 많은 이들이 '통신 기기'가 없는 삶을 상상할 수 없으며 아마존 열대우림의 사람들의 삶과 우리의 삶은 '다를' 수 있다고 말했다. 모든 사람들이 '통신 기술'에 대한 접근성을 갖고 있는 것은 아니며 이 차이점을 묘사하기 위해 '디지털 격차'라는 용어를 사용한다고 했다. 이 격차는 지역 사이에서만 존재하는 것이 아닌 '세대' 간에도 존재한다고 말하고 있다.

어휘

guest [gest] 손님
briefly [brí:fli] 간략하게
communication device 통신 기기
access [ǽkses] 접근권, 접촉 기회
term [təːrm] 용어
exist [igzíst] 존재하다
generation [dʒènəréiʃən] 세대
specific [spisífik] 구체적인, 명확한
bridge the gap 간극을 메우다

W: Today we have a special guest, David Smith. He is on the stage now.

M: ① **Thanks for inviting** me to your show, Kelly. You look great today.

W: Thanks. We are so happy to have you as a guest again. I heard you recently wrote a new book about the digital divide. Can you explain it briefly?

M: Okay, as you know, these days it's hard to imagine our life without communication devices ② **such as** smartphones, computers, and the Internet. However, have you thought about some of the people living in the Amazon Rainforest? Their lives may be quite different from ours. Not everyone in the world has access to communication technology. To describe this difference, we use the term "digital divide."

W: So, when was this term created?

M: Since the late 1990s, the term ③ **has been used** to describe the growing gap between those people who have Internet access and those who do not. This divide also exists between cities and rural areas.

W: Does the divide exist between generations?

M: That's a good question. The answer is yes. The gap between teens and older people is getting bigger. In my book, I cover some specific examples of the digital divide between generations and suggest how we can bridge the gap.

여: 오늘 특별한 손님을 모셨는데요, David Smith입니다. 지금 무대 위에 계세요.

남: 당신의 쇼에 초대해주셔서 감사합니다, Kelly. 오늘 멋지시네요.

여: 감사합니다. 다시 한 번 게스트로 뵐 수 있어서 기쁩니다. 최근에 디지털 격차에 관한 새로운 책을 쓰셨다고 들었는데요. 간략하게 설명해주시겠어요?

남: 네, 아시다시피, 요즘 스마트폰, 컴퓨터와 인터넷 같은 통신 기기가 없는 삶을 상상하는 것은 어렵습니다. 하지만, 아마존 열대우림에 사는 몇몇의 사람들에 대해 생각해 보셨나요? 그들의 삶은 우리의 삶과 꽤 다를 겁니다. 세상의 모든 사람이 통신 기술에 대한 접근성을 갖고 있는 것은 아니죠. 이러한 차이를 묘사하기 위해, 우리는 "디지털 격차"라는 용어를 사용합니다.

여: 그래서, 이 용어는 언제 만들어진 거죠?

남: 1990년대 후반부터, 인터넷 접속을 하는 사람들과 그렇지 않은 사람들 간의 점점 커지는 격차에 대해 설명하기 위해 이 용어가 사용되었습니다. 이러한 격차는 도시와 시골 지역 사이에도 존재합니다.

여: 세대 간에도 그 격차가 있나요?

남: 좋은 질문입니다. 답은 "그렇다"입니다. 청소년과 나이 든 사람들 간의 격차는 점점 커지고 있습니다. 제 책에서 저는 세대 간의 디지털 격차의 구체적인 예시를 다루며 그 격차를 어떻게 메울 것인지를 제시하고 있습니다.

구문

① Thanks[Thank you] for -ing는 '~해줘서 고마워'라는 뜻으로 상대방이 한 일에 대하여 고마움을 표현할 때 쓰인다. for 다음에는 동사원형+-ing가 오는 것이 일반적이지만 your support와 같은 명사구가 올 수도 있다.
ex.) Thank you for replying to my email. (내 이메일에 답장해줘서 고마워.)
cf.) Thank you for your support. (지지해주셔서 고맙습니다.)
     Thank you for your attention. (집중해주셔서 고맙습니다.)

② such as는 '~와 같은'이라는 뜻으로 예를 들 때 쓰인다.
ex.) He has many books such as novels and cartoons. (그는 소설책과 만화책 같은 많은 책을 갖고 있다.)

③ have/has+been+p.p.는 현재완료시제의 수동적 표현이다. 용어(term)가 '~을 사용하는 것'이 아니라 '사용되는 것'이므로 has used가 아닌 has been used가 된다. '~가 여태껏 사용되어 왔다'라고 해석할 수 있다.

STEP 2 **THINK AND CHOOSE** 생각하고 고르시오.

Think of a reason that causes the digital divide between generations and compare ideas with your partner.

세대 간의 디지털 격차를 유발하는 이유를 생각해 보고 짝과 생각을 비교하시오.

| not easy to follow the instruction manual (사용 설명서의 지침을 따르는 것이 쉽지 않음) | expensive digital devices (비싼 디지털 기기들) | less interest in using digital devices (디지털 기기들의 사용에 관한 적은 관심) |

어휘

instruction manual 사용 설명서
solution [səlúːʃən] 해결책
expensive [ikspénsiv] 비싼
follow [fálou] 따라가다, 뒤를 잇다

💡 Your Idea (여러분의 생각)

🌐 keyword: digital divide between generations (핵심어: 세대 간의 디지털 격차)

STEP 3 **SUGGEST YOUR SOLUTION** 해결책을 제안해 보시오.

How can we bridge the digital divide between generations? Fill in the blanks with your ideas.

세대 간의 디지털 격차를 어떻게 메울 수 있을까요? 여러분의 생각으로 빈칸을 채우시오.

Main reason	• The instruction manuals for digital devices are not easy to follow. (디지털 기기들의 사용 설명서의 지침을 따르는 것이 쉽지 않다.)
Solution 1	• make an easy instruction manual (쉬운 사용 설명서 만들기)
Solution 2	• show how to use digital devices (디지털 기기 사용법 알려주기)
Solution 3	• open a class for beginners (초보자를 위한 반 개설하기)
⋮	•

● STEP 4 ● **DISCUSS YOUR IDEA** 여러분의 생각을 의논하시오.

Make a group of four and share your idea with your group members. 👥
4인 1조를 만든 후 여러분의 생각을 모둠원들과 함께 나누시오.

해석

A: 나는 디지털 기기들의 사용 설명서의 지침을 따르는 것이 쉽지 않다고 생각해. 어떤 때에는 심지어 젊은 사람들도 그것을 이해하는 것이 쉽지 않아.

B: 좋은 지적이야. 나는 청소년들이 여유 시간이 있을 때 그들의 조부모님께서 디지털 기기 사용하시는 것을 도와드려야 한다고 생각해. 많은 것들을 공유하고 더 가까워질 거야.

> I think the instruction manuals for digital devices are not easy to follow. It is sometimes difficult even for young people to understand them.

> That's a good point. I think that teens can help their grandparents use digital devices when they have free time. They could share many things and feel closer.

🚩 **활동 팁**

토의의 절차와 토의 시 가져야 할 태도

1. 토의 주제 정하기: 공동의 문제여야 하며 여러 가지 해결 방법이 제시될 수 있어야 한다.

2. 자신의 의견 정리하기: 문제의 원인을 생각하고 토의 주제와 관련된 해결 방법인지 생각한다.

3. 근거 자료 모으기: 자신의 의견을 뒷받침할 수 있는 자료인지, 믿을 만한 자료인지 생각한다.

4. 의견 나누기: 다른 사람의 의견을 존중하고 내 의견과 비교하며 듣는다.

5. 가장 좋은 해결 방법 선택하기: 적절한 판단 기준을 세우고 많은 사람이 만족할 수 있는 해결 방법을 선택한다.

토의가 갈등과 대립이 아니라 서로 다른 생각과 의견을 교환하여 합의점을 찾아가는 과정이 되려면 여러 사람의 의견을 비교하며 듣는 법을 배우는 것이 가장 중요하다.

● **1~2차시 어휘 정리** ●ⓘ

▶ access 접근권, 접촉 기회
▶ adjust 조정하다
▶ briefly 간략하게
▶ complicated 복잡한
▶ digital devices 디지털 기기
▶ exist 존재하다
▶ focus 집중하다
▶ generation 세대
▶ habit 습관
▶ Internet slang 인터넷 속어
▶ pretty 꽤
▶ solution 해결책
▶ suppose 가정하다
▶ uncomfortable 불편한
▶ watch 조심하다

▶ actually 사실은
▶ bridge (the gap/divide) (간극을) 메우다
▶ communication device 통신 기기
▶ consider 고려하다
▶ expensive 비싼
▶ fix 고치다
▶ follow 따라가다, 뒤를 잇다
▶ guest 손님
▶ instruction manual 사용 설명서
▶ natural 정상적인, 당연한
▶ situation 상황
▶ specific 구체적인, 명확한
▶ term 용어
▶ visit 방문하다
▶ work (기계, 장치 등이) 작동되다

Review Points

1. I understood the meaning of the digital divide.
   나는 디지털 격차의 의미를 이해했다.
2. I shared my idea about how to bridge the digital divide with my group members.
   나는 디지털 격차를 메우는 방법에 관한 나의 생각을 모둠원들과 함께 나누었다.

Topic

How to narrow the digital divide (디지털 격차를 좁히는 방법)
Can we use digital devices in order to create closer family bonds? Read and discuss the following story about narrowing the digital divide.
더 가까운 가족 유대감을 형성하기 위해 디지털 기기를 사용할 수 있을까요? 디지털 격차를 좁히는 내용의 이야기를 읽고 논의해보세요.

1. Check out how digital your life is. Compare your answers with your partner's.

여러분의 삶이 얼마나 디지털화되어 있는지 확인해 보시오. 짝과 함께 답을 비교해 보시오.

Questions	Your Answers	
1. Do you prefer to shop in a store or online? 가게에서 쇼핑하는 것과 온라인으로 쇼핑하는 것 중 어느 것을 선호하십니까?	a store (가게) ☐	online (온라인) ☐
2. How many online friends do you have? 온라인 상에 몇 명의 친구가 있습니까?	0 to 99 (0~99명) ☐	100 or more (100명 이상) ☐
3. How often do you share a photo of yourself per month? 한 달에 몇 번 자신의 사진을 공유하십니까?	1 to 2 (1~2번) ☐	3 or more (세 번 이상) ☐
4. How much time do you spend online per day? 하루에 몇 시간 인터넷을 하십니까?	1 to 2 (1~2시간) ☐	3 or more (세 시간 이상) ☐
5. How many digital devices do you have? 몇 개의 디지털 기기를 갖고 계십니까?	1 to 2 (1~2개) ☐	3 or more (세 개 이상) ☐

어휘

prefer [prifə́ːr] 선호하다
per [pər] ~당, 각 ~에 대하여

2. Read the characters' thoughts and predict what will happen in the story.

등장인물들의 생각을 읽고 본문에서 일어날 일을 추측해 보시오.

I don't know ① **how to** use a smartphone. It's too difficult to use.

How can our family bridge the digital divide?

My grandfather won't be able to understand my generation.

Jina's grandfather

Jina's father

Jina

해석

진아의 할아버지: 나는 스마트폰 사용 방법을 모른다. 사용하기에 너무 어렵다.
진아의 아버지: 우리 가족이 어떻게 디지털 격차를 메울 수 있을까?
진아: 할아버지는 나의 세대를 이해하지 못할 거야.

어휘

digital divide 디지털 격차

구문 how to ~는 '~하는 방법'이라는 뜻이다.

On Your Own

Read the passage quickly and identify the main idea. 본문을 빠르게 읽고 주제를 확인하시오.
The main idea of the passage is that Jina's family bridged the digital divide by making the digital family album together.

Read and Think

Interpretation

¹우리의 디지털 가족 앨범

²진아는 학교 노래 대회에서 1위를 차지했다. ³그녀는 모든 학생들 앞에서 부를 노래로 1980년대의 유명한 노래를 골랐다. ⁴진아의 가장 친한 친구 은지는 그녀의 휴대폰으로 그 공연을 녹화했다. ⁵대회가 끝난 후, 진아는 부모님께 영상 파일을 보여드렸다. ⁶진아의 아빠는 "아, 너의 할아버지께서 이걸 보셔야 할 텐데! ⁷이 노래는 그가 가장 좋아하는 노래 중 하나야."라고 말했다. ⁸진아는 영상 파일을 할아버지께 바로 보내드리고 싶었지만, 그가 이메일 주소나 스마트폰이 없다는 것을 깨달았다. ⁹진아는 이 상황에 대해 유감스러웠다. 왜냐하면 그녀의 조부모님을 뵐 때까지 기다리는 수 밖에 없었기 때문이다. ¹⁰여기 진아의 이야기가 있다.

¹¹내가 할아버지 댁에 방문했을 때, 할아버지는 그가 내 나이만할 때의 이야기를 해주시곤 했다. ¹²나는 그 이야기를 수백 번 들었기 때문에 그가 "내가 네 나이였을 때에…"라는 말 뒤에 무슨 이야기를 할지 이미 알고 있다. ¹³그가 가장 좋아하지 않는 것 중 하나는 모든 종류의 디지털 기기들이다. ¹⁴이번에는 내가 그의 마음을 바꿀 수 있다고 생각했다. 왜냐하면 그는 내 휴대폰으로 내 노래 공연을 보는 것을 아주 좋아했기 때문이다. ¹⁵나는 그에게 말했다. "할아버지, 저는 할아버지께서 스마트폰이나 이메일 주소를 갖고 계셨으면 좋겠어요. ¹⁶할아버지께서 그것을 사용하신다면, 우리는 많은 것들을 공유할 수 있고 더 자주 이야기할 수 있잖아요." ¹⁷그러나, 할아버지는 스마트폰이나 이메일을 사용하는 것이 어려울 것이라고 계속 말씀하셨다. ¹⁸그는 디지털 기기들이 세대 차이를 더욱 악화시켰다고 믿으셨다. ¹⁹나는 그가 왜 디지털 기술에 대해 부정적인 태도를 고수하고 계시는지 궁금해졌다. ²⁰나는 우리 사이의 격차를 좁히는 것이 어렵다고 느껴서 아빠에게 말했다, "할아버지께서는 그저 우리 세대를 이해하지 못해요."

While you read

Q1. Why doesn't Jina's grandfather want to use a smartphone?

진아의 할아버지는 왜 스마트폰을 사용하는 것을 원하지 않는가?

[예시 답안] He thinks that using a smart-phone would be too difficult for him.

[해설] 17번 문장에서 할아버지가 스마트폰과 이메일을 사용하는 것이 어렵다고 계속 말씀하셨다고 나와 있다.

¹*Our Digital Family Album*

²Jina won first prize in the school singing contest. ³She chose a popular song from the 1980s to sing in front of all the students. ⁴Jina's best friend, Eunji, recorded the performance on her cell phone. ⁵After the contest, Jina showed the video file to her parents. ⁶Jina's father said, "Oh, your grandfather should watch this! ⁷This song is one of his favorites." ⁸Jina wanted to send the video file to her grandfather right away, but she realized he didn't have an email address or a smartphone. ⁹She felt sorry about this because she had no choice but to wait until she could visit her grandparents. ¹⁰Here is her story.

¹¹When I visited my grandfather, he used to tell me about when he was my age. ¹²I have heard it hundreds of times, so I already know what he will say after, "When I was your age, …" ¹³One of his least favorite things was any kind of digital device. ¹⁴This time I thought I could change his mind because he really enjoyed watching my singing performance on my phone. ¹⁵I told him, "Grandpa, I really want you to have a smartphone or an email address. ¹⁶If you use it, we can share many things and talk more often." ¹⁷However, my grandfather kept saying that it would be too difficult to use a smartphone or email. ¹⁸He believed digital devices worsened the generation gap. ¹⁹I wondered why he held on to his negative attitudes toward digital technologies. ²⁰I found it hard to narrow the gap between us, so I said to my father, "Grandpa simply can't understand my generation."

Words and Idioms

performance: 공연 ▶ I was nervous before the performance. (나는 공연 전에 긴장했다.)

have no choice but to ~할 수 밖에 없다 ▶ We had no choice but to push the panic button. (우리는 비상수단을 쓸 수밖에 없었다.)

least: 가장 덜, 가장 적게 ▶ She chose the least expensive of the goods. (그녀는 가장 덜 비싼 상품을 선택했다.)

digital: 디지털(방식)의 ▶ The signal will be converted into digital code. (그 신호는 디지털 신호로 바뀔 것이다.)

device: 장치 ▶ This device is used for stepping down voltage. (이 장치는 전압을 내리는 데 쓰인다.)

worsen: 악화되다 ▶ The floods are expected to worsen over time. (홍수는 시간이 갈수록 더 심해질 것으로 예측된다.)

generation: 세대 ▶ This is a lesson that every generation has to learn. (이것은 모든 세대가 배워야 할 교훈이다.)

attitude: 태도 ▶ I perceived a slight change in his attitude. (나는 그의 태도가 약간 변했음을 깨달았다.)

narrow: 좁히다, 줄이다 ▶ Narrow the choice down by crossing out what you want least. (네가 가장 원하지 않는 걸 지워가면서 선택 범위를 좁혀라.)

Key Points

3 She chose a popular song from the 1980s to sing **in front of** all the students.: in front of는 '~앞에서'라는 뜻이다.

4 **Jina's best friend, Eunji,** recorded the performance on her cell phone.: Jina's best friend 다음에 오는 콤마는 동격의 콤마로 뒤에 있는 은지를 가리킨다.

7 This song is one **of his favorites.**: one of는 '~들 중 하나'라는 의미로 뒤에는 복수 명사가 온다.

9 She **felt sorry about** this because she **had no choice but to** wait until she could visit her grandparents.: feel sorry about은 '~을 유감으로 생각하다'라는 뜻이며 have no choice but to는 '~할 수밖에 없다'라는 뜻으로 to 뒤에는 동사가 온다.

11 When I visited my grandfather, he **used to** tell me about when he was my age.: used to는 '~하곤 했다'라는 뜻으로 과거의 습관이나 상태에 대해 설명할 때 쓰인다. 이때 used to는 조동사이기 때문에 to 다음에는 반드시 동사원형이 와야 한다.

12 I **have heard** it hundreds of times, so I already know what he will say after, "When I was your age, …": 「have+p.p」는 현재완료형으로 과거에 일어난 일이 현재와 어떤 관련이 있거나, 현재까지 어떤 영향을 미치고 있음을 나타낼 때 사용한다. 따라서 과거의 시점

을 정확히 나타내는 부사 just now, ago, yesterday, then, last 등과는 함께 쓰일 수 없다. '~해왔다', '계속 ~했다', '~한 적 있다' 등으로 해석된다.

14 This time I thought I could change his mind because he really **enjoyed watching** my singing performance on my phone.: enjoy -ing는 '~하는 것을 즐기다'라는 뜻이다. enjoy는 동명사를 목적어로 취하는 동사이므로 enjoy 뒤에는 항상 동명사가 와야 한다.

17 However, my grandfather **kept saying** that it would be too difficult to use a smartphone or email.: keep -ing는 '계속 ~하다'라는 뜻으로 어떤 동작을 반복적으로 계속하거나 쉬지 않고 계속한다는 의미이다.

19 I wondered **why he held** on to his negative attitudes toward digital technologies.: 「의문사+주어+동사」의 어순으로 문장에서 목적어 역할을 하고 있다.

20 I found **it** hard **to narrow the gap between us**, so I said to my father, "Grandpa simply can't understand my generation.": it은 가목적어로 '그것'이라고 해석하지 않는다. to부정사 이하가 진짜 목적어이므로 '~하는 것이 어렵다는 것을 알았다'라고 해석한다.

Mini Test

정답과 해설 p. 355

1. 다음 괄호 안의 단어들을 순서대로 배열하시오.

(1) I (of, hundreds, it, times, heard, have), so I already know what he will say after, "When I was your age, …."

(2) I (he, why, wondered, held) on to his negative attitudes toward digital technologies.

2. 다음 우리말에 맞게 빈칸에 알맞은 말을 쓰시오.

(1) 진아는 이 상황에 관해 유감스러웠다. 왜냐하면 그녀의 조부모님을 뵐 때까지 기다리는 수밖에 없었기 때문이다.
She felt sorry about this because she _____ wait until she could visit her grandparents.

(2) 내가 할아버지 댁에 방문했을 때, 할아버지는 그가 내 나이만할 때의 이야기를 해주시곤 했다.
When I visited my grandfather, he _____ tell me about when he was my age.

3. 다음 주어진 표현을 이용하여 문장을 완성하시오.

(1) enjoy -ing: ~하는 것을 즐기다
John _____ movies at the cinema.
(John은 영화관에서 영화 보는 것을 좋아한다.)

(2) keep -ing: 계속해서 ~하다
I was frustrated because you _____ at me.
(네가 나에게 계속 소리를 질러서 나는 짜증났었다.)

(3) one of +복수명사: ~들 중 하나
She is _____ from school.
(그녀는 내 학교 친구들 중 한 명이야.)

(4) in front of: ~앞에서
He was standing _____ when she announced the winner.
(그는 그녀가 승자를 발표했을 때 우리 앞에 서 있었다.)

🏛 Interpretation

¹할아버지 댁에서 저녁 식사를 한 후, 나는 아빠로부터 두 장의 사진이 첨부된 문자를 받았다. ²그는 말했다. "진아야, 이 두 사진에 대해 어떻게 생각해?" ³첫 번째 사진은 흑백이었고, 아빠가 아주 어렸을 때 찍은 것이었다. ⁴사진 속에서, 가족 구성원 모두가 함께 과일을 먹고 있었다. ⁵사진 속 그들의 웃고 있는 얼굴들을 보며, 나는 진정한 행복을 느낄 수 있었다. ⁶반면에, 두 번째 사진은 완전히 달랐다. ⁷나의 아빠는 우리가 저녁을 먹기 전에 이 사진을 찍은 것이었다. ⁸나는 내 스마트폰으로 온라인 게임을 하고 있었고, 나의 남동생은 휴대폰 메시지 앱으로 그의 친구들과 이야기를 하고 있었으며 그동안 나의 할아버지는 그저 TV를 보고 계셨다.

⁹우리와 할아버지를 분리시키는 보이지 않는 벽이 있는 것 같았다.

¹⁰그 사진들을 보자 나는 할아버지가 안됐다고 생각했다. ¹¹나는 할아버지가 어떤 기분이었을 지를 이해하기 시작했고, 아빠께 조부모님과 나 사이의 격차를 메울 수 있는 방법에 대해 여쭤봤다. ¹²그는 말했다. "진아야, 네가 컴퓨터를 잘 다룬다고 알고 있어. ¹³디지털 가족 앨범을 만드는 건 어때? ¹⁴더 좋은 건, 우리 모두가 좋아하는 노래들을 추가해도 된단다. 너의 노래 대회 영상 파일도 함께 말이야. ¹⁵너의 할아버지는 너와 함께 그의 인생사를 공유할 수 있게 되어 매우 기뻐하실 거야." ¹⁶나는 디지털 기기들이 우리 가족을 연결시킬 수 있고 가족 유대감을 강화시킬 수 있을 것이라고 생각했다. ¹⁷나는 이 생각을 할아버지께 제안했고, 그는 큰 미소를 지으며 수락하셨다. ¹⁸우리의 디지털 가족 앨범은 이렇게 시작된다 "나의 할아버지가 내 나이쯤이었을 때…"

¹After having dinner at my grandparents' house, I received a message with two photos from my father. ²He said, "Jina, what do you think about these two photos?" ³The first photo was in black and white, and it was taken when my father was very young. ⁴In the picture, all the family members were eating some fruit together. ⁵As I saw their smiling faces in the picture, I could feel real happiness. ⁶On the other hand, the second photo was totally different. ⁷My father had taken this photo before we had dinner. ⁸I was playing online games on my smartphone, and my brother was talking with his friends using a mobile messaging app while my grandfather was just watching TV.

⁹There seemed to be an invisible wall separating us from our grandfather.

¹⁰I felt sorry for my grandparents as I saw the photos. ¹¹I began to understand how my grandfather felt, so I asked my father how I could bridge the gap between my grandparents and me. ¹²He said, "Jina, I know you're very good at computers. ¹³Why don't you make a digital family album? ¹⁴Even better, you could add some songs we all love, along with your singing contest video file. ¹⁵Your grandfather will be very pleased to be able to share his life history with you." ¹⁶I thought digital devices could connect our family and strengthen the family bonds. ¹⁷I suggested the idea to my grandfather, and he accepted it with a big smile. ¹⁸Our digital family album starts with "When my grandfather was my age, ..."

📝 Words and Idioms

totally: 완전히 ▶ By the end of the semester, I was totally stressed out. (학기말쯤이 되니, 나는 스트레스로 완전히 지쳐 있었다.)

online: 온라인의 ▶ They spend more time online than average teenagers do. (그들은 보통의 청소년들보다 더 많은 시간을 온라인상에서 보낸다.)

mobile: 이동하는, 이동식의 ▶ People have various sorts of mobile devices. (사람들은 다양한 종류의 휴대용 기기들을 가지고 있다.)

invisible: 보이지 않는 ▶ Many stars are invisible to human sight. (많은 별들은 사람의 눈에 보이지 않는다.)

Over to you

If your family gets together on holidays, does your family look different from Jina's family in the second picture?

여러분의 가족이 휴가철에 모인다면, 여러분의 가족은 두 번째 사진 속 진아 가족의 모습과 다른가요?

separate: 분리하다 ▶ The comma is used to separate parts of a sentence. (쉼표는 문장의 부분들을 분리하는 데 사용된다.)

bridge the gap: (간극을) 메우다 ▶ The company hopes to bridge the gap between the two consumer groups. (그 회사는 두 소비자 그룹의 간극을 메우길 희망한다.)

pleased: 기쁜 ▶ I'm pleased to help you. (나는 너를 도와줘서 기

뼈.)

strengthen: 강화되다, 강화하다 ▶ Korea will strengthen its national defense. (대한민국은 국방력을 강화할 것입니다.)

family bond: 가족 유대감 ▶ Meal time can help improve family bond. (식사 시간은 가족들의 유대를 개선하는 데 도움을 줄 수 있다.)

Key Points

3 The first photo was in black and white, and it **was taken** when my father was very young.: 「be동사+p.p.」는 수동태로 주어가 동작이나 행위를 당하거나 영향을 받는 것을 말하며 대상이 '~되다, ~를 당한다/받는다'라고 해석한다. it이 가리키는 것은 '사진'이며 사진이 찍혀지는 것이기 때문에 수동태를 사용한다.

6 **On the other hand**, the second photo was totally different.: On the other hand는 '반면에, 다른 한편으로는'이라는 뜻이다.

7 My father **had taken** this photo before we had dinner. 「had+p.p.」는 과거의 특정한 시점 이전에 발생한 사건이나 상태를 나타낼 때 쓰인다. 과거 시제보다 앞선 시제를 대과거라고 부르기도 한다. 아빠가 사진을 찍은 것이 저녁을 먹은 것(had dinner)보다 먼저 일어났기 때문에 과거완료 시제를 사용했다.

9 **There seemed to be** an invisible wall separating us from our grandfather.: There seems to be는 '~이 있는 것 같다'라는

뜻으로 느낀 바나 생각하고 있는 바를 신중하게 표현하고자 하는 상황에서, 혹은 정확하지 않은 주관적인 정보를 전달할 때 쓰인다. 화자가 과거에 느낀 바이기 때문에 seem의 과거형을 사용한 것에 유의하자.

11 I began to understand how my grandfather felt, so I **asked my father how I could bridge the gap between my grandparents and me.**: 「주어+동사+간접목적어+직접목적어」의 4형식 문장으로 '~에게 …을 물어보다'라고 해석한다.

13 **Why don't you make** a digital family album?: Why don't you+동사 ~?는 제안을 할 때 쓰는 표현으로 '~하는 것이 어때?'라고 해석한다. 비슷한 표현으로는 What do you say to -ing?, How about -ing? 등이 있다.

17 I **suggested** the idea **to** my grandfather, and he accepted it with a big smile.: suggest는 직접목적어만을 목적어로 취하는 동사이며 「suggest A to B」는 'B에게 A를 제안하다, 추천하다'라는 뜻이다.

Mini Test

정답과 해설 p. 355

1. 다음 괄호 안의 단어들을 순서대로 배열하시오.

(1) I (how, my, I, could, asked, father) bridge the gap between my grandparents and me.

(2) I (my, to, the, idea, grandfather, suggested), and he accepted it with a big smile.

2. 다음 우리말에 맞게 빈칸에 알맞은 말을 쓰시오.

(1) 반면에, 두 번째 사진은 완전히 달랐다.
_____, the second photo was totally different.

(2) 나의 아빠는 우리가 저녁을 먹기 전에 이 사진을 찍은 것이었다.
My father _____ this photo before we had dinner.

3. 다음 주어진 표현을 이용하여 문장을 완성하시오.

(1) suggest *A* to *B*: B에게 A를 제안하다
He _____ his son.
(그는 그의 아들에게 그 계획을 제안했다.)

(2) feel sorry for: ~를 안됐다고 여기다
I don't want you to _____.
(나를 안됐다고 여기지 않았으면 좋겠어.)

(3) Why don't you ~?: ~하는 것이 어때?
_____ join us for dinner?
(우리와 저녁식사 같이 하지 않을래?)

(4) There seems to be: ~이 있는 것 같다
_____ some misunderstanding between us.
(우리 사이에 오해가 있는 것 같아.)

📖 Interpretation

¹나의 할아버지가 내 나이쯤이셨을 때, 한국 전쟁이 일어났다. ²당시 상황은 지금 우리가 사는 방식과는 꽤 달랐다. ³그는 심지어 전쟁이 끝난 이후에도 사람들이 추위, 배고픔, 가난에 시달렸던 것을 기억하신다. ⁴나의 할아버지는 그의 아픈 어머니, 두 명의 남동생과 세 명의 여동생을 두고 떠나야 했다. 왜냐하면 그가 돈을 벌 수 있는 유일한 사람이었기 때문이다. ⁵마침내, 그는 더 많은 돈을 벌기 위해 그의 고향으로부터 서울로 이사했다. ⁶1970년대의 노동자로서, 그는 사우디아라비아와 이란의 큰 건설 회사에서 수년 동안 일하셨다. ⁷한국에 있는 그의 가족을 생각하면, 그는 모든 어려움을 견뎌내야야 했다.

⁸음악에 대한 애정은 집안 내력이다. ⁹음악은 할아버지 인생 내내 그의 가장 친한 친구였다. ¹⁰그는 슬플 때 자주 음악을 들으신다. ¹¹그는 내가 노래 대회에서 불렀던 노래를 정말 좋아했다고 나에게 말씀하셨다. ¹²그는 또한 내가 전에 들어보지 못했던 많은 노래들을 소개시켜 주었다. ¹³그 노래들은 정말 놀라웠다. ¹⁴우리는 첫 번째 음악을 우리의 디지털 가족 앨범의 배경 음악으로 선택했다.

¹When my grandfather was my age, the Korean War broke out. ²Things were quite different from the way we live now. ³He remembers how people suffered from cold, hunger, and poverty even after the war. ⁴My grandfather decided to leave his sick mother, two brothers, and three sisters because he was the only one who could earn money. ⁵Finally, he moved from his hometown to Seoul to make more money. ⁶As a laborer in the 1970s, he worked for a big construction company in Saudi Arabia and Iran for many years. ⁷When he thought of his family in Korea, he had to put up with all his difficulties.

⁸A love of music runs in the family. ⁹Music has been my grandfather's best friend throughout his life. ¹⁰He often listens to music when he feels sad. ¹¹He told me he really liked the song that I sang at the singing contest. ¹²He also introduced me to a lot of songs I had never heard before. ¹³They were really amazing. ¹⁴We chose the first song for the background music of our digital family album.

While you read

Q2. Why did Jina's grandfather leave his hometown?

진아의 할아버지는 왜 자신의 고향을 떠났는가?

 He had to leave his hometown because he was the only person who could earn money.

해설 3~4번 문장의 내용으로 미루어 전쟁이 끝난 이후에도 사람들은 추위, 굶주림과 가난에 시달렸으며 할아버지가 가족 중 돈을 벌 수 있는 유일한 사람이었음을 알 수 있다.

🔤 Words and Idioms

break out: 발생하다 ▶ A fire broke out during the night. (밤사이에 화재가 발생했다.)

quite: 꽤 ▶ The exam was quite difficult. (그 시험은 상당히 어려웠다.)

suffer: 시달리다, 고통 받다 ▶ I hate to see animals suffering. (나는 동물들이 고통 받는 것을 보기 싫다.)

poverty: 가난, 빈곤 ▶ The educational policy helped lift children out of poverty. (그 교육 정책은 어린이들이 빈곤으로부터 벗어나도록 도와주었다.)

earn: (돈을) 벌다 ▶ She must earn a fortune. (그녀가 돈을 매우 많이 버는 것이 틀림없다.)

hometown: 고향 ▶ His parents still live in his hometown. (그의 부모님은 아직도 그의 고향에 사신다.)

laborer: 노동자 ▶ He still lives on the farm where he worked as a laborer. (그는 아직도

그가 인부로 일했던 농장에서 살고 있다.)

construction: 건설, 건축 ▶ He overlooked the construction of this building. (그는 이 건물의 건축 공사를 감독했다.)

put up with: 참다 ▶ Why should we put up with such terrible working conditions? (우리가 왜 그렇게 열악한 근무 환경을 참고 견뎌야 한단 말인가?)

difficulty: 어려움 ▶ She answered my questions without difficulty. (그녀는 어렵지 않게 내 질문에 대답했다.)

throughout: 내내 ▶ The museum is open daily throughout the year. (그 박물관은 연중 내내 매일 문을 연다.)

background: 배경 ▶ Why did Picasso paint the world in the background? (피카소는 왜 배경에 세상을 그렸을까?)

Key Points

2 **Things** were **quite different from** the way we live now.: things는 '형편, 상황'이라는 뜻이고 quite는 부사로서 형용사를 수식해주며 '꽤, 상당히'라고 해석할 수 있다. quite는 부정어와 함께 쓰이지 않는다. different from은 '~와 다른'이라는 뜻이다.

3 He remembers how people **suffered from** cold, hunger, and poverty even after the war.: suffer from은 '~로 고통 받다'라는 뜻이다. suffer는 자동사이므로 뒤에 from이나 for 같은 전치사가 와야 한다.

4 My grandfather **decided to leave** his sick mother, two brothers, and three sisters because he was **the only one** who could earn money.: 「decide+to+동사」는 '~하기로 결정하다'라는 뜻이다. The only one은 only one 앞에 the를 붙여서 '오직 단 한 사람'이라는 의미를 전달하고 있다. who could earn money는 관계대명사절로 선행사 the only one을 수식한다.

5 Finally, he **moved from** his hometown **to** Seoul **to make** more money.: move from ~ to ... 는 '~로부터 …로 이사하다'라는 뜻이다. to make는 to부정사의 부사적 용법으로 '~하려고, ~하기 위해'라고 해석한다.

7 When he thought of his family in Korea, he had to **put up with** all his difficulties.: put up with는 '(불평 없이) 참다'라는 의미로서 대부분 알고 있는 endure보다 더 많이 사용된다. put up with 뒤에는 사람, 사물 둘 다 올 수 있다.

8 A love of music **runs in the family**.: run in the family 는 '집안 내력이다'라는 표현이다. run은 우리가 가장 흔히 알고 있는 '달리다'라는 의미보다는 '전해지다, 내재하다, 흐르다'라는 뜻으로 볼 수 있다. 같은 표현으로 run in the blood를 쓰기도 한다.

9 Music **has been** my grandfather's best friend throughout his life.: 「have/has+p.p.」는 현재완료 시제로 과거에 일어난 일이 현재와 어떤 관련이 있거나, 현재까지 어떤 영향을 미치고 있음을 나타낼 때 사용한다. 따라서 과거의 시점을 정확히 나타내는 부사 just now, ago, yesterday, then, last 등과는 함께 쓰일 수 없다. '~해 왔다', '계속 ~했다', '~한 적 있다' 등으로 해석된다.

11 He told me he really liked the song **that** I sang at the singing contest.: 목적격 관계대명사로 앞에 있는 선행사 the song을 구체적으로 설명해 주는 절이 온다.

12 He also **introduced** me **to** a lot of songs I **had** never **heard** before.: introduce A to B는 'A를 B에게 소개시키다'라는 뜻이다. 하지만 이 문장에서는 B가 사물이므로 'B(a lot of songs)를 A(me)에게 소개하다'라는 의미로 해석하는 것이 자연스럽다. 「had+p.p.」는 과거의 특정한 시점 이전에 발생한 사건이나 상태를 나타낼 때 쓰인다. 할아버지가 노래를 소개시켜 주신 것(introduced)을 기준으로 그 전까지 들어본 경험이 없기 때문에 과거완료시제를 사용했다.

Mini Test

정답과 해설 p. 355

1. 다음 괄호 안의 단어들을 순서대로 배열하시오.

(1) A love of music (in, runs, the, family).

(2) Finally, he (his, hometown, from, to, Seoul, moved) to make more money.

2. 다음 우리말에 맞게 빈칸에 알맞은 말을 쓰시오.

(1) 당시 상황은 지금 우리가 사는 방식과는 꽤 달랐다.
Things were quite ＿＿＿＿＿＿＿＿＿＿ the way we live now.

(2) 음악은 할아버지 인생 내내 그의 가장 친한 친구였다.
Music ＿＿＿＿＿＿＿＿＿＿ my grandfather's best friend throughout his life.

3. 다음 주어진 표현을 이용하여 문장을 완성하시오.

(1) decide to: ~하기로 결정하다
He ＿＿＿＿＿＿＿＿＿＿ study abroad.
(그는 유학 가기로 결정했다.)

(2) suffer from: ~로 고통 받다
She ＿＿＿＿＿＿＿＿＿＿ depression when she was in her 40s.
(그녀는 40대였을 때 우울증으로 고통 받았다.)

(3) introduce A to B: A를 B에게 소개하다
Jessica ＿＿＿＿＿＿＿＿＿＿ all the students in class.
(Jessica는 자신을 학급의 모든 학생들에게 소개했다.)

(4) put up with: ~을 참다
He decided not ＿＿＿＿＿＿＿＿＿＿ their rude manners. (그는 그들의 무례함을 참지 않기로 했다.)

Interpretation

¹우리는 우리만의 디지털 가족 앨범을 함께 만들었던 것이 재미있었다. ²나의 조부모님은 나와 내 남동생과 더 가까워진 것 같다고 말씀하셨다. 우리 가족이 사진에 대한 얘기와 옛날 얘기를 했기 때문이다. ³나는 그들의 과거에 대해 알게 되어서 기뻤고 조부모님 또한 그들의 이야기를 나와 나눌 수 있어서 행복해 보이셨다. ⁴우리는 우리의 디지털 가족 앨범의 첫 두 장을 완성했고 다음 장으로 나의 할머니 사진 몇 장을 고르기로 결정했다. ⁵나의 할머니는 그녀가 가장 좋아하는 노래를 이미 배경 음악으로 고르셨다.

⁶우리의 디지털 가족 앨범은 절대 끝나지 않을 것이다!

---

¹ We found it interesting to make our own digital family album together. ² My grandparents said they felt closer to me and my brother because our family talked about the photos and the old days. ³ I was glad to learn about their past, and they also looked happy to share their stories with me. ⁴ We have finished making the first two chapters of our digital family album, and we decided to choose some photos of my grandmother for the next chapter. ⁵ My grandmother has already selected her favorite song for the background music.

⁶ Our digital family album will never end!

Words and Idioms

share: (생각, 경험을) 나누다 ▶ They shared everything – they had no secrets. (그들은 뭐든지 함께 나누었다 – 그들은 비밀이 없었다.)

chapter: (책의) 장 ▶ Have you read the chapter on the legal system? (법률 제도에 관한 장을 읽어 보셨어요?)

decide: 결정하다 ▶ It was difficult to decide between the two candidates. (그 두 후보 사이에서 결정을 내리기가 힘들었다.)

select: 선택하다 ▶ You should select a topic for your project first. (너는 우선 프로젝트의 주제를 선택해야 한다.)

Over to you
When your whole family gets together, what kinds of activities do you want to do with digital devices?
여러분의 가족 전체가 모인다면, 디지털 기기를 활용하여 어떤 활동을 해보고 싶은가요?

🔑 Key Points

1 We **found it interesting to make** our own digital family album together.: 「find+가목적어 it+목적보어+to부정사」구문으로 이때의 it은 해석하지 않는다. think, believe, make, find, take 와 같은 불완전타동사 뒤에 오는 목적어가 길 때 목적어 대신 it을 사용하며 원래 목적어는 to부정사 이하이다.

2 My grandparents said they **felt closer** to me and my brother because our family talked about the photos and the old days.: feel+형용사: ~을 느끼다. 비교급 closer를 써서 '이전보다 더 가까워진'의 의미를 전달하고 있다. close-closer-closest

3 I was glad **to learn** about their past, and they also **looked happy** to share their stories with me.: to learn은 to부정사의 부사적 용법으로 '~해서'라고 해석한다. 감각동사 look 뒤에는 주어를 보충해주는 주격보어로 형용사가 온다. 다른 감각동사로는 sound, taste, smell, feel 등이 있다.

4 We **have finished making** the first two chapters of our digital family album, and we decided to choose some photos of my grandmother for the next chapter.: finish+-ing는 '~을 끝내다', have finished making은 '~을 만드는 것을 끝냈다'로 해석한다.

5 My grandmother **has already selected** her favorite song for the background music.: 「have/has+p.p.」는 현재완료 시제로 과거에 일어난 일이 현재와 어떤 관련이 있거나, 현재까지 어떤 영향을 미치고 있음을 나타낼 때 사용한다. '~해 왔다', '계속 ~했다', '~한 적 있다' 등으로 해석된다. 여기서는 현재완료의 용법 네 가지 즉, 경험, 계속, 결과, 완료 중 완료로 쓰였으며 already는 '이미'의 뜻이다.

Mini Test

정답과 해설 p. 355

1. 다음 괄호 안의 단어들을 순서대로 배열하시오.

(1) We (interesting, to, it, make, found) our own digital family album together.

(2) My grandmother (her, already, has, favorite, song, selected) for the background music.

2. 다음 우리말에 맞게 빈칸에 알맞은 말을 쓰시오.

(1) 나의 조부모님은 나와 내 남동생과 더 가까워진 것 같다고 말씀하셨는데, 우리 가족이 사진에 대한 얘기와 옛날 얘기를 했기 때문이다.
My grandparents said they _____ to me and my brother because our family talked about the photos and the old days.

(2) 나는 그들의 과거에 대해 알게 되어서 기뻤고 조부모님 또한 그들의 이야기를 나와 나눌 수 있어서 행복해 보이셨다.
I was glad to learn about their past, and they also _____ to share their stories with me.

3. 다음 주어진 표현을 이용하여 문장을 완성하시오.

(1) finish + -ing: ~을 끝내다
Did you _____ for the exam?
(시험 대비 공부는 다 끝냈니?)

(2) look + 형용사: ~처럼 보이다
The man _____ so we gave him some food.
(우리는 그 남자가 배고파 보여서 음식을 조금 줬다.)

(3) feel + 형용사: ~을 느끼다
He _____ after the soccer match.
(그는 축구 경기 이후에 피곤함을 느꼈다.)

📖 After You Read

1. Number the pictures in the correct order. 올바른 순서대로 그림에 숫자를 표기하시오.

해석

진아의 가족은 함께 디지털 가족 앨범을 만들었다.
진아는 자신과 할아버지간의 세대 차이를 느꼈다.
진아의 아빠는 디지털 가족 앨범을 만들자고 제안했다.
진아의 가족은 진아의 할머니를 위해 앨범의 다음 장을 만들기로 계획했다.

해설

본문의 내용에 따르면 가장 먼저 일어난 일은 진아가 할아버지와 세대 차이를 느꼈던 것이고 이것을 본 진아의 아빠가 디지털 가족 앨범을 만들어보자고 제안하셨다. 함께 디지털 가족 앨범을 제작한 진아의 가족은 다음 장에 할머니 사진을 넣기로 결정했다.

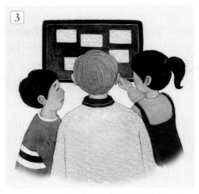

3

1

Jina's family made the digital family album together.

Jina felt the generation gap between her and her grandfather.

2

4

Jina's father suggested making a digital family album.

Jina's family planned to make the next chapter for Jina's grandmother.

2. Listen and select True or False. 🔊 듣고 맞으면 True, 틀리면 False를 고르시오.

해설

(2) 디지털 기술이 세대 차이를 더 악화시켰다고 말한 사람은 진아의 할아버지시다.

(3) 진아는 아빠로부터 두 장의 사진이 첨부된 문자를 받았다.

어휘

worsen [wɔ́:rsn] 악화시키다, 악화되다
move [muːv] 이사하다
hometown [hoúmtaùn] 고향

(1) Jina wanted to show her video file to her grandfather, but she couldn't send it by email.

(2) Jina's father said that digital technologies worsened the generation gap.

(3) Jina got a message with two photos from her mother.

(4) Jina's grandfather had to move from his hometown to Seoul to make money.

(5) Jina and her grandfather both love music.

(1) 진아는 그녀의 영상 파일을 할아버지에게 보여드리고 싶었지만 이메일로 보낼 수 없었다.

(2) 진아의 아빠는 디지털 기술이 세대 차이를 더 악화시켰다고 말했다.

(3) 진아는 엄마로부터 두 장의 사진이 첨부된 문자를 받았다.

(4) 진아의 할아버지는 돈을 벌기 위해 그의 고향으로부터 서울로 이사해야 했다.

(5) 진아와 그녀의 할아버지는 둘 다 음악을 좋아한다.

(1) ☑ True ☐ False (2) ☐ True ☑ False (3) ☐ True ☑ False (4) ☑ True ☐ False (5) ☑ True ☐ False

THINK AND DO

3. Complete the dialogue between Jina and Jina's grandfather and role-play with your partner.
진아와 진아의 할아버지와의 대화를 완성하고 짝과 함께 역할극을 하시오.

Jina: We almost finished making the first chapter of our family album.

Jina's grandfather: Amazing! I like all the photos here.

Jina: So do I. Grandpa, let's choose a song for the background music. Which song do you prefer?

Jina's grandfather: Hmm... How about the song that <u>you sang at the contest</u>?

Jina: Okay. Then I'll show you how to set up background music.

Jina's grandfather: Excellent! I'm so proud of you, Jina.

Jina: I'm really glad we can make <u>this family album</u> together.

해석

진아: 우리는 우리 가족 앨범의 첫 장을 거의 완성했어요.

진아의 할아버지: 놀랍구나! 여기에 있는 모든 사진들이 마음에 들어.

진아: 저도요. 할아버지, 배경 음악을 하나 고르세요. 어떤 노래를 선호하세요?

진아의 할아버지: 음... 네가 대회에서 부른 노래는 어때?

진아: 네. 그러면 제가 배경 음악을 설정하는 방법을 알려드릴게요.

진아의 할아버지: 좋아! 난 네가 자랑스러워, 진아야.

진아: 저는 우리가 함께 이 가족 앨범을 만들 수 있어서 정말 기뻐요.

3~5차시 어휘 정리

▶ accept 받아들이다
▶ break out 발생하다
▶ construction 건설, 건축
▶ difficulty 어려움
▶ family bond 가족 유대감
▶ invisible 보이지 않는
▶ narrow 좁히다, 줄이다
▶ performance 공연
▶ quite 꽤
▶ separate 분리하다
▶ totally 완전히

▶ attitude 태도
▶ bridge the gap 간극을 메우다
▶ contest 대회, 시합
▶ digital divide 디지털 격차
▶ gap 틈, 격차
▶ laborer 노동자
▶ negative 부정적인
▶ poverty 가난, 빈곤
▶ realize 깨닫다
▶ strengthen 강화되다, 강화하다
▶ wall 벽

▶ be good at ~을 잘하다
▶ connect 연결하다
▶ different 다른
▶ earn (돈을) 벌다
▶ generation 세대
▶ least 가장 덜, 가장 적게
▶ per ~당, 각 ~에 대하여
▶ prefer 선호하다
▶ receive 받다
▶ suffer 시달리다, 고통 받다
▶ worsen 악화되다

활동 팁
읽기 후 의견 나누기

1. 말하기에 앞서 자신이 할 말을 빈칸에 적어본다.

2. 사용하고 싶은 단어나 표현들이 떠오르지 않을 때는 짝에게 물어보거나 선생님께 여쭤본다.

3. 역할극을 하는 사람의 입장에서 감정 이입을 하려고 노력한다.

4. 역할극을 할 때는 서로 역할을 바꾸어 연습해 본다.

5. 역할극을 한 후에는 느낀 점이나 내용에 대한 의견을 상대방과 말하거나 적어준다.

Review Points

1. I understood the whole story and characters of the story.
나는 이야기의 전체적인 내용과 등장인물을 이해했다.

2. I thought about ways of using digital devices to strengthen family bonds.
나는 디지털 기기를 사용하여 가족 유대감을 강화시키는 방법에 관해 생각했다.

Language Notes

About Words

접미사 -en

명사나 형용사 뒤에 붙어서 동사로 만들어주는 접미사이다. 보통 '~하게 하다'라고 해석한다. 주어진 예시 외에 broaden(넓게 하다), sweeten(달콤하게 하다), threaten(위협하다), sharpen(날카롭게 하다), lengthen(길게 하다) 등이 있다.

해석

(1) A: 너 매일 아침에 수영하러 가?
   B: 응, 나는 그것이 내 몸을 강화시킬 거라고 생각해.
(2) A: Tony가 그의 여동생에게 사과하지 않겠다고 하네.
   B: 오, 안되는데. 그는 상황을 더 악화시킬 거야.
(3) A: 우리 형은 이번 여름에 중국과 일본을 방문할 거야.
   B: 다른 문화에 관한 이해가 깊어지는 기회가 될 거야.

WORDS IN USE

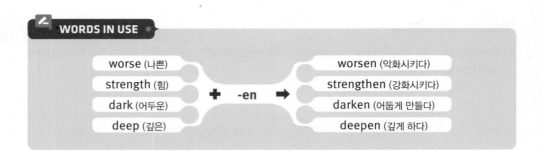

worse (나쁜)		worsen (악화시키다)
strength (힘)	+ -en ➡	strengthen (강화시키다)
dark (어두운)		darken (어둡게 만들다)
deep (깊은)		deepen (깊게 하다)

1. Choose the appropriate word in each dialogue. 각 대화에서 자연스러운 단어를 고르시오.

(1) A: Do you go swimming every morning?
   B: Yes, I believe it will (strength / <u>strengthen</u>) my body.

(2) A: Tony said he wouldn't say sorry to his sister.
   B: Oh, no. I think he will (worse / <u>worsen</u>) the situation.

(3) A: My brother is going to visit China and Japan this summer.
   B: It will give him an opportunity to (deep / <u>deepen</u>) his understanding of different cultures.

PHRASES IN USE

bridge the gap: to make the difference between two things smaller 간극을 메우다: 두 가지 사이의 차이를 더 작게 만들다
I asked my father how I could *bridge the gap* between my grandparents and me.
할아버지와 나 사이의 간극을 어떻게 메울 수 있는지 아버지께 여쭤봤다.

break out: to begin or arise suddenly 발생하다: 갑자기 시작하거나 발생하다
When my grandfather was my age, the Korean War *broke out*.
할아버지께서 내 나이였을 때 한국 전쟁이 발발했다.

put up with: to accept someone or something unpleasant; endure 인내하다: 불쾌한 사람 또는 어떤 것을 받아들이다; 견디다
When he thought of his family in Korea, he had to *put up with* all his difficulties.
그는 한국에 있는 가족을 생각할 때, 그의 모든 어려움을 참아야 했다.

해석

(1) 어젯밤 산불이 발생했다.
(2) 그는 공사 현장의 소음을 참을 수 없었다.
(3) 정부는 도시와 시골간의 간극을 메우기 위해 노력했다.

2. Complete the sentences with the phrases above. You may need to change the form.
위의 구문을 이용해서 문장을 완성하시오. 형식을 바꿔도 됩니다.

(1) A forest fire <u>broke out</u> last night.
(2) He couldn't <u>put up with</u> noise from the construction site.
(3) The government tried to <u>bridge the gap</u> between cities and rural areas.

⊡ FOCUS ON FORM ●

- I wondered **why he held on** to his negative attitudes toward digital technologies.
  나는 그가 왜 디지털 기술에 대한 부정적인 태도를 고수하고 있는지 궁금해졌다.
- He remembers **how people suffered** from cold, hunger, and poverty.
  그는 사람들이 추위, 배고픔, 가난에 시달렸던 것을 기억하신다.

- My father **had taken** this photo before we had dinner.
  나의 아빠는 우리가 저녁을 먹기 전에 이 사진을 찍었다.
- He also introduced me to a lot of songs I **had never heard** before.
  그는 또한 내가 전에 들어보지 못했던 많은 노래들을 소개시켜줬다.

🗒 About Forms

명사절을 이끄는 의문사
의문사가 있는 명사절이 다른 문장의 일부로 들어가서 주어, 목적어, 보어 역할을 하는 경우 「의문사+주어+동사」의 어순을 갖는다.

과거완료시제
「had+과거분사」의 형태로 쓰이며 과거의 특정한 시점 이전에 발생한 사건이나 상태를 나타낼 때 사용된다. 과거 시제보다 앞선 시제를 대과거라고 부르기도 한다. 현재완료가 현재의 시점을 기준으로 한다면, 과거완료는 특정한 과거 시점을 기준으로 하여 그 시점까지의 완료, 경험, 계속, 결과를 나타낸다.

3. Change the underlined words into the correct form. 밑줄 친 단어를 알맞은 형태로 고치시오.

Oh, no! Did you throw out all the beans that the old man (1) gives(→ had given) to me? They're special beans!

Special? I don't think so.

The next day...

Wow. Mom, look at this! I'll climb up this huge tree to find out what's going on up there.

Oh, it's amazing! But be careful, Jack.

A few moments later...

Mom, look at what I got. When I got to the castle, the giant (2) has already gone(→ had already gone) to sleep.

Source: anonymous, *Jack and the Beanstalk*

해석

A: 이런! 노인이 저에게 줬던 콩을 전부 다 버렸어요? 그것들은 특별한 콩이란 말이에요!
B: 특별하다고? 아닌 것 같은데.
(다음 날...)
A: 우와. 엄마, 이것 좀 보세요! 제가 이 큰 나무를 타고 올라가서 저 위에 무슨 일이 벌어지고 있는지 알아볼게요.
B: 오, 놀랍구나! 하지만 조심해야 한다, Jack.
(잠시 뒤...)
A: 엄마, 제가 뭘 가져왔는지 보세요. 제가 성에 도착했을 때, 그 거인은 이미 잠들어 있었어요.

4. Combine the two sentences by using the form above.
위의 형식을 사용하여 두 개의 문장을 하나로 만드시오.

> » **Example** «
>
> I don't know. + What can I do for you? (예: 나는 모른다. + 내가 너에게 뭘 해줄까?)
> → I don't know what I can do for you. (나는 너에게 뭘 해줘야 할지 모른다.)

(1) I want to know. + Where is the library?
 ▶ I want to know where the library is.

(2) I cannot understand. + Why doesn't she use a smartphone?
 ▶ I cannot understand why she doesn't use a smartphone.

해석

(1) 나는 알고 싶다. + 도서관이 어디에 있나요?
 나는 도서관이 어디에 있는지 알고 싶다.
(2) 나는 이해할 수 없다. + 그녀는 왜 스마트폰을 사용하지 않는가?
 나는 그녀가 왜 스마트폰을 사용하지 않는지 이해를 할 수 없다.

Check or write down the words, expressions, or sentences you didn't understand well in this unit. Explain at least one of them to your group members. (여러분이 이 단원에서 잘 이해하지 못했던 단어, 표현, 문장들을 체크하거나 적어보세요. 그것들 중 적어도 하나를 모둠원에게 설명해 보세요.)

Improve Yourself

☐ narrow (좁히다)   ☐ hold on to (고수하다)   ☐ family bonds (가족 유대감)

☐ have no choice but to (~할 수 밖에 없다)

Your Own ▶ 스스로 해보기

Write It Right

	An instruction manual to help older people (노인들을 돕기 위한 사용 설명서)
\n**Topic**	Can you imagine your grandparents using smartphones with the help of an instruction manual that you made for them? Let's write an instruction manual for a smartphone.\n여러분이 조부모님을 위해 만든 사용 설명서의 도움으로 스마트폰을 사용하는 조부모님을 상상할 수 있나요? 스마트폰 사용 설명서를 작성해 봅시다.

STEP 1 GENERATE IDEAS 아이디어를 만들어 내시오.

Look at the list of things that older people might want to do with smartphones. Choose the one you would like to explain or write your own. 노인 분들이 스마트폰으로 하고 싶을 수 있는 것들의 목록을 보시오. 여러분이 설명하고 싶은 것을 고르거나 자신만의 아이디어를 쓰시오.

해석

앱을 다운받는 방법
음악을 재생하는 방법
사진을 찍는 방법
이메일을 보내는 방법
휴대폰 문자 앱을 사용하는 방법
휴대폰 밝기를 바꾸는 방법

어휘

download [dáunlòud] 내려 받다

☑ ① How to download apps
☐ How to play music
☐ How to take a photo
☐ How to send an email
☐ How to use a mobile messaging app
☐ How to change your phone's brightness ▸Your Own

📖 구문

① how to 동사 는 '~하는 방법'이라는 뜻이다.
ex.) Do you know how to make cookies? (쿠키 만드는 법을 아니?)

STEP 2 ORGANIZE YOUR IDEAS 여러분의 생각을 조직화하시오.

Explain what you have chosen in Step 1. Step 1에서 선택한 것을 설명하시오.

해석

무엇을 설명하고 싶은가요?
앱을 내려 받는 방법
1. '스토어'나 '마켓' 아이콘을 누른다.
2. 앱의 이름을 입력하여 앱을 검색한다.
3. '설치하기'를 눌러 앱을 내려 받는다.

어휘

install [instɔ́:l] 설치하다

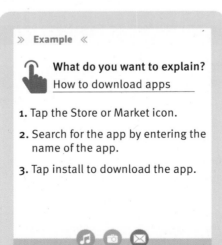

» Example «

👆 **What do you want to explain?**
How to download apps

1. Tap the Store or Market icon.

2. Search for the app by entering the name of the app.

3. Tap install to download the app.

» Your Own Idea «

👆 **What do you want to explain?**
_____

1. _____

2. _____

3. _____

\n**Writing Tip**	**Useful words for writing an instruction manual for smartphones**\n스마트폰 사용 설명서를 작성하는 데 유용한 단어들\n**tap, install, touch, search, download, enter, hit**\n누르다, 설치하다, 만지다, 검색하다, 내려 받다, 입력하다, 치다

 **WRITE YOUR MANUAL** 여러분의 사용 설명서를 쓰시오.

1. **Write a simple smartphone instruction manual for your grandparents, using the information from Step 2. Add some pictures or useful tips if needed.**
Step 2 에서의 정보를 사용하여, 여러분의 조부모님을 위한 간단한 스마트폰 사용 설명서를 작성해 보시오. 필요 시 사진이나 유용한 조언을 추가하시오.

How to change your phone's brightness

| ❶ Tap the Settings icon. | ❷ Tap the Brightness under the Display. | ❸ Adjust the brightness level as you like. |

Tip ▶ If you use the automatic brightness setting, your phone automatically adjusts brightness to changing lighting conditions.

해석
전화기의 밝기를 바꾸는 법
1. 설정 아이콘을 두드린다.
2. 화면상에 나온 밝기를 두드린다.
3. 여러분이 좋아하는 밝기로 조절한다.
만일 여러분이 밝기 설정을 자동으로 설정한다면, 여러분의 전화기는 조명 상태가 바뀜에 따라 자동적으로 밝기를 조절할 것이다.

어휘
brightness [bráitnis] 밝기
automatic [ɔ̀ːtəmǽtik] 자동의
condition [kəndíʃən] 상태, 조건

2. **Check your writing.** 여러분의 영작문을 점검하시오.
☐ Are the directions described clearly? 지시사항이 명확하게 묘사되어 있나요?
☐ Are the tips and pictures easy to understand? 조언과 사진이 이해하기 쉬운가요?

STEP 4 **SHARE YOUR MANUAL** 여러분의 사용 설명서를 공유하시오.

Present your instruction manual to your classmates and comment on their manuals. 당신의 사용 설명서를 급우들과 공유하고 그들의 사용 설명서에 대해서 평을 하시오.

The images are so clear that I can understand the manual easily. What did you consider the most important part?

I was trying to make simple and clear directions.

해석
A: 이미지가 아주 선명해서 사용 설명서를 쉽게 이해할 수 있어. 가장 중요한 부분이 뭐라고 생각해?
B: 나는 단순하고 명확한 지침을 만들려고 노력 중이었어.

Review Points

1. I thought about difficulties that my grandparents or older people would have when they used smartphones.
나는 나의 조부모님이나 노인 분들이 스마트폰을 사용할 때 겪을 어려움에 관해 생각했다.

2. I completed an instruction manual by using simple pictures and useful tips.
나는 간단한 그림과 유용한 조언을 사용하여 사용 설명서를 완성하였다.

Around the World

Five Movies to Watch with Your Family
가족들과 볼만한 영화 5편

Kabhi Khushi Kabhie Gham... (Sometimes Happiness, Sometimes Sadness) (2001)

Even though he is adopted, Rahul's parents love him very much. His father wants Rahul to continue his business and decides to get him married to a young woman from a rich family. However, Rahul decides to leave his family to get married to a woman whom he really loves.

Kabhi Khushi Kabhie Gham...(가끔은 행복, 가끔은 슬픔)
입양되었음에도 불구하고, Rahul의 부모님은 그를 매우 사랑하신다. 그의 아버지는 Rahul이 그의 사업을 이어받을 것을 원하고 한 부잣집의 어린 여성과 결혼시키기로 결심한다. 그러나 Rahul은 그가 진정으로 사랑하는 여자와 결혼하기 위해 그의 가족을 떠나기로 결심한다.

大地震 (Aftershock) (2010)

The Tangshan earthquake destroys Li Yuanni's happy family. When she has to decide whether to save her son or daughter, she chooses her son. However, her daughter is also rescued and then adopted by a new family. After 32 years, the family is finally reunited again.

대지진
탕산 지진은 Li Yuanni의 행복한 가정을 파괴시켰다. 그녀가 아들과 딸 중 누구를 구해야 할지 결정해야 했을 때, 그녀는 아들을 선택한다. 그러나 그녀의 딸 또한 구조되어 새로운 가정으로 입양된다. 32년 후, 그 가족은 드디어 다시 재회하게 된다.

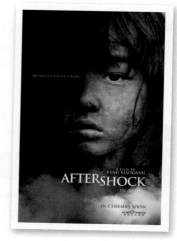

[CREATIVE PROJECT: Write A Movie Review]

STEP

Choose one of your favorite movies and list some basic facts about the movie. 가장 좋아하는 영화 중 하나를 선택하고 그 영화의 기본적인 사실에 관해 나열하시오.

title	Finding Dory
the year it came out	2016
director	Andrew Stanton
actors	voice actors : Ellen DeGeneres, Albert Brooks, Hayden Rolence
genre	animation

STEP

Write your opinion about the movie. 영화에 관한 여러분의 의견을 작성하시오.

Which scene did you like best and why?
I liked the scene when Dory finally met her parents.

How did the movie make you feel?
This movie made me think about my family,
and I realized the importance of my family.

La Famille Bélier(The Bélier Family) (2015)

No member of her family is able to hear except for 16-year-old Paula. While she is the only one who can support her family, she struggles with the choice of leaving her family to follow her passion for singing.

Bélier 가족

16세의 Paula를 제외하고는 그녀의 가족 구성원 모두 들을 수 없다. 그녀가 가족을 부양할 수 있는 유일한 사람이지만, 그녀는 노래에 대한 자신의 열정을 따르기 위해 가족을 떠나는 선택을 두고 고심한다.

Trouble with the Curve (2012)

An old man whose job is to search for talented baseball players has a troubled relationship with his daughter. The daughter helps her father search for good players by taking a trip with him.

내 인생의 마지막 변화구

재능 있는 야구 선수들을 선발하는 직업을 가진 한 노인은 자신의 딸과 사이가 좋지 않다. 그 딸은 그와 함께 여행을 하며 아버지가 훌륭한 선수들을 찾을 수 있도록 돕는다.

The Blind Side (2009)

This is the true story of Michael Oher, a homeless boy who becomes a football player with the help of a caring woman and her family.

블라인드 사이드

이 이야기는 실화로, 노숙하던 소년 Michael Oher가 자신을 보살펴 주는 여성과 그녀 가족의 도움으로 미식축구 선수가 되는 내용이다.

STEP 3

Present your movie review to your classmates and share your opinions.
여러분의 영화 비평을 급우들에게 발표하고 여러분의 의견을 나누시오.

Check Your Progress

[1-2] Listen and answer the questions. 🎧 듣고 질문에 답하시오.

W: Andy, we're going to visit your grandparents this Sunday.

M: Sunday? Mom, I was planning to play soccer with Patrick.

W: Oh, come on. They really want to see you. You can play soccer next time.

M: Well, to be honest, when I visit them I get bored. Sometimes it's not easy for me to talk with them.

W: I know what you mean, but I think you should consider their age.

M: Mom, I want something exciting to do at their house.

W: Hmm… Why don't you try helping them this time?

M: What do you mean? How can I help them?

W: Your grandparents told me that they wanted to learn how to download music with their smartphone. Can you help them?

M: Sure. I could also show them how to download useful apps on their phone. I'll cancel my plans with Patrick.

W: That's great. I'm sure your grandparents will be happy.

W: Andy, 이번 주 일요일에 할머니, 할아버지 댁에 갈 거야.

M: 일요일이요? 엄마, 저 Patrick이랑 축구할 계획이었어요.

W: 에이, 그건 아냐. 두 분께서 널 매우 보고 싶어 하셔. 축구는 다음에 할 수 있잖아.

M: 사실은요, 제가 조부모님을 방문하면 지루해져요. 가끔은 그들과 대화하는 것도 쉽지 않아요.

W: 무슨 말인지는 알겠지만 너는 그분들의 연세를 생각해야 해.

M: 엄마, 저는 조부모님 댁에서 신나는 무언가를 하고 싶어요.

W: 음… 이번에는 할아버지, 할머니를 도와드려 보는 건 어때?

M: 무슨 뜻이에요? 제가 어떻게 도와드릴 수 있어요?

W: 너의 조부모님께서 스마트폰으로 음악을 내려 받는 방법을 배우고 싶다고 나에게 말씀하셨어. 그들을 도와드릴 수 있겠니?

M: 물론이죠. 그들의 휴대폰에 유용한 앱을 내려 받는 방법도 알려드릴 수 있어요. Patrick과의 약속은 취소할게요.

W: 그거 좋구나. 너의 조부모님이 행복해하실 거야.

---

1. What are the speakers mainly talking about? 화자들은 주로 무엇에 대해 이야기하고 있는가?

ⓐ visiting Andy's grandparents' house
   Andy의 조부모님 댁에 방문하는 것

b. taking a trip with Andy's grandparents
   Andy의 조부모님과 여행을 떠나는 것

c. choosing presents for Andy's grandparents
   Andy의 조부모님을 위한 선물을 고르는 것

2. Which one is NOT correct? 올바르지 않은 것은?

a. Andy will cancel his original plans with Patrick.
   Andy는 Patrick과의 원래의 계획을 취소할 것이다.

b. Andy's mom wants him to help his grandparents.
   Andy의 엄마는 그가 그의 조부모님을 도와주기를 원한다.

ⓒ Andy will buy a new smartphone for his grandparents.
   Andy는 조부모님을 위해 새 스마트폰을 사드릴 것이다.

3. Choose one digital device and talk with your partner about its problems.

디지털 기기 한 가지를 고르고 그것의 문제점에 관해 짝과 이야기하시오.

Devices

smartphone

digital camera

laptop

tablet

Problems

It doesn't connect to the Internet. 인터넷에 연결이 안 된다.	The power button stopped responding. 전원 버튼이 응답하지 않는다.
The sound is not working. 소리가 나오지 않는다.	It won't charge. 충전이 되지 않는다.

해석

A: 무슨 일이야?
B: 나는 나의 스마트폰이 마음에 안 들어 왜냐하면 인터넷에 연결이 안 돼.

해설

I'm not satisfied with my 다음에는 선택한 디지털 기기의 명칭을 넣고 because 다음에는 마음에 들지 않는 이유를 넣어서 말한다.

A: What's the matter?

B: I'm not satisfied with my smartphone because it doesn't connect to the Internet.

해석

할아버지께서 가장 좋아하지 않는 것 중에 하나는 모든 종류의 디지털 기기들이다. 이번에는 내가 할아버지의 마음을 바꿀 수 있다고 생각했다. 왜냐하면 할아버지가 내 휴대폰으로 내 노래 공연을 보는 것을 아주 좋아하셨기 때문이다. 나는 할아버지께 말했다. "할아버지, 저는 할아버지께서 스마트폰이나 이메일 주소를 갖고 계셨으면 좋겠어요. 할아버지께서 그것을 사용하신다면, 우리는 많은 것들을 공유할 수 있고 더 자주 이야기할 수 있잖아요." 그러나 할아버지는 계속 스마트폰이나 이메일을 사용하는 것이 어려울 것이라고 말씀하셨다. 할아버지는 디지털 기기들이 세대 차이를 더욱 악화시켰다고 생각하셨다. 나는 할아버지께서 왜 디지털 기술에 대한 부정적인 태도를 고수하고 계시는지 궁금해졌다. 나는 우리 사이의 격차를 좁히는 것이 어렵다고 느껴서 아빠에게 말했다. "할아버지께서는 그저 우리 세대를 이해하지 못해요."

● READ / WRITE ●

4. What best describes the writer's and the writer's grandfather's attitude toward digital devices?

디지털 기기에 관한 글쓴이와 그의 할아버지의 태도를 가장 잘 묘사한 것은?

One of my grandfather's least favorite things was any kind of digital device. This time I thought I could change his mind because he really enjoyed watching my singing performance on my phone. I told him, "Grandpa, I really want you to have a smartphone or an email address. If you use it, we can share many things and talk more often." However my grandfather kept saying that it would be too difficult to use a smartphone or email. He believed digital devices worsened the generation gap. I wondered why he held on to his negative attitudes toward digital technologies. I found it hard to narrow the gap between us, so I said to my father, "Grandpa simply can't understand my generation."

해설

글쓴이는 스마트폰이나 이메일을 통해 더 많은 것들을 공유할 수 있고 더 자주 이야기를 나눌 수 있다고 하는 걸로 보아 디지털 기기에 대해 긍정적인 생각을 가지고 있지만 글쓴이의 할아버지는 스마트폰이나 이메일을 사용하는 것이 어려울 것이라고 계속 말씀하신다.

the writer	the writer's grandfather
a. indifferent	— positive
ⓑ positive	— negative
c. negative	— indifferent

어휘

indifferent [indífərənt] 무관심한
positive [pázətiv] 긍정적인
negative [négətiv] 부정적인

5. Complete the instruction manual about sending a picture message with a smartphone. 스마트폰으로 사진을 보내는 것에 관한 사용 설명서를 완성하시오.

해석

조부모님을 위한 사용 설명서: 사진 문자를 보내는 방법

1) <u>메시지</u> 아이콘을 눌러라.

2) <u>전화번호</u>를 입력하고 당신의 메시지를 작성하라.

3) <u>카메라</u> 아이콘을 누르고, 원하는 <u>사진</u>을 선택한 후 <u>보내기</u> 버튼을 눌러라.

해설

사진을 첨부한 문자를 보내려면 우선 '메시지' 아이콘을 누르고 전화번호를 입력 후 메시지를 작성해야 한다. '카메라' 아이콘을 누르고 원하는 사진을 선택한 후 '보내기'버튼을 눌러야한다.

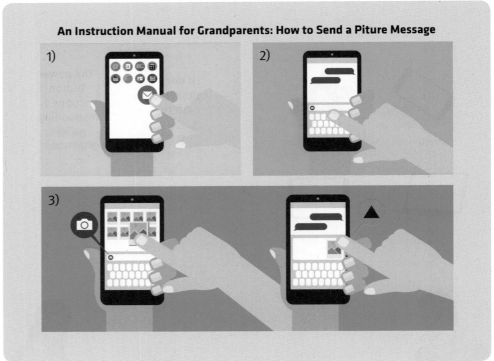

An Instruction Manual for Grandparents: How to Send a Piture Message

1) Tap the <u>Messages</u> icon.

2) Enter the <u>telephone number</u> and write your <u>message</u>.

3) Tap the <u>Camera</u> icon, choose the <u>picture</u> that you want, and hit the <u>Send</u> button.

☑ **Self-Evaluation**

I can understand the main idea of the dialogues about digital devices. **듣기** 나는 디지털 기기에 관한 대화의 주제를 이해할 수 있다.	☆ ☆ ☆	
I can express my feelings and give advice to my friends. **말하기** 나는 나의 감정을 표현할 수 있고 친구들에게 충고를 할 수 있다.	☆ ☆ ☆	
I can understand the main idea of Jina's story. **읽기** 나는 진아의 이야기의 주제를 이해할 수 있다.	☆ ☆ ☆	
I can write an instruction manual for electronic devices. **쓰기** 나는 전자 기기의 사용 설명서를 작성할 수 있다.	☆ ☆ ☆	

Further Study

Watch the following video and think about how we can bridge the digital divide in our society.
다음의 영상을 보고 우리 사회의 디지털 격차를 메울 수 있는 방법에 관해 생각해 보시오.

- innovative ideas to bridge the digital divide: www.pbs.org/video/2365644680
  디지털 격차를 메울 수 있는 혁신적인 아이디어: www.pbs.org/video/2365644680

Words and Phrases

정답과 해설 p. 355

다음 단어와 어구의 뜻을 쓰시오.

1. accept _____
2. attitude _____
3. break out _____
4. bridge the gap _____
5. connect _____
6. construction _____
7. contest _____
8. different _____
9. difficulty _____
10. digital divide _____
11. earn _____
12. family bond _____
13. gap _____
14. generation _____
15. invisible _____
16. indifferent _____
17. narrow _____
18. mobile _____
19. performance _____
20. poverty _____
21. realize _____
22. receive _____
23. separate _____
24. strengthen _____
25. suffer _____

26. totally _____
27. worsen _____
28. access _____
29. actually _____
30. adjust _____
31. briefly _____
32. communication _____
33. complicated _____
34. consider _____
35. exist _____
36. generation _____
37. guest _____
38. habit _____
39. instruction manual _____
40. natural _____
41. situation _____
42. solution _____
43. specific _____
44. suppose _____
45. term _____
46. uncomfortable _____
47. useful _____
48. watch _____
49. work _____
50. 나만의 단어 / 어구 _____

Functions

▶ I'm not satisfied with this situation.
현 상황에 대한 불만족을 표현할 때 쓰는 표현.

▶ I think you should consider their age.
상대방에게 충고를 할 때 쓰는 표현.

Forms

▶ I wondered **why he held** on to his negative attitudes toward digital technologies. (명사절을 이끄는 의문사)
- 의문사가 명사절을 이끄는 형태.
- 어순은 「의문사+주어+동사」
- 명사절이므로 문장에서 주어, 목적어, 보어로 쓰일 수 있다.
  ex.) **What** he said is a secret. (주어)
  (그가 말한 것은 사실이다.)
  I know **when** he will come. (목적어)
  (나는 그가 언제 올지 안다.)
  The issue is **why** he stole the bag. (보어)
  (이슈는 그가 왜 가방을 훔쳤느냐이다.)

▶ He also introduced me to a lot of songs **I had never heard** before. (과거완료)
- 「had+과거분사」의 형태로 쓰이며 과거의 특정한 시점 이전에 발생한 사건이나 상태를 나타낼 때 사용된다. 과거 시제보다 앞선 시제를 대과거라고 부르기도 한다.
  ex.) When Thomas reached the Seoul Arts Center, the concert **had already begun.**

(Thomas가 예술의 전당에 도착했을 때, 콘서트는 이미 시작되었었다.)
- 현재완료가 현재의 시점을 기준으로 한다면, 과거완료는 특정한 과거 시점을 기준으로 하여 그 시점까지의 완료, 경험, 계속, 결과를 나타낸다.
- 완료: When I got back home last night, my children **had already gone** to bed.
  (지난밤 집에 돌아왔을 때, 우리 아이들은 이미 자고 있었다.)
- 경험: Jane **had never been** to China until then.
  (Jane은 그때까지 중국에 가본 적이 없었다.)
- 계속: She **had been** a doctor for over ten years when I met her last year.
  (내가 작년에 그녀를 만났을 때, 그녀는 10년 넘게 의사로서 일을 해오고 있었다.)
- 결과: When Chris left the stadium, he **had lost** his watch.
  (Chris는 경기장을 떠났을 때 시계를 잃어버렸다.→ 시계는 사라지고 없었음.)

✎ Test for Unit 3

date: .   .   .   student number: name: /25

1 주어진 단어의 뜻을 <u>잘못</u> 연결한 것을 고르시오.   `3점`
① term: 용어   ② solution: 상황
③ access: 접근권   ④ consider: 고려하다
⑤ generation: 세대

2 다음 중 영단어와 영영풀이가 <u>잘못</u> 연결된 것을 고르시오.   `3점`
① useful: something you cannot use
② focus: to concentrate on something
③ habit: something that you do often or regularly
④ performance: entertainment such as singing, dancing, or acting
⑤ worsen: to become more difficult, unpleasant, or unacceptable

3 다음 중 숙어의 뜻이 <u>잘못</u> 연결된 것을 고르시오.   `3점`
① in front of: ~뒤에
② decide to: 결심하다
③ tend to: ~하는 경향이 있다
④ feel sorry for: 안됐다고 여기다
⑤ be satisfied with: ~에 만족하다

4 다음 중 〈보기〉와 비슷한 의미가 <u>아닌</u> 것을 모두 고르시오.   `3점`

> 보기 » Why don't you ask your teacher for help?

① Does your teacher help you?
② When do you ask your teacher for help?
③ How about asking your teacher for help?
④ I think you should ask your teacher for help.
⑤ What do you say to asking your teacher for help?

5 다음 〈보기〉의 우리말과 같도록 할 때, 빈칸에 알맞은 표현을 고르시오.   `3점`

> 보기 » 나는 혼자 여행 다니곤 했었어.
> → I _____ alone.

① like travelling   ② used to travel
③ want to travel   ④ am used to travelling
⑤ used travel agency

6 다음 대화를 읽고, 밑줄 친 부분의 우리말 뜻으로 알맞은 것을 고르시오.   `3점`

> A: Oh, no. I'm not really satisfied with this old cell phone.
> B: What's the matter?
> A: <u>It's not working again</u>.
> B: Again? I think you should fix it.

① 또 노력하지 않아.
② 또 작동하지 않아.
③ 너는 이것을 고쳐야겠어.
④ 그가 일을 하지 않고 있어.
⑤ 나는 그것이 마음에 들지 않아.

[7~8] 다음 대화를 읽고, 물음에 답하시오.

> A: Honey, what's wrong? Is it not working again?
> B: It's working, but I'm not happy with this tablet. It's too complicated.
> A: It's really easy. Let me show you how to use it.
> B: Okay, thanks.

7 B가 태블릿을 마음에 들어 하지 않는 이유가 무엇인지 우리말로 쓰시오.   `5점`

_____

8 A의 다음 행동으로 알맞은 것을 고르시오.   `3점`
① 태블릿을 고쳐 준다.
② 새로운 태블릿을 사 준다.
③ 태블릿을 고치러 함께 간다.
④ 태블릿 사용 방법을 보여준다.
⑤ 태블릿의 좋은 점에 대해 말해준다.

[9~10] 다음 대화를 읽고, 물음에 답하시오.

> A: Did you watch the movie *My Life* last night on TV? It was wonderful!
> B: I did, but I couldn't focus on the movie.
> A: Really? Why not?
> B: It was because of my old TV. I'm not satisfied with my TV's bad speakers.
> A: Really? I think you should fix it.

9 B가 영화에 집중할 수 없었던 이유가 무엇인지 고르시오. [3점]

① 숙제를 해야 했다. ② 친구가 전화를 걸었다.
③ TV 스피커가 낡았다. ④ 스피커를 친구에게 빌려줬다.
⑤ 밖이 너무 시끄러웠다.

10 A가 여자에게 권한 것이 무엇인지 우리말로 쓰시오. [5점]

_____

11 다음 대화를 읽고, 빈칸에 들어갈 말로 가장 적절한 것을 고르시오. [3점]

> A: Mina, we're going to visit your grandparents this weekend.
> B: This weekend? Dad, I was planning to go to the library with Tyler.
> A: Come on, it's been a while since you last saw them.
> B: Well actually, when I talk to them, I get bored.
> A: I think you should consider their age. It's natural to feel a generation gap.
> B: Dad, I'd love to go, but I have nothing to do at their house.
> A: Hmm... Why don't you try helping your grandfather this time?
> B: Help? What do you mean?
> A: Your grandfather told me that he wanted to learn how to send a photo with his cell phone.
> _____
> B: Oh, I can do that. Also, I can show him how to write an email on his phone.
> A: That's great. I'm sure your grandfather will be happy. What about your plans with Tyler, then?
> B: I'll cancel plans with him.

① Can I help you?
② Can you help him?
③ Why did you do that?
④ Do you need some help?
⑤ Can you go there with him?

[12~13] 다음 대화를 읽고, 물음에 답하시오.

> A: Welcome back. This is your DJ Jennifer on FM *Forever Teen*. Here is our second caller. Hello?
> B: Hi, Jennifer. My name is Ted, and I'm calling from Seattle.
> A: Hi, Ted. What can we help you with?
> B: I'm having a hard time talking with my parents. I'm not (a) s_____ with this situation.
> A: I'm sorry to hear that. Can you tell me more about it?
> B: When I talk to my parents, they keep asking me so many questions because they don't understand some of the words that I use.
> A: Do you use Internet slang when you talk to them?
> B: Yes, sometimes.
> A: I know a lot of teens tend to use that kind of language, but we should watch our words.
> B: But I like using those words because they are fun and cool.
> A: Let's suppose your parents used words that you didn't understand. How would you feel?
> B: Well... I guess I would feel pretty bad.
> A: How about (b) a_____ language like that when you talk with your parents?
> B: I think it will take time to change my habit, but I'll try. Thanks for the tip.

12 위 대화의 빈칸 (a)와 (b)에 들어갈 말을 주어진 철자로 시작하여 각각 쓰시오. [5점]

(a) _____

(b) _____

13 위 대화의 밑줄 친 that kind of language가 의미하는 바를 영어로 쓰시오. [5점]

_____

[14~15] 다음 글을 읽고, 물음에 답하시오.

When I visited my grandfather, he used to tell me about when he was my age. I have heard it hundreds of times, so I already know what he will say after, "When I was your age, …" One of his ① least favorite things was any kind of digital device. This time I thought I could change his mind because he really enjoyed watching my singing ② performance on my phone. I told him, "Grandpa, I really want you to have a smartphone or an email address. If you use it, we can share many things and talk more often." However, my grandfather kept saying that it would be too difficult to use a smartphone or email. He believed digital devices ③ worsened the generation gap. I _____ on to his ④positive attitudes toward digital technologies. I found it hard to ⑤narrow the gap between us, so I said to my father, "Grandpa simply can't understand my generation."

14 윗글의 빈칸에 들어가기에 적절하도록 괄호 안에 주어진 단어들을 알맞게 배열하시오. (필요한 경우 형태를 바꾸시오.) **5점**

(why / he / wonder / held)

15 윗글의 밑줄 친 ① ~ ⑤ 중 문맥상 적절하지 않은 것을 고르시오. **3점**

[16~17] 다음 글을 읽고, 물음에 답하시오.

I felt sorry for my grandparents as I saw the photos. I began to understand how my grandfather felt, so I asked my father how I could _____ _____ my grandparents and me. He said, "Jina, I know you're very good at computers. Why don't you make a digital family album? Even better, you could add some songs we all love, along with your singing contest video file. Your grandfather will be very pleased to be able to share his life history with you." I thought digital devices could connect our family and strengthen the family bonds. I suggested the idea to my grandfather, and he accepted it with a big smile. Our digital family album starts with "When my grandfather was my age, …"

16 주어진 단어들을 올바르게 배열하여 윗글의 빈칸에 들어갈 알맞은 말을 쓰시오. **5점**

the, between, bridge, gap

17 윗글의 내용과 일치하지 않는 것을 고르시오. **3점**
① 진아는 할아버지의 심정을 이해하기 시작했다.
② 진아는 아빠에게 조언을 구했다.
③ 진아는 컴퓨터를 잘한다.
④ 진아는 디지털 기기가 가족 유대감을 강화시킬 것이라고 생각한다.
⑤ 진아의 할아버지는 진아의 제안을 거부했다.

[18~20] 다음 글을 읽고, 물음에 답하시오.

When my grandfather was my age, the Korean War _____(a)_____. Things were quite different from the way we live now. He remembers how people _____(b)_____ from cold, hunger, and poverty even after the war. My grandfather decided to leave his sick mother, two brothers, and three sisters because he was the only one who could earn money. Finally, he moved from his hometown to Seoul to make more money. As a laborer in the 1970s, he worked for a big construction company in Saudi Arabia and Iran for many years. When he thought of his family in Korea, he had to put up with all his difficulties.

18 윗글의 빈칸 (a)에 들어갈 알맞은 말을 쓰시오. **5점**

19 윗글의 빈칸 (b)에 들어갈 말로 알맞은 것을 고르시오. **3점**
① left   ② moved
③ learned   ④ differed
⑤ suffered

20 윗글의 내용과 일치하는 것을 고르시오. [3점]

① 할아버지는 과거를 기억하지 못하신다.
② 할아버지는 가족을 떠났다.
③ 할아버지의 어머니는 건강하셨다.
④ 할아버지의 두 남동생도 돈을 벌 수 있었다.
⑤ 할아버지는 국내에서 노동자로 일하셨다.

21 다음 〈보기〉의 우리말과 같도록 주어진 단어를 이용하여 빈칸에 알맞은 말을 쓰시오. [5점]

보기 » 그녀의 건강이 상당히 악화되었다. (worse)

→ Her health _____ considerably.

22 다음 밑줄 친 부분 중 쓰임이 <u>다른</u> 하나를 고르시오. [3점]

① <u>What</u> he said is true.
② <u>Why</u> did you go to the store?
③ He knows <u>how</u> I earned money.
④ I don't understand <u>what</u> you did.
⑤ To win her heart is <u>what</u> I want to do.

23 다음 중 어법상 <u>어색한</u> 것을 고르시오. [3점]

① We had just missed the bus.
② Sally had never been to Italy before.
③ The meeting started when I woke up.
④ I had already finished my lunch when he came.
⑤ The airplane had already left when I arrived there.

24 다음 〈보기〉의 우리말과 같도록 주어진 단어들을 바르게 배열하시오. [5점]

보기 » 그는 내가 들어보지 못한 노래들을 소개시켜줬다.
(had, heard, I, before, never)

→ He had introduced me to a lot of songs _____
_____ .

25 다음 〈보기〉를 참조하여 세대 간의 디지털 격차 현상의 이유와 그것을 메울 수 있는 방법을 글로 쓰시오. [10점]

보기 » **How to bridge the digital divide**

One of the reasons for the digital divide can be the elderly's less interest in using digital devices. To bridge the gap between generations, the younger generation should encourage their grandparents to use many digital devices. For example, when they visit their grandparents, they can show them how to use their smartphones and arouse their interest in digital devices. Once they know how fun it is to use them, they will be motivated to learn more about digital technology.

서술형 평가

1 다음 뜻풀이에 해당하는 말을 주어진 철자로 시작하여 쓰시오.   [각 5점]

(1) e_____: to receive money in return for work that you do

(2) p_____: the state of being extremely poor

(3) i_____: something that cannot be seen

(4) s_____: to become more powerful and secure or more likely to succeed

2 다음 우리말과 같도록 빈칸에 알맞은 말을 쓰시오.   [각 6점]

(1) The government hopes to _____ the gap between the two cities. (그 정부는 두 도시 간의 간극을 메우길 희망한다.)

(2) He will not _____ their rude manners. (그는 그들의 무례함을 참지 않을 것이다.)

(3) Did you _____ for the exam? (시험 대비 공부는 다 끝냈니?)

(4) _____, some people are not sure about this plan. (반면에, 일부 사람들은 이 계획에 확신을 갖지 못하고 있다.)

(5) He _____ open a bakery. (그는 빵집을 열기로 결정했다.)

(6) A fire _____ at the factory last night. (어젯밤에 그 공장에서 불이 발생했다.)

3 우리말에 맞게 괄호 안의 단어들을 사용하여 문장을 완성하시오.   [각 6점]

(1) 나는 해외여행 다니는 것을 좋아한다.
I _____.
(traveling/ the world/ enjoy/ around)

(2) 우리는 서로 너무 다르다.
We are too _____.
(from/ each/ different/ other)

(3) 내가 이력서를 제출했을 때 그 회사는 이미 누군가를 뽑았다.
By the time I submitted my resume, the company _____.
(picked/ had/ someone/ already)

(4) 당신의 신체를 튼튼하게 할 수 있는 방법은 많다.
There are a lot of ways _____.
(body/ your/ strengthen /to)

수행 평가

4 다음 〈보기〉를 참조하여 휴대폰 사용법을 소개하는 글을 쓰시오.   [20점]

보기 》 **How to change your phone's brightness**

1. Tap the Settings icon.
2. Tap the Brightness under the Display.
3. Adjust the brightness level as you like.

Tip: If you use the automatic brightness setting, your phone automatically adjusts brightness to changing lighting conditions.

UNIT 4

Let's Make Every Day Earth Day

Topic   환경과 우리, 미래의 환경 문제, 환경을 위한 활동

Functions 1. Let's make sure we keep our environment clean. (제안 · 권유하기)
2. You know what? (주의 끌기)

Forms 1. The remarkable development of engineering and chemistry inspired Korean researchers, **who have tried** to solve severe drought problems. (관계대명사 계속적 용법)
2. Greenhouse gases **are being trapped** within the earth's atmosphere. (현재진행형 수동태)

Listen and Speak

The environment and us (환경과 우리)

Can you believe that some earthquakes are caused by human activities? After listening to dialogues about the environment, think about what we should do for our earth.

인간 활동으로 인해 일부 지진이 유발된다는 사실을 믿을 수 있나요? 환경에 관한 대화를 듣고 우리 지구를 위해 우리가 무엇을 해야 하는지에 관해 생각해 보세요.

 Topic

GET READY

Listen and write the number of the dialogue on the correct picture.

대화를 듣고 어울리는 사진에 알맞은 번호를 쓰시오.

 2　　 1　　 3

About Functions

Let's make sure we keep our environment clean.에서 Let's ~는 '~하자'는 제안을 나타내는 표현이다. 이에 대해 Yes, let's. / Sure. 등 긍정의 답을 할 수 있다.

You know what?은 대화의 주제를 바꾸거나 상대방의 주의를 끌 때 쓰는 표현이다.

해설

1. the trash on the beach에서 해변에 쓰레기가 있음을 알 수 있다.
2. You didn't turn off the light again!이라고 말한 것에서 전등이 켜져 있음을 알 수 있다.
3. Ladies and gentlemen!에 이어서 연사를 소개하고 있다.

어휘

marine [mərí:n] 해양의
keep ~ in mind 기억하다
forum [fɔ́:rəm] 회의, 토론

1.

W: Hey, look at the trash on the beach.
M: Oh, no. That's terrible.
W: ① **You know what?** It can be dangerous for marine life.
M: Let's clean it up.
W: Yeah, let's make sure we keep our environment clean.

여: 해변에 있는 쓰레기 좀 봐.
남: 이런. 끔찍하다.
여: 있잖아, 해양 생물들에게 위험할 수도 있어.

남: 깨끗이 치우자.
여: 응. 우리 환경을 꼭 깨끗하게 유지하자.

2.

M: Oh, Seonmi. You didn't turn off the light again!
W: Sorry, Dad. I'll be returning to my room soon.
M: But you're watching TV in the living room now. Make sure you turn the light off when you're not using it.
W: Okay, sorry. I'll keep that in mind.

남: 선미야. 너 또 전등을 끄지 않았구나!
여: 죄송해요, 아빠. 곧 방으로 돌아가려고요.
남: 하지만 지금 거실에서 TV를 보고 있잖니. 사용하지 않을 때는 꼭 전등을 끄도록 해라.

여: 네. 죄송해요. 명심할게요.

3.

W: Ladies and gentlemen! ② **May I have your attention, please?** Please make sure that you turn your phones off before the forum begins. Today we have a special guest. She is the author of the book, *Seven Ways to Save Mother Earth.* ③ **Let's welcome Michelle Kim.**

여: 여러분! 집중해 주시겠습니까? 회의가 시작되기 전에 전화기를 반드시 꺼주시기 바랍니다. 오늘 저희는 특별 손님을 모셨습니다. '지구를 살릴 7가지 방법'의 저자이십니다. Michelle Kim을 환영해 주십시오.

미니 백과

trash

못쓰게 되어 버린 쓰레기로. 빈 병이나 사용해 버린 종이 등

garbage

사용하다 남은 쓰레기로 종이, 빈 용기 그리고 주로 가정의 주방에서 나오는 음식를 쓰레기 등

waste

처음부터 남아서 버린 쓰레기 불필요한 물질이나 재료로, 뭔가에 사용한 후에 남은 것

구문

① You know what?은 주의를 끌 때 쓰는 표현으로 Guess what?을 쓰기도 한다.
　ex.) A: You know what? I finally got that job I interviewed for. (있잖아. 내가 인터뷰한 직업 결국 잡았어.)
　　　B: Oh, congratulations! (오, 축하해!)

② May I have your attention, please?는 공식적인 자리에서 주의를 집중시킬 때 쓰는 표현으로 Attention, please. 라고 줄여서 말하기도 한다.

③ Let's welcome Michelle Kim.은 공식적 자리에서 사람을 소개할 때 쓰는 표현으로 Let me introduce Michelle Kim.처럼 소개할 수도 있다.

● LISTEN IN

DIALOGUE 1 | Listen and answer the questions. 🎧
다음을 듣고 물음에 답하시오.

1. **How does the girl feel?**
   a. angry and annoyed (화나고 언짢은)
   b. indifferent and calm (무관심하고 차분한)
   ⓒ worried and concerned (걱정스럽고 염려되는)

2. **Listen again and select True or False.**
   (1) The girl already knew about earthquakes in Oklahoma.
   (여학생은 오클라호마에서 발생한 지진에 대해 이미 알고 있었다.)
   ☐ True ☑ False
   (2) Oil and gas development can cause earthquakes.
   (석유와 가스 개발이 지진을 유발할 수 있다.)
   ☑ True ☐ False

🔊 keyword: earthquakes caused by human activity

M: ① **Have you heard about** the earthquakes in Oklahoma?
W: No, I haven't. Why do you ask?
M: I heard that they were disasters caused by human activities.
W: Really? How so?
M: Some scientists found out the earthquakes were caused by the oil and gas business.
W: ② **Are you sure?** I thought they could cause environmental pollution.
M: Well, it seems the process can actually cause earthquakes.
W: ③ **That's terrible.** Then should we stop using gas?
M: It's not easy to stop using gas.
W: Then what should we do?
M: We have to make sure we don't waste our energy from now on.

남: 오클라호마의 지진에 대해 들어봤니?

여: 아니. 왜 물어보는데?
남: 인간 활동이 원인이 된 재난이라고 들었어.

여: 정말? 어떻게?
남: 어떤 과학자들이 찾아냈는데 지진이 석유와 가스 사업에 의해 일어났대.
여: 정말이야? 그것들은 환경 오염을 일으킬 수 있다고 생각했는데.
남: 글쎄. 그 과정이 실제로 지진을 일으킨 것 같아.
여: 끔찍하다. 그럼 우리 가스 사용을 멈춰야 하는 거니?
남: 가스 사용을 멈추는 건 쉽지 않을 거야.
여: 그럼 어떻게 해야 하니?
남: 이제부터 에너지를 낭비하지 말도록 해야지.

해설

1. That's terrible.이라고 여학생이 말한 것에서 심경을 유추할 수 있고 내용 전반에서 환경에 대해 걱정하는 마음이 드러난다.

2. (1) 오클라호마 지진에 대해 들었는지 묻자 No, I haven't. Why do you ask? 라고 말한 것에서 듣지 못했음을 알 수 있다.
(2) Some scientists found out the earthquakes were caused by the oil and gas business.라고 말한 것에서 석유와 가스 산업이 지진을 일으킬 수 있는 근거임을 알 수 있다.

어휘

earthquake [ə́ːrθkwèik] 지진
environmental [invàiərənméntl] 환경의
from now on 이제부터 계속

📖 구문 📋

① Have you heard about ~?은 '~에 대해 들어본 적 있니?'의 뜻으로 경험을 묻는 말이다.
   ex.) Have you ever heard about the earthquake in Nepal? (네팔의 지진에 대해 들어본 적 있니?)

② Are you sure?는 진심인지 확인하는 표현으로 Are you sure about that? (그거 확실한 거니?) Are you quite sure? (정말 확신하니?) 등으로도 나타낸다.
   ex.) A: So you want to be a lawyer. Are you sure? (그래서 변호사가 되고 싶은 거구나. 확실해?)
   B: Yes, I'm quite sure. (응, 정말 확실해.)

③ That's terrible!은 That's awful[horrible]!과 같은 뜻으로 '무시무시하다(놀랍다)'의 의미이다.
   ex.) A: I stayed up all night writing papers. (작문 하느라 밤을 새웠어.)
   B: That's horrible! (힘들었겠다!)

🔊 Listen and Speak

DIALOGUE 2 | Listen and fill in the blanks. 🎧
다음을 듣고 빈칸을 채우시오.

Environmental Poster Contest

환경 포스터 대회

- Size: 30cm×45cm (크기: 30cm×45cm)
- Slogan: It should have <u>creative</u> ideas.
  (표어: <u>창의적인</u> 아이디어가 있어야 함)
- Due: by <u>next Friday</u>
  (마감: <u>다음 금요일</u>까지)

해설

The school wants your creative ideas.로 보아 창의적인 아이디어가 있어야 한다는 것을 알 수 있고 By next Friday.라고 말한 것에서 다음 주 금요일이 마감임을 알 수 있다.

어휘

material [mətíəriəl] 재료
slogan [slóugən] 구호, 표어
turn in 제출하다 (= hand in = submit)

W: You know what? Our school is ① **holding a** poster **contest** to celebrate World Environment Day.
M: Oh, yeah? What kind of poster contest is it?
W: I took a picture of the notice on the board. ② **Let me** show it to you.
M: Sounds interesting. We're good at art. ③ **Can we** make posters as a team?
W: Yeah, the rules say we can.
M: Are there any special rules about the design and size of posters?
W: It says posters should be 30cm×45cm. Also, we can use any materials we want.
M: Should we write a slogan for the posters?
W: Good question. The rules say, "Make sure you don't copy any famous slogans. The school wants your creative ideas."
M: ④ **When do we have to turn the poster in?**
W: By next Friday. And the rules say, "Don't forget to write your name on the back of your posters."

여: 있잖아. 우리 학교가 '세계 환경의 날'을 축하하기 위해 포스터 대회를 연대.

남: 그래? 어떤 종류의 포스터 대회인데?
여: 게시판에서 안내문 사진을 찍었어. 보여줄게.

남: 재미있겠다. 우리 미술 잘하잖아. 우리 한 팀으로 포스터 만들까?
여: 그래, 규칙에 따르면 할 수 있대.
남: 포스터 디자인과 크기에 관해 특별한 규칙이라도 있니?
여: 포스터는 30cm × 45cm가 되어야 해. 또, 우리가 원하는 어떤 재료도 사용할 수 있어.
남: 포스터에 문구를 써야 할까?
여: 좋은 질문이야. 규칙에 따르면 "유명한 구호를 베껴서는 안됩니다. 학교는 여러분의 창의적인 아이디어를 원합니다."라고 쓰여 있어.
남: 언제 포스터를 제출해야 하니?
여: 다음 주 금요일까지야. 그리고 규칙에 "포스터 뒤에 이름 쓰는 것을 잊지 마시오."라고 쓰여 있어.

구문 📖

① hold a contest는 '대회를 개최하다'의 뜻으로 open a contest로 나타낼 수 있다.
　ex.) The city has a plan to hold a cycle race every year. (그 도시는 매년 싸이클 경주를 열 계획이다.)
② Let me + 동사원형 ~는 '내가 ~할게'의 뜻이다.
　ex.) Let me have your report by Friday. (내가 금요일까지 보고서를 받게 해라.)
③ Can we ~?는 상대방에게 제안하거나 가능성을 묻는 표현이다.
　ex.) Can we make our country a safer place? (우리나라를 더 안전한 곳으로 만들 수 있을까?)
④ When do we have to turn the poster in?는 언제까지 포스터를 제출해야 하는지 기한을 묻는 말로 It's due Friday.와 같이 대답할 수 있다.

DIALOGUE 3 | Listen and choose the best response to the boy's last words. 🎧
대화를 듣고 남학생의 마지막 말에 가장 적절한 응답을 고르시오.

| Make sure you don't _____. (꼭 _____ 하지 않도록 해.) |

a. throw away too much garbage at school (학교에서 너무 많은 쓰레기를 버리다)
b. use heaters or air conditioners too much (난방기나 에어컨을 너무 많이 사용하다)
ⓒ. mix up what is recyclable and what is not (재활용 물품과 재활용 안 되는 것을 섞다)

W: Hi, Marco. What are you doing here?
M: I'm separating all the garbage produced in my classroom. It's my duty for this week.
W: Wait! You know what? The bottle caps do not belong with the glass.
M: Oh, you're right. I still ① **get confused** about which items go where.
W: ② **I know what you mean**, but I have a simple tip for you.
M: Really? What's that?
W: When you're confused, you can just check if the items have a triangular symbol and numbers inside.
M: I can see a triangle and number 1 on this item.
W: Items marked "1" and "2" mean they can be recycled.
M: Got it. Thanks for the tip.
W: Make sure you don't _____.

여: 안녕, Marco. 여기서 뭐하니?
남: 교실에서 만들어진 모든 쓰레기를 분리하고 있어. 이번 주에 내 임무야.
여: 기다려 봐! 알고 있니? 병 뚜껑은 유리에 속하지 않아.
남: 아, 맞아. 나 아직도 어느 물품이 어디로 가는지 헷갈려.
여: 무슨 뜻인지 아는데 간단한 충고를 해줄게.
남: 정말? 뭔데?
여: 네가 혼란스러울 때, 물품 안에 삼각형 상징과 번호가 있는지 확인만 하면 돼.
남: 이 물품에 삼각형과 1번이 있는 게 보여.
여: "1"과 "2"라고 쓰여진 물품은 재활용될 수 있다는 뜻이야.
남: 알았어. 충고 고마워.
여: 재활용품과 재활용 안 되는 것을 섞지 않도록 해.

해설

you can just check if the items have a triangular symbol and numbers inside.에서 재활용품 구별하는 법을 설명하고 있으므로 재활용 되는 것과 재활용 안 되는 것을 구별하라는 당부의 말이 오는 것이 적절하다.

어휘

separate [sépərèit] 분리하다
confused [kənfjúːzd] 혼란스러운
triangular [traiǽŋgjulər] 삼각형의

구문

① get + 감정을 나타내는 형용사는 '~감정을 갖게 되다'의 뜻이다.
ex.) The more I think of it, the more I get confused. (그것에 대해 생각할수록 더 헷갈린다.)
② I know what you mean 은 상대방의 말을 잘 이해하거나 동의할 때 쓰는 표현이다.

SPEAK OUT

Choose one situation and practice the dialogue with your partner using the expressions below. 하나의 상황을 고르고 아래 표현들을 이용하여 짝과 대화를 연습하시오.

» **Example** «

A: Look at the man!
B: Oh, no. He is throwing away some cans.
A: That's not good. We should make sure that we recycle cans.
B: Yes, ① **I totally agree with you.**

- leaving the water running
- turn off the water when we're not using it

- turning on the air conditioner with the door open
- close the door when we're using the air conditioner

- leaving the lights on and going out
- turn off the lights when we go out

해석

A: 저 남자를 봐!
B: 이런. 깡통을 버리고 있구나.
A: 바람직하지 않아. 깡통 재활용을 확실히 해야지.
B: 응. 전적으로 동의해.

물이 흐르게 놔두기 / 사용하지 않을 때 물 잠그기
문을 열고 에어컨 켜기 / 에어컨 사용할 때 문 닫기
불을 켠 채 밖에 나가기 / 나갈 때 불 끄기

어휘

totally [tóutəli] 전적으로
throw away 버리다

구문

① I totally agree with you.는 동의할 때 쓰는 표현으로 강한 동의를 나타낸다.

Review Points

1. After listening to the dialogues about the environment, I understood the feelings of the speakers and the details of the dialogues.
환경에 관한 대화를 듣고 나는 화자들의 감정과 대화의 세부 내용을 이해했다.

2. I suggested some ideas for protecting the environment and saving energy.
환경을 보호하고 에너지를 절약하기 위한 몇 가지 아이디어를 제안했다.

	Actions for the environment (환경을 위한 행동) Can you imagine what will happen if we keep destroying the environment? After listening to the news report, think about what you are doing now for the environment. 우리가 계속해서 환경을 파괴하면 무슨 일이 일어날지 상상할 수 있나요? 뉴스 기사를 들은 후, 여러분이 환경을 위해 무엇을 하고 있는지 생각해 보시오.
Topic	

STEP 1 **LISTEN TO THE NEWS REPORT** 뉴스 기사를 들으시오.

Listen and answer the questions. 듣고 질문에 답하시오.

1. **What is the news report about?** 뉴스 기사는 무엇에 관한 것입니까?

   a. causes of energy problems (에너지 문제의 원인)
   b. solutions for droughts and floods (가뭄과 홍수에 대한 해결책)
   c. effects of environmental problems (환경 문제의 영향)

2. **Listen again and fill in the blanks.** 다시 한 번 듣고 빈칸을 채우시오.

Korea	The highest temperature was recorded at over 35 degrees Celsius.
India	The temperature reached 50 degrees Celsius.
Beijing	More than 300 flights were canceled.
Texas and Oklahoma	At least 9 people were killed and 30 people are missing.
California	They have suffered from a severe drought for 5 years.

해석

대한민국: 최고 기온이 섭씨 35도가 넘게 기록되었다.
인도: 섭씨 50도에 도달했다.
북경: 300편이 넘는 항공편이 취소되었다.
텍사스와 오클라호마: 적어도 9명의 사람들이 죽고 30명이 실종되었다.
캘리포니아: 극심한 가뭄으로 5년간 고통받고 있다.

어휘

destroy [distrɔ́i] 파괴하다
temperature [témpərətʃər] 온도

M: All across the world, people are facing serious environmental problems. It is May now, but it is already unusually hot. Today heat wave warnings were issued in Korea because the temperature was recorded at over 35 degrees Celsius. In India, the temperature reached 50 degrees Celsius for several days, and over a thousand people have died of heat-related illness so far. Beijing is covered with heavy yellow dust. Last Friday, schools were closed, and people were advised to avoid outdoor activities. ① **Because of** the heavy yellow dust, more than 300 flights were canceled at Beijing International Airport. Also, heavy rain and storms hit many cities in the United States. In Texas and Oklahoma, powerful storms killed at least nine people, and thirty people are still missing. On the other hand, California has been in a severe drought for the past five years. The water levels of lakes are ② **getting lower and lower.** To stop suffering from these problems, ③ **it's time for us to** take action for our earth.

남: 전 세계에 걸쳐 사람들이 심각한 환경 문제에 직면해 있습니다. 지금은 5월이지만 이미 통상적이지 않게 덥습니다. 오늘 기온이 섭씨 35도가 넘게 기록됨으로써 폭염 경고가 한국에 내려졌습니다. 인도에서 기온이 며칠 동안 섭씨 50도에 달했고 1000명이 넘는 사람들이 지금까지 온열 관련 질병으로 사망했습니다. 북경은 짙은 황사로 덮여 있습니다. 지난 금요일에 학교는 문을 닫았고 사람들은 실외 활동을 피하도록 권고 받았습니다. 짙은 황사 때문에 300편이 넘는 항공편이 북경 국제 공항에서 취소되었습니다. 또한 폭우와 폭풍이 미국에서 많은 도시들을 강타했습니다. 텍사스와 오클라호마에서 강력한 폭풍이 적어도 9명의 사람들을 사망하게 했고 30명의 사람들이 아직도 실종 중입니다. 반면에 캘리포니아는 지난 5년간 극심한 가뭄을 겪고 있습니다. 호수의 수위가 점점 더 낮아지고 있습니다. 이 문제들로부터 고통받는 것을 멈추기 위해 우리가 지구를 위한 조치를 취해야 할 때입니다.

해설

1. 첫 문장 All across the world, people are facing serious environmental problems.에서 전 세계가 처한 환경 문제를 다룰 것임을 알 수 있고 여러 가지 예시가 제시되고 있으므로 환경 문제의 영향에 관한 내용임을 알 수 있다.

2. ~because the temperature was recorded at over 35 degrees Celsius.
In India, the temperature reached 50 degrees Celsius ~에서 한국은 섭씨 35도 이상, 인도는 50도에 달했음을 알 수 있다.

~ more than 300 flights were cancelled at Beijing ~에서 북경 국제 공항에서 300편 이상의 비행편이 취소되었다고 나와 있다.

~ powerful storms killed at least nine people, and thirty people are still missing에서 9명이 사망했고 30명이 실종 중임을 알 수 있다.

California has been in a severe drought for the past five years.에서 5년간 극심한 가뭄에 시달리고 있음을 알 수 있다.

어휘

issue warning 경고를 내리다
Celsius [sélsiəs] 섭씨
yellow dust 황사
severe [siviər] 극심한
drought [draut] 가뭄
suffer from ~로 고통받다
take action 조치를 취하다

① because of + 명사는 '~때문에'의 뜻으로 이유를 나타낸다.
ex.) The flight was delayed because of bad weather. (날씨가 나빠서 비행편이 미뤄졌다.)

② get + 비교급 and 비교급은 '점점 더 ~해지다'의 뜻으로 점진적인 변화를 나타낸다.
ex.) The weather is getting warmer and warmer. (날씨가 점점 더 따뜻해지고 있다.)

③ It's time for us to + 동사원형은 '우리가 ~할 때이다'의 뜻이다.
ex.) It's time for us to grow our skills. (우리가 기술을 기를 때이다.)

STEP 2 · **GENERATE YOUR IDEAS** 아이디어를 내시오.

Think of environmental problems that we have in our society. Are you trying to save our earth in your daily life? Write down what you are doing for the environment. 우리 사회에 있는 환경 문제를 생각해 보시오. 일상에서 지구를 구하기 위해 노력하고 있나요? 환경을 위해 무엇을 하고 있는지 적으시오.

예시 답안

Problems (문제점)	What you are doing (하고 있는 일)
1. wasting paper (종이 낭비)	using both sides of a piece of paper before throwing it away (버리기 전에 종이 양면 사용하기)
2. wasting water (물 낭비)	turning off the water when we're not using it (사용하지 않을 때, 물 잠그기)
3. wasting food (음식 낭비)	putting as much food on our plates as we can eat (먹을 수 있을 만큼만 접시에 음식 담기)
4. wasting electricity (전기 낭비)	turning off the lights when we're not using them (사용하지 않을 때는 전등 끄기)

STEP 3 **SHARE YOUR IDEAS** 아이디어를 나누어 보시오.

Discuss what you are doing for our environment with your group members.
환경을 위해 무엇을 하는지 모둠원과 토론하시오.

어휘

reuse [riːjúːz] 재사용하다
feel bad about ~에 대해 기분이 좋지 않다
plate [pleit] 쟁반

A: I saw the news report about the environment on TV.
B: So did I. It made me think we should do something more for our environment.
C: Yes, I think each of our small actions will make a big difference. For example, I always try to use both sides of a piece of paper at school.
D: Oh, you're reusing paper. I'm trying to turn off the lights when I'm not using them.
E: I like both of your ideas. I feel bad about wasting food at school.
F: I feel the same way. Let's make sure we only put as much food on our plates as we can eat.

A: TV에서 환경에 관한 뉴스 기사를 보았어.
B: 나도 그래. 우리의 환경을 위해 뭔가를 더 해야 한다고 생각하게 만들었어.
C: 응. 우리의 작은 행동 하나하나가 큰 차이를 만들 거라고 생각해. 예를 들면, 나는 항상 학교에서 종이의 양쪽 면을 사용하려고 노력해.
D: 아, 너는 종이를 재사용하는구나. 나는 전등을 사용하지 않을 때 끄려고 노력해.
E: 나는 너희들 아이디어가 둘 다 마음에 들어. 학교에서 음식을 버리는 것에 대해 마음이 좋지 않아.
F: 나도 그렇게 느껴. 먹을 수 있을 만큼만 쟁반에 음식을 놓도록 하자.

활동 팁

환경을 위한 아이디어

1. 대중교통을 이용한다.
2. 세제 사용을 줄인다.
3. 분리수거를 철저하게 한다.
4. 일회용품 사용을 가급적 자제한다.
5. 에어컨은 적정 온도로 설정하고, 겨울에는 내복을 입는다.
6. 사용하지 않는 전자제품의 코드를 뽑고, 형광등은 필요 이상 켜 놓지 않는다.

1~2차시 어휘 정리

▶ Celsius 섭씨
▶ earthquake 지진
▶ feel bad about ~에 대해 기분이 좋지 않다
▶ from now on 이제부터 계속
▶ keep ~ in mind 기억하다
▶ material 재료
▶ reuse 재사용하다
▶ slogan 구호, 표어
▶ take action 조치를 취하다
▶ totally 전적으로
▶ yellow dust 황사

▶ drought 가뭄
▶ environmental 환경의
▶ forum 회의, 토론
▶ issue warnings 경고를 내리다
▶ marine 해양의
▶ plate 쟁반
▶ severe 극심한
▶ suffer from ~로 고통받다
▶ throw away 버리다
▶ turn in 제출하다
▶ waste 낭비하다

Review Points

1. I understood information about serious environmental problems all over the world.
나는 전 세계에 걸쳐 심각한 환경 문제들에 관한 정보를 이해했다.

2. I thought about what to do for our environment and suggested ideas to my group members.
나는 환경을 위해 무엇을 할지에 관해 생각했고 모둠원에게 아이디어를 제안했다.

Topic

Environmental issues in the future (미래의 환경 문제)
How green are you? Find out whether or not your actions are ecofriendly and think about the environmental issues that we might face in the future.
여러분은 얼마나 환경 친화적인가요? 여러분의 행동들이 환경 친화적인지 아닌지 알아보고 미래에 우리에게 닥칠 환경 문제들에 관해 생각해 보세요.

1. Ask and answer the questions about the environment with your partner.
여러분의 짝과 함께 환경에 대하여 묻고 답하시오.

Do you...?	Always	Sometimes	Never
1. recycle bottles and reuse paper bags	3	2	1
2. try to reduce the amount of garbage	3	2	1
3. turn off the lights when you leave your room	3	2	1
4. pick up trash when you see it	3	2	1
5. turn off the water ① **while** you're brushing your teeth	3	2	1
6. turn on the heater only when it is really necessary	3	2	1

12 or more
You are an ecofriendly person! You're showing a great example for how all people should treat the earth.

less than 12
You should be more conscious of your actions to protect our planet. Little changes can make a big difference. Please save our earth!

🌐 testing your environmental knowledge: https://learnenglishkids.britishcouncil.org/en/games/how-green-are-you 여러분의 환경 지식 테스트 하기

 구문

① while은 '~하는 동안'의 뜻으로 때를 나타내는 접속사로 쓰였다. while 뒤에 진행형이 오는 경우가 많다.

해석
1. 병을 재활용하고 종이 가방을 재사용하는가? / 2. 쓰레기의 총량을 줄이려고 노력하는가? / 3. 방에서 나갈 때 불을 끄는가? / 4. 쓰레기가 보이면 줍는가? / 5. 이를 닦는 동안 수도를 잠그는가? / 6. 정말 필요할 때만 난방기를 켜는가?

12 이상: 환경 친화적인 사람이다! 당신은 모두가 지구를 어떻게 다뤄야 하는지에 관한 훌륭한 예를 보여주고 있다.
12 미만: 지구를 보호하기 위한 행동을 더 의식적으로 해야 한다. 작은 변화가 큰 차이를 만들 수 있다. 우리의 지구를 구하자!

어휘
trash [træʃ] 쓰레기
necessary [nésəsèri] 필수적인

2. Complete the title of each article in the news report. 뉴스 기사에서 각각의 기사문의 제목을 완성하시오.

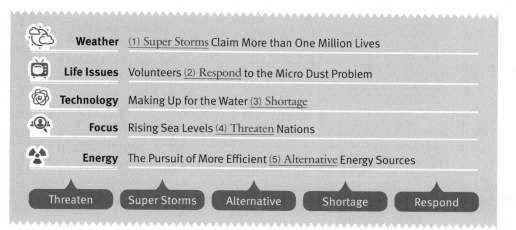

Weather (1) Super Storms Claim More than One Million Lives

Life Issues Volunteers (2) Respond to the Micro Dust Problem

Technology Making Up for the Water (3) Shortage

Focus Rising Sea Levels (4) Threaten Nations

Energy The Pursuit of More Efficient (5) Alternative Energy Sources

Threaten | Super Storms | Alternative | Shortage | Respond

해석
날씨: 슈퍼 폭풍이 100만 이상의 생명을 앗아가다
생활 문제: 자원 봉사자들이 미세먼지 문제에 대응하다
기술: 물 부족을 위한 대비
초점: 해수면 상승이 국가를 위협하다
에너지: 더 효율적인 대체 에너지원의 추구

어휘
sea level 해수면
energy source 에너지원

On Your Own

Read the passage quickly and identify the important facts. 본문을 빠르게 읽고 중요한 사실들을 확인하시오.

The important facts of the passage are many kinds of environmental issues all over the world.

Read and Think

Interpretation

¹가까운 미래의 뉴스 기사

²계속 환경을 오염시키면 무슨 일이 일어날 것이라고 생각하는가? ³다음 뉴스 기사를 기반으로 우리의 지구가 어떻게 될까 상상해 보라. ⁴날씨 – 슈퍼 폭풍이 100만명 넘는 목숨을 앗아가다. ⁵최근 슈퍼 폭풍이 동남아시아를 강타한 후 사망자와 부상자의 총 수가 이제 100만을 넘어섰다. ⁶2025년 3월 30일 오후 3시에 18시간 동안의 폭풍이 심각하게 그 지역에 손상을 입혔다. ⁷4월 2일에 사망자수와 부상자들은 514,000명이고 실종자는 17,000명이 넘었으며 그 숫자가 더 늘어날 것으로 예상된다. ⁸집을 잃은 65세의 한 노인이 "내가 살면서 그렇게 강한 바람은 본 적이 없어요. 난 모든 것을 잃었습니다."라고 말했다. ⁹폭풍은 많은 사람들의 집을 사라지게 했다. ¹⁰한 기후 학자는 이 슈퍼 폭풍이 확실히 전 세계 기후의 극적인 변화에 의해 생겼다고 말했다. ¹¹그는 "세계 기온의 상승이 더 강한 바람 속도를 가진 폭풍의 강도를 증가시켰다."라고 덧붙였다. ¹²불행히도 연구자들은 슈퍼 폭풍들이 올 여름에 더 자주 일어날 것으로 예상한다.

알고 있었나요? 큰 숫자 읽는 법

숫자를 100단위와 1000단위로 나누세요.
예) 17,000 seventeen thousand
514,000 five hundred fourteen thousand

---

¹A NEWS REPORT IN THE NEAR FUTURE

²*What do you think will happen to us if we keep polluting the environment?* ³*Imagine what our planet will be like based on the following news report.*

⁴Weather

Super Storms Claim More than One Million Lives

⁵Since the latest super storm hit Southeast Asia, the total number of deaths and injuries has now exceeded one million. ⁶At 3 p.m. on March 30th, 2025, an 18-hour storm severely damaged the region. ⁷On April 2nd, the number of deaths and injured individuals stood at 514,000, with over 17,000 missing, and the numbers are expected to rise. ⁸One 65-year-old man who lost his house said, "I've never seen such strong winds in my whole life. I've lost everything." ⁹The storm left many people homeless. ¹⁰A climate scientist said this super storm was obviously caused by dramatic changes in the global climate. ¹¹He added, "A rise in global temperatures has increased the intensity of storms with higher wind speeds." ¹²Unfortunately, researchers predict that super storms will happen more frequently this summer.

Did you know?

How to Read Large Numbers
Divide the number into units of hundreds and thousands.

e.g., 17,000 seventeen thousand
514,000 five hundred fourteen thousand

reading large numbers: www.firefightermath.org/index.php?option=com_content&view=article&id=114&Itemid=142
큰 숫자 읽기

While you read

Q1. How many deaths and injuries were there on April 2nd?

4월 2일에 얼마나 많은 사망과 부상이 있었는가?

예시 답안 The number of deaths and injured individuals stood at 514,000.

사망자와 부상자의 수는 514,000이었다.

해설 On April 2nd, the number of deaths and injured individuals stood at 514,000 ~에 4월 2일의 사망자와 부상자 수가 나온다.

Words and Idioms

storm: 폭풍 ⊙ A lot of trees came down in the storm. (많은 나무들이 폭풍에 쓰러졌다.)

southeast: 남동(의) ⊙ We live in the southeast of the city. (우리는 도시의 남동쪽에 산다.)

injury: 부상 ⊙ They were lucky to escape without injury. (그들은 부상 없이 탈출하게 되어 운이 좋았다.)

exceed: 능가하다, 초과하다 ⊙ Drivers who exceed the speed limit are expected to be fined heavily. (과속을 한 운전자들은 무겁게 벌금이 부과될 것으로 예상된다.)

severely: 심각하게 ⊙ Their daughter was severely injured in a car accident. (그들의 딸은 자동차 사고에서 심하게 부상당했다.)

damage: 피해; 손상을 주다 ▶ Strong winds had caused serious damage to the roof. (강한 바람이 지붕에 심각한 피해를 입혔다.)

climate: 기후 ▶ When we retire, we're going to move to a warmer climate. (은퇴하면, 우리는 더 따뜻한 기후로 이사갈 것이다.)

dramatic: 극적인 ▶ There was a dramatic shift in public opinion towards peaceful negotiations. (평화 협상에 관한 여론의 극적인 변화

가 있었다.)

temperature: 기온 ▶ Temperatures have risen over the past few days. (지난 며칠간 기온이 올랐다.)

intensity: 강도 ▶ Scientists use the instrument to measure the intensity of the light. (과학자들은 빛의 강도를 재기 위해 기구를 사용한다.)

Key Points

2 **What do you think will happen** to us if we keep polluting the environment?: think, guess가 있는 간접의문문은 「What do you think + 주어 + 동사 ~?」의 어순을 가진다. 여기서는 what이 주어이므로 What do you think 뒤에 동사가 이어진다.

3 Imagine **what our planet will be like** based on the following news report: what ~ like는 how의 의미이며 의문사 what이 이끄는 명사절이 목적어의 역할을 한다.

5 **Since** the latest super storm hit Southeast Asia, **the total number of** deaths and injuries **has** now **exceeded** one million.: since는 '이후 계속'의 뜻으로 때를 나타내는 부사절을 이끈다. / the total number of ~ 는 '~의 총 수'의 뜻으로 항상 단수 취급한다.

6 At 3 p.m. on March 30th, 2025, an **18-hour storm** severely damaged the region: 「숫자 + 단위」가 명사를 수식할 경우 단위는 단수를 쓴다.
ex.) a 7-year-old girl (7세 소녀)

한편 서술적으로 쓰일 경우에는 숫자에 맞는 단위를 쓴다. *ex.*) The girl is 7 years old. (소녀는 7세이다.)

7 On April 2nd, **the number of** deaths and injured individuals stood at 514,000, **with over 17,000 missing,** and the numbers are expected to rise.: the number of ~ 는 '~의 수'의 뜻으로 하나의 수를 나타내므로 항상 단수로 취급한다. 「with + 목적어 + 목적보어」는 '~ 한 채로'의 뜻으로 부대상황을 나타낸다. 이때 목적어와 목적보어의 관계가 능동이어서 -ing형이 쓰였다.

8 One 65-year-old man who lost his house said, "I've **never seen** such strong winds in my whole life. **I've lost** everything.": ever, never, ~ times 등과 함께 쓰인 현재완료는 경험을 나타내는 경우가 많다. / I've lost everything.의 경우, 결과를 나타내어 현재의 결과, 아무것도 남아 있지 않다는 뜻이다. 즉, Now I have nothing.의 의미를 내포한다.

9 The storm **left many people homeless.**: 「leave + 목적어 + 목적보어」 구문으로 '~를 …하게 남겨두다'의 의미이다.

Mini Test

정답과 해설 p. 356

1. 다음 괄호 안의 단어들을 순서대로 배열하시오.

(1) Imagine (like, be, what, our, planet, will) based on the following news report.

(2) The storm (homeless, left, people, many).

2. 다음 우리말에 맞게 빈칸에 알맞은 말을 쓰시오.

(1) 사망자와 부상자의 총 수가 이제 100만을 넘어섰다.
_____ deaths and injuries has now exceeded one million.

(2) 18시간 동안의 폭풍이 그 지역을 심하게 손상시켰다.
An _____ severely damaged the region.

3. 다음 주어진 표현을 이용하여 문장을 완성하시오.

(1) result in: 결과적으로 ~을 야기하다
These policies _____ many elderly people suffering hardship.
(이들 정책으로 많은 노인들이 곤경에 처하게 되었다.)

(2) with + 목적어 + 목적보어: ~을 …한 채로
He was listening to me _____.
(그는 팔짱을 낀 채로 내 말을 듣고 있었다.)

(3) What ~ like?: ~는 어떨까?
We don't know what our future will _____.
(우리는 미래가 어떻게 될지 모른다.)

(4) since + 시점: ~한 이후로 죽
I have lived here _____.
(나는 18세 이후 계속 여기서 살고 있다.)

Interpretation

생활 문제

¹자원봉사자들 미세 먼지 문제에 대응하다.

²오랫동안 중국에서 한국으로 날아온 미세 먼지는 심각한 문제가 되어 왔다. ³몇 년 전, 그 문제에 대처하려는 세계적 노력에도 불구하고 그 문제는 더 심각해지는 것 같았다. ⁴그러나 재작년부터 대기오염은 이웃 나라들 자원봉사자들의 도움 덕에 크게 줄었는데 그들은 중국의 많은 지역에 나무를 심어왔다. ⁵그 노력은 10년 전에 시작되었고 이제 의미 있는 결과를 보여주기 시작하고 있다. ⁶전문가들은 나무들이 모래와 먼지가 한국으로 건너가는 것을 막는 벽의 역할을 한다고 설명한다. ⁷마침내 이번 돌아오는 주말에 전 연령의 사람들이 신선한 공기를 마실 수 있을 것으로 기대된다.

기술
⁸물 부족에 대한 보완

⁹세계의 다른 많은 나라들과 마찬가지로 한국은 여전히 심각한 물 부족 국가로 분류된다. ¹⁰그러나 이것은 과거의 일이 되기 시작하고 있다. ¹¹공학과 화학의 주목할 만한 발전이 한국 학자들에게 자극을 주었고, 그들은 심각한 가뭄 문제를 해결하려고 노력해 왔다. ¹²결국 그들은 성공적으로 바닷물을 친환경적인 방식으로 민물로 바꾸었다. ¹³그들은 또한 높은 염분을 함유한 물을 재사용할 방법을 찾았다. ¹⁴이 새로운 해결책은 이 기술이 해양 생물에게 미치는 결과에 대한 걱정을 줄였다. ¹⁵이 기술이 널리 사용된 이후 그것은 식수가 필요한 사람들을 위한 희망의 근원이 되어 왔다. ¹⁶그 기술을 이용한 깨끗한 물의 충분한 공급이 이제 개발되고 있는 중이고 세계의 깨끗한 물 부족에 의해 야기되는 질병들을 뿌리뽑는 데 도움이 될 것으로 기대된다.

While you read

Q2. What can we expect from the technology of transforming sea water into fresh water?

바닷물을 깨끗한 민물로 바꾸는 기술에서 우리는 무엇을 기대할 수 있는가?

예시 답안 It can help root out diseases that are caused by the world's lack of clean water.

그것은 깨끗한 물 부족에 의해 야기되는 질병들을 뿌리뽑는 데 도움이 될 수 있다.

해설 마지막 문장을 보면 깨끗한 물의 충분한 공급이 물 부족으로 인한 질병 퇴치에 도움이 될 것으로 기대한다고 했다.

Life Issues
¹Volunteers Respond to the Micro Dust Problem

²For years, the micro dust that blows into Korea from China has been a serious problem. ³A few years ago, despite global efforts to deal with the problem, it seemed the problem was getting worse. ⁴But from the year before last, air pollution has greatly decreased thanks to the help of volunteers from neighboring countries, who have planted trees in many parts of China. ⁵The effort started ten years ago, and it's now starting to show significant results. ⁶Experts explain that the trees serve as a wall to block the sand and dust from crossing into Korea. ⁷At long last, this coming weekend, people of all ages are expected to breathe in the fresh air.

Technology
⁸Making Up for the Water Shortage

⁹Korea, along with many other countries in the world, is still classified as a country with a serious water shortage. ¹⁰However, this is starting to become a thing of the past. ¹¹The remarkable development of engineering and chemistry inspired Korean researchers, who have tried to solve severe drought problems. ¹²In the end, they successfully transformed sea water into fresh water in an environmentally friendly way. ¹³They also found a way to reuse water that contains high salt content. ¹⁴This new solution has reduced worries about the effects of this technology on marine life. ¹⁵Since this technology has become widely used, it has become a source of hope for the people who need drinkable water. ¹⁶A sufficient supply of clean water using the technology is now being developed and is expected to help root out diseases that are caused by the world's lack of clean water.

Words and Idioms

micro dust: 미세 먼지 ▶ This part of Seoul has a high micro-dust level. (서울의 이 지역이 미세 먼지 수준이 높다.)

significant: 중요한, 의미 있는 ▶ Do you find any significant difference in quality between these two items? (이 두 물품 사이에 품질에 있어 의미 있는 차이를 발견하셨습니까?)

at long last: 마침내, 오랫동안 ▶ At long last the government is starting to listen to our problems. (마침내 정부가 우리 문제에 귀를 기울이기 시작하고 있다.)

shortage: 부족 ▶ There's a shortage of food in the refugee camps. (난민 캠프에서는 음식이 부족하다.)

classify: 분류하다 ▶ The books in the library are classified by subject. (그 도서관의 책들은 주제별로 분류되어 있다.)

drought: 가뭄 ▶ This year we had a severe drought. (올해 가뭄이 극심했다.)

transform: 변형시키다 ▶ Our plan is to transform the park into a tourist attraction. (우리 계획은 그 공원을 관광 명소로 변형시키는 것이다.)

reduce: 줄이다 ▶ Do nuclear weapons really reduce the risk of war? (핵무기가 정말로 전쟁의 위험을 줄일까?)

marine: 해양의 ▶ He is a marine biologist. (그는 해양 생물학자이다.)

sufficient: 충분한 ▶ This soup should be sufficient for five people. (이 스프는 5명이 먹기에 충분할 것이다.)

root out: 뿌리 뽑다, 캐내다 ▶ The mayor was determined to root out corruption in the city government. (시장이 도시 정부에서 부패를 뿌리 뽑기로 결심했다.)

Key Points

2 **For years**, the micro dust that blows into Korea from China **has been** a serious problem.: 현재완료 구문에 「for + 기간」이 쓰여 '~동안 계속 해왔다'는 계속의 의미를 나타낸다.

3 A few years ago, **despite** global efforts to deal with the problem, it seemed the problem was getting worse.: 「despite + 명사」는 '~에도 불구하고'의 뜻이다. 「in spite of +명사」도 같은 뜻으로 쓰인다.

4 But from the year before last, air pollution has greatly decreased thanks to the help of volunteers from neighboring countries, **who have planted trees in many parts of China.**: who는 앞의 volunteers를 선행사로 취하는 관계대명사로 앞에 콤마가 있는 것으로 보아 계속적 용법으로 쓰였다.

5 The effort **started** ten years **ago**, and it's now starting to show significant results.: ago는 '~전에'의 뜻으로 과거 시제와 쓰이고 현재완료와는 쓰이지 못한다.

6 Experts explain that the trees serve as a wall to **block** the sand and dust **from crossing** into Korea.: 「block + 목적어 + from -ing」 구문으로 '~가 …하는 것을 막다'의 의미이다. block 과 같은 형태를 취하는 동사에는 prevent, prohibit, stop, restrain 등이 있다.

9 Korea, along with many other countries in the world, **is** still classified as a country with a serious water shortage.: 주어가 Korea이므로 3인칭 단수에 쓰이는 be동사가 왔다.

11 The remarkable development of engineering and chemistry inspired Korean researchers, **who have tried to solve severe drought problems.**: who는 주격 관계대명사로 Korean researchers를 선행사로 취한다.

13 They also found a way to reuse water **that contains high salt content.**: that ~ content는 선행사 water를 꾸며주는 관계대명사절이다. 이때 that은 주격 관계대명사이다.

15 **Since** this technology has become widely used, it **has become** a source of hope for the people who need drinkable water.: 때를 나타내는 접속사 since가 이끄는 부사절이 현재완료와 함께 쓰여 계속을 나타낸다.

16 A sufficient supply of clean water using the technology **is** now **being developed** and is expected to help root out diseases that are caused by the world's lack of clean water: 「be + being + 과거분사」는 현재진행형 수동태로 '~되어지고 있다'는 뜻이다.

Mini Test

정답과 해설 p. 356

1. 다음 괄호 안의 단어들을 순서대로 배열하시오.
   (1) The trees serve as a wall to block the sand and dust (into, crossing, from, Korea).
   (2) A sufficient supply of clean water using the technology (being, is, developed, now).

2. 다음 우리말에 맞게 빈칸에 알맞은 말을 쓰시오.
   (1) 오랫동안 중국에서 한국으로 날아온 미세 먼지는 심각한 문제가 되어 왔다.
   For years, the micro dust that blows into Korea from China _____ a serious problem.
   (2) 그 노력은 10년 전에 시작되었고, 이제는 의미있는 결과를 보여 주기 시작하고 있다.
   The effort _____, and it's now starting to show significant results.

3. 다음 주어진 표현을 이용하여 문장을 완성하시오.
   (1) despite + 명사: ~에도 불구하고
   I enjoyed the week _____.
   (나는 나쁜 날씨에도 불구하고 그 주를 즐겁게 지냈다.)
   (2) block A from -ing: A가 ~하는 것을 막다
   This hat _____ hitting your face.
   (이 모자는 바람이 네 얼굴을 때리는 것을 막아준다.)
   (3) along with: ~와 함께
   He made the plan for the project _____.
   (그는 친구들과 함께 그 프로젝트를 위한 계획을 세웠다.)
   (4) root out: 뿌리를 뽑다
   We need to _____ among civil servants.
   (우리는 공무원들 사이의 부패를 뿌리 뽑아야 한다.)

Interpretation

¹상승하는 해수면이 국가를 위협하다

²이제 공식화되었다! ³북극 얼음이 녹아내리고 이제 1979년 얼음 양의 5분의 1만 있다. ⁴많은 기후 과학자들이 말하기를 지구 온난화 때문에 북극은 2030년에 얼음이 전혀 없는 여름을 맞게 될 것이라고 한다. ⁵그러면 무엇이 기온을 올라가게 하는가? ⁶주된 이유는 이산화탄소 방출이다. ⁷온실가스는 지구의 대기 중에 갇혀 있는데 그것이 기온 상승의 결과를 낳는다. ⁸상승하는 해수면은 몰디브가 침수되는 결과를 낳았으며 이곳은 유명한 관광지이다. ⁹많은 학자들에 따르면 2100년에는 뉴욕과 상하이도 침수될 것이고 평균 세계 기온이 지금보다 약 3.6도 상승할 것으로 예상된다고 한다. ¹⁰어떤 사람들은 왜 온난화에서 3도의 상승을 걱정해야 하는지 의아해하기도 한다. ¹¹1도의 세계 기온 변화는 아주 중요한데, 왜냐하면 지구의 모든 대양들, 대기 그리고 땅을 데우기 위해 거대한 양의 열이 필요하기 때문이다. ¹²과거에는 단지 1도, 2도의 하락으로 지구의 소빙하기를 야기했다. ¹³세계 지도자들은 기후 변화의 심각성을 깨달아서 다음 달 기후 회의를 위해 파리에서 만날 것이다.

While you read

Q3. What is the main purpose of this article?

이 기사의 주 목적은 무엇인가?

예시 답안 The main purpose is to warn about climate change.

주 목적은 기후 변화에 관해 경고하는 것이다.

해설 기후 변화로 인한 심각성을 알리고 있으며 마지막 문장에서 문제의 심각성을 해결하려는 회의가 열린다는 내용으로 마무리하고 있으므로 기후 변화에 대한 경고의 글이다.

Focus
¹Rising Sea Levels Threaten Nations

²It's now official. ³The Arctic ice has melted away and is now only one-fifth of what it was in 1979. ⁴Many climate scientists have said that the Arctic could have a summer entirely free of ice by 2030 due to global warming. ⁵So what is causing the temperature to rise? ⁶The main cause is carbon dioxide emissions. ⁷Greenhouse gases are being trapped within the earth's atmosphere, which has led to rising temperatures. ⁸The rising sea level has resulted in the sinking of the Maldives, which is a famous tourist destination. ⁹According to many researchers, by 2100, New York and Shanghai will also sink, and the average global temperature is expected to be about 3.6 degrees higher than now. ¹⁰Some may wonder why we should worry about a three-degree increase in warming. ¹¹A one-degree global change is highly significant because it takes a vast amount of heat to warm all the earth's oceans, atmosphere, and land. ¹²In the past, just a one- to two-degree drop caused the earth to go through the Little Ice Age. ¹³World leaders have realized the seriousness of climate change, so they will meet in Paris next month for a climate forum.

Global Temperature Changes

Words and Idioms

threaten: 위협하다 They threatened the shopkeeper with a gun. (그들은 가게 점원을 총으로 위협했다.)

official: 공식적인 ▶ He will attend the official opening of the stadium in June. (그는 6월에 공식적인 운동장 개장에 참가할 것이다.)

arctic: 북극의, **the Arctic:** 북극 ▶ Polar bears live in the Arctic. (북극곰은 북극에 산다.)

melt: 녹다, 녹이다 ▶ Melt the chocolate slowly so that it doesn't burn. (초콜릿이 타지 않도록 천천히 녹여라.)

carbon dioxide: 이산화탄소 ▶ Carbon dioxide is a major greenhouse gas. (이산화탄소는

주된 온실가스이다.)

emission: 방출 ▶ Trees absorb gas **emissions**. (나무가 가스 방출을 흡수한다.)

greenhouse gas: 온실가스 ▶ Water vapor is the most abundant **greenhouse gas** in the atmosphere. (수증기는 대기 중 가장 많은 온실가스이다.)

result in: ~결과가 되다 ▶ The fire **resulted in** damage to their property. (화재가 그들의 재산에 해를 입혔다.)

sink: 가라앉다 ▶ The passenger ship **sank** in 1932. (그 여객선은 1932년에 침몰했다.)

vast: 거대한 ▶ A **vast** audience watched the show. (엄청난 관객들이 그 쇼를 보았다.)

Key Points

2 **It's now official.:** 주의를 집중시킬 때 쓰는 표현이다.

3 The Arctic ice has melted away and is now only **one-fifth** of what it was in 1979.: 분수를 읽을 때 분자는 기수, 분모는 서수로 읽는다. 분자가 복수이면 분모에 -s를 붙인다. *ex.*) 2/5 = two-fifths

4 Many climate scientists have said that the Arctic could have a summer entirely free of ice by 2030 **due to** global warming.: 「due to + 명사」는 '~ 때문에'의 뜻으로 because of, owing to 등과 바꾸어 쓸 수 있다.

5 So what is **causing** the temperature **to rise**?: 「cause + 목적어 + to부정사」 구문으로 '~가 …하는 원인이 되다'의 뜻이다.

7 Greenhouse gases **are being trapped** within the earth's atmosphere. **which has led to rising temperatures.**: 「be being p.p.」는 현재진행형 수동태로 '현재 ~되어지고 있다'는 뜻이다. which는 and it으로 바꾸어 쓸 수 있으며 이때 it은 앞 문장 전체를 가리킨다. / 「lead to + 명사」는 '~결과가 되다'의 뜻이다.

8 The rising sea level has resulted in the sinking of the

Maldives, **which is a famous tourist destination.**: which는 앞의 Maldives를 선행사로 취하는 주격 관계대명사로 계속적 용법으로 쓰였다.

9 According to many researchers, by 2100, New York and Shanghai will also sink, and the average global temperature is expected to be about 3.6 degrees **higher than** now.: 「비교급 + than ~」 구문으로 '~보다 더 …한'의 뜻이다.

10 Some may wonder **why we should worry about a three-degree increase in warming.**: why 이하는 의문사가 이끄는 명사절로 목적어의 역할을 한다. / 「숫자 + 단위」가 명사 increase를 꾸미므로 degree는 단수로 쓰였다.

11 A one-degree global change is highly significant because **it** takes a vast amount of heat **to warm** all the earth's oceans, atmosphere, and land.: it은 가주어이고 to이하가 진주어이다.

12 In the past, just a one- to two-degree drop **caused** the earth **to go** through the Little Ice Age.: 「cause + 목적어 + to 부정사」 구문으로 '~가 …하는 원인이 되다'의 뜻이다.

Mini Test

정답과 해설 p.356

1. 다음 괄호 안의 단어들을 순서대로 배열하시오.

(1) Greenhouse gases (within, being, are, trapped) the earth's atmosphere.

(2) The rising sea level has resulted in the sinking of the Maldives, (famous, is, a, tourist, which, destination).

2. 다음 우리말에 맞게 빈칸에 알맞은 말을 쓰시오.

(1) 평균 세계 기온이 약 3.6도 증가할 것으로 예상된다고 한다.
The average global temperature is expected to be about 3.6 degrees _____ now.

(2) 지구의 모든 대양들, 대기, 그리고 땅을 데우기 위해 거대한 양의 열이 필요하다.
_____ a vast amount of heat to warm all the earth's oceans, atmosphere, and land.

3. 다음 주어진 표현을 이용하여 문장을 완성하시오.

(1) result in: ~의 결과가 되다
The flood _____ over one hundred deaths.
(그 홍수는 100명이 넘는 사망자 수를 남겼다.)

(2) cause + 목적어 + to 부정사: ~가 …하는 원인이 되다
The bright headlight _____ blink.
(그 전조등은 그녀가 눈을 깜빡이는 원인이 되었다.)

(3) lead to + 명사: ~ 결과가 되다
The long hot summer _____ serious water shortage. (길고 더운 여름은 심각한 물 부족의 결과를 낳았다.)

(4) wonder why + 주어 + 동사 ~: ~한 이유를 궁금해하다
I _____ he decided not to come to the party.
(나는 그가 왜 파티에 오지 않기로 결정했는지 이유가 궁금했다.)

Interpretation

¹더 효율적인 대체 에너지원 찾기 ²화석 연료에 관한 전 세계적인 금지는 대체 에너지에 활력을 불어넣었다. ³전 세계 많은 회사들이 화석 연료 부족을 보완할 수 있는 더 효과적인 에너지원을 강화해왔다. ⁴신재생 에너지원의 개발 덕에 그것들은 이제 국가 전체 전력의 반 이상을 차지하고 있으며 이 비율은 훨씬 더 커질 것으로 예상된다. ⁵신재생 에너지원은 태양, 바람, 바다를 포함한 다양한 원천에서 온다. ⁶신재생 에너지를 사용하는 것은 화석 연료를 사용하는 것 보다 대기 오염 혹은 수질 오염을 덜 만들어내고 더 적은 이산화탄소를 방출한다. ⁷신재생 에너지원의 빠른 발달이 오염을 많이 만들어내지 않고 우리의 에너지 수요를 만족시키는 데 도움을 줄 것이다.

⁸친환경 차 시장 ⁹전기 차 시장에서 경쟁이 더 가열될수록 많은 회사들이 오래가는 전기 차 건전지 개발에 애쓰고 있다. ¹⁰동시에 위성 통신을 장착한 수소 차들이 이 경쟁에 합류했다. ¹¹그것들은 화석 연료 엔진에 의해 만들어진 오염된 공기를 제거할 수 있다. ¹²친환경 차 시장의 열기가 높아짐에 따라 새로운 수소 차의 착수가 공기 오염을 줄이고 결국 에너지 위기를 해결하는 데 도움이 될 것으로 기대된다.

¹³푸른 지구 재단이 개최하는 10회 국제 환경 회의 ¹⁴지구와 친구가 되자! ¹⁵푸른 지구 재단에서 우리는 급박한 환경 문제들에 관한 의식을 높이는 데 도움이 될 교육적이고 문화적인 프로그램에 중점을 둔다. ¹⁶그 목적을 위해 우리는 아이디어를 나누고 환경 문제에 관해 토론하기 위해 매년 국제 환경 회의를 개최한다.

날짜와 시간
4월 11일 토요일 오전 10시 ~ 오후 3시

프로그램
1기 (10:00~ 10: 30): 개막
2기 (10: 30~12:00): 포스터와 비디오 대회
3기 (13:00~15:00): 말하기 대회

장소
May Hall의 강당 (1층)
좀 더 많은 정보를 원하시면 우리의 웹사이트 www.greenearth.com을 방문하세요.
¹⁷뉴스에 대해 여러분은 어떻게 생각하는가? ¹⁸지구의 미래는 여러분의 손에 있다. ¹⁹여러분의 작은 행동이 큰 차이를 만들 수 있다.

Over to you
Imagine you have an ecofriendly car. What features would it have?

당신에게 친환경 차가 있다고 상상하시오. 그 차의 특징은 무엇일까요?

Energy
¹The Pursuit of More Efficient Alternative Energy Sources

²The global ban on fossil fuels gave a boost to alternative energy. ³A number of companies around the world have built up more effective energy sources that can make up for the shortage of fossil fuels. ⁴Thanks to the development of renewable energy resources, they now make up more than half of the country's entire power, and this rate is set to grow even bigger. ⁵Renewable energy resources come from a wide variety of sources including the sun, the wind, and the sea. ⁶Using renewable energy produces less air or water pollution and fewer carbon dioxide emissions than using fossil fuels. ⁷The rapid development of renewable energy sources will help us meet energy demands without creating much pollution.

⁸The Green Car Market

⁹As the competition in the electric car market has become more intense, many companies have long been struggling to develop long-lasting electric car batteries. ¹⁰At the same time, hydrogen cars with satellite communications have also joined in this competition. ¹¹They can eliminate polluted air produced by fossil fuel engines. ¹²Heating up the green car market fever, the launch of new hydrogen cars is expected to help reduce air pollution and eventually solve the energy crisis.

¹³The 10th International Environment Forum by *THE GREEN EARTH FOUNDATION*
¹⁴Let's Be Friends with the Earth!

¹⁵At the *Green Earth Foundation*, we focus on educational and cultural programs to help raise awareness regarding urgent environmental issues. ¹⁶For that purpose, we annually hold an international environment forum to share ideas and discuss environmental issues.

DATE and TIME
Saturday April 11th from 10 a.m. to 3 p.m.

PROGRAM
Session 1 (10:00 to 10:30): Opening
Session 2 (10:30 to 12:00): Poster & Video Competition
Session 3 (13:00 to 15:00): Speech Contest

PLACE
Auditorium (1st floor) at May Hall
Please visit our website www.greenearth.com for more information.

¹⁷*What do you think of the news?* ¹⁸*The future of the planet is in your hands.* ¹⁹*Your small actions can make a big difference.*

Words and Idioms

alternative: 대체의 ⊙ We are seeking an alternative place for the concert. (우리는 그 콘서트의 대체 장소를 찾고 있다.)

fossil fuel: 화석 연료 ⊙ Natural gas is a fossil fuel. (천연가스는 화석 연료이다.)

boost: 격려; 북돋다 ⊙ The policy will give a boost to the economy. (그 정책은 경제를 북돋을 것이다.)

build up: 증강하다, 강화하다 ⊙ She's built up a new business. (그녀는 새 사업체를 강화했다.)

make up for: 보상하다, 만회하다 ⊙ How can I make up for the damage? (그 피해에 관해 내가 어떻게 보상할 수 있을까?)

renewable: 재생 가능한, 신재생의 ⊙ We should develop renewable energy sources such as wind and solar power. (우리는 풍력과 태양열 같은 신재생 에너지원을 개발해야 한다.)

be set to: ~할 예정이다 ▶ His new movie is set to be released. (그의 새 영화가 개봉될 것이다.)

resource: 자원 ▶ This book is a good resource for researchers. (이 책은 연구자들에게 좋은 자료이다.)

long-lasting: 오래 지속되는 ▶ His feeling of happiness wasn't long-lasting. (그의 행복감은 오래 지속되지 않았다.)

hydrogen: 수소 ▶ Water consists of hydrogen and oxygen. (물은 수소와 산소로 구성된다.)

awareness: 의식, 관심 ▶ There is a growing awareness of the seriousness of this disease. (이 질병의 심각성에 관한 관심이 증가하고 있다.)

auditorium: 강당 ▶ No smoking in the auditorium. (강당에서는 금연하시오.)

Key Points

2 The global ban on fossil fuels **gave a boost to** alternative energy.: give a boost to ~는 '~을 북돋다'의 뜻이다.

3 **A number of** companies around the world have built up more effective energy sources that can make up for the shortage of fossil fuels.: a number of는 '많은'의 뜻으로 셀 수 있는 명사의 복수를 나타낸다. 항상 복수 취급한다.

4 Thanks to the development of renewable energy resources, they now make up more than half of the country's entire power, and this rate is set to grow **even bigger**.: even, much, a lot, still, far 등이 비교급을 수식할 때는 '훨씬'의 뜻으로 쓰인다.

6 Using renewable energy produces **less** air or water pollution and **fewer** carbon dioxide emissions than using fossil fuels: pollution이 셀 수 없는 명사이므로 little의 비교급 less가 쓰였고 emission이 셀 수 있는 명사이므로 few의 비교급 fewer가 쓰였다.

7 The rapid development of renewable energy sources will **help us meet** energy demands without creating much pollution.: 「help + 목적어 + (to) + 동사원형」 구문으로 '~가 …

하는 데 도움이 되다'의 뜻이다.

9 **As** the competition in the electric car market has become more intense, many companies **have** long **been struggling** to develop long-lasting electric car batteries.: 접속사 as가 '~함에 따라'의 뜻으로 쓰였다. / 「have been -ing」는 현재완료진행형으로 '계속 ~해오고 있다'는 뜻이다.

11 They can eliminate polluted air **produced by fossil fuel engines**: produced by ~는 앞의 air를 꾸며주는 분사구이다. air와 produce의 관계가 수동이므로 과거분사인 produced 가 쓰였다.

12 **Heating up the green car market fever**, the launch of new hydrogen cars is expected to help reduce air pollution and eventually solve the energy crisis.: Heating up ~ fever는 As the launch of new hydrogen cars is heating up ~에서 접속사 as 와 주어, be동사가 생략된 분사구문이다.

15 At the *Green Earth Foundation*, we focus on educational and cultural programs to help raise awareness **regarding** urgent environmental issues.: regarding은 '~에 관해서'의 뜻이다.

Mini Test

정답과 해설 p. 356

1. 다음 괄호 안의 단어들을 순서대로 배열하시오.
   (1) They can eliminate polluted (by, air, produced) fossil fuel engines.
   (2) (the, up, heating, car, green) market fever, the launch of new hydrogen cars is expected to help reduce air pollution.

2. 다음 우리말에 맞게 빈칸에 알맞은 말을 쓰시오.
   (1) 전 세계 많은 회사들이 화석 에너지 부족을 보완할 수 있는 더 효과적인 에너지원을 창출해왔다.
   A _____ around the world have built up more effective energy sources.
   (2) 많은 회사들이 오래가는 전기 차 건전지 개발에 애쓰고 있다.
   Many companies have long _____ develop long-lasting electric car batteries.

3. 다음 주어진 표현을 이용하여 문장을 완성하시오.
   (1) be set to: ~할 예정이다
   Splitting the bill _____ become commoner.
   (돈을 나눠 내는 것이 점점 더 흔해질 것이다.)

   (2) make up for: ~을 보상하다
   You need to do something _____ your rudeness.
   (너는 너의 무례함을 보상하기 위해 무언가 해야 한다.)

   (3) help + 목적어 + 동사원형: ~가 …하는 것을 돕다
   Can you _____ the nearest supermarket?
   (제가 가장 가까운 슈퍼마켓 찾는 것을 도와주시겠어요?)

   (4) regarding: ~에 대하여
   I will be speaking to her today _____.
   (나는 그 문제에 관해 오늘 그녀에게 이야기할 것이다.)

1. Complete the summary of the news report about the environmental problems using the words in the box. 환경 문제에 관한 뉴스 기사 요약본을 상자 안의 단어들을 이용하여 완성하시오.

Causes	>	Effects
Climate change caused a super storm in Southeast Asia.	super storm	More than one million people died or were injured.
Volunteers from neighboring countries have planted trees in China.	micro dust	The amount of dust in the air has decreased.
Some researchers discovered a way of transforming sea water into fresh water.	water shortage	It is expected to solve the water shortage problem.
Greenhouse gases led to rising temperatures.	rising sea levels	The Arctic ice has melted away and the Maldives is sinking.
Renewable energy has been developed in many ways.	alternative energy	We can meet energy demands without creating much pollution.

> pollution   transforming   decreased   melted away
> greenhouse gases   climate change   planted trees

2. Listen and select True or False. 🔊 듣고 맞으면 True, 틀리면 False를 고르시오.

(1) A rise in global temperature can affect the intensity and speed of storms.

(2) Trees in China serve as a wall to block the sand and dust from crossing into Korea.

(3) Korean researchers are still finding a way to reuse water that contains high salt content.

(4) A one- to two-degree global change is not a big problem.

(5) The sea cannot be used instead of fossil fuel resources.

(1) 세계 기온의 상승이 폭풍의 강도와 속도에 영향을 줄 수 있다.

(2) 중국의 나무들은 모래와 먼지가 한국으로 넘어오는 것을 막는 벽의 역할을 한다.

(3) 한국 연구자들은 아직도 고염도 내용물을 포함한 물을 재사용할 방법을 찾고 있다.

(4) 1도에서 2도의 세계적 변화는 큰 문제가 아니다.

(5) 바다는 화석 연료 자원 대신 사용될 수 없다.

(1) ☑ True / ☐ False
(2) ☑ True / ☐ False
(3) ☐ True / ☑ False
(4) ☐ True / ☑ False
(5) ☐ True / ☑ False

THINK AND WRITE

3. Find the following words in the news report and put a circle around them. Make sentences using them and compare yours with your partner's.

뉴스 기사에서 다음 단어들을 찾아 동그라미 치시오. 그 단어들을 이용하여 문장을 만들고 짝의 것과 비교해 보시오.

예시 답안

temperature	The temperature was ten degrees below zero this morning.
emission	Walking instead of driving reduces the emission of greenhouse gases.
transform	We transformed the old factory into an art museum.
drought	Drought has become a serious problem.
Your Own ▶ 스스로 해보기 significant	The oil and gas business can cause a significant impact on our environment.

해석

기온 / 오늘 아침 기온이 영하 10도였다.

방출 / 운전하는 대신 걷는 것이 온실가스 방출을 줄인다.

변형시키다 / 우리는 옛 공장을 미술 박물관으로 변형시켰다.

가뭄 / 가뭄은 심각한 문제가 되어왔다.

중요한 / 석유와 가스 사업은 우리 환경에 중요한 영향을 일으킬 수 있다.

3~5차시 어휘 정리

▶ alternative 대체의
▶ auditorium 강당
▶ boost 격려; 북돋다
▶ classify 분류하다
▶ dramatic 극적인
▶ exceed 능가하다, 초과하다
▶ hydrogen 수소
▶ long-lasting 오래 지속되는
▶ melt 녹다, 녹이다
▶ reduce 줄이다
▶ result in ~결과가 되다
▶ shortage 부족
▶ southeast 남동(의)
▶ temperature 기온

▶ arctic 북극의
▶ awareness 의식, 관심
▶ build up 증강하다
▶ climate 기후
▶ drought 가뭄
▶ fossil fuel 화석 연료
▶ injury 부상
▶ marine 해양의
▶ micro dust 미세 먼지
▶ resource 자원
▶ root out 뿌리를 뽑다
▶ significant 중요한, 의미 있는
▶ storm 폭풍
▶ transform 변형시키다

▶ at long last 마침내
▶ be set to ~할 예정이다
▶ carbon dioxide 이산화탄소
▶ damage 피해
▶ emission 방출
▶ greenhouse gas 온실가스
▶ intensity 강도
▶ make up for 보상하다
▶ official 공식적인
▶ renewable 신재생의, 재생 가능한
▶ severely 심각하게
▶ sink 가라앉다
▶ sufficient 충분한
▶ vast 거대한

활동 팁

영어 기사 읽기

1. 일반적으로 기사 제목에 대한 내용은 첫 단락에서 자세하게 설명된다.

2. 중요하다고 생각되는 단어나 표현에 밑줄을 긋거나 동그라미를 치는 식의 본인만의 방법을 사용한다.

3. 읽으면서 몰랐던 단어나 표현을 정리하는 습관을 갖는다.

4. 줄거리와 느낀 점을 적는다.

5. 나만의 기사를 써 본다.

Review Points

1. I understood all the details of articles and thought about the seriousness of environmental problems.
   나는 기사의 세부 사항을 모두 이해했고 환경 문제의 심각성에 관해 생각했다.

2. I realized the importance of taking actions for the environment.
   나는 환경을 위한 조치를 취하는 것의 중요성을 깨달았다.

Language Notes

About Words

접두사 re-

접두사 re-는 다시(again) 또는 뒤 (back)의 의미를 갖는다.

play (연주하다)	replay (재생하다)
action (작용)	reaction (반작용)
union (결합)	reunion (재결합)
construct (건설하다)	reconstruct (재건설하다)
form (형성하다)	reform (개정하다)
produce (생산하다)	reproduce (재생산하다)

해석

(1) A: 엄마, 왜 모든 종이 가방을 모으세요?
B: 쇼핑하러 갈 때 재사용할 수 있단다.
(2) A: 화석 연료 배출이 대기 오염의 주 원인이라고 들었어.
B: 정확해. 그래서 과학자들이 신재생 에너지원을 찾고 있는 거야.

WORDS IN USE

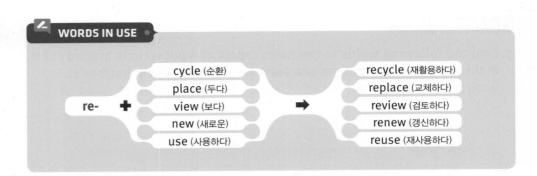

re- + cycle (순환) → recycle (재활용하다)
place (두다) → replace (교체하다)
view (보다) → review (검토하다)
new (새로운) → renew (갱신하다)
use (사용하다) → reuse (재사용하다)

1. Choose the appropriate word in each dialogue. 각 대화에서 자연스러운 단어를 고르시오.

(1) A: Mom, why are you collecting all the paper bags?
B: We can (review / <u>reuse</u>) them when we go shopping.

(2) A: I heard fossil fuel emissions are the main cause of air pollution.
B: Exactly. That's why scientists are looking for (<u>renewable</u> / replaced) energy sources.

PHRASES IN USE

root out: to find and remove or eliminate something completely 뿌리를 뽑다: 어떤 것을 찾아 완전히 제거하거나 없애다
They can help *root out* diseases that are caused by the world's lack of clean water.
그들은 세계의 깨끗한 물 부족으로 야기되는 질병들을 뿌리 뽑을 수 있다.

result in: to cause a particular situation to happen, to bring about something ~결과가 되다: 특정한 상황을 일어나게 하거나 어떤 일을 야기하다
The rising sea level has *resulted in* the sinking of the Maldives, which is a famous tourist destination.
해수면의 상승은 몰디브의 침수를 일으켰는데, 그곳은 유명한 관광지이다.

make up for: to take the place of something that has been lost or damaged 보상하다: 잃어버려졌거나 피해 받은 것을 대신하다
Many companies have built up more effective energy sources that can *make up for* the shortage of fossil fuels.
많은 회사들이 화석 연료 부족을 보충할 효과적인 에너지원을 더 증강시켜 왔다.

해석

(1) 1주일간의 폭우가 홍수를 <u>일으켰다</u>.
(2) 우리는 불법으로 내려 받는 것을 <u>뿌리 뽑으려고</u> 노력해야 한다.
(3) 그녀는 늦은 것을 <u>보상하려고</u> 그에게 꽃을 사 주었다.

2. Complete the sentences with the phrases above. You may need to change the form.
위의 구문을 이용해서 문장을 완성하시오. 형태를 바꿔야 할 수도 있습니다.

(1) A week of heavy rain has <u>resulted in</u> floods.
(2) We should try to <u>root out</u> illegal downloading.
(3) She bought him some flowers to <u>make up for</u> being late.

FOCUS ON FORM

- Air pollution has greatly decreased thanks to the help of volunteers from neighboring countries, **who** have planted trees in many parts of China.
  대기 오염은 이웃 나라들의 자원봉사자들의 도움 덕에 크게 감소되었는데, 그들은 중국의 많은 지역에 나무를 심어왔다.

- The remarkable development of engineering and chemistry inspired Korean researchers, **who** have tried to solve severe drought problems.
  공학과 화학의 주목할 만한 발달이 한국의 학자들을 고무시켰는데, 그들은 심각한 가뭄 문제를 해결하기 위해 노력해 왔다.

- A sufficient supply of clean water using the technology **is** now **being developed**.
  그 기술을 이용하여 깨끗한 물의 충분한 공급이 지금 개발되고 있다.

- Greenhouse gases **are being trapped** within the earth's atmosphere.
  온실가스는 지구 대기 안에 갇혀 있다.

About Forms

관계대명사 계속적 용법
관계대명사 앞에 콤마(,)가 쓰이고 관계대명사절이 이어지는 경우 이를 관계대명사의 계속적 용법이라 하며 선행사에 대한 추가 정보를 나타낸다.
I had lunch with my brother, who works in Busan. (나는 남동생과 점심을 먹었는데, 그는 부산에서 근무하고 있다.)

현재진행형 수동태
「be + being + 과거분사」의 형태로 수동태와 현재진행의 의미가 합쳐져 '~되어지고 있다 / ~당하고 있다'의 의미이다.
The country's energy industry is being destroyed. (그 나라의 에너지 산업이 망해가고 있다.)

3. Complete the sentence in the story with the given words. You may need to change the form. 주어진 어구를 이용하여 이야기 속의 문장을 완성하시오. 형태를 바꿀 필요가 있을 수도 있습니다.

Finally, I've finished building a house of straw!

Wow! Now you can relax.

Hahaha! Little pig, little pig, let me in!

Oh, no! My house is being blown away. (blow away)

Source: James Orchard Halliwell-Phillipps, *The Three Little Pigs*

해석

새끼돼지 1: 드디어 짚으로 된 집을 짓는 걸 끝냈어!
새끼돼지 2: 와! 이제 너 쉴 수 있겠다.
늑대: 하하하! 아기돼지야, 들어가게 해 줘!
새끼돼지들: 오, 안돼! 우리 집이 날아가고 있잖아.

해설
집이 날아가고 있는 것이 현재 진행되고 있는 상황이고 my house의 입장에서 보면 수동이므로 현재진행형 수동태인 「be being p.p.」가 오는 것이 적절하다.

4. Change the underlined words into the correct form.
밑줄 친 단어들을 알맞은 형태로 고치시오.

(1) Tom said he didn't know Jessie, <u>who</u> is a lie. ▶ which

(2) My brother, <u>that</u> lives in New York, is a dentist. ▶ who

(3) Robert Brown wrote two books, <u>that</u> both ranked among the top ten novels in the same week. ▶ which

해석

(1) Tom은 Jessie를 알지 못한다고 말했는데, 그것은 거짓말이었다.
(2) 내 남동생은 New York에 사는데 치과 의사이다.
(3) Robert Brown은 책 두 권을 썼는데, 둘 다 같은 주에 10편의 최고 소설 중 하나에 랭크되었다.

해설

(1) 앞 문장 전체를 받는 관계대명사 계속적 용법으로는 which를 쓴다.

(2) 관계대명사 that은 계속적 용법으로 쓰일 수 없고, 선행사가 사람이고 주격이므로 관계대명사 who가 온다.

(3) 관계대명사 that은 계속적 용법으로 쓰일 수 없으며, 선행사가 사물이고 주격이므로 관계대명사 which를 쓴다.

Improve Yourself

Check or write down the words, expressions, or sentences you didn't understand well in this unit. Explain at least one of them to your group members. (이 과에서 잘 이해하지 못한 단어, 표현, 문장들을 확인하거나 적어 보세요. 모둠원들에게 적어도 그것들 중 하나를 설명해 보세요.)

☐ alternative (대체 가능한) ☐ resource (자원) ☐ serve as (~의 역할을 하다) ☐ be expected to (~할 것으로 예상되다)

Your Own ▶ 스스로 해보기

Write It Right

Analysis of pollution (오염의 분석)

Have you ever seen pie charts in the news? Why do you think there are sometimes different opinions about the same chart?

뉴스에서 원형 도표를 본 적 있나요? 여러분은 왜 같은 도표에 관해 때때로 다른 의견들이 있다고 생각하나요?

 **STUDY THE MODEL** 모델을 연구하시오.

Read the paragraph that describes a pie chart and answer the questions.

원형 도표를 설명하는 단락을 읽고 질문에 답하시오.

U.S.A. Energy Consumption by Source

7% 9% 38% 21% 25%

■ oil ■ nuclear
■ natural gas ■ renewable
■ coal

The pie chart shows the energy consumption by source in the U.S.A. ◀ **subject**

Oil makes up the largest part of the chart. On the other hand, renewable energy makes up the smallest part. Natural gas is ① **the second largest** source of energy consumption. ◀ **content**

We need to try to develop more renewable energy resources in order to reduce pollution. ◀ **opinion**

Source: U.S. Energy Information Administration, 2010

1. What does the pie chart show? (원형 도표는 무엇을 나타내나요?)

It shows the energy consumption by source in the U.S.A.

2. Which sources make up the largest and the smallest part of the pie chart? (원형 도표에서 어떤 에너지원이 가장 많이 차지하고 어떤 것이 가장 적게 차지하나요?)

Oil makes up the largest part, but renewable energy makes up the smallest part.

3. What is the writer's opinion about the chart? (도표에 대한 작가의 의견은 무엇인가요?)

We need to try to develop more renewable energy resources in order to reduce pollution.

구문

① 최상급에서 순서를 나타낼 때는 「the + 서수 + 최상급」의 형태가 된다.

해석

미국의 에너지원 당 에너지 소비

원형 도표는 미국에서 에너지원 당 소비를 나타낸다. (주제)
석유가 그래프에서 가장 큰 부분을 차지한다. 반면, 신재생 에너지는 가장 적은 부분을 차지한다. 천연가스는 두 번째로 큰 에너지 소비원이다. (내용)
우리는 오염을 줄이기 위해 더 많은 신재생 에너지원을 개발하려고 노력해야 한다. (의견)
oil: 석유
nuclear: 핵
natural gas: 천연가스
renewable: 재생 가능한
coal: 석탄

어휘

make up 구성하다

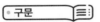 **ORGANIZE YOUR IDEAS** 당신의 생각을 조직화하시오.

Look at the pie charts. Choose one that you want to describe, and answer the questions. 원형 도표를 보시오. 설명하고 싶은 도표를 하나 고른 뒤 질문에 답하시오.

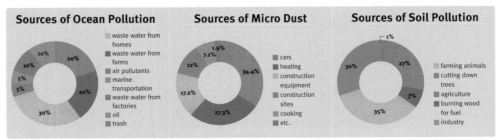

Sources of Ocean Pollution
10% 20% 10% 5% 5% 20% 30%

■ waste water from homes
■ waste water from farms
■ air pollutants
■ marine transportation
■ waste water from factories
■ oil
■ trash

Source: Coral Reef Ecology, 2015

Sources of Micro Dust
1.9% 7.2% 12% 34.4% 17.2% 27.3%

■ cars
■ heating
■ construction equipment
■ construction sites
■ cooking
■ etc.

Source: Asian Citizen's Center for Environment and Health, 2013

Sources of Soil Pollution
1% 27% 30% 7% 35%

■ farming animals
■ cutting down trees
■ agriculture
■ burning wood for fuel
■ industry

Source: GACGC, 1994

1. What does the pie chart show? (원형 도표는 무엇을 나타내나요?)

2. Which sources make up the largest and the smallest part? (원형 도표에서 어떤 에너지원이 가장 많이 차지하고 어떤 것이 가장 적게 차지하나요?)

3. What's your opinion about the chart? (도표에 관한 여러분의 의견은 무엇인가요?)

해석

대양 오염의 근원

가정에서의 폐수/농장에서의 폐수/대기 오염원/해양 교통 수단/공장에서의 폐수/기름/쓰레기

미세 원지의 근원

자동차/난방/건설 장비/건설 부지/요리/기타

토양 오염의 근원

가축/벌목/농업/연료용 목재 연소/산업

어휘

pollutant [pəlúːtənt] 오염원
equipment [ikwípmənt] 장비

STEP 3 **WRITE YOUR WORK** 당신의 글을 쓰시오.

1. Describe the pie chart using the information in Step 2.
Step 2에서 나온 정보를 이용하여 원형 도표를 설명하시오.

_____

The pie chart shows _____

_____.

However, _____

_____.

We need to think about _____.

2. Check your writing. 당신의 글을 점검하시오.

☐ Does the paragraph show the title of the chart? 단락이 도표의 제목을 나타내나요?

☐ Does the paragraph give a clear description of the chart? 단락이 도표를 분명하게 설명하나요?

☐ Is your opinion clearly stated? 여러분의 의견이 분명하게 서술되어 있나요?

 STEP 4 **SHARE YOUR WORK** 당신의 글을 공유하시오.

Share your work with other group members. 당신의 글을 모둠원과 공유하시오.

We chose the same chart, but your opinion about the chart is different from mine.

I think you described the chart very clearly.

해석

A: 우리는 같은 도표를 골랐지만 그 도표에 대한 너의 의견은 나랑 다르구나.

B: 나는 네가 그 도표를 아주 분명하게 설명했다고 생각해.

Review Points

1. I understood the contents of the charts describing the pollution.
   나는 오염 상황을 기술하는 도표의 내용을 이해했다.

2. I described a chart properly and presented it clearly to my classmates.
   나는 도표를 적절하게 설명했고 그것을 분명하게 급우들에게 발표했다.

How the World Is Going Green 어떻게 세상이 푸르게 되어가고 있는가

Zero Waste Town (**Japan**)

Kamikatsu, a small Japanese town, is trying to become the country's first community producing no waste by 2020. People living in this town are supposed to wash, sort, and bring their trash to the recycling center.

제로 쓰레기 마을 (일본)

일본의 작은 마을인 카미카츠는 2020년까지 쓰레기를 생산하지 않는 국가의 첫 번째 지역이 되려고 노력하고 있다. 이 마을에 사는 사람들은 쓰레기를 닦고, 분류하고 재활용센터로 가져와야 한다.

[**CREATIVE PROJECT: Build Your Own Ecofriendly City**]

 STEP 1

Search for some ideas using the Internet and then complete the table below. 인터넷을 이용하여 아이디어를 찾고 아래의 표를 완성하시오.

예시 답안

ecofriendly city	streets	bike-friendly paths, long walking paths, parks
	houses	recycling and separating waste
	buildings	buildings with alternative energy sources
	schools	teaching subjects for saving our planet
	transportation	bikes, greene cars

🌐 living in the world's most ecofriendly cities: www.bbc.com/travel/story/20141215-living-in-the-worlds-most-eco-friendly-cities

Food Waste Supermarket (**Denmark**)

Denmark opened its first special supermarket selling leftover food. The store in Copenhagen sells food at prices 30 to 50% cheaper than normal supermarket prices.

음식물 쓰레기 슈퍼마켓 (덴마크)

덴마크는 남은 음식을 파는 첫 번째 특별한 슈퍼마켓을 열었다. 코펜하겐에 있는 그 가게는 보통 슈퍼마켓 가격보다 30~50% 할인된 가격에 음식을 판다.

Food Waste Law (**France**)

France has become the world's first country to ban supermarket waste. The law requires large supermarkets to donate unsold food items to charities instead.

음식물 쓰레기법 (프랑스)

프랑스는 슈퍼마켓 쓰레기를 금지한 세계 첫 번째 국가가 되었다. 큰 슈퍼마켓들이 안 팔린 음식 품목들을 대신 자선 단체에 기부하도록 법으로 요구한다.

Food Sharing (**Germany**)

The website www.foodsharing.de helps people in Germany share leftover food rather than waste it. People who have bought too much food or who are planning to go on vacation can share their food through this website.

음식 나누기 (독일)

웹사이트 www.foodsharing.de는 독일에서 사람들이 남은 음식을 버리기보다 나누는 데 도움을 준다. 너무 많은 음식을 샀거나 여행을 계획하는 사람들이 이 웹사이트를 통해 음식을 나눌 수 있다.

 STEP 2

Draw a picture of your city using the information. 정보를 이용하여 여러분의 도시를 그려보시오.

 STEP 3

Show the picture of your city to your classmates and share your opinions. 여러분의 도시 그림을 짝에게 보여주고 의견을 나누시오.

Check Your Progress

LISTEN / SPEAK

[1-2] Listen and answer the questions. 🎧 듣고 질문에 답하시오.

M: Jennifer, have you heard about the recent floods in Texas?

W: No, I haven't. Why do you ask, Brian?

M: I heard about it from my uncle who lives there. He said this flood was the worst.

W: Sorry to hear that. Are his family and his house safe?

M: Fortunately, they are all okay. He said they had heavy rains for seven days.

W: Oh, that's terrible.

M: Also, he said that all the schools were closed because of the floods.

W: It seems that natural disasters happen a lot all over the world. We're suffering from severe droughts nowadays.

M: Right, I hope we can have some rain soon.

W: I think we should prepare for natural disasters.

M: I agree, but you know what? Some of them are caused by human activities. Let's make sure to save our earth.

남: Jennifer, 최근 Texas의 홍수에 대해 들어 봤니?

여: 아니. 왜 묻는 거야, Brian?

남: 거기 사시는 삼촌께 그것에 대해 들었어. 이번 홍수가 최악이었대.

여: 안됐구나. 삼촌네 가족과 집은 안전하고?

남: 다행히도, 모두 잘 계셔. 삼촌이 그러시는데 7일간 폭우가 왔대.

여: 저런, 안됐다.

남: 또, 모든 학교는 홍수 때문에 문을 닫았다고 해.

여: 자연재해가 전 세계에 걸쳐 많이 일어나는 것 같아. 우린 요즘 심각한 가뭄을 겪고 있잖아.

남: 맞아. 곧 비가 좀 오길 바라.

여: 나는 우리가 자연재해에 대해 준비를 해야 한다고 생각해.

남: 나도 동의해. 그런데 그거 아니? 그것들 중 어떤 것들은 인간 활동에 의해 일어나. 반드시 지구를 구하자.

1. What are the speakers mainly talking about? 화자들은 주로 무엇에 관해 말하고 있는가?

a. main causes of floods and droughts
   홍수와 가뭄의 주 원인

b. causes and effects of extreme weather
   극한 날씨의 원인과 결과

c. natural disasters that have happened recently
   최근에 일어난 자연 재해

2. Which one is NOT correct? 다음 중 옳지 않은 것은?

a. The boy's uncle lives in Texas.
   남학생의 삼촌은 Texas에 산다.

b. The boy's uncle suffered from the droughts.
   남학생의 삼촌은 가뭄을 겪었다.

c. The girl said we should prepare for natural disasters.
   여학생은 자연재해에 대해 준비해야 한다고 말했다.

3. **Choose one of the natural disasters and talk with your partner about its solutions.** 자연재해 중 하나를 골라 해법에 관해 짝과 이야기를 나누시오.

Natural Disasters	Solutions

Natural Disasters

droughts

super storms

melting ice

floods

Solutions

use public transportation

don't use air conditioners too much

use water wisely in our daily lives

stop cutting down forests and plant more trees

You know what? I heard <u>droughts</u> is/are getting serious. Don't you think we should do something for our earth?

Yeah, we cannot stop natural disasters, but we can make them less damaging. Let's make sure that we <u>use water wisely in our daily lives</u>.

해석

자연재해 – 가뭄 / 슈퍼 폭풍 / 녹고 있는 빙하 / 홍수

해법: 대중교통 이용하기 / 에어컨을 너무 많이 사용하지 않기 / 일상생활에서 물을 현명하게 사용하기 / 숲을 없애는 것을 멈추고 더 많은 나무 심기

A: 알고 있니? 가뭄이 점점 더 심각해지는 것 같아. 우리 지구를 위해 뭔가 해야 한다고 생각하지 않니?

B: 응. 우리는 자연재해를 멈출 수 없지만 피해가 덜 가게 할 수 있어. <u>우리 일상생활에서 물을 현명하게 사용하자.</u>

어휘

public transportation 대중교통

- READ / WRITE -

[4-5] Read the passage and answer the questions. 글을 읽고 물음에 답하시오.

It's now official. The Arctic ice has melted away and is now only one-fifth of what it was in 1979. Many climate scientists have said that the Arctic could have a summer entirely free of ice by 2030 due to global warming. So what is causing the temperature to rise? The main cause is carbon dioxide emissions. Greenhouse gases are being trapped within the earth's atmosphere, which has led to rising temperatures. The rising sea level has resulted in the sinking of the Maldives, which is a famous tourist destination. According to many researchers, by 2100, New York and Shanghai will also sink, and the average global temperature is expected to be about 3.6 degrees higher than now.

해석

이제 공식화되었다. 북극 얼음이 녹아내리고 이제 1979년 얼음 양의 5분의 1만 있다. 많은 기후 과학자들이 말하기를 지구 온난화 때문에 북극은 2030년에 얼음이 전혀 없는 여름을 맞게 될 것이라고 한다. 그러면 무엇이 기온을 올라가게 하는가? 주된 이유는 이산화탄소 방출이다. 온실가스는 지구의 대기 중에 갇혀 있는데 그것이 기온 상승의 결과를 낳는다. 상승하는 해수면은 몰디브가 침수되는 결과를 낳았는데 이곳은 유명한 관광지이다. 많은 학자들에 따르면 2100년에는 뉴욕과 상하이도 침수될 것이고 세계 평균 기온이 지금보다 약 3.6도 상승할 것으로 예상된다고 한다.

4. **Which one is NOT correct?** 일치하지 않는 것은 어느 것인가?

a. Scientists had expected the Arctic ice to disappear. 과학자들은 북극 얼음이 사라질 것을 예상했었다.

b. Carbon dioxide emissions have caused temperatures to rise. 이산화탄소 방출은 기온을 상승시키는 원인이 되어 왔다.

ⓒ Greenhouse gases have nothing to do with the sinking of the Maldives. 온실가스는 몰디브 침수와 관련이 없다.

해설

온실가스로 인한 기온의 상승이 해수면을 높이고 이로 인해 몰디브의 침수가 일어나고 있으므로 본문의 내용과 일치하지 않는다.

5. The following chart shows sources of greenhouse gas emissions. Describe the pie chart using the given words.

다음 도표는 온실가스 방출의 근원을 나타냅니다. 주어진 단어들을 이용하여 원형 도표를 설명하시오.

해석

원형 도표는 온실가스 방출의 주된 원인들을 보여준다. 전기가 이 원형 도표에서 <u>가장 큰 부분</u>을 차지한다. 교통이 도표에서 <u>두 번째로 큰 부분</u>을 차지한다. 도표는 일상생활에서 모든 종류의 활동들이 온실가스 방출을 일으킬 수 있다는 것을 보여주므로 우리는 어떻게 그것들을 <u>줄일</u> 수 있을지에 관해 생각해야 한다.

해설

원형 도표에서 보라색으로 표시된 부분이 전기(electricity)를 나타내며 가장 큰 자리를 차지하고 초록색이 교통(transportation)을 나타내며 두 번째로 큰 부분을 차지하고 있음을 알 수 있다.

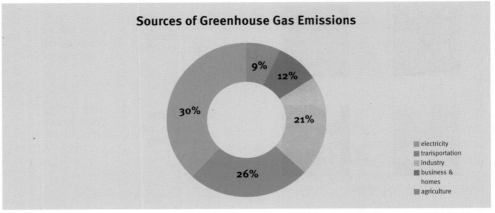

Source: U.S. Greenhouse Gas Inventory Report, 2014

The pie chart shows the major sources of greenhouse gas emissions. Electricity <u>makes up the largest part</u> in this pie chart. Transportation <u>makes up the second largest part</u> in the chart. The chart shows all kinds of activities in our daily lives can cause greenhouse gas emissions, so we need to think about how we can <u>reduce</u> them.

makes up / the largest part / the second largest part / reduce

---

Self-Evaluation

☑

🎧 I can understand the details of dialogues about environmental problems.   ☆ ☆ ☆
듣기 나는 환경 문제에 관한 대화의 세부 사항들을 이해할 수 있다.

💬 I can give opinions and make suggestions.   ☆ ☆ ☆
말하기 나는 의견을 내고 제안을 할 수 있다.

📖 I can understand the details of newspaper articles.   ☆ ☆ ☆
읽기 나는 신문 기사의 세부 사항들을 이해할 수 있다.

✏ I can describe charts.   ☆ ☆ ☆
쓰기 나는 도표를 설명할 수 있다.

Further Study

Do you know what to do in case of natural disasters? The following site will help you prepare for emergencies.

자연재해가 일어나는 경우에 무엇을 해야 할지 알고 있나요? 다음 사이트는 여러분이 응급 상황에 잘 대비하도록 도움을 줄 것입니다.

• preparing for natural disasters: www.cdc.gov/disasters
자연재해에 대비하기: www.cdc.gov/disasters

🔤 Words and Phrases

정답과 해설 p. 356

다음 단어와 어구의 뜻을 쓰시오.

1. drought _____
2. earthquake _____
3. environmental _____
4. from now on _____
5. issue warning _____
6. marine _____
7. material _____
8. reuse _____
9. severe _____
10. slogan _____
11. suffer from _____
12. take action _____
13. throw away _____
14. turn in _____
15. yellow dust _____
16. alternative _____
17. arctic _____
18. at long last _____
19. auditorium _____
20. awareness _____
21. be set to _____
22. boost _____
23. build up _____
24. carbon dioxide _____
25. classify _____

26. climate _____
27. damage _____
28. dramatic _____
29. emission _____
30. exceed _____
31. fossil fuel _____
32. greenhouse gas _____
33. hydrogen _____
34. injury _____
35. intensity _____
36. long-lasting _____
37. whole _____
38. make up for _____
39. micro dust _____
40. official _____
41. reduce _____
42. resource _____
43. renewable _____
44. result in _____
45. root out _____
46. shortage _____
47. significant _____
48. southeast _____
49. storm _____
50. 나만의 단어 / 어구

👑 Functions

▶ Let's ~, Why don't we ~? / How about -ing?
상대방에게 ~을 하자고 제안하는 표현.

▶ You know what?, Guess what?
대화의 주제를 바꾸거나 상대방의 주의를 끌 때 쓰이는 표현.

📓 Forms

▶ The remarkable development of engineering and chemistry inspired Korean researchers, **who** have tried to solve severe drought problems. (관계대명사 계속적 용법)

• 관계대명사의 계속적 용법
관계대명사 앞에 콤마(,)가 쓰이는 경우 관계대명사의 계속적 용법 이라고 하며 선행사에 대한 추가 정보를 나타낸다.
ex.) This is Jeff's brother, **who** I went to school with.
(이 사람은 Jeff의 남동생인데, 나랑 같은 학교에 다녔어.)

• 주의해야 할 관계대명사의 계속적 용법
– 문장 전체를 선행사로 취하는 which
ex.) He talked about interesting places he had visited, **which** was all lies. (그는 그가 방문했던 재미있는 장소 들에 관해 이야기했는데, 그것은 모두 거짓말이었다.)
– 관계대명사 that은 계속적 용법으로 쓰일 수 없다.
ex.) I haven't read any of the books, **which** I got from my uncle.　　　　　　　　　　(that x)
(나는 그 책들 중 한 권도 읽지 않았는데, 그것들은 내가 삼촌께

받은 것들이었다.)

▶ Greenhouse gases **are being trapped** within the earth's atmosphere. (현재진행형 수동태)

• 형태: 진행형과 수동태가 합쳐진 형태이다.
　　진행형: be + -ing
　　+ 수동태: be + p.p.

　　= be being p.p.
• 의미 : ~되어지고 있다 / ~당하고 있다
• 시제
– 현재진행형 수동태: am/are/is being p.p.
ex.) Both plays **are being performed** at the theater.
(두 연극들이 극장에서 상연되고 있다.)
– 과거진행형 수동태: was/were being p.p.
ex.) The car **was being washed** by my husband at that time.
(그 차는 그 당시에 남편에 의해 세차되고 있었다.)

date: . . .   student number: name: /25

1 주어진 단어의 뜻을 잘못 연결한 것을 고르시오. [3점]

① shortage: 초과
② hydrogen: 수소
③ awareness: 의식
④ official: 공식적인
⑤ fossil fuel: 화석 연료

2 다음 영영풀이가 설명하는 단어를 고르시오. [3점]

> a long period when there is little or no rain

① flood
② storm
③ drought
④ earthquake
⑤ greenhouse gas

3 다음 중 숙어의 뜻이 잘못 연결된 것을 고르시오. [3점]

① build up: 증강하다
② at long last: 마침내
③ take action: 연기하다
④ make up for: 보상하다
⑤ suffer from: ~에 시달리다

4 다음 중 〈보기〉와 비슷한 의미의 표현이 <u>아닌</u> 것을 고르시오. [3점]

보기 » Let's get it started.

① Shall we get it started?
② Let's get it started, shall we?
③ Do we have to get it started?
④ Why don't we get it started?
⑤ How about getting it started?

5 다음 〈보기〉의 우리말과 같도록 할 때, 빈칸에 알맞은 표현을 고르시오. [3점]

보기 » 수업 후에 보고서를 제출하는 것을 잊지 말아라.
→ Don't forget to _____ your report after class.

① turn in   ② turn off
③ turn on   ④ turn down
⑤ turn out

6 다음 대화를 읽고, 주어진 문장에 이어지도록 순서대로 배열한 것을 고르시오. [3점]

> Oh, Seonmi. You didn't turn off the light again!

(A) But you're watching TV in the living room now. Make sure you turn the light off when you're not using it.
(B) Okay, sorry. I'll keep that in mind.
(C) Sorry, Dad. I'll be returning to my room soon.

① (A) − (C) − (B)
② (B) − (A) − (C)
③ (B) − (C) − (A)
④ (C) − (A) − (B)
⑤ (C) − (B) − (A)

[7~8] 다음 대화를 읽고, 물음에 답하시오.

A: Have you heard about the earthquakes in Oklahoma?
B: No, I haven't. Why do you ask?
A: I heard that they were disasters caused by (a)<u>human activities</u>.
B: Really? How so?
A: Some scientists found out the earthquakes were caused by the oil and gas business.
B: Are you sure? I thought they could cause environmental pollution.
A: Well, it seems the process can actually cause earthquakes.
B: That's terrible. Then should we stop ____(b)____ gas?
A: It's not easy to stop ____(c)____ gas.
B: Then what should we do?
A: We have to make sure we don't waste our energy from now on.

7 위 대화의 밑줄 친 (a) <u>human activities</u>의 예 두 가지를 본문에서 찾아 영어로 쓰시오. [5점]

_____

8 다음 중 위 대화의 빈칸 (b)와 (c)에 공통으로 알맞은 것을 고르시오. [3점]

① do   ② make
③ using   ④ to use
⑤ making

All across the world, people are facing serious environmental problems. It is May now, but it is already unusually hot. Today heat wave warnings were issued in Korea because the temperature was recorded at over 35 degrees Celsius. In India, the temperature reached 50 degrees Celsius for several days, and over a thousand people have died of heat-related illness so far. Beijing is covered with heavy yellow dust. Last Friday, schools were closed, and people were advised to avoid outdoor activities. Because of the heavy yellow dust, more than 300 flights were canceled at Beijing International Airport. Also, heavy rain and storms hit many cities in the United States. In Texas and Oklahoma, powerful storms killed at least nine people, and thirty people are still missing. On the other hand, California has been in a severe _____ for the past five years. The water levels of lakes are getting lower and lower. To stop suffering from these problems, it's time for us to take action for our earth.

9 윗글에서 화자가 말하는 목적으로 가장 알맞은 것을 고르시오. [3점]

① to book a table
② to reserve a flight
③ to raise awareness
④ to order a product
⑤ to introduce a speaker

10 윗글의 빈칸에 가장 알맞은 것을 고르시오. [3점]
① flood
② tornado
③ drought
④ melting ice
⑤ earthquake

[11~12] 다음 대화를 읽고, 물음에 답하시오.

A: You know what? Our school is (a) h_____ a poster contest to celebrate World Environment Day.
B: Oh, yeah? What kind of poster contest is it?
A: I took a picture of the notice on the board. Let me show it to you.

B: Sounds interesting. We're good at art. Can we make posters as a team?
A: Yeah, the rules say we can.
B: Are there any special rules about the design and (b) s_____ of posters?
A: It says posters should be 30cm × 45cm. Also, we can use any materials we want.
B: Should we write a slogan for the posters?
A: Good question. The rules say, "Make sure you don't copy any famous slogans. The school wants your creative ideas."
B: When do we have to turn the poster in?
A: By next Friday. And the rules say, "Don't forget to write your name on the back of your posters."

11 두 사람이 다음 주 금요일까지 할 일을 우리말로 쓰시오. [5점]

_____

12 위 대화의 빈칸 (a)와 (b)에 들어갈 말을 각각 주어진 철자로 시작하여 쓰시오. [5점]
(a) _____
(b) _____

13 주어진 단어들을 올바르게 배열하여 빈칸에 들어갈 알맞은 말을 쓰시오. [5점]

speeds, higher, wind, storms, the intensity, with, of

Since the latest super storm hit Southeast Asia, the total number of deaths and injuries has now exceeded one million. At 3 p.m. on March 30th, 2025, an 18-hour storm severely damaged the region. On April 2nd, the number of deaths and injured individuals stood at 514,000, with over 17,000 missing, and the numbers are expected to rise. One 65-year-old man who lost his house said, "I've never seen such strong winds in my whole life. I've lost everything." The storm left many people homeless. A climate scientist said this super storm was obviously caused by dramatic changes in the global climate. He added, "A rise in global temperatures has increased _____." Unfortunately, researchers predict that super storms will happen more frequently this summer.

14 다음 글을 읽고, 밑줄 친 부분의 예로 언급된 것을 고르시오. `3점`

For years, the micro dust that blows into Korea from China has been a serious problem. A few years ago, despite global efforts to deal with the problem, it seemed the problem was getting worse. But from the year before last, air pollution has greatly decreased thanks to the help of volunteers from neighboring countries, who have planted trees in many parts of China. The effort started ten years ago, and it's now starting to show significant results. Experts explain that the trees serve as a wall to block the sand and dust from crossing into Korea. At long last, this coming weekend, people of all ages are expected to breathe in the fresh air.

① tree planting in Korea
② construction of a wall in China
③ warning of high air pollution levels `
④ decrease of the micro dust from China
⑤ increase of volunteers from neighboring countries

[15~16] 다음 글을 읽고, 물음에 답하시오.

Korea, along with many other countries in the world, is still classified as a country with a serious water shortage. However, this is starting to become a thing of the past. The remarkable development of engineering and chemistry inspired Korean researchers, who have tried to solve severe drought problems. ____(a)____, they successfully transformed sea water into fresh water in an environmentally friendly way. They also found a way to reuse water that contains high salt content. This new solution has reduced worries about the effects of this technology on marine life. Since this technology has become widely used, it has become a source of hope for the people who need drinkable water. A sufficient supply of clean water using the technology ____(b)____ and is expected to help root out diseases that are caused by the world's lack of clean water.

15 윗글의 빈칸 (a)에 가장 적절한 것을 고르시오. `3점`

① In the past   ② For instance
③ In the end   ④ On the contrary
⑤ Nevertheless

16 다음 〈보기〉의 단어들을 이용하여 빈칸 (b)에 들어갈 알맞은 말을 쓰시오. (필요하면 형태를 고치시오.) `5점`

보기 » develop, is, be, now

→ _____

[17~19] 다음 글을 읽고, 물음에 답하시오.

(A) The main cause is carbon dioxide emissions. Greenhouse gases are being ____(a)____ within the earth's atmosphere, which has led to rising temperatures. The rising sea level has resulted in the sinking of the Maldives, which is a famous tourist destination. According to many researchers, by 2100, New York and Shanghai will also sink, and the average global temperature is expected to be about 3.6 degrees higher than now. Some may wonder why we should worry about a three-degree increase in warming.

(B) It's now official. The Arctic ice has melted away and is now only one-fifth of what it was in 1979. Many climate scientists have said that the Arctic could have a summer entirely free of ice by 2030 due to global warming. So what is causing the temperature to rise?

(C) A one-degree global change is highly significant because it takes a vast amount of heat to warm all the earth's oceans, atmosphere, and land. In the past, just a one- to two-degree (b) d_____ caused the earth to go through the Little Ice Age. World leaders have realized the seriousness of climate change, so they will meet in Paris next month for a climate forum.

17 윗글의 빈칸 (a)에 들어갈 말로 알맞은 것을 고르시오. `3점`

① melted   ② trapped
③ removed   ④ cleaned
⑤ generated

18 윗글의 빈칸 (b)에 들어갈 알맞은 말을 주어진 철자로 시작하여 쓰시오. `5점`

_____

19 윗글을 내용에 맞게 순서대로 배열한 것을 고르시오. `3점`

① (A) – (C) – (B)   ② (B) – (A) – (C)
③ (B) – (C) – (A)   ④ (C) – (A) – (B)
⑤ (C) – (B) – (A)

20 〈보기〉와 같은 뜻이 되도록 빈칸에 알맞은 말을 쓰시오. `5점`

보기 » I have provided support to my brother, and he lives in the Philippines.

→ I have provided support to my brother, _____ lives in the Philippines.

21 다음 문장의 빈칸에 알맞은 것을 고르시오. [3점]

> The festival, _____ lasted all day, ended with a parade.

① who
② that
③ what
④ which
⑤ whom

22 다음 중 밑줄 친 부분 중 어법상 잘못된 것을 고르시오. [3점]

① Spaghetti, which many of us enjoy, is easy to cook.
② She wrote to Henry, whom she had met last month.
③ She brought me the recipe, which I had wanted to get.
④ His new book is a bestseller, that everyone is talking about.
⑤ I am looking for someone who can watch my dog, which is difficult.

23 다음 〈보기〉의 우리말에 맞게 괄호 안의 단어들을 배열하시오. [5점]

> 보기 » 도시 교통의 미래가 토론되고 있다.
> (is, urban, of, the, future, transportation, being, discussed)

→ _____

24 다음 〈보기〉의 영영풀이가 설명하는 표현이 되도록 주어진 철자로 시작하여 쓰시오. [5점]

> 보기 » to take the place of something that has been lost or damaged

→ m_____ u_____ f_____

25 다음 〈보기〉를 참조하여 원형 도표를 설명하는 글을 쓰시오. [10점]

Sources of Ocean Pollution

- waste water from homes
- waste water from farms
- air pollutants
- marine transportation
- waste water from factories
- oil
- trash

20%, 20%, 30%, 5%, 5%, 10%, 10%

Source: Coral Reef Ecology, 2015

> 보기 » The pie chart shows the sources of ocean pollution. Waste water from homes makes up the largest part of the chart. On the other hand, oil and trash make up the smallest part. Waste water from farms and air pollutants make up the second largest source of ocean pollution.

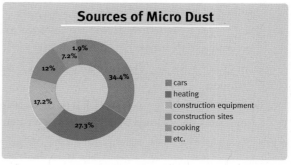

Sources of Micro Dust

- cars
- heating
- construction equipment
- construction sites
- cooking
- etc.

1.9%, 7.2%, 12%, 34.4%, 17.2%, 27.3%

Source: Asian Citizen's Center for Environment and Health, 2013

서술형 평가

1 다음 뜻풀이에 해당하는 말을 주어진 철자로 시작하여 쓰시오.　각 5점

(1) i_____: the quality of being felt strongly or having a very strong effect

(2) c_____: to divide things into groups according to their type

(3) m_____: related to the sea or sea transport

(4) i_____: physical harm or damage to someone's body caused by an accident or an attack

2 다음 우리말과 같도록 빈칸에 알맞은 말을 쓰시오.　각 6점

(1) _____ I will make a presentation about environmental problems. (이제부터 환경 문제에 관해 발표를 하겠습니다.)

(2) Extreme heat warnings were_____ in Europe as temperatures pass 40℃. (섭씨 40도가 지나면서 유럽에는 폭염 경보가 내려졌다.)

(3) I'm taking extra lessons to _____ the classes I missed. (나는 빼먹은 수업들을 보충하기 위해 추가 수업을 받고 있다.)

(4) This has _____ very serious economic problems. (이것은 아주 심각한 경제적 문제를 일으켰다.)

(5) We need to _____ corruption at all levels. (우리는 모든 단계에서 부패를 뿌리 뽑아야 한다.)

(6) The foreign minister is _____ visit New York. (외무장관이 New York을 방문할 계획이다.)

3 우리말에 맞게 괄호 안의 단어를 사용하여 문장을 완성하시오.　각 6점

(1) 축구 경기에서 다리가 부러진 소녀는 내 여동생이다.
The girl, _____ in the soccer game, is my sister.
(broken, leg, was, whose)

(2) Jack이 지었던 그 집은 어제 팔렸다.
The house, _____, was sold yesterday.
(built, had, which, Jack)

(3) 그 다리는 일꾼들에 의해 페인트칠해지고 있다.
The bridge _____ by the workers.
(painted, being, is)

(4) 그 회의는 내 사무실에서 개최되고 있었다.
The meeting _____ in my office.
(held, was, being)

수행 평가

4 다음 〈보기〉를 참조하여 자신이 생각하는 이상적인 환경친화적 도시를 묘사하는 글을 쓰시오.　20점

> 보기 » **My Ecofriendly City**
>
> The city where I live is filled with green paths. It is made to help bikers get through the city fast and comfortably. The walls of buildings are filled with green plants. The districts are popular with families who live there as they can enjoy plentiful parks.

UNIT **5**

Bon Voyage

Topic 해외여행, 현장 체험 학습, 여행 일정 계획

Functions The Hobbiton movie set has one of the most memorable places from the movie. (확인·상술하기)
How do I get to your hotel? (길 묻기)

Forms 1. Granada is **where** a whole city was influenced by Arabic culture. (관계부사)
2. **Where** do you think **I should go** in South America? (간접의문문)

Listen and Speak

Travel abroad (해외여행)

There are so many places we can travel around the world. Listen to the dialogues about tourist spots and introduce them to your friends.

세계 여행을 할 곳은 매우 많습니다. 관광지에 관한 대화를 듣고 친구들에게 소개해 보세요.

GET READY

Listen and write the number of the dialogue on the correct picture.

대화를 듣고 어울리는 사진에 알맞은 번호를 쓰시오.

About Functions

현재시제 That's/ It's/ It has ~는 '어떤 것이 ~이다', '~에 … 이 있다'라는 의미로 어떤 대상에 대해 자세히 설명하거나 말할 때 쓰인다.

How do I get to~?는 '~에 가려면 어떻게 해야 하나요?'라는 뜻으로 길을 물을 때 쓰인다. to 다음에는 장소가 나온다.

해설

1. 남자는 비행기 밑에 구름이 많다고 말했고 여자는 아름다운 경치라는 남자의 말에 동의했다.

2. 여자는 백화점으로 가는 길을 물어봤고 남자는 길을 안내해줬다.

3. 남자와 여자는 미술관에서 그림을 감상하고 있다.

어휘

bunch [bʌntʃ] 다발, 묶음
view [vjuː] 경관, 전망
department store 백화점
impressive [imprésiv] 인상적인
work [wəːrk] 작품
decision [disíʒən] 결정
museum [mjuːzíːəm] 박물관

1.

M: Oh my gosh. We are finally flying in the sky. There are many clouds under our plane.

W: I know. I feel like we are flying on a huge bunch of cotton candy.

M: ① **This is one of the most beautiful views I've ever seen.**

W: ② **You can say that again.**

남: 세상에. 우리가 드디어 하늘을 날고 있어. 우리 비행기 밑에 구름이 많아.

여: 그러게. 우리가 마치 커다란 솜사탕 뭉치 위에 있는 기분이야.

남: 이건 내가 지금껏 본 가장 아름다운 경치 중 하나야.

여: 정말 그렇다.

2.

W: Excuse me, ③ **how do I get to April department store?**

M: It's very close to here. Go straight one block and turn left. It's just around the corner. You can't miss it.

W: Thank you for your help.

여: 실례합니다. 에이프릴 백화점에 어떻게 가죠?

남: 이곳과 매우 가까워요. 한 블록 쭉 가시다가 좌회전하세요. 바로 길모퉁이를 돈 곳에 있어요. 쉽게 찾을 거예요.

여: 도와주셔서 고맙습니다.

3.

M: Look at this painting. This is one of the most impressive works I've ever seen.

W: This painting is called "The Dream."

M: It was a good decision to come to the Pablo Picasso Art Museum on this trip.

W: I totally agree. It's great to see his amazing works of art.

남: 이 그림을 봐. 이건 내가 지금껏 본 가장 인상적인 작품들 중 하나야.

여: 이 그림은 "꿈"이라고 불리네.

남: 이번 여행에서 파블로 피카소 미술관에 온 것은 좋은 결정이었어.

여: 전적으로 동의해. 그의 놀라운 예술 작품들을 보다니 아주 좋다.

미니 백과

Pablo Picasso

Picasso는 스페인 태생이며 프랑스에서 활동한 입체파 화가이다. 프랑스 미술에 영향을 받아 파리로 이주하였으며 Renoir, Munch, Gogh 등 거장들의 영향을 받았다. 초기 청색시대를 거쳐 입체주의 미술 양식을 창조하였고 20세기 최고의 거장이 되었다. 대표작으로는 '게르니카', '아비뇽의 처녀들' 등이 있다.

구문

① one of the+최상급+복수명사는 '가장 ~한 … 중 하나다'라는 뜻으로 뒤에 복수명사가 쓰인다.
   ex.) It was **one of the funniest movies** I've ever seen. (그것은 내가 본 가장 웃긴 영화들 중 하나였다.)

② You can say that again.은 '전적으로 동의한다.'라는 뜻으로 상대방의 의견에 동의할 때 쓰인다. 동의하는 표현으로는 I totally agree., You said it., Tell me about it. 등이 있다.
   ex.) A: I think he is too lazy. (그는 너무 게을러.) B: You can say that again. (정말 그래.)

③ How do I get to~?는 '~에 가려면 어떻게 해야 하나요?'라는 뜻으로 길을 물을 때 쓰인다. get to~는 '~에 도착하다'라는 뜻이다. 길을 묻는 표현으로 Please tell / show me the best way to reach~도 쓸 수 있다.
   ex.) How do I get to the post office? (우체국에 어떻게 가죠?)

● LISTEN IN ●

DIALOGUE 1 | Listen and answer the questions. 🎧 다음을 듣고 물음에 답하시오.

1. Choose the places that the girl will visit and complete the table. (여학생이 방문할 곳을 골라 표를 완성하시오.)

Wellington
The capital

Hinuera
Hobbiton Movie Set

North Island
Tongariro National Park

Lake Wanaka
Skydiving

Queenstown
Bungee jump

Travel plan in New Zealand (뉴질랜드 여행계획)	
1st day	Hinuera, Hobbiton movie set
2nd day	Lake Wanaka, skydiving

2. Listen again and select True or False. (다시 듣고, 내용과 맞으면 T, 틀리면 F에 체크하시오.)

(1) The girl decided to visit the country after she saw a documentary on TV. ☐ True ☑ False
(2) The girl is going to try skydiving in New Zealand. ☑ True ☐ False
(3) During summer, the girl will go on a vacation for two weeks. ☑ True ☐ False

W: Mike, I've decided to go to New Zealand this summer.
M: Wow, that sounds awesome! Why New Zealand?
W: ① I'm **a huge fan of** the movie *The Hobbit: An Unexpected Journey*, so I've always wanted to visit the country that was the background for the movie. Here, this town on the North Island on this map is Hinuera, which has the Hobbiton movie set.
M: Oh, I remember this place. The Hobbiton movie set has one of the most memorable places from the movie.
W: Exactly. That town is where I want to go on the ② **very** first day of my trip.
M: Where else are you going to go to in New Zealand?
W: I'm going to go to Lake Wanaka on the South Island the next day. That place is very famous for skydiving.
M: But you don't even know how to skydive. Can you do it by yourself? That sounds really dangerous.
W: I don't need to do it by myself. They have professional instructors. They will take control as I enjoy an amazing view of New Zealand.
M: Lucky for you! How long are you going to stay in New Zealand?
W: I'll stay there for two weeks. I'm so excited!
M: I hope you have a great and safe trip.

여: Mike, 나 이번 여름에 뉴질랜드에 가기로 결정했어.
남: 우와, 멋지다! 왜 뉴질랜드야?
여: 나는 영화 '호빗: 뜻밖의 여정'의 열렬한 팬이라서 항상 그 영화의 배경이었던 나라를 방문하고 싶었어. 여기, 이 지도에서 노스 아일랜드에 있는 이 마을이 히누에라야. 이 마을에 호비튼 영화 세트장이 있어.
남: 아, 이 장소 기억난다. 호비튼 영화 세트장은 영화 속에서 가장 기억에 남는 장소 중 하나였어.
여: 맞아. 그 마을이 내가 여행의 바로 첫날에 가고 싶은 곳이야.
남: 뉴질랜드에서 다른 곳은 어디에 갈 거야?
여: 나는 그 다음날에 사우스 아일랜드에 있는 와나카호에 갈 거야. 그곳은 스카이다이빙으로 매우 유명해.
남: 하지만 너 스카이다이빙 하는 방법도 모르잖아. 너 혼자 할 수 있어? 아주 위험할 것 같은데.
여: 나 혼자 하지 않아도 돼. 그곳엔 전문적인 강사들이 있어. 그들이 조종하는 동안 나는 뉴질랜드의 놀라운 경치를 감상할 거야.
남: 좋겠다! 뉴질랜드에 얼마나 있을 거야?

여: 2주 동안 있을 거야. 너무 신나!
남: 멋지고 안전한 여행이 되었으면 좋겠다.

해설

1. 여학생은 첫째 날에 노스 아일랜드에 있는 히누에라 마을에 가서 호비튼 영화 세트장을 방문할 것이며 둘째 날에는 사우스 아일랜드에 있는 와나카호에 갈 것이라고 말했다.

2. (1) 여학생은 다큐멘터리가 아닌 영화를 본 후에 그 영화가 촬영된 세트장을 방문하고자 했다.
   (2) 여학생은 스카이다이빙을 하러 사우스 아일랜드에 갈 것이다.
   (3) 여학생의 마지막 말 "I will stay there for two weeks."로 미루어 2주 동안 여행을 갈 것임을 알 수 있다.

해석

2. (1) 여학생은 TV 다큐멘터리를 본 후에 그 나라를 방문하기로 결정했다.
   (2) 여학생은 뉴질랜드에서 스카이다이빙을 시도할 것이다.
   (3) 여름 동안에, 여학생은 2주 동안 여행을 떠날 것이다.

어휘

awesome [ɔ́ːsəm] 엄청난
unexpected [ʌ̀nikspéktid] 뜻밖의
journey [dʒɔ́ːrni] 여정, 여행
background [bǽkɡraùnd] 배경
memorable [mémərəbl] 기억할 만한
professional [prəféʃənl] 전문적인
instructor [instrʌ́ktər] 강사

구문

① a huge fan of~는 '~의 열렬한 팬이다'라는 뜻이다. *ex.*) I'm a huge fan of your work. (나는 당신 작품의 열렬한 팬입니다.)
② very는 '(다름 아닌) 바로 그'라는 뜻으로 강조할 때 쓰인다.
   ex.) He might be calling her at this very moment. (그는 바로 이 순간에도 그녀에게 전화하고 있을지 모른다.)

🎧 Listen and Speak

DIALOGUE 2 | Listen and answer the questions. 🎧 다음을 듣고 물음에 답하시오.

1. **What is the relationship between the speakers?**(화자들 간의 관계는 무엇인가요?)
   a. travel agent – customer (여행사 직원 – 고객)
   b. customs officer – tourist (세관원 – 관광객)
   c. hotel receptionist – tourist (호텔 접수 담당자 – 관광객)

2. **Listen again and complete the woman's directions to the Lion Hotel.**(다시 듣고, 여성이 알려준 라이언 호텔로 가는 길을 완성하시오.)
   You can take line <u>5</u> heading south. Get off at <u>Newton</u> station and walk two blocks. You can see the Jumbo restaurant on your <u>right</u>. The hotel is just around the left corner.

   (남쪽으로 향하는 5호선을 타세요. 뉴튼 역에서 내려서 두 블록 걸으세요. 당신의 오른편에 점보 레스토랑이 보일 거예요. 호텔은 바로 좌측 모퉁이에 있습니다.)

해설

1. 자신이 예약한 호텔에 어떻게 가는지를 묻는 남성의 말에 여성은 길을 안내해 주고 있으므로 관광객과 호텔 접수 담당자의 대화임을 알 수 있다.

2. 여성은 남쪽으로 향하는 5호선을 타고 뉴튼 역에서 내려 두 블록을 걸으면 오른쪽에 정보 레스토랑이 보일 것이며 호텔은 바로 왼쪽 모퉁이에 있다고 말했다.

어휘

reservation [rèzərvéiʃən] 예약
location [loukéiʃən] 위치
miss [mis] 놓치다
appreciate [əpríːʃièit] 고마워하다

(Phone rings.)

W: Lion Hotel. How can I help you?

M: Excuse me. How do I get to your hotel? I ① **made a reservation** for today.

W: Where are you now? Tell me your location.

M: I'm near Woodlands subway station.

W: Woodlands station. Okay, you are not far from our hotel. Take line 5 toward the south, and get off at Newton station.

M: Line 5 toward the south and Newton station. ② **I got it.**

W: Then, you should go out of exit 6. After that, walk straight two blocks.

M: Exit 6, walk two blocks. ③ **Is that right**?

W: You got it. After you walk two blocks, you can see the Jumbo restaurant on your right. That means you're almost here. It's just around the left corner. It's a very big hotel, so you can't miss it.

M: I really appreciate your help.

W: Oh, here is one more tip. If you have a cell phone, download the Singapore Subway Map app. It will make your trip easier.

M: I will. Thanks.

(전화가 울린다.)

여: 라이언 호텔입니다. 무엇을 도와드릴까요?

남: 실례합니다. 그 호텔에 어떻게 가죠? 오늘 날짜로 예약을 했는데요.

여: 지금 어디에 계세요? 위치를 알려 주세요.

남: 저는 우드랜드 지하철 역 근처에 있어요.

여: 우드랜드 역이요. 알겠습니다. 저희 호텔에서 멀지 않은 곳에 계시네요. 남쪽으로 5호선을 탄 후 뉴튼 역에서 내리세요.

남: 남쪽으로 뉴튼 역이요. 알겠습니다.

여: 그 다음, 6번 출구로 나오셔야 해요. 그 후에 두 블록 쭉 걸어오세요.

남: 6번 출구, 걸어서 두 블록이요. 맞나요?

여: 바로 그거예요. 두 블록 걸은 후에, 오른편에 점보 레스토랑이 보일 거예요. 여기에 거의 다 왔다는 뜻이에요. 바로 좌측 모퉁이에 있어요. 아주 큰 호텔이기 때문에 분명 찾을 거예요.

남: 도와주셔서 정말 고맙습니다.

여: 아, 한 가지 더 말씀드릴게요. 휴대폰을 갖고 있다면 싱가포르 지하철 노선도 앱을 다운받으세요. 여행이 더 쉬워질 거예요.

남: 그렇게 할게요. 고맙습니다.

📖 **구문** 📋

① make a reservation은 '예약하다'라는 뜻이다.
   ex.) I made a reservation under the name of Kate. (kate라는 이름으로 예약했어요.)

② get it은 '이해하다'라는 뜻으로 상대방이 한 말을 이해했음을 표현할 때 쓰인다. 비슷한 동사 know는 '(이미) 알다'라는 느낌이 강하지만 get은 '알게 되었다. 이제 알았다'라는 의미가 강하다.
   ex.) Let me make sure I've got it right. (제가 제대로 이해했는지 한 번 확인해 보겠습니다.)

③ Is that right?은 '맞나요?'라는 뜻으로 어떤 것에 대해 자신이 이해한 바가 맞는지를 확인할 때 쓰는 표현이다.
   ex.) Here you go. Four copies, is that right? (여기 있습니다. 네 부, 맞죠?)

Expression Tip

· How do I get to ~? ~에 어떻게 가나요?
· Could you tell me the way to ~? 저는 ~을 찾고 있어요
· I'm looking for a ~. ~로 가는 길을 알려줄 수 있나요?
· Do you know where that is? 그곳이 어디에 있는지 아시나요?

146 | Unit 5

SPEAK OUT

Look at the map and practice the dialogue with your partner. Then, change roles.
(Student A's map: p. 91 / Student B's map: p. 236)
지도를 보고 짝과 대화를 연습하시오. 그리고 나서 역할을 바꾸시오. (학생 A의 지도: 91페이지 / 학생 B의 지도: 236페이지)

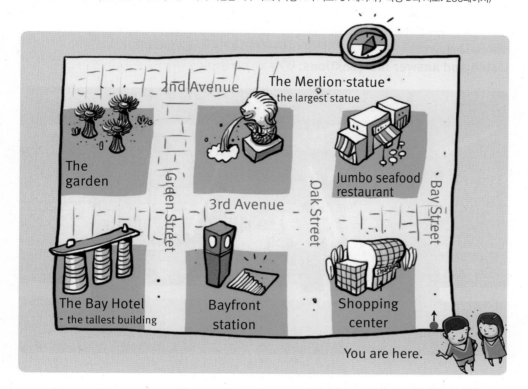

2nd Avenue

The Merlion statue
the largest statue

The garden

Green Street

3rd Avenue

Oak Street

Bay Street

Jumbo seafood restaurant

The Bay Hotel
- the tallest building

Bayfront station

Shopping center

You are here.

해석

A: (더 가든/ 점보 씨푸드 레스토랑)에 어떻게 가?

B: 너 어디에 있어?

A: 나는 베이가에 있는 쇼핑센터 옆에 있어.

B: 두 블록 쭉 가다가 좌측으로 돌아. 그 후에 세 블록 쭉 가면 돼. 있잖아, 더 가든은 이 도시에서 가장 아름다운 장소들 중 하나야. 분명 찾을 수 있을 거야.

A: ① **How do I get to** (The garden / Jumbo seafood restaurant)?
B: Where are you?
A: I'm next to the Shopping center on Bay Street.
B: Go straight two blocks and turn left. Then go straight three more blocks.
　 You know, The garden is one of the most beautiful places in this city. ② **You can't miss it.**

구문

① How do I get to~?는 '~에 가려면 어떻게 해야 하나요?'라는 뜻으로 길을 물을 때 쓰인다.
　ex.) How do I get to the bank? (은행에 가려면 어떻게 해야 하나요?)

② You can't miss it.에서 miss는 '놓치다'라는 뜻으로 '놓칠 수 없다, 분명 찾을 수 있을 것이다.'라는 뜻이 된다.

Review Points

1. After listening to the dialogues about travel, I understood the specific information.
　여행에 관한 대화를 듣고, 나는 특정 정보를 이해했다.

2. I gave my partner the directions to the tourist spots on the map.
　나는 지도에서 관광지로 가는 길을 짝에게 알려줬다.

Into Real Life

Topic > **Your school field trip** (학교 현장 체험 학습)
Which place is the best for your school field trip? Consider the distance and characteristics of the places.
학교 현장 체험 학습으로 어떤 장소가 가장 좋을까요? 그 장소의 거리와 특성을 고려하세요.

STEP 1 LISTEN TO THE ANNOUNCEMENT 안내 방송을 들으시오.

Listen and answer the questions. 듣고 질문에 답하시오.

1. **What is the announcement about?**
   a. introducing different places for a school field trip
   b. describing some famous tourist attractions to tourists
   c. explaining how to book various types of public transportation online

2. **Listen again and fill in the blanks with information about each region.**
   (다시 듣고 각 지역에 대한 정보를 빈칸에 채우시오.)

Ulleungdo and Dokdo	**Andong**	**Daejeon**
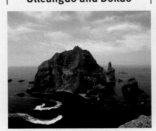		
Plan to see beautiful nature	Plan to learn history and tradition	Plan to get some educational experiences
Activity sea _fishing_	Activity watch traditional _performances_	Activity visit the Space Museum and do _space-related_ activities
Transportation by bus and _ship_	Transportation by train	Transportation by bus
Travel time six hours	Travel time _3_ hours	Travel time an hour and a half

W: Hi everyone. This is the Daehan High School Broadcasting System. As you know, we're going on a field trip next month to have some valuable learning experiences outside the school. ① **To make** your trip more interesting, Daehan High School will provide three field trip destinations for you to choose from.

1. Students who love beautiful nature are recommended to choose Ulleungdo and Dokdo. Ulleungdo ② **is full of** the beauty of nature including many unique rock formations and coastal cliffs. On the second day, you can actually visit Dokdo, a symbolic island in the hearts of Koreans. You can also do activities like sea fishing. We will take a bus and a ship to get there, and ③ **it takes** about six hours in total.

2. If you love history and tradition, you can choose Andong. Andong Hahoe Folk Village is a UNESCO World Heritage site. You will stay in this village and experience the traditional ways of life in the past. You can also watch many traditional performances like a traditional wedding performance in the village. To get there, it's a three-hour train ride.

3. If you want some educational experiences from the trip, the Daejeon Citizen Observatory will be the perfect place for you. It's one of the largest space-themed parks in Korea. You can appreciate a beautiful night sky and the Milky Way on the mountain. In addition to this, you can take a tour of the Space Museum and do many space-related activities. We will take a bus to get there, and it only takes an hour and a half.
I hope you can choose the best place ④ **depending on** your interests.

여: 안녕하세요 여러분. 대한 고등학교 방송국입니다. 아시다시피, 우리는 다음 달에 교외에서의 소중한 학습 경험을 위해 현장 체험 학습을 떠납니다. 여러분의 여행을 더 재미있게 만들기 위해. 대한 고등학교는 여러분이 고를 수 있는 세 군데의 현장 체험 학습지를 제공할 것입니다.

1. 아름다운 자연을 좋아하는 학생들은 울릉도와 독도를 선택할 것을 추천합니다. 울릉도는 많은 독특한 암석층과 해안의 절벽을 포함한 자연의 미가 가득한 곳입니다. 두 번째 날에, 여러분은 한국인의 가슴 속 상징적인 섬인 독도를 실제로 방문할 수 있습니다. 또한 바다 낚시 같은 활동을 할 수 있습니다. 우리는 그곳에 가기 위해 버스와 배를 탈 것이며, 총 여섯 시간 정도 걸립니다.

2. 역사와 전통을 좋아하신다면, 안동을 선택하세요. 안동 하회마을은 유네스코 세계유산 보호지역입니다. 이 마을에서 머무르며 과거 전통 방식의 삶을 경험할 것입니다. 또한 전통 혼례 공연과 같은 많은 전통 공연들을 그 마을에서 볼 수 있습니다. 그곳에 가기 위해서는 기차를 타고 세 시간 걸립니다.

3. 여행에서 교육적인 경험을 원하신다면, 대전 시립 천문대가 여러분을 위한 완벽한 장소일 것입니다. 그곳은 한국에서 가장 큰 우주 테마 공원들 중 한 곳입니다. 산 위에서 아름다운 밤하늘과 은하수를 감상할 수 있습니다. 추가로, 우주 박물관 견학을 하고 우주와 관련된 많은 활동을 할 수 있습니다. 우리는 그곳에 가기 위해 버스를 탈 것이며 한 시간 반밖에 걸리지 않습니다.
여러분의 흥미에 따른 최고의 장소를 고를 수 있길 바랍니다.

어휘

broadcast [brɔ́ːdkæ̀st] 방송하다
field trip 현장 학습
valuable [vǽljuəbl] 소중한, 가치가 큰
destination [dèstənéiʃən] 목적지
formation [fɔːrméiʃən] 형성
coastal [kóustəl] 해안의
symbolic [simbálik] 상징적인
village [vílidʒ] 마을
performance [pərfɔ́ːrməns] 공연
observatory [əbzə́ːrvətɔ̀ːri] 천문대

• 구문

① to부정사의 부사적 용법으로 '목적'을 나타내며, '~하기 위해서'라고 해석한다.
ex.) I took the audition to be a comedian. (나는 코미디언이 되기 위해 오디션을 봤다.)

② be full of는 '~으로 가득 차 있다'라는 의미이다.
ex.) This bus is always full of passengers. (이 버스는 항상 승객으로 가득 차 있다.)

③ It takes+시간은 '(얼마의) 시간이 걸리다'라는 뜻으로 어떤 행동을 하는 데 얼마만큼의 시간이 걸리는지 나타낼 때 쓰인다.
ex.) It takes ten minutes from my house to yours. (우리 집에서 너의 집까지 10분 정도 걸린다.)

④ depending on은 '~에 따라'라는 뜻으로 뒤에 명사가 온다.
ex.) My personality changes depending on the person. (사람에 따라 제 성격이 바뀝니다.)

STEP 2 **PRESENT YOUR PLAN** 계획을 발표하시오.

1. Which place do you want to go to for your school field trip? Choose the best place given your preferences. 여러분의 학교 현장 체험 학습으로 어떤 곳에 가고 싶나요? 원하는 대로 가장 좋은 장소를 고르시오.

Plan and Activity	Transportation	Travel Time
☐ Experience traditional culture	☐ by train	☐ three hours
☐ Watch the stars and visit a museum	☐ by bus	☐ an hour and a half
☐ Enjoy beautiful nature and fishing	☐ by ship	☐ six hours

해석

계획과 활동 - 전통문화 경험하기 / 별 구경하기와 박물관 방문하기 / 아름다운 자연과 낚시 즐기기

교통수단 - 기차 / 버스 / 배

여행 시간 - 세 시간 / 한 시간 반 / 여섯 시간

해석

안녕, 나는 진호야. 나는 학교 현장 체험 학습으로 안동에 가고 싶어. 첫째, 나는 전통 문화를 경험하고 싶어. 또한, 기차를 타는 것이 여행의 재미 있는 부분 중 하나이고 세 시간 밖에 걸리지 않아.

2. Complete your school field trip choice using the information above and present it. 위 정보를 사용하여 여러분의 학교 현장 체험 학습 선택지를 완성하고 발표하시오.

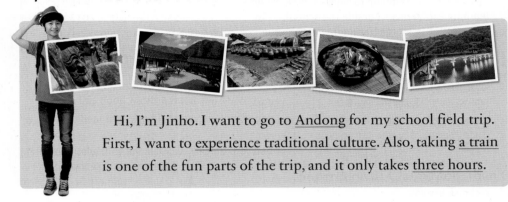

Hi, I'm Jinho. I want to go to <u>Andong</u> for my school field trip. First, I want to <u>experience traditional culture</u>. Also, taking <u>a train</u> is one of the fun parts of the trip, and it only takes <u>three hours</u>.

STEP 3 **SHARE YOUR PLAN** 여러분의 계획을 공유하시오.

Talk about your school field trip choice with your group members. 😬

여러분의 학교 현장 체험 학습 선택에 대해 모둠원과 이야기하시오.

해석

A: 학교 현장 체험 학습으로 어느 장소를 선택했어?

B: 나는 학교 현장 체험 학습으로 _____를 선택했어.

C: 너는 왜 _____으로 가고 싶어?

D: _____에서 나는 _____을 할 수 있어.

I chose _____ for my school field trip.

Which place did you choose for your school field trip?

Why do you want to go to _____?

In _____(location), I can _____ (activity).

활동 팁

현장 체험 학습 보고서 쓰기

1. 현장을 체험하고 느낀 감상 등에 대해 적는다.

2. 보고서의 내용과 관련한 사진이나 자료를 첨부할 수 있다.

3. 보통은 시간 순이나 체험 순서로 기록하는데, 모든 것을 기록하는 것보다는 특별히 기억에 남거나 인상적이었던 것 위주로 기록하는 것이 좋다.

1~2차시 어휘 정리

- appreciate 고마워하다
- broadcast 방송하다
- decision 결정
- field trip 현장 학습
- instructor 강사
- memorable 기억할만한
- observatory 천문대
- reservation 예약
- valuable 소중한, 가치가 큰

- awesome 엄청난
- bunch 다발, 묶음
- department store 백화점
- formation 형성
- journey 여정, 여행
- miss 놓치다
- performance 공연
- symbolic 상징적인
- view 경관, 전망

- background 배경
- coastal 해안의
- destination 목적지
- impressive 인상적인
- location 위치
- museum 박물관
- professional 전문적인
- unexpected 뜻밖의
- village 마을

Review Points

1. I understood specific information about the places for the school field trip.
   나는 학교 체험 학습의 장소에 관한 특정 정보를 이해했다.

2. I gave a presentation about the perfect school field trip and shared my opinion with my classmates.
   나는 완벽한 학교 현장 체험 학습에 관한 발표를 했고 나의 의견을 급우들과 나누었다.

Topic

Travel stories (여행 이야기)
Read a story or a dialogue about famous tourist spots in each country. Also, think about the reason why you travel.
각 나라의 유명한 여행지에 관한 이야기 또는 대화를 읽어봅시다. 또한, 여행을 떠나는 이유에 관해 생각해 보세요.

---

1. Look at the picture below. Write down more information you know about these countries. 밑에 있는 사진을 보시오. 이 나라들에 대해 알고 있는 정보를 적으시오.

어휘
palace [pǽlis] 궁전
fall [fɔːl] 폭포
national [nǽʃənl] 국립의, 국가의

2. Talk with your partner about your preferred type of travel. 선호하는 유형의 여행에 관해 짝과 함께 대화하시오.

☐ Cultural Explorer: I want to meet people from other cultures.
☐ Love History: I want to visit each historic building.
☐ Free Spirit: I don't need a plan! I'll go wherever my feet take me.
☐ Love Adventure: I love extreme sports!
☐ Just Relax: I want to lie on the beach and relax.
☐ Like Shopping: Shopping is my life!
☐ _____

I love adventure! ① I want to experience extreme sports all around the world. 나는 모험을 좋아해! 전 세계의 익스트림 스포츠를 경험하고 싶어.

John, why do you travel?
John, 너는 왜 여행을 하니?

해석
문화 탐험가: 나는 다른 문화권의 사람들을 만나고 싶어.
역사 애호가: 나는 각각의 역사적인 건물을 방문하고 싶어.
자유로운 영혼: 나는 계획이 필요 없어! 내 발이 닿는 대로 갈 거야.
모험 애호가: 나는 익스트림 스포츠를 좋아해!
긴장 풀기: 나는 바닷가에 누워 쉬고 싶어.
쇼핑 애호가: 쇼핑은 내 삶이야!

어휘
cultural [kʌ́ltʃərəl] 문화의
spirit [spírit] 영혼, 정신
adventure [ædvéntʃər] 모험

구문 ① I want to ~는 '나는 ~하고 싶어'라는 뜻이다.

On Your Own

Read the passage quickly and find the places each writer visits. 본문을 빠르게 읽고 각각의 글쓴이가 방문하는 장소들을 찾으시오.
Spain: The Alhambra palace, Generalife, Nasrid Palaces
Brazil: Iguazu Falls, a football museum
Australia: Kakadu National Park

📖 Read and Think

🔖 Interpretation

¹마음이 이끄는 곳으로 가라

²안녕 여러분, 저는 가장 기억에 남는 저의 여행들 중 하나를 나누고 싶은데, 그 여행은 스페인 남부에 있는, 그라나다라는 도시로의 여행이었습니다. ³그라나다는 오래 전 전쟁과 스페인 사람들, 아랍사람들 간의 상호 작용 때문에 도시 전체가 아랍 문화 영향을 받은 곳입니다. ⁴저는 알함브라 궁전을 방문하기로 결정했는데, 그곳은 스페인의 가장 놀라운 건축물 중 하나입니다. ⁵사람들은 이 궁전의 아름다움이 믿기 힘들 정도로 놀라웠기 때문에 전쟁 중에도 훼손되지 않았다고 말합니다.

⁶궁전 앞에는, '헤네랄리페'라고 불리는 아름다운 정원이 있습니다. ⁷저는 그 믿을 수 없는 풍경에 완전히 놀랐습니다. ⁸분수대의 물이 흐르고 있었고, 정원의 아름다운 꽃과 나무들이 물웅덩이에 비춰졌습니다. ⁹이후에 저는 물이 중세시대 아랍인들에게 삶과 풍요로움을 의미한다는 것을 알게 되었습니다. ¹⁰그들의 물에 대한 주안점은 궁전 내의 많은 물 터널과 분수대에 표현되어 있습니다.

¹¹정원 옆에는 나스리드 궁전이 있었는데, 내가 본 것 중 가장 아름다운 궁전이라는 생각이 들었습니다. ¹²궁전의 방들은 다채로운 예술 작품들, 나무로 된 천장, 그리고 다양한 무늬로 정교하게 장식되어 있었습니다. ¹³투어가 끝난 후에, 나는 그 궁전이 왜 훼손되지 않았는지 그 이유를 알 수 있었습니다. ¹⁴스페인에서, 알함브라 궁전은 반드시 방문해야 합니다! 여러분이 그곳에 갈 기회가 있길 바랍니다.

While you read

Q1. How did the writer feel about Spain?

글쓴이는 스페인에 대해 어떤 느낌을 받았는가?

예시 답안 The writer was amazed and astonished to see the beautiful palace.

해설 5번 문장의 the beauty of the palace was astonishing과 7번 문장의 I was totally amazed에서 글쓴이의 감정을 찾을 수 있다.

---

¹Go Where Your Heart Takes You

TRAVEL CAFE

²Hi everyone, I'd like to share with you one of my most memorable trips, which was a trip to the city of Granada, a city in the southern part of Spain.

³Granada is where a whole city was influenced by Arabic culture because of wars and interactions between Spanish and Arabic people a long time ago. ⁴I decided to visit the Alhambra palace, which is one of the greatest architectural wonders of Spain. ⁵People say this palace was left undamaged during wars because the beauty of the palace was astonishing.

⁶In front of the palace, there was a beautiful garden called *Generalife*. ⁷I was totally amazed by the incredible scenery. ⁸The fountains were running, and the pools reflected the beautiful flowers and trees in the garden. ⁹Later I found out that water meant life and richness to Arabic people in the Middle Ages. ¹⁰Their emphasis on water is expressed in the many water tunnels and fountains in the palace.

¹¹Next to the garden were the Nasrid Palaces, which I thought were the most beautiful palaces I had ever seen. ¹²The rooms are delicately decorated with colorful works of art, wooden ceilings, and various patterns. ¹³After I finished the tour, I could understand why the palace wasn't destroyed. ¹⁴In Spain, it is an absolute must to visit the Alhambra palace! I hope you will have a chance to go there.

🔖 Words and Idioms

interaction: 상호 작용 ▶ Such interaction is common on the Internet. (그러한 상호 작용은 인터넷에서 흔히 일어난다.)

architectural: 건축학의 ▶ It has been designated as a cultural asset for its architectural value. (그것은 건축적으로 가치가 높아 문화재로 지정되었다.)

astonish: 깜짝 놀라게 하다 ▶ My news will astonish you. (내가 가져온 소식을 들으면 깜짝 놀랄 거야.)

incredible: 믿을 수 없는 ▶ The movie I saw last night was incredible. (어젯밤에 본 영화는 놀라웠다.)

scenery: 경치, 풍경 ▶ This place is famous for its scenery. (이곳은 경치로 유명하다.)

emphasis: 강조, 주안점 ▶ His lecture laid great emphasis on world peace. (그의 강연은

세계 평화를 크게 강조했다.)

delicately: 우아하게, 섬세하게 ▶ Rachel is standing on the stage delicately. (Rachel은 무대에서 우아하게 서 있다.)

pattern: 무늬 ▶ She's wearing a dress with a pattern of tiny roses. (그녀는 작은 장미꽃 무늬가 있는 드레스를 입고 있다.)

absolute: 절대적인 ▶ She told you the absolute truth. (그녀는 당신에게 절대적인 진실을 말한 것이다.)

a must: 필수 ▶ Warm clothes are a must in the mountains. (산에서는 따뜻한 옷이 필수다.)

Key Points

2 Hi everyone. **I'd like to** share with you one of my most memorable trips, which was a trip to the city of Granada, a city in the southern part of Spain.: I'd like to~는 '~하고 싶은데요, ~하려고 합니다'라는 뜻으로 공손하고 점잖게 말할 때 쓰인다. to 다음에는 동사원형이 와야 한다.

3 Granada is **where** a whole city was influenced by Arabic culture **because of** wars and interactions **between** Spanish **and** Arabic people a long time ago.: where는 관계부사로 앞에 위치한 명사를 꾸며주는 형용사절을 이끈다. 관계부사의 종류에는 where, when, why, how가 있다. 관계부사는 선행사가 시간, 장소, 이유, 방법일 때 사용한다. 관계부사의 일반적인 선행사로 쓰이는 the day, the time, the place, the reason은 생략할 수 있으며, Granada is (the place) where ~에서 선행사 the place가 생략된 형태이다. / because of는 '~ 때문에'라는 뜻으로 비슷한 의미를 가진 「because+주어+동사」와는 달리 전치사 of 뒤에 명사가 온다. / between A and B는 'A와 B사이에'라는 뜻이다.

4 I decided to visit the Alhambra palace, which is **one of the greatest architectural wonders** of Spain.: 「one of+최상급+복수명사」는 '가장 ~한 것들 중 하나'라는 뜻이다.

7 I was totally **amazed** by the incredible scenery.: 과거분사는 「동사+-ed」의 형태로 명사를 수식하는 형용사이며 '~되어진'이라는 뜻이다. 수식을 받는 명사가 감정의 결과라면 과거분사가 되어야 하고 감정의 원인이라면 현재분사가 되어야 한다.

10 **Their** emphasis on water **is expressed** in the many water tunnels and fountains in the palace.: their가 가리키는 것은 앞 문장의 Arabic people이다. / is expressed는 「be+과거분사」 형태의 수동태이며 '표현되다'라는 뜻이다.

11 **Next to the garden** were the Nasrid Palaces, which I thought were the most beautiful palaces I had ever seen.: Nasrid Palaces were next to the garden이었으나 부사구 도치로 인해 「부사구+동사+주어~」의 순서로 바뀌었다. 부사구 도치는 이야기체에서 주로 사용되는데, 배경을 먼저 제시하고 동사 다음에 주어를 드러나게 함으로써 독자에게 긴장감을 조성해 주는 효과가 있다.

13 After I finished the tour, I could understand **why** the palace wasn't destroyed.: why는 관계부사로써 I could understand (the reason) why~에서 선행사 the reason이 생략된 형태이다.

Mini Test

정답과 해설 p. 358

1. 다음 괄호 안의 단어들을 순서대로 배열하시오.

(1) Granada is (city, by, whole, where, was, a, influenced) Arabic culture.

(2) Next to the garden (the, Nasrid Palaces, were), which I thought were the most beautiful palaces I had ever seen.

2. 다음 우리말에 맞게 빈칸에 알맞은 말을 쓰시오.

(1) 나는 그 믿을 수 없는 풍경에 완전히 놀랐다.
I was totally _____ by the incredible scenery.

(2) 투어가 끝난 후에, 나는 그 궁전이 왜 훼손되지 않았는지 그 이유를 알 수 있었다.
After I finished the tour, I could understand _____ _____ the palace wasn't destroyed.

3. 다음 주어진 표현을 이용하여 문장을 완성하시오.

(1) one of the 최상급+복수명사: 가장 ~한 것 중 하나
This animal is _____ in this zoo.
(이 동물은 이 동물원에서 가장 나이가 많은 동물들 중 하나입니다.)

(2) I'd like to+동사원형: ~하고자 합니다
_____ myself.
(저를 소개하고자 합니다.)

(3) because of+명사: ~때문에
The price dropped _____.
(안 좋은 날씨 때문에 가격이 떨어졌다.)

(4) between A and B: A 와 B 사이에
We are faced with the choice _____ _____.
(우리는 전쟁과 평화 사이의 기로에 직면해 있다.)

Interpretation

Chris: ¹나는 이번 여름 방학에 남아메리카를 방문할 계획이야. ²네가 그곳에 가봤으니까 말인데, 남아메리카에서 어디를 가봐야 해?

Grace: ³구경할 곳이 많은데, 나는 이구아수 폭포를 추천해. ⁴나는 그 폭포 때문에 브라질에 가기로 결정했어. ⁵그 폭포의 아름다움은 말로 표현할 수가 없어. ⁶너는 그것을 직접 봐야 해.

Chris: ⁷이구아수 폭포에 대해 들어봤어. ⁸왜 그것이 유명하다고 생각하니?

Grace: ⁹왜냐하면 그 폭포가 세계에서 가장 길고 가장 큰 폭포이기 때문이야.

Chris: ¹⁰아, 그렇구나. ¹¹그러면, 정확히 어디에 위치해 있어?

Grace: ¹²그것은 아르헨티나와 브라질 사이의 국경에 위치해 있어. ¹³만일 네가 브라질 쪽에 있다면, 헬리콥터나 배를 타고 폭포 주변을 볼 수 있어.

Chris: ¹⁴무엇이 가장 인상 깊었니?

Grace: ¹⁵무조건 악마의 목구멍이지. ¹⁶그것은 이름만큼이나 크고 환상적이었어. ¹⁷큰 폭포들과 반짝이는 무지개의 광경은 믿을 수 없을 정도로 놀라웠어. ¹⁸일단 이 지역을 보면, 너는 그것의 아름다움에 완전히 놀랄 거야.

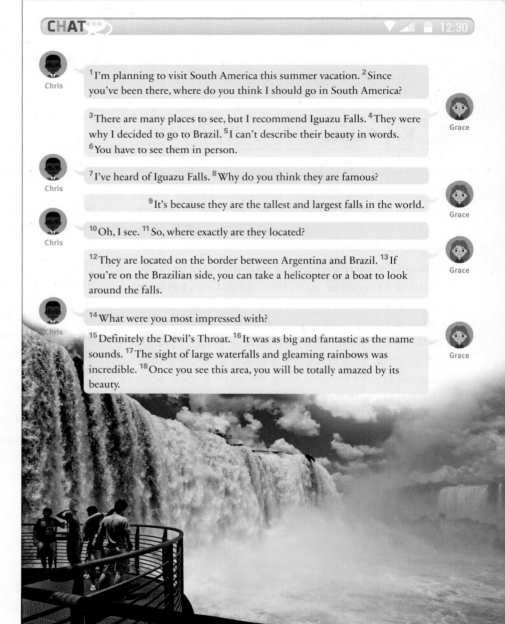

CHAT ▼ ⊿ ▭ 12:30

Chris: ¹I'm planning to visit South America this summer vacation. ²Since you've been there, where do you think I should go in South America?

Grace: ³There are many places to see, but I recommend Iguazu Falls. ⁴They were why I decided to go to Brazil. ⁵I can't describe their beauty in words. ⁶You have to see them in person.

Chris: ⁷I've heard of Iguazu Falls. ⁸Why do you think they are famous?

Grace: ⁹It's because they are the tallest and largest falls in the world.

Chris: ¹⁰Oh, I see. ¹¹So, where exactly are they located?

Grace: ¹²They are located on the border between Argentina and Brazil. ¹³If you're on the Brazilian side, you can take a helicopter or a boat to look around the falls.

Chris: ¹⁴What were you most impressed with?

Grace: ¹⁵Definitely the Devil's Throat. ¹⁶It was as big and fantastic as the name sounds. ¹⁷The sight of large waterfalls and gleaming rainbows was incredible. ¹⁸Once you see this area, you will be totally amazed by its beauty.

While you read

Q2. Where are Iguazu Falls located?

이구아수 폭포는 어디에 위치해 있는가?

예시 답안 They are located on the border between Argentina and Brazil.

해설 12번 문장에서 이구아수 폭포가 아르헨티나와 브라질 사이의 국경에 위치해 있다는 것을 알 수 있다.

Words and Idioms

in person: 직접 ⊳ I prefer meeting my friends in person. (나는 친구들을 직접 만나는 것을 선호한다.)

border: 국경 ⊳ The two countries share a common border. (양국은 국경선이 접해 있다.)

impressed: 감명 받은 ⊳ I was extremely impressed by this book. (나는 이 책에서 큰 감명을 받았다.)

definitely: 절대, 분명히 ⊳ He is definitely satisfied with the current job. (그는 지금 하고 있는 일에 당연히 만족한다.)

devil: 악마 ⊳ Do you believe in the devil? (악마가 있다고 믿으세요?)

throat: 목구멍 ▶ I have a sore throat. (목이 쓰라리다.)

waterfall: 폭포 ▶ We camped five miles above the waterfall. (우리는 폭포로부터 5마일 되는 곳에서 야영했다.)

gleam: 번득 비치는 것; 희미하게 빛나다 ▶ There was a gleam of hope for a peaceful settlement. (평화적 해결에 한 줄기 희망이 보였다.)

Key Points

1 **I'm planning to** visit South America this summer vacation.: I'm planning to~ 는 '나는 ~할 계획이다'라는 뜻으로 가까운 미래의 계획에 대해 말할 때 쓰인다.

2 **Since** you've been there, **where do you think I should go** in South America?: Since는 전치사가 아닌 이유를 나타내는 접속사로 쓰였으며 '~이기 때문에, ~이므로'라고 해석한다. / Where do you think I should~는 간접의문문의 형태로 「의문사+주어+동사」의 순서가 되어야 하지만, think, believe, suppose, guess, imagine 등의 인간의 인지와 관련된 동사의 경우에는 종속절의 의문사가 문두에 온다.

3 There are many places **to see**, but I recommend Iguazu Falls.: to see는 to부정사의 형용사적 용법으로 '~하는, ~할'이라는 뜻이다. 문장의 places to see는 '구경할 곳'이라고 해석한다.

4 **They** were **why** I decided to go to Brazil.: They가 지칭하는 것은 앞 문장의 Iguazu Falls이다. / why는 이유를 나타내는 관계부사로 They were (the reason) why ~에서 선행사 the reason이 생략된 형태이다.

5 I can't **describe** their beauty **in words**.: describe ~ in words는 '말로 표현하다'라는 뜻이다.

6 You have to see them **in person**.: in person은 '직접, 몸소'라는 뜻이다.

8 **Why** do you think **they are famous**?: 간접의문문이지만 동사 think로 인해 의문사가 문두에 온 형태이다.

9 It's because they are **the tallest and largest falls** in the world.: 최상급의 형태는 「the+형용사-est」이며 비교 대상이 되는 것 가운데 성질이나 상태의 정도가 가장 큰 것을 나타낸다. largest는 tallest 앞에 있는 the에 걸리므로 반복하여 the를 사용하지 않았다.

16 It was **as big** and **fantastic as** the name sounds.: 「as+형용사/부사+as」는 '~만큼 (형용사/부사)한'이라는 뜻으로 두 대상의 속성이나 정도가 비슷하다는 뜻을 나타낼 때 쓰인다. 이 구문 뒤에는 「주어+동사」가 오는 것이 일반적이지만 명사가 오기도 한다.

18 **Once** you see this area, you will be totally amazed by its beauty.: Once는 접속사로 '일단~하면, ~하자마자'라는 뜻이다.

Mini Test

정답과 해설 p.358

1. 다음 괄호 안의 단어들을 순서대로 배열하시오.

(1) They were (decided, to, I, why, Brazil, go, to).

(2) (on, if, side, you're, the, Brazilian), you can take a helicopter or a boat to look around the falls.

2. 다음 우리말에 맞게 빈칸에 알맞은 말을 쓰시오.

(1) 너는 그것들을 직접 봐야 해.
You have to see them _____.

(2) 일단 이 지역을 보면, 너는 그것의 아름다움에 완전히 놀랄 것이다.
_____ you see this area, you will be totally amazed by its beauty.

3. 다음 주어진 표현을 이용하여 문장을 완성하시오.

(1) as+형용사/부사+as ~: ~만큼 (형용사/부사)한
Nobody is _____ Fred.
(Fred만큼 조용한 사람은 없어.)

(2) I'm planning to+동사원형: 나는 ~할 계획이다
_____ open my own business in 2015.
(나는 2015년에 내 소유의 사업을 시작할 계획이었다.)

(3) describe ~ in words: ~을 말로 표현하다
I can't _____.
(내 슬픔을 말로 표현할 수 없어.)

(4) since+주어+동사: ~이기 때문에
_____ in the area, we decided to stop by and see them.
(우리가 그 지역에 있었기 때문에, 잠시 들러서 그들을 만나야겠다고 결정했다.)

Interpretation

"soccer"는 미국과 캐나다에서 사용되지만 전
세계적으로는 "football"이 사용된다.

Chris: [1]정말 거기에 가고 싶다. [2]또 어디에 갔어?

Grace: [3]내가 축구의 열렬한 팬이기 때문에, 상
파울로는 반드시 방문해야 하는 도시였
어. [4]큰 경기가 열리는 기간은 도시 전체
가 휴가철이 된 것 같았어. [5]상파울로에
는 심지어 축구 박물관이 있어. [6]이것이
브라질 사람들의 축구에 대한 엄청난 열
정을 보여주고 있지.

Chris: [7]축구 박물관이라고? 멋지다! [8]펠레, 호
나우두, 호나우지뉴와 같은 국제적으로
유명한 축구 전설들이 브라질 사람들인
것이 당연하네.

Grace: [9]맞아. 이 박물관은 월드컵 경기에 사용
된 몇몇의 축구공들, 사진, 그리고 역사
적인 축구 경기들의 영상과 같은 흥미로
운 것들을 전시해. [10]심지어 브라질 축구
역사로만 가득 찬 방이 있어.

Chris: [11]브라질은 자연의 아름다움과 축구 팬들
의 열정을 흡수할 완벽한 곳인 것 같네.
[12]벌써 신나!

Grace: [13]응. 브라질은 멋진 곳이야. [14]네가 그곳
에서 즐거웠으면 좋겠어.

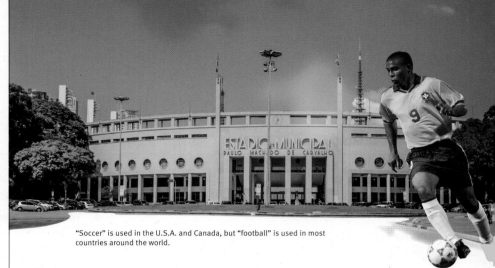
"Soccer" is used in the U.S.A. and Canada, but "football" is used in most countries around the world.

 Chris
[1]I can't wait to go there. [2]Where else did you go?

 Grace
[3]Since I am a huge fan of football, São Paulo was a must-visit city. [4]It was like the entire city went on vacation during big matches. [5]There is even a football museum in São Paulo. [6]This shows Brazilians' great passion for football.

 Chris
[7]A football museum? That's awesome! [8]No wonder so many internationally famous football legends, like Pele, Ronaldo, and Ronaldinho, are Brazilians.

 Grace
[9]I know. This museum exhibits interesting things like some of the footballs used in the World Cup matches, pictures, and video of historical football matches. [10]There's even a whole room which is filled with the history of Brazilian football.

 Chris
[11]It sounds like Brazil is the perfect place to absorb the beauty of nature and the passion of football fans. [12]I'm already excited!

 Grace
[13]Yes, Brazil is a great place. [14]I hope you enjoy yourself there.

Over to you

Where would you prefer to go, Iguazu Falls or the football museum? Why?

이구아수 폭포와 축구 박물관 중 어디에 가길
선호하나요? 그 이유는?

예시 답안 I prefer to visit the football museum because I'm a huge fan of football.

나는 축구를 많이 좋아하기 때문에 축구 박물관에
가는 것을 선호합니다.

해설 내가 더 가고 싶은 곳과 그 이유를 간
략하게 서술한다.

 **Words and Idioms**

huge: (크기, 양, 정도가) 거대한 ▶ I'm a huge fan of the baseball player. (나는 그 야구선수의 광팬이다.)

must-visit: 필수로 방문해야 하는 ▶ Kyeongju is a must-visit tourist destination in Korea. (경주는 한국에서 필수로 방문해야 하는 관광지이다.)

entire: 전체의, 온 ▶ May I copy an entire book? (책 한 권 전체를 다 복사할 수 있나요?)

passion: 열정 ▶ Red is the color of passion and love. (붉은색은 정열과 사랑의 색깔이다.)

no wonder: 그도 그럴 것이, ~하는 것도 당연하다 ▶ No wonder she left school two hours earlier. (그녀가 두 시간 일찍 학교를 떠난 것이 이상할 것도 없지.)

legend: 전설 ▶ He became a legend in his time. (그는 생존 시 전설적인 인물이 되었다.)

awesome: 엄청난 ▶ We all know that Korea is awesome in the sport of archery. (우리 모두 한국이 양궁이라는 운동에서 엄청나다는 것을 알고 있다.)

exhibit: 전시하다 ▶ They will exhibit their new designs at the trade fairs. (그들은 무역 박람회에서 그들의 새 디자인을 전시할 것이다.)

absorb: 흡수하다 ▶ The roots absorb water and minerals for the plants. (뿌리는 식물을 위해 수분과 무기질을 흡수한다.)

Key Points

1 **I can't wait to** go there.: I can't wait to + 동사원형 ~은 '어서 ~ 하기를 바라다', '~가 몹시 기대되다'라는 뜻으로 어떤 일에 대한 기대를 표현할 때 쓰인다.

3 **Since** I am **a huge fan of** football, São Paulo was **a must-visit** city.: since는 접속사로 쓰였으며 '~이기 때문에'라는 뜻으로 이유를 나타낸다. / a huge fan of는 '~의 열렬한 팬이다, ~을 굉장히 좋아하다'라는 뜻이다. 우리말로 '~의 팬이다'라는 표현은 보통 연예인에게만 한정되어 사용되는 반면, 영어 표현은 그보다 범위가 넓어 자신이 좋아하는 대상에 두루 쓰이는 표현이다. / a must는 '필수의, 꼭 ~ 해야만 하는'이라는 뜻인데 하이픈(-)으로 동사를 연결하여 형용사처럼 쓴다. ex.) a must-have item 꼭 가져야 할 물건, a must-read novel 꼭 읽어야 할 소설, a must-see city 꼭 봐야 할 도시

4 It was like the entire city **went on vacation** during big matches.: go on vacation은 '휴가를 가다'라는 뜻이다.

6 This shows Brazilians' great **passion for** football.: a passion for~ 는 '~에 대한 열정'이라는 뜻이다.

8 **No wonder** so many internationally famous football legends, like Pele, Ronaldo, and Ronaldinho, are Brazilians.: no wonder는 '~하는 것도 당연하다, ~은 놀랄 일이 아니다'라는 뜻으로 no wonder 뒤에 「주어+동사」가 온다. It is no wonder that ~으로도 쓰인다.

9 I know. This museum exhibits interesting things like some of the footballs **used** in the World Cup matches, pictures, and video of historical football matches.: 「주격 관계대명사+be동사+분사」 구문에서 관계대명사와 be동사는 나란히 나오면 둘 다 생략 가능하며 이 경우 분사가 직접 명사를 수식할 수 있다. 즉, used 앞에 that were가 생략되었으며 used in the World Cup matches가 선행사 the footballs를 수식한다.

10 There's even a whole room **which is filled with** the history of Brazilian football.: which는 주격 관계대명사로 바로 앞의 선행사인 a whole room을 수식하는 관계대명사절을 이끈다. 이때 주격 관계대명사 which와 be동사는 생략 가능하다. / be filled with~는 '~으로 채워지다'라는 뜻이다. be full of~는 '~으로 가득 차 있다'라는 뜻으로 전자와 비슷하지만 full은 애초에 가득 차 있는 것이고 filled는 없다가 채워지는 것으로 변화에 무게를 두고 있다.

11 It sounds like Brazil is **the perfect place to absorb** the beauty of nature and the passion of football fans.: to absorb는 to부정사의 형용사적 용법으로 '~하는, ~할'이라는 뜻이다. 문장의 the perfect place to absorb는 '~을 흡수할 완벽한 장소'라고 해석한다.

14 I hope you **enjoy yourself** there.: enjoy oneself는 '즐기다, 즐겁게 보내다'라는 뜻이다.

Mini Test

정답과 해설 p. 358

1. 다음 괄호 안의 단어들을 순서대로 배열하시오.

　(1) This museum exhibits interesting things (the, like, footballs, used, in, some, of) the World Cup matches.

　(2) It sounds like Brazil is (the, beauty, absorb, the, perfect, place, nature, to, of).

2. 다음 우리말에 맞게 빈칸에 알맞은 말을 쓰시오.

　(1) 내가 축구의 열렬한 팬이기 때문에, 상파울로는 필수로 방문해야 하는 도시였어.
　　Since I am a huge fan of football, São Paulo was _____ city.

　(2) 펠레, 호나우두, 호나우지뉴와 같은 국제적인 축구 전설들이 브라질 사람들인 것이 당연하네.
　　_____ so many internationally famous football legends, like Pele, Ronaldo, Ronaldinho, are Brazilians.

3. 다음 주어진 표현을 이용하여 문장을 완성하시오.

　(1) can't wait to+동사원형: 어서 ~하길 바라다
　　_____ to see you.
　　(그는 너를 당장 만나고 싶어해.)

　(2) be filled with ~: ~으로 채워져 있다
　　The box _____ apples.
　　(상자는 사과로 채워져 있다.)

　(3) go on a vacation: 휴가를 가다
　　We _____ next week.
　　(우리는 다음 주에 휴가를 갈 거야.)

　(4) be a huge fan of ~: 을 굉장히 좋아하다
　　I _____ your novel.
　　(나는 당신의 소설을 굉장히 좋아합니다.)

Interpretation

¹호주에서의 우리 가족 여행은 잘 진행되고 있다. ²땅이 매우 커서, 우리는 단 한 주 만에 사계절을 겪었다! ³이번 주, 눈 내리는 블루 마운틴에서 우리는 매우 추웠고, 나는 선샤인 해안을 따라 기분 좋은 따뜻한 산책을 했다. ⁴그리고 지금 우리는 카카두 국립공원에서 땀을 흘리고 있는데, 이곳은 호주의 북부 지역에 위치해 있다. ⁵카카두 국립공원은 수천 마리의 동물들의 서식지이다. ⁶우리는 그 공원에서 이틀을 지냈다.

⁷여행의 첫째 날에, 우리는 소규모의 유람선 여행을 떠났다. ⁸그것은 옐로우 워터 강에서의 항해였는데, 옐로우 워터에는 다양한 야생 동물들, 인상적인 경치와 변화무쌍한 풍경이 있었다. ⁹우리는 강가에서 20종 이상의 다양한 종류의 새와 야생 악어를 발견했다. ¹⁰이 여행 전까지는 동물원에서만 악어를 봤기 때문에 야생 악어의 광경은 내 입이 떡 벌어지게 만들었다.

¹¹카카두 국립공원에서의 둘째 날은 *호주 원주민의 암각화에 대한 모든 것을 탐험하는 것이었다. ¹²그 동물 그림들은 수천 년에 이르는 호주 원주민의 삶의 흥미진진한 기록을 제공한다. ¹³우리의 가이드는 가장 오래된 암각화 몇몇 점은 40,000년 전에 그려진 것이라고 말했다. ¹⁴우리는 잘 보존된 그 암각화들에 감명 받았다. ¹⁵또한, 몇몇의 호주 원주민들은 아직도 카카두에 살고 있고 그들의 문화적 전통을 유지해오고 있다. ¹⁶여행 후에, 나는 자연과 옛 전통의 아름다움의 진가를 알게 되었다. ¹⁷우리의 다음 목적지는 호주의 수도인 캔버라이다. ¹⁸나의 여행에 대한 소식을 계속 전하도록 하겠다.

While you read

Q3. What has the writer learned from his trip to Australia?

글쓴이는 호주 여행을 통해 무엇을 배웠는가?

[예시 답안] The writer learned to appreciate the beauty of nature and old traditions.

글쓴이는 자연과 옛 전통의 아름다움의 진가를 알게 되었다.

[해설] 16번 문장에서 글쓴이는 자연과 옛 전통의 아름다움의 진가를 알게 되었다고 했다.

BLOG

¹My family's trip across Australia is going well. ²The land is very big, so we have experienced four seasons in just a week! ³This week, we felt very cold on snowy Blue Mountain, and I enjoyed a nice warm walk along the Sunshine Coast. ⁴And now we are sweating in Kakadu National Park, which is located in the north area of Australia. ⁵Kakadu National Park is a home to thousands of animals. ⁶We spent two days in the park.

⁷On the first day of our trip, we took a little cruise. ⁸It was a cruise on Yellow Water, which has a variety of wild animals, dramatic scenery, and ever-changing landscapes. ⁹We spotted more than twenty different species of birds and wild crocodiles in the river. ¹⁰Until this trip, I had only seen crocodiles in the zoo, so the sight of wild crocodiles made my jaw drop.

¹¹The second day at Kakadu National Park was all about exploring *Aboriginal rock art. ¹²The paintings of animals provide a fascinating record of Aboriginal life over thousands of years. ¹³Our guide told us that some of the oldest rock arts might be as much as 40,000 years old. ¹⁴We were impressed by the well preserved rock paintings. ¹⁵Also, some Aboriginals are still living in Kakadu and have kept their cultural traditions. ¹⁶After the trip, I learned to appreciate the beauty of nature and old traditions. ¹⁷Our next destination is Canberra, the capital city of Australia. ¹⁸I'll keep you posted about my trip.

@ Aboriginal rock art_www.parksaustralia.gov.au/kakadu/people/rock-art.html

Words and Idioms

coast: 해안 ▶ The storm destroyed every house on the coast. (폭풍은 해안에 있는 모든 집들을 부숴버렸다.)

sweat: 땀 ▶ We are working in a sweat. (우리는 땀을 흘리며 일하고 있다.)

be located in: ~에 위치하다 ▶ His office was located in an old garage. (그의 사무실은 낡은 차고 안에 있었다.)

cruise: 유람선 여행 ▶ The cruise ship doesn't call at this port. (그 유람선은 이 항구에 정박하지 않는다.)

ever-changing: 늘 변하는, 변화무쌍한 ▶ Just look at the ever-changing world. (변화무쌍한 세계를 보세요.)

landscape: 풍경 ▶ I am interested in photography, especially in landscape. (나는 사진, 특히 풍경 사진에 관심이 있다.)

jaw: 턱 ▶ He had to clench his jaw to suppress anger. (그는 화를 억누르기 위해 이를 악물어야만 했다.)

aboriginal: 호주 원주민의 ▶ The word Koala is an aboriginal word. (코알라라는 단어는 호주 원주민들의 언어이다.)

preserve: 지키다 ▶ They preserve their history in language and art. (그들은 언어와 예술을 통해 그들의 역사를 보존하고 있다.)

destination: 목적지 ▶ The destination of our trip is San Francisco. (우리 여행의 목적지는 샌프란시스코이다.)

keep someone posted about: ~에게 …에 관한 소식을 전하다 ▶ I'd appreciate it if you'd keep me posted about my family. (제 가족에 대해 계속 소식을 알려주시면 감사하겠습니다.)

Key Points

1 My family's trip across Australia is **going well**.: go well은 '잘 되어가고 있다'라는 뜻으로 go well with something으로도 많이 쓰인다.

4 And now we are sweating in Kakadu National Park, **which** is located in the north area of Australia.: 관계대명사의 계속적 용법으로 추가 정보를 제공할 때 사용한다. 해석은 앞에서부터 순차적으로 하며 관계대명사 앞에 콤마가 온다. 관계대명사 that은 계속적 용법으로 사용할 수 없으므로 여기에서 which와 바꿔 쓸 수 없다.

5 Kakadu National Park is a home to **thousands of** animals.: thousands of는 '수천의, 무수한, 많은'이라는 뜻으로 전치사 of 뒤에는 복수명사가 온다.

6 We **spent** two days in the park.: 「spend+시간/돈」은 '(시간/돈을) 쓰다, 들이다, 소비하다'라는 의미이다. 주로 「spend+시간/돈+-ing」로도 많이 쓰이며 이 경우 해석은 '~하는 데에 (시간/돈을) 들이다'라고 한다.

7 On the first day of our trip, we **took a little cruise**.: take a cruise는 '유람선 여행을 가다'라는 뜻으로 set off on a cruise, go on a cruise 라는 표현도 쓰인다.

8 It was a cruise on Yellow Water, which has **a variety of** wild animals, dramatic scenery, and ever-changing landscapes.: a variety of~ 는 '다양한'이라는 뜻으로 뒤에 복수명사가 와야 한다.

10 Until this trip, I **had** only **seen** crocodiles in the zoo, so the sight of wild crocodiles **made** my jaw drop.: 「had+p.p.」는 과거의 특정한 시점 이전에 발생한 사건이나 상태를 나타낼 때 쓰인다. 글쓴이가 여행을 떠나기 전, 동물원에서 악어를 본 경험에 대해 설명하고 있으므로 과거완료시제를 사용했다. / make는 사역동사로 「make+목적어+동사원형」의 형태로 쓰이며 '(목적어)를 ~하게 만들다'라고 해석한다.

15 Also, some Aboriginals are still living in Kakadu and **have kept** their cultural traditions.: 「have+p.p.」는 현재완료형으로 과거에 일어난 일이 현재와 어떤 관련이 있거나, 현재까지 어떤 영향을 미치고 있음을 나타낼 때 사용한다. 따라서 과거의 시점을 정확히 나타내는 부사 just now, ago, yesterday, then, last 등과는 함께 쓰일 수 없다. '~해 왔다', '계속 ~했다', '~한 적 있다' 등으로 해석된다.

17 Our next destination is **Canberra, the capital city of Australia**.: Canberra와 the capital~은 동격으로 「명사, 명사」의 형태이다.

Mini Test

정답과 해설 p. 358

1. 다음 괄호 안의 단어들을 순서대로 배열하시오.
  (1) Kakadu National Park is (to, a, home, of, animals, thousands).
  (2) Until this trip, I had only seen crocodiles in the zoo, so the sight of wild crocodiles (drop, my, made, jaw).

2. 다음 우리말에 맞게 빈칸에 알맞은 말을 쓰시오.
  (1) 그리고 지금 우리는 카카두 국립공원에서 땀을 흘리고 있는데, 이곳은 호주의 북부 지역에 위치해 있다.
    And now we are sweating in Kakadu National Park, _____ located in the north area of Australia.
  (2) 또한, 몇몇의 호주 원주민들은 아직도 카카두에 살고 있고 그들의 문화적 전통을 유지해 오고 있다.
    Also, some Aboriginals are still living in Kakadu and _____ their cultural traditions.

3. 다음 주어진 표현을 이용하여 문장을 완성하세요.
  (1) go well: 잘 되어가고 있다
    I hope all _____ with you.
    (당신의 모든 일이 잘 되면 좋겠습니다.)
  (2) thousands of: ~수천의
    The flood left _____ homeless.
    (홍수로 인해 수천 명의 사람들이 집을 잃었다.)
  (3) spend+시간/돈: ~(시간/돈)을 들이다
    He _____ catching up with his studies.
    (그는 공부를 따라가는 데 6개월을 들였다.)
  (4) make+목적어+동사원형: (목적어)를 ~하게 만들다
    The news _____ faint.
    (그 소식은 그를 기절하게 만들었다.)

After You Read

1. Complete the summary of the three different trip experiences.
세 가지의 다른 여행 경험의 요약문을 완성하시오.

Spain	Brazil	Australia

The Alhambra palace
(알함브라 궁전)

- The palace was left undamaged because of its beauty. (궁전은 그 궁전의 아름다움 때문에 훼손되지 않은 상태였다.)
- There are many water tunnels and fountains because water was a symbol of life and richness to Arabic people. (아랍인들에게 물은 삶과 풍요로움의 상징이기 때문에 물 터널과 분수대가 많다.)
- The rooms are delicately decorated with colorful works of art, wooden ceilings and various patterns. ((궁전의) 방들은 다채로운 예술 작품, 나무로 된 천장과 다양한 무늬로 섬세하게 장식되어 있다.)

Iguazu Falls
(이구아수 폭포)

- Iguazu Falls are the tallest and largest falls in the world. (이구아수 폭포는 세계에서 가장 길고 가장 큰 폭포다.)
- The Falls are located on the border between Argentina and Brazil. (그 폭포는 아르헨티나와 브라질 사이의 경계에 위치하고 있다.)

Football museum
(축구 박물관)

- The museum in São Paulo exhibits various items related to football. (상파울로에 있는 그 박물관은 축구와 관련된 다양한 물건들을 전시한다.)

Kakadu National Park
(카카두 국립공원)

- The park is a home to various wild animals. (그 공원은 다양한 야생 동물들의 서식지다.)
- Aboriginal rock arts: Some of the oldest rock arts are assumed to be around 40,000 years old. (호주 원주민의 암각화: 가장 오래된 암각화 몇몇 점은 40,000년 전에 그려진 것으로 추정된다.)
- The rock paintings are well preserved. (암각화는 잘 보존되어 있다.)

해설

알함브라 궁전 알함브라는 훼손되지 않은 상태였기 때문에 첫 번째 빈칸에는 undamaged가 적절하다. 아랍인들에게 물은 삶과 풍요로움의 상징이라고 했으므로 다음 빈칸에는 life와 richness가 들어가야 한다. 궁전 내부는 다양한 무늬로 장식되어 있었으므로 마지막에는 various patterns가 와야 한다.

이구아수 폭포 이구아수 폭포는 세계에서 가장 길고 가장 큰 폭포이므로 tallest와 largest가 와야 한다. 그 폭포는 아르헨티나와 브라질 사이의 경계에 위치하고 있으므로 다음 빈칸에는 border가 적절하다.

축구 박물관 축구 박물관은 축구와 관련된 물건들을 전시하므로 exhibits가 와야 한다.

카카두 국립공원 가장 오래된 암각화 몇몇 점은 40,000년 전에 그려졌다. 암각화에 대한 내용이므로 그림을 나타내는 paintings가 마지막 빈칸에 들어가야 한다.

2. Listen and select True or False. 듣고 맞으면 True, 틀리면 False를 고르시오.

(1) Granada was influenced by Arabic culture.

(2) People can take a helicopter or a boat when they view the Iguazu Falls from the Brazilian side.

(3) You can find some evidence of the history of Brazilian football in the football museum in São Paulo.

(4) The climate in Australia is always warm because it is located in the southern part of the Earth.

(5) Aboriginals no longer live in Kakadu National Park.

(1) 그라나다는 아랍 문화에 영향을 받았다.

(2) 사람들은 브라질 쪽에서 이구아수 폭포를 구경할 때 헬리콥터나 배를 탈 수 있다.

(3) 상파울로에 있는 축구 박물관에서는 브라질 축구 역사의 증거를 찾을 수 있다.

(4) 호주의 기후는 지구의 남부에 위치해 있기 때문에 항상 따뜻하다.

(5) 호주 원주민들은 카카두 국립공원에서 더 이상 살고 있지 않다.

해설

(4) 글쓴이는 일주일 안에 사계절을 다 겪었다고 했으므로 틀린 진술이다.

(5) 몇몇 호주 원주민들은 아직도 카카두에 살며 그들의 문화적 전통을 유지해 오고 있으므로 틀린 진술이다.

어휘

influence [ínfluəns] 영향을 주다
evidence [évədəns] 증거
be located in ~에 위치하다

(1) ☑ True / ☐ False (2) ☑ True / ☐ False (3) ☑ True / ☐ False (4) ☐ True / ☑ False (5) ☐ True / ☑ False

THINK AND TALK

3. Among the three countries in the reading passage, which country do you want to go to any why?

독해 지문에 나온 세 나라 중에서 여러분이 가고 싶은 나라와 그 이유는 무엇인가요?

Jinu

I'm most interested in the trip to Australia because it sounded wonderful to have four seasons within a short amount of time. Also, I want to see different species of animals!

I'm most interested in the trip to Brazil because I'm a huge fan of football. Also, I want to see Iguazu Falls, which are the largest waterfalls in the world.

해석

나는 호주 여행에 가장 관심이 있어. 왜냐하면 짧은 시간 내에 사계절을 겪을 수 있다는 것이 굉장하게 들리거든. 또한, 나는 다양한 종의 동물을 보고 싶어!

나는 축구의 열렬한 팬이기 때문에 브라질 여행에 가장 흥미가 있어. 또한 나는 세계에서 가장 큰 폭포인 이구아수 폭포를 보고 싶어.

3~5차시 어휘 정리

▶ aboriginal 호주 원주민의
▶ absorb 흡수하다
▶ architectural 건축학의
▶ be located in ~에 위치하다
▶ coast 해안
▶ cultural 문화의
▶ delicately 우아하게, 섬세하게
▶ emphasis 강조, 주안점
▶ fall 폭포
▶ gleam 번득 비치는 것; 희미하게 빛나다
▶ in person 직접
▶ impressed 감명 받은
▶ keep someone posted about ~에게 …에 관한 소식을 전하다
▶ legend 전설
▶ no wonder ~하는 것도 당연하다
▶ passion 열정
▶ preserve 지키다
▶ spirit 영혼
▶ throat 목구멍

▶ absolute 절대적인
▶ adventure 모험
▶ astonish 깜짝 놀라게 하다
▶ border 국경
▶ cruise 유람선 여행
▶ definitely 절대, 분명히
▶ destination 목적지
▶ ever-changing 늘 변하는
▶ formation 형성
▶ incredible 믿을 수 없는
▶ interaction 상호 작용
▶ jaw 턱
▶ landscape 풍경
▶ national 국립의
▶ palace 궁전
▶ pattern 무늬
▶ scenery 경치, 풍경
▶ sweat 땀
▶ waterfall 폭포

활동 팁

발표하기

1. 말하기에 앞서 자신이 할 말을 빈칸에 적어본다.
2. 사용하고 싶은 단어나 표현들이 떠오르지 않을 때는 짝에게 묻거나 선생님께 여쭤본다.
3. 짝과 의견을 교환하고 대화를 마친 후에는 상대방의 의견에 대한 자신의 생각을 말하거나 적어준다.
4. 교과서에 제시된 대화 내용 외에 추가로 더 묻고 답해 본다.

Review Points

1. I read three travel stories and talked about a country I want to visit.
   나는 세 가지의 여행 이야기를 읽고 내가 방문하고 싶은 나라에 관해 이야기했다.
2. I considered the purpose of travel and why travel means a lot for me.
   나는 여행의 목적과 여행이 나에게 왜 큰 의미가 있는지 생각했다.

Language Notes

About Words

· -tion이 들어간 어휘들

동사 뒤에 붙어서 동작, 상태, 결과를 뜻하는 명사를 만들 때 쓰인다.

contribute (공헌하다)	contribution (공헌)
separate (분리하다)	separation (분리)
subscribe (신청하다)	subscription (신청)
occupy (차지하다)	occupation (점령)
alter (변경하다)	alteration (변경)
create (창조하다)	creation (창조)

해석

(1) 이 건물은 날씨로부터 우리에게 보호를 제공한다.
(2) 그들은 예술에 대한 참된 진가를 안다.
(3) 창문들이 밝은 오후의 햇살을 반사시킨다.
(4) 그 남자는 그 식당을 어떻게 묘사했나요? 모든 사람이 안에 들어가기에 충분히 큰가요?

WORDS IN USE

protect (보호하다)		protection (보호)
reflect (반사하다)	**+ -tion ➡**	reflection (반사)
appreciate (감사하다)		appreciation (감사)
describe (묘사하다)		description (묘사)

1. Choose the appropriate word in each sentence. 각 문장에서 자연스러운 단어를 고르시오.

(1) This building gives us some (protect / <u>protection</u>) from the weather.

(2) They have a true (appreciate / <u>appreciation</u>) of art.

(3) The windows (<u>reflect</u> / reflection) the bright afternoon sunlight.

(4) How did the man (<u>describe</u> / description) the restaurant? Is it large enough for everyone to fit inside?

PHRASES IN USE

a must: a necessary thing to do 필수: 필수적으로 해야 하는 것
In Spain, it is *an* absolute *must* to visit the Alhambra palace!
스페인에서, 알함브라 궁전은 반드시 방문해야 합니다!

in person: personally; physically present 직접: 직접적으로; 물리적으로 존재하는
You have to see Iguazu Falls *in person*.
당신은 이구아수 폭포를 직접 봐야 합니다.

keep someone posted about: to keep somebody informed about something
~에게 …에 관한 소식을 전하다: ~에 관해 누군가에게 알리다
I'll *keep you posted about* my trip.
나의 여행에 관한 소식을 계속 전하도록 할게.

해석

(1) 이 응급 상황에 대한 소식을 GBS 방송에서 <u>계속 전해드리겠습니다</u>.
(2) 그의 새 소설은 범죄 소설 애호가들에게는 <u>필독서</u>이다.
(2) 내가 가장 좋아하는 작가를 <u>직접</u> 본다면 얼마나 좋을까!

2. Complete the sentences with the phrases above. 위의 구문을 이용해서 문장을 완성하시오.

(1) We will <u>keep you posted</u> about this emergency situation at GBS.

(2) His new novel is <u>a must</u> for all lovers of crime stories.

(3) It would be amazing if I could see my favorite writer <u>in person</u>!

⊡ FOCUS ON FORM ●

- Granada is **where** a whole city was influenced by Arabic culture.
  그라나다는 도시 전체가 아랍 문화에 영향을 받았던 곳이다.
- Iguazu Falls were **why** I decided to go to Brazil.
  이구아수 폭포는 내가 브라질에 가기로 결심했던 이유였다.

- **Where** do you think **I should go** in South America?
  남아메리카에서 어디를 가봐야 한다고 생각하니?
- **Why** do you think **Iguazu Falls are** famous?
  이구아수 폭포가 왜 유명하다고 생각하니?

⊟ About Form

관계부사

관계부사는「전치사 + 관계대명사」를 대신하는 말로, 시간, 장소, 이유, 방법을 나타내는 선행사가 올 때 사용하는데 when, where, why, how가 있다. 일반적으로 관계부사 앞에 선행사가 있을 때 생략하기도 한다.

간접의문문

간접의문문의 어순은「의문사+주어+동사」이지만 주절의 동사에 think, believe, suppose, guess, imagine 등이 쓰이면 종속절의 의문사를 문장 앞에 쓴다.

해석

안나: 우리가 함께 놀았던 때를 기억해? 나와서 나랑 얘기하자!
엘사: 난 여기에 더 이상 있으면 안돼. 난 모든 것을 얼려버릴 거야!
엘사: 이 성은 내가 나의 가족과 좋은 추억을 갖고 있는 (그것/곳)이야. 난 정말 떠나고 싶지 않지만 모든 사람들을 위해 내가 해야 할 일이야.
안나: 언니가 (~일지 아닐지/왜) 나를 떠났는지 모르겠어. 나 혼자서 언니를 찾아야 해!

3. Choose the appropriate word in each sentence. 각 문장에서 알맞은 단어를 고르시오.

Do you remember when we used to play together? Please come out and talk with me!

I shouldn't stay here any longer. I will make everything freeze!

This castle is (1)(that / where) I have good memories with my family. I really don't want to leave, but this is what I should do for everyone.

I don't know (2)(whether / why) my sister left me. I should find her by myself!

Source: The Walt Disney Company, *Frozen*

4. Complete the sentences using the form above.

위 형태를 사용하여 문장을 완성하시오.

(1) What time is it?
  ▸ <u>What</u> time do you think <u>it is</u>?

(2) When will we be able to buy driverless cars?
  ▸ <u>When</u> do you imagine <u>we will be able to buy driverless cars</u>?

(3) Where is the nearest subway station?
  ▸ <u>Where</u> do you think <u>the nearest subway station is</u>?

해석

(1) 지금 몇 시야? → <u>지금이 몇 시라고 생각해?</u>
(2) 우리는 언제쯤 운전사가 없어도 되는 차를 살 수 있을까? → <u>우리가 언제쯤 운전사가 없어도 되는 차를 살 수 있을 거라고 상상해?</u>
(3) 가장 가까운 지하철역이 어디야? → <u>가장 가까운 지하철역이 어디라고 생각해?</u>

Improve Yourself

Check or write down the words, expressions, or sentences you didn't understand well in this unit. Explain at least one of them to your group members. (여러분이 이 단원에서 잘 이해하지 못했던 단어, 표현, 문장들을 체크하거나 적어보세요. 그것들 중 적어도 하나를 모둠원에게 설명해 보세요.)

☐ scenery (광경) ☐ impressed (감명받은) ☐ absorb (흡수하다) ☐ no wonder (~하는 것도 당연하다)
☐ be located in (~에 위치하다)

Your Own ▸ 스스로 해보기

Write It Right

Travel plans (여행 계획)

Have you ever planned your travel all by yourself? Isn't it exciting to make a plan to the country you're going to visit and learn about its culture?

혼자 하는 여행을 계획해 본 적이 있나요? 방문할 나라에 대해 계획하는 것과 그 문화에 관해 배우는 것이 신나지 않나요?

STEP 1 **STUDY THE MODEL** 모델을 연구하시오.

Read the following travel plan and think what information should be included in a travel plan. 다음 여행 계획을 읽고 어떤 정보가 여행 계획에 포함되어야 하는지 생각해 보시오.

My Travel Plan

I've always wanted to go to Bolivia because of its beautiful nature and exotic culture. ① **It takes 29 hours to get there**. I am planning to stay two weeks, looking around at famous places. The first place I want to go to is Salar de Uyuni. This place is the world's largest salt lake. It is also called the largest mirror on the planet. When it rains, you can see the sky and your reflection in the thin layer of water. Then, the second place I would go to is Lake Titicaca. Although it's a lake, it ② **looks like** the sea because of its size. I want to go fishing on this peaceful lake.

☐ Country name   ☐ Flight time   ☐ The length of your trip   ☐ Famous places

구문

① It take+시간+to 부정사는 '~하는 데에 (얼마)의 시간이 걸리다'라는 뜻이다.
 ex.) It will take about fifty minutes to see you. (너를 보려면 50분 정도 걸릴 거야.)

② look like는 '~처럼 보이다'라는 뜻이다.
 ex.) He looks just like his father. (그는 그의 아빠랑 정말 닮았다.)

해석

나는 볼리비아의 자연과 이국적인 문화 때문에 항상 볼리비아에 가보고 싶었다. 그곳에 가려면 29시간이 걸린다. 나는 유명한 곳들을 둘러보며 2주 동안 머무를 계획이다. 내가 가고 싶은 첫 번째 장소는 우유니 소금 호수이다. 이곳은 세계에서 가장 큰 소금 호수이다. 이곳은 지구상에서 가장 큰 거울이라고 불리기도 한다. 비가 내릴 때면, 하늘과 얇은 층의 물에 비친 여러분의 반사된 모습을 볼 수 있다. 그 다음, 내가 가고 싶은 두 번째 장소는 티티카카 호이다. 그곳은 호수지만, 그 크기 때문에 바다처럼 보인다. 나는 이 평화로운 호수에서 낚시를 하고 싶다.

나라 이름/ 비행 시간/ 여행 소요 시간/ 유명한 장소들

어휘

exotic [igzátik] 이국적인
planet [plǽnit] 행성
reflection [riflékʃən] 반사
layer [[léiər] 층
peaceful [píːsfəl] 평화로운

STEP 2 **ORGANIZE YOUR IDEAS** 당신의 생각을 조직화하시오.

Find a country you would like to visit on the web and write down specific information about the country.

여러분이 가고 싶은 나라를 인터넷 상에서 찾아 그 나라에 대한 특정한 정보를 적으시오.

해석

나라 이름 / 비행 시간 / 여행 소요 시간 / 유명한 장소 1 / 유명한 장소 2

Country name: _____
Flight time: _____
The length of your trip: _____
Famous place 1: _____
Famous place 2: _____

Writing Tip

🌐 Search the country's official tourism site! You can get a lot of information about the country. 그 나라의 공식 관광 사이트를 검색해 보세요! 그 나라에 관한 많은 정보를 얻을 수 있습니다.
• Malaysia: www.tourism.gov.my/

 **WRITE YOUR TRAVEL PLAN** 여러분의 여행 계획을 쓰시오.

1. Create your travel plan based on your ideas in Step 2.

Step 2에서 썼던 여러분의 생각에 근거하여 여행 계획을 세우시오.

● ● ●

◀ ▶ ⟳   **My Travel Plan**   ☰

I've always wanted to go to _____ because _____.
It takes _____ hours to get there. I am planning to stay _____
_____. The first place I want to go to is_____
_____. This place is_____. Then, the second
place I would go to is_____
_____.

해석

나는 늘 _____에 가보고 싶었다. _____이기 때문이다. 그곳에 가려면 ____시간이 걸린다. 나는 ____동안 머무를 계획이다. 첫 번째로 내가 가고 싶은 곳은 ____이다. 이곳은 ____. 그 다음, 두 번째로 내가 가고 싶은 곳은 ____이다.

2. Check your writing. 여러분의 영작문을 점검하시오.

☐ Does your plan sound interesting to other travelers?
여러분의 계획이 다른 여행자들에게 흥미롭게 들리나요?

☐ Is the information stated correctly?
정보가 올바르게 명시되어 있나요?

STEP 4   **SHARE YOUR PLAN** 여러분의 계획을 공유하시오.

Share your travel plan with your group members. 여러분의 여행 계획을 모둠원과 공유하시오.

It sounds like a great plan, especially your visit to Lake Titicaca.

My family visited Egypt last year, and this is a must-visit country. I saw a lot of ancient architecture.

해석

A: 좋은 계획인 것 같아. 특히 너의 티티카카 호 방문이.
B: 작년에 우리 가족이 이집트를 방문했는데, 이곳은 반드시 방문해야 하는 나라야. 나는 많은 고대 건축물을 봤어.

Review Points

1. I organized my travel plan.
나는 나의 여행 계획을 조직화했다.

2. I explained my travel plan in an easy and interesting way.
나는 나의 여행 계획을 쉽고 흥미로운 방식으로 설명했다.

Around the World

Unique Places to Visit in the World 세상에서 방문할 만한 독특한 장소들

The world is vast and has so many interesting places to visit.
세상은 넓고 방문할 만한 흥미로운 장소들이 많다.

Khovsgol Lake (Mongolia)
This is the largest freshwater lake in Mongolia.
Activities: Boat riding on the lake
Horseback riding around the lake

Khovsgol 호 (몽골)
이곳은 몽골에서 가장 큰 담수호이다.
활동: 호수에서 배 타기 / 호수 주변에서 말 타기

Pink Lagoon in Las Coloradas (Mexico)
This is a naturally pink lagoon due to the large number of tiny creatures that live in the water.
Activities: Swimming at the beach

Las Coloradas의 분홍 석호 (멕시코)
이곳은 물속에 사는 다수의 작은 생명들로 인해 생겨난 자연적인 분홍 석호이다.
활동: 해변 가에서 수영하기

Serengeti National Park (Tanzania)
This place is a home to many African wild animals.
Activities: Watching the annual movement of wild animals

세렝게티 국립공원 (탄자니아)
이곳은 많은 아프리카 야생 동물들의 서식지이다.
활동: 야생 동물들의 연간 이동 구경하기

Sami Culture in Lapland (Finland)
The characters in the movie "*Frozen*" were based on Sami culture.
Activities: Visiting the Santa Claus village in Rovaniemi and meeting Santa!

라플란드의 사미 문화 (핀란드)
영화 '겨울왕국'의 등장인물은 사미 문화를 기반으로 만들어졌다.
활동: 로바니에미에 있는 산타클로스 마을을 방문하여 산타 할아버지 만나기!

[CREATIVE PROJECT: A Unique Tour Program]

 STEP 1

Choose a country/countries you want to travel to. 여러분이 여행하고 싶은 나라/나라들을 고르시오.

※ Search the Internet to find information about that country and make a brief travel plan. 그 나라에 대한 정보를 인터넷으로 검색하여 간략한 여행 계획을 세우시오.

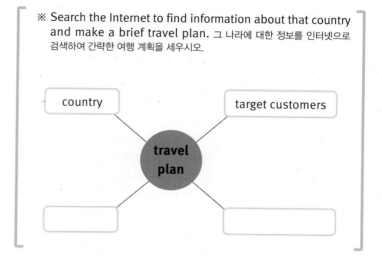

 STEP 2

Add some more detailed information to your group's initial ideas. 여러분 모둠의 처음 아이디어에 더 많은 자세한 정보를 더하시오.

 STEP 3

Present your group's tour program to the rest of your class and vote for the most interesting one. 여러분 모둠의 투어 프로그램을 급우들에게 발표하고 가장 흥미로운 프로그램을 뽑으시오.

예시 답안

Country	Singapore
Types of travel	Vacation
Travel dates	24th of July~ 28th of July
Travel route	Incheon Int'l airport to Changi Int'l airport
Major activities	Night Safari, The Giant Tree Show, Swimming in the Infinite Pool, Trying local food such as chilli crab, Shopping at major department stores
Tourist spots	Merlion at Clark Quay, Chjimes, Depmsey Hill, China town, Little India, Botanic Garden

LISTEN / SPEAK

[1-2] Listen and answer the questions. 🎧 듣고 질문에 답하시오.

W: Hi, Cheolsu. How was your trip to India? You were really worried about your first overseas trip with your family.

M: Well, my family was really impressed by the cultures of India.

W: That sounds interesting! What was so impressive about the country?

M: First of all, the food. We had a lot of local food like Indian curries and liked everything we ate very much.

W: That's good to hear. Oh, did you see any traditional performances?

M: Yes! We arrived there on the last day of the Hemis Festival. Luckily, we got to see the last performance.

W: You were very lucky. Where else did you go?

M: We also visited lots of UNESCO World Heritage sites, like the Taj Mahal.

W: You did? I heard that the architecture is really amazing.

M: It was one of the most beautiful buildings I have ever seen. Actually, it was so wonderful that it looked unreal.

W: Wow. Now that I have heard your story, I want to fly to India!

여: 안녕, 철수야. 인도 여행은 어땠어? 가족들과의 첫 해외여행을 정말 걱정했잖아.

남: 응, 우리 가족은 인도의 문화에 정말 감명 받았어.

여: 흥미롭다! 그 나라의 어떤 것이 그렇게 인상적이었어?

남: 우선, 음식이 인상적이었어. 우리는 인도 카레 같은 그 나라의 토속 음식을 많이 먹었는데 우리가 먹어 본 모든 것을 아주 좋아했어.

여: 그랬다니 다행이다. 아, 전통 공연은 봤니?

남: 응! 우리는 헤미스 축제의 마지막 날에 그곳에 도착했어. 다행히, 우리는 마지막 공연을 볼 수 있었지.

여: 정말 행운이었네. 또 다른 데는 어디에 갔어?

남: 우리는 타지마할 같은 많은 유네스코 세계 문화 유산 보호지역들도 방문했어.

여: 정말 그랬다고? 그 건축물이 엄청 놀랍다고 들었는데.

남: 내가 본 가장 아름다운 건물들 중 하나였어. 사실, 너무 경이로워서 비현실적인 것처럼 보였어.

여: 와. 너의 이야기를 들으니 나도 인도로 날아가고 싶다!

해설

1. 여학생의 첫 번째 말로 미루어 볼 때 남학생은 가족과의 첫 해외여행에 대해 걱정하고 있었음을 알 수 있다. 한편 남학생의 첫 번째 말 Well, my family was really impressed by the cultures of India.로 미루어 남학생은 인도 문화에 대해 감명받은 것임을 알 수 있다.

2. 대화에서 철수는 인도 카레 같은 그 나라의 토속 음식을 많이 먹었는데 아주 좋았다고 말했다. 헤미스 축제의 마지막 날에 도착해서 운이 좋게도 마지막 공연을 봤다고 했다. 또한, 타지마할 같은 유네스코 세계 문화 유산 보호지역들도 방문했다고 했다.

어휘

overseas [oùvərsíːz] 해외의
impressive [imprésiv] 인상적인
architecture [ɑ̀ːrkətéktʃər] 건축
unreal [ənríəl] 비현실적인
miss [mis] 놓치다
festival [féstəvəl] 축제

1. **How did the boy's feelings toward India change after his trip?** 여행 이후 인도에 대한 남학생의 감정이 어떻게 바뀌었는가?

   a. surprised → sad
   놀란 → 슬픈

   ⓑ. worried → impressed
   걱정되는 → 감명 받은

   c. excited → disappointed
   신난 → 실망한

2. **Which one is NOT correct?** 옳지 않은 것은 어느 것인가?

   a. Cheolsu's family liked Indian food very much.
   철수의 가족은 인도 음식을 아주 좋아했다

   ⓑ. Cheolsu's family missed the Hemis Festival.
   철수의 가족은 헤미스 축제를 놓쳤다.

   c. Cheolsu's family visited the Taj Mahal.
   철수의 가족은 타지마할을 방문했다.

3. The following is a map of New York City. Choose one of the places you would like to go to on the map and ask for directions.
다음은 뉴욕시의 지도입니다. 지도에서 가고 싶은 곳을 한 군데 정하고 길을 물으시오.

New York City Map

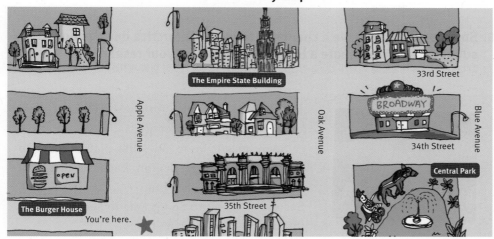

A: Excuse me, I think I'm lost. How can I get to <u>The Empire State Building</u>?
B: You are on <u>Apple Avenue</u>. <u>Go straight two blocks and turn right</u>. <u>It's on 33rd Street on your left.</u> You can't miss it.
A: I think I can find it. Thank you for your help.

해석
A: 실례합니다. 제가 길을 잃은 것 같아요. Empire State Building에 가려면 어떻게 해야 합니까?
B: 당신은 Apple Avenue에 있어요. 두 블록 쭉 가다가 우회전 하세요. 그것은 당신의 왼쪽인 33번 가에 있어요. 분명히 찾을 수 있을 거예요.
A: 찾을 수 있을 것 같아요. 도와주셔서 고맙습니다.

해설
첫 번째 빈칸에 가고자 하는 장소를 쓴다. ☆You are here.라고 표시된 곳이 Apple Avenue이기 때문에 두 번째 빈칸에 Apple Avenue를 쓴다. 마지막 빈칸에는 길을 안내하는 go straight, turn right/left, it's on your right/left 등의 표현을 사용한다.

● **READ / WRITE** ●

[4-5] Read the email and answer the questions. 이메일을 읽고 물음에 답하시오.

Hi Mijin,

How have you been? I am doing well here at Jang Bogo Station in Antarctica. I know many people are curious about the reason I had to go to Antarctica, but the scientists here, including me, are really proud of working here. We especially take pride in Korea's being the tenth nation to build two research stations in Antarctica. Here we have discovered many interesting things which will lead to more studies about the Earth. For example, we have collected various kinds of rocks and metals that Koreans have found in Antarctica. We believe that our work will be helpful to future generations. I will keep you posted about more news about this amazing place. Please take care.

Best wishes,
Yeonghun

해석
미진아, 안녕. 어떻게 지내고 있어? 나는 여기 남극의 장보고 과학기지에서 잘 지내고 있어. 내가 남극에 가야만 했던 이유에 대해 많은 사람들이 궁금해 하고 있다는 거 알아. 하지만, 나를 포함한 이곳에 있는 과학자들은 이곳에서 일하는 것이 매우 자랑스러워. 우리는 특히 한국이 남극에 두 개의 연구 기지를 세운 열 번째 나라인 것이 자랑스러워. 여기서 우리는 지구에 대한 더 많은 연구로 이어질 흥미로운 것들을 많이 발견했어. 예를 들어, 우리는 남극에서 한국인들이 발견한 다양한 종류의 암석과 금속을 수집했어. 우리의 작업이 미래 세대에게 도움이 될 거라고 믿어. 이 놀라운 곳에 대한 소식을 계속 전할게. 몸 조심해. 행운을 빌며, 영훈이가.

해설
글쓴이의 근황을 알리는 내용이므로 이메일의 목적은 '자신의 소식을 친구에게 알리기 위해'임을 알 수 있다.

어휘
take pride in ~에 자부심을 느끼다
nation [néiʃən] 국가
discover [dískʌvər] 발견하다
study [stʌ́di] 학업
collect [kəlékt] 모으다

4. What is the purpose of the email? 이메일의 목적은 무엇인가?

a. to say sorry to his friend 그의 친구에게 사과하기 위해
b. to invite his friend to his office 자신의 사무실로 친구를 초대하기 위해
c. to let his friend know how he is doing 자신의 소식을 친구에게 알리기 위해

해석

남극에 있는 한국 연구원들은 다양한 암석과 금속을 연구하고 있다.

해설

글쓴이는 남극에서 다양한 종류의 암석과 금속을 수집했다고 했다.

5. Fill in the blanks based on the email. 이메일 내용을 기반으로 하여 빈칸을 채우시오.

Korean researchers in Antarctica are investigating a variety of <u>rocks</u> and <u>metals</u>.

해석

나는 여름 방학때 남극에 갈 것이다. 남극은 얼음과 눈으로 유명하다. 그곳에 가려면 11시간이 걸린다. 내가 가고 싶은 첫 번째 장소는 장보고 기지이다. 왜냐하면 남극에 대해 연구하는 많은 과학자들이 있기 때문이다. 두 번째로, 나는 남극에 가서 지구의 끝을 볼 것이다.

해설

첫 번째 빈칸에는 남극에서 유명한 것을 쓴다. 두 번째 빈칸에는 여행 소요 시간을 쓰고 세 번째 빈칸에는 남극에서 방문하고 싶은 장소를 쓴다. Because 뒤에는 그 이유를 쓴다. 다음 빈칸에는 두 번째로 가고 싶은 장소를 쓰고 마지막 빈칸에는 무엇을 구경할지를 쓴다.

6. Suppose that you have a chance to travel to Antarctica during your summer vacation. Create a travel plan based on your research. 여러분이 여름 방학에 남극으로 여행을 갈 기회가 있다고 상상하시오. 여러분의 조사에 기초해 여행 계획을 세우시오.

I will go to Antarctica for my summer vacation. Antarctica is famous for <u>ice and snow</u>. It takes <u>11 hours</u> to get there. The first place I want to go to is <u>Jang Bogo Station</u> because <u>there are many scientists who study about Antarctica</u>. Second, I will go to <u>South Pole</u> to see <u>the end of the earth</u>.

Self-Evaluation

🎧 I can understand specific information of the dialogues about travel. ☆ ☆ ☆
듣기 나는 여행에 관한 대화의 특정 정보를 이해할 수 있다.

💬 I can ask and answer information about places for a school field trip. ☆ ☆ ☆
말하기 나는 학교 현장 체험 학습으로 갈 곳에 대한 정보를 묻고 답할 수 있다.

📖 I can understand the feelings of the writer while reading the passage. ☆ ☆ ☆
읽기 나는 본문을 읽으면서 글쓴이의 감정을 이해할 수 있다.

✏️ I can create a travel plan on my own. ☆ ☆ ☆
쓰기 나는 나만의 여행 계획을 만들 수 있다.

Further Study

The world is vast and has many amazing places to visit. Why don't you learn more about other countries?
세계는 넓고 방문할 놀라운 곳들이 많다. 다른 나라들에 대해 더 많이 배우는게 어떨까?

• Korean official tourism website: http://english.visitkorea.or.kr/enu/index.kto
한국 공식 관광 사이트: http://english.visitkorea.or.kr/enu/index.kto

⊞ Words and Phrases

정답과 해설　p. 358

다음 단어와 어구의 뜻을 쓰시오.

1. appreciate _____
2. awesome _____
3. background _____
4. broadcast _____
5. coastal _____
6. decision _____
7. destination _____
8. field trip _____
9. formation _____
10. impressive _____
11. instructor _____
12. journey _____
13. location _____
14. memorable _____
15. miss _____
16. museum _____
17. observatory _____
18. performance _____
19. professional _____
20. reservation _____
21. symbolic _____
22. unexpected _____
23. valuable _____
24. view _____
25. village _____

26. work _____
27. aboriginal _____
28. absolute _____
29. absorb _____
30. adventure _____
31. architectural _____
32. astonish _____
33. border _____
34. coast _____
35. cultural _____
36. definitely _____
37. delicately _____
38. lake _____
39. gleam _____
40. in person _____
41. landscape _____
42. legend _____
43. palace _____
44. passion _____
45. preserve _____
46. scenery _____
47. spirit _____
48. sweat _____
49. waterfall _____
50. 나만의 단어 / 어구 _____

⊞ Functions

▶ That's/ It's/ That has ... 등의 현재시제
어떤 대상에 대해 자세히 설명하거나 말할 때 쓰는 표현.

▶ How can I get to ~?
길을 물을 때 쓰는 표현.

⊞ Forms

▶ Granada is **where** a whole city was influenced by Arabic culture. (관계부사)
- 관계부사는 「전치사+관계대명사」를 대신하는 말로, 접속사와 부사의 역할을 한다.

선행사	관계부사	전치사+관계대명사
시간(the time, the day)	when	at (in, on, during) which
장소(the place)	where	in (at, to, on) which
이유(the reason)	why	for which
방법(the way)	how	in which

- when: 선행사가 시간 (time, day, year 등)일 때 사용.
  ex.) The day **when** I met Jane was the best day of my life. (Jane을 만난 날은 내 인생 최고의 날이었어.)
- where: 선행사가 장소 (place, city 등)일 때 사용.
  ex.) This is the pool **where** I used to swim. (이것은 내가 수영하곤 했던 수영장이다.)
- why: 선행사가 이유 (the reason)일 때 사용.
  ex.) Do you know the reason **why** he didn't show up? (그가 나타나지 않은 이유를 아니?)
- how: 선행사가 방법 (the way)일 때 사용. 관계부사 how와 선행사 the way는 함께 쓸 수 없다. 둘 중에 하나 반드

시 생략해야 한다.
  ex.) This is the way he solved the problem.
  = This is **how** he solved the problem.
  (이것이 그가 문제를 푼 방법이다.)
- 관계부사와 선행사의 생략
  - 관계부사 생략: 관계부사 앞에 선행사가 있는 경우 관계부사는 생략 가능하다. *ex.)* I know the house (where) he lives.
  - 선행사의 생략: 관계부사의 일반적인 선행사로 쓰이는 the day, the time, the place, the reason은 생략할 수 있다.
  ex.) Do you know why she cried? (the reason 생략)
  Do you know a shop where I can buy used laptops?- where의 일반적인 선행사 the place가 아니기 때문에 a shop은 생략하면 안 된다. 즉, 특정한 때나 장소를 나타내는 선행사는 생략할 수 없다.

▶ **Where** do you think **I should go** in South America?(간접의문문)
- 간접의문문의 어순은 「의문사+주어+동사」이다.
- 주절의 동사가 think, believe, suppose, guess, imagine 등 생각 동사일 경우에는 종속절의 의문사가 문두에 온다.

date: . . . student number: name: /25

1 주어진 단어의 뜻을 <u>잘못</u> 연결한 것을 고르시오. [3점]
① location: 위치
② reservation: 예약
③ valuable: 가치가 큰
④ broadcast: 방송하다
⑤ memorable: 대량의

2 다음 중 영영풀이가 <u>잘못된</u> 것을 고르시오. [3점]
① trip: a journey that you make to a place
② symbolic: something that is unimportant
③ border: a dividing line between countries
④ view: everything that can be seen from a place
⑤ destination: the place to which someone is going

3 다음 중 숙어의 뜻이 <u>잘못</u> 연결된 것을 고르시오. [3점]
① take a cruise: 유람선을 타다
② go on a vacation: 휴가를 가다
③ no wonder: ~인 것도 당연하다
④ take pride in: ~에 자부심을 느끼다
⑤ keep someone posted: 우편물을 부치다

4 다음 중 〈보기〉와 비슷한 의미의 표현이 <u>아닌</u> 것을 고르시오. [3점]

보기 » How do I get to the bank?

① Can you go to the bank for me?
② Can you tell me the way to the bank?
③ What's the best route to get to the bank?
④ What's the best way to get to the bank from here?
⑤ Can you give me directions for going to the bank?

5 다음 〈보기〉의 우리말과 같도록 할 때, 빈칸에 알맞은 표현을 고르시오. [3점]

보기 » 오늘 날짜로 예약을 했습니다.
→ I _____ for today.

① got it
② promised
③ wanted to reserve
④ planned it
⑤ made a reservation

6 다음 대화를 읽고, 밑줄 친 부분의 우리말 뜻으로 알맞은 것을 고르시오. [3점]

A: Oh my gosh. We are finally flying in the sky. There are many clouds under our plane.
B: I know. I feel like we are flying on a huge bunch of cotton candy.
A: This is one of the most beautiful views I've ever seen.
B: <u>You can say that again.</u>

① 정말 그렇다.
② 다시 알려줄게.
③ 다시 한 번 말해줘.
④ 나도 그렇게 말할 수 있어.
⑤ 너의 의견이 어떤지 말해줘.

[7~8] 다음 대화를 읽고, 물음에 답하시오.

A: Excuse me, how do I get to April department store?
B: It's very close to here. Go straight one block and turn left. It's just around the corner. <u>You can't miss it.</u>
A: Thank you for your help.

7 위 대화에서 A가 물어본 것이 무엇인지 우리말로 쓰시오. [5점]

_____

8 위 대화의 밑줄 친 부분이 의미하는 바를 우리말로 쓰시오. [3점]

_____

[9~10] 다음 대화를 읽고, 물음에 답하시오.

A: Look at this painting. This is one of the most impressive works I've ever seen.
B: This painting is called "The Dream."
A: It was a good decision to come to the Pablo Picasso Art Museum on this trip.
B: I totally agree. It's great to see his amazing works of art.

9 위 대화에서 화자들이 대화하고 있는 장소를 고르시오. [3점]

① 공연장　　　　② 미술관
③ 천문대　　　　④ 작업장
⑤ 놀이동산

10 위 대화에서 B가 동의하는 바가 무엇인지 우리말로 쓰시오.
[5점]

_____

11 다음 대화를 읽고, 빈칸에 들어갈 말로 가장 적절한 것을 고르시오
[3점]

> A: Lion Hotel. How can I help you?
> B: Excuse me. How do I get to your hotel? I made a reservation for today.
> A: Where are you now? Tell me your location.
> B: I'm near Woodlands subway station.
> A: Woodlands station. Okay, you are not far from our hotel. Take line 5 toward the south, and get off at Newton station.
> B: Line 5 toward the south and Newton station. I got it.
> A: Then, you should go out of exit 6. After that, walk straight two blocks.
> B: Exit 6, walk two blocks. Is that right?
> A: You got it. After you walk two blocks, you can see the Jumbo restaurant on your right. That means you're almost here. It's just around the left corner. It's a very big hotel, so you can't miss it.
> B: _____
> A: Oh, here is one more tip. If you have a cell phone, download the Singapore Subway Map app. It will make your trip easier.
> B: I will. Thanks.

① Are you sure?
② I want to miss it.
③ I really appreciate your help.
④ I really didn't need your help that much.
⑤ Can you show me which direction I should go?

[12~13] 다음 글을 읽고, 물음에 답하시오.

> If you want some educational experiences from the trip, the Daejeon Citizen Observatory will be the perfect place for you. It's one of the largest space-themed parks in Korea. You can appreciate a beautiful night sky and the Milky Way on the mountain. In addition to (a) this, you can ___(b)___ a tour of the Space Museum and do many space-related activities. We will take a bus to get there, and it only ___(c)___ s an hour and a half.
> I hope you can choose the best place depending on your interests.

12 윗글의 밑줄 친 (a) this가 의미하는 바를 영어로 쓰시오. [5점]

_____

13 윗글의 빈칸 (b)와 (c)에 공통으로 들어갈 말을 쓰시오. [5점]

_____

14 주어진 단어들을 올바르게 배열하여 빈칸에 들어갈 알맞은 말을 쓰시오. [5점]

destroyed, why, wasn't, the, palace

> Next to the garden were the Nasrid Palaces, which I thought were the most beautiful palaces I had ever seen. The rooms are delicately decorated with colorful works of art, wooden ceilings, and various patterns. After I finished the tour, I could understand _____
> In Spain, it is an absolute must to visit the Alhambra palace! I hope you will have a chance to go there.

15 다음 글을 읽고, 내용과 일치하지 <u>않는</u> 것을 모두 고르시오. [3점]

My family's trip across Australia is going well. The land is very big, so we have experienced four seasons in just a week! This week, we felt very cold on snowy Blue Mountain, and I enjoyed a nice warm walk along the Sunshine Coast. And now we are sweating in Kakadu National Park, which is located in the north area of Australia. Kakadu National Park is a home to thousands of animals. We spent two days in the park.

On the first day of our trip, we took a little cruise. It was a cruise on Yellow Water, which has a variety of wild animals, dramatic scenery, and ever-changing landscapes. We spotted more than twenty different species of birds and wild crocodiles in the river. Until this trip, I had only seen crocodiles in the zoo, so the sight of wild crocodiles made my jaw drop.

① 우리는 이번 주에 블루 마운틴을 방문했다.
② 카카두 국립공원은 호주의 남쪽 지역에 있다.
③ 우리는 유람선을 탔다.
④ 우리는 20여종 이상의 새와 야생 악어를 발견했다.
⑤ 나는 야생 악어를 본 경험이 많다.

[16~17] 다음 대화를 읽고, 물음에 답하시오.

Chris: I'm planning to visit South America this summer vacation. Since you've been there, where do you think I should go in South America?
Grace: There are many places to see, but I recommend Iguazu Falls._____.
I can't describe their beauty in words. You have to see them in person.
Chris: I've heard of Iguazu Falls. Why do you think they are famous?
Grace: It's because they are the tallest and largest falls in the world.
Chris: Oh, I see. So, where exactly are they located?
Grace: They are located on the border between Argentina and Brazil. If you're on the Brazilian side, you can take a helicopter or a boat to look around the falls.
Chris: What were you most impressed with?
Grace: Definitely the Devil's Throat. It was as big and fantastic as the name sounds. The sight of large waterfalls and gleaming rainbows was incredible. Once you see this area, you will be totally amazed by its beauty.

16 주어진 단어들을 바르게 배열하여 위 대화의 빈칸에 들어갈 알맞은 말을 쓰시오. [5점]

I, go, to, why, Brazil, they, decided, to, were

→ _____

17 위 대화의 내용과 일치하지 <u>않는</u> 것을 고르시오. [3점]

① Chris는 이번 겨울에 북아메리카로 여행을 갈 것이다.
② Grace는 남아메리카에 간 적이 있다.
③ Grace는 Chris에게 여행지를 추천하고 있다.
④ 이구아수 폭포는 세계에서 가장 큰 폭포이다.
⑤ 이구아수 폭포는 브라질과 아르헨티나 사이의 경계에 위치해 있다.

[18~20] 다음 대화를 읽고, 물음에 답하시오.

Chris: I can't wait to go there. Where else did you go?
Grace: Since I am a huge fan of football, São Paulo was a _____(a)_____ city. It was like the entire city went on vacation during big matches. There is even a football museum in São Paulo. This shows Brazilians' great passion for football.
Chris: A football museum? That's awesome! No wonder so many internationally famous football legends, like Pele, Ronaldo, and Ronaldinho, are Brazilians.
Grace: I know. This museum exhibits interesting things like some of the footballs used in the World Cup matches, pictures, and video of historical football matches. There's even a whole room which is filled with the history of Brazilian football.
Chris: It sounds like Brazil is the perfect place to absorb the beauty of nature and the passion of _____(b)_____ fans. I'm already excited!
Grace: Yes, Brazil is a great place. I hope you enjoy yourself there.

18 위 대화의 빈칸 (a)에 들어갈 말로 알맞은 것을 고르시오. [3점]

① must-win
② must-visit
③ must-read
④ must-have
⑤ must-know

19 위 대화의 빈칸 (b)에 들어갈 알맞은 말을 쓰시오. [5점]

20 위 대화의 내용과 일치하지 <u>않는</u> 것을 고르시오. 3점

① Grace는 축구를 좋아한다.
② Grace는 상파울로에 가본 적이 있다.
③ 상파울로에는 축구 박물관이 있다.
④ Chris는 여행이 매우 기대 된다.
⑤ Grace는 브라질에 가는 것을 추천하지 않는다.

21 다음 〈보기〉의 우리말과 같도록 주어진 단어를 이용하여 빈칸에 알맞은 말을 쓰시오. 5점

보기 ≫ 나는 이 좋은 소식을 너에게 직접 전하고 싶다. (person)

→ I want to tell you the good news _____.

22 다음 중 문법적으로 옳지 <u>않은</u> 것을 고르시오. 3점

① Do you know where she is?
② How old do you think I am?
③ What do you believe he wants?
④ What do you guess she does for a living?
⑤ Do you think where we can find a post office?

23 다음 대화의 밑줄 친 ①~⑤ 중 문맥상 <u>어색한</u> 것을 고르시오. 3점

A: Hi, Cheolsu. How was your trip to India? You were really worried about your first overseas trip with your family.
B: Well, my family was really impressed by the cultures of India.
A: That sounds ①interesting! What was so impressive about the country?
B: First of all, the food. We had a lot of local food like Indian curries and ②hated everything we ate very much.
A: That's good to hear. Oh, did you see any traditional performances?
B: Yes! We arrived there on the last day of the Hemis Festival. ③Luckily, we got to see the last performance.
A: You were very lucky. Where else did you go?
B: We also visited lots of UNESCO World Heritage sites, like the Taj Mahal.
A: You did? I heard that the architecture is really ④amazing.
B: It was one of the most beautiful buildings I have ever seen. Actually, it was so wonderful that it looked ⑤unreal.
A: Wow. Now that I have heard your story, I want to fly to India!

①   ②   ③   ④   ⑤

24 다음 〈보기〉의 우리말과 같도록 주어진 단어들을 바르게 배열하시오. 5점

보기 ≫ 나는 그녀에게 그가 오지 않은 이유를 말해줬다.
(the, reason, I, her, come, didn't, told, why, he)

→ _____

25 다음 〈보기〉를 참조하여 자신이 원하는 학교 현장 체험 학습 선택지를 소개하는 글을 쓰시오. 10점

보기 ≫
My School Field Trip

Hi, I'm Sumin. I want to go to Jeju Island for my school field trip. First, I want to visit Jeju Big Ball Land. There, I will roll down a hill in big plastic air balls with my friends. Also, I would like to visit the Teddy Bear Museum. This museum is the first and the biggest teddy bear museum in Korea. I will take pictures with the human-sized teddy bears and enjoy the view of the sea from there. To get there, it takes about an hour by airplane. It's going to be so much fun!

서술형 평가

1 다음 뜻풀이에 해당하는 말을 주어진 철자로 시작하여 쓰시오.
각 5점

(1) a_____: to recognize its good qualities

(2) m_____: a building where a large number of interesting and valuable objects, such as works of art or historical items, are kept, studied and displayed to the public

(3) v_____: a group of houses and other buildings such as a church and a school in a country area

(4) a_____: to have some involvement in unusual, exciting, and rather dangerous journey or series of events

2 다음 우리말과 같도록 빈칸에 알맞은 말을 쓰시오.
각 6점

(1) He got used to eating _____.
(그는 혼자 식사하는 것에 익숙해졌다.)

(2) I can't describe it _____.
(나는 그것을 말로 표현할 수 없어.)

(3) I _____ under the name of Alex.
(Alex라는 이름으로 예약했습니다.)

(4) He is _____ his father.
(그는 그의 아버지만큼 키가 크다.)

(5) I promise I'll _____ while I'm away.
(내가 떠나있는 동안 계속 소식을 전하겠다고 약속할게.)

(6) This jar is _____ coins that I saved.
(이 병은 내가 저축한 동전으로 가득 차 있다.)

3 우리말에 맞게 괄호 안의 어휘를 사용하여 문장을 완성하시오.
각 6점

(1) 저는 당신 작품의 열렬한 팬입니다.
I'm _____ your work.
(huge/ of/ a/ fan)

(2) 내가 떠난 사이에 수천 개의 메시지를 받았다.
I received _____ while I was away.
(messages/ of/ thousands)

(3) 그들은 마을 주변을 둘러봤다.
They _____ around the village.
(tour/ took/ a)

(4) 실례합니다. 가장 가까운 지하철역으로 가려면 어떻게 해야 하죠?
Excuse me. _____ the nearest subway station? (get/ how/ I/ to/ do)

수행 평가

4 다음 〈보기〉를 참조하여 이번 여름에 갈 여행 계획에 관한 글을 쓰시오.
20점

보기 » **My Trip to Singapore**

This summer, I would like to visit Singapore because of its fun and diverse culture. It takes about 8 hours by airplane to get there, and I am planning to stay there for 5 days. The first place I want to go to is Sentosa. This place is a popular island resort where we can look around museums, the Universal Studios and the Water World. The second place I would go to is Little India. I want to try Indian food and buy some souvenirs for my friends there. It's going to be so much fun!

UNIT **6**

Fuel Your Creativity

Topic   창의성, 두뇌 게임, 상상력

Functions   What a brilliant idea! (칭찬하기)
Do you know how to use it? (능력 여부 묻기)

Forms   1. **It seemed that** everyone had his or her own way
of thinking. (It seems that ~)
2. Quite **surprised,** the farmer announced that the
mathematician was the winner. (분사구문)

Topic

> **Creative thinking** (창의적인 사고)
> What do you need to do to be a creative person? And how can you be more creative?
> What kind of creative inventions are there in the world? Listen and find out.
> 창의적인 사람이 되려면 무엇을 해야 할까요? 그리고 어떻게 더 창의적이 될 수 있을까요? 세상에는 어떤 종류의 창의적인 발명품들이 있을까요? 듣고 찾아보세요.

GET READY

Listen and write the number of the dialogue on the correct picture.
대화를 듣고 어울리는 사진에 알맞은 번호를 쓰시오.

📖 About Functions

What a brilliant idea!는 아이디어가 좋다고 칭찬하는 표현으로 What a/an + ~ 명사!의 어순이나 How + 형용사!의 어순으로 나타내기도 한다.

Do you know how to + 동사원형 ~?은 '~하는 방법을 아니?'의 뜻으로 어떤 일을 할 수 있는지 물을 때 쓰인다.

Can you + 동사원형 ~?도 능력을 묻는 표현이다.

해설

1. 첫 번째 대화는 아빠의 나이에 관한 질문과 대답이므로 세 번째 그림과 일치한다.

2. 지도를 보고 대화하고 있으므로 두 번째 대화는 두 번째 그림과 일치한다.

3. 세 번째 대화는 얼룩 제거에 관한 대화이므로 첫 번째 그림과 일치한다.

어휘

logic [ládʒik] 논리; 논리적인
stain [stein] 얼룩
a spoonful of ~ 한 숟가락
mix A with B A를 B와 섞다

1.
M: How old is your father?
W: He is 17 years old.
M: What? How is that possible?
W: He became a father only when I was born.
M: ① **What a brilliant answer!** I like your creative logic.

2.
W: We're lost. ② **I don't know which way to go.** To the west? Or to the east?
M: Let's look at our location on the map.
W: Oh, yes! What a great idea! Do you know how to read signs and symbols on a map?

3.
M: Ugh, I hate food stains on clothes. Do you know how to remove food stains?
W: Yes, ③ **you can use a spoonful of salt.**
M: A spoon of salt? Can you explain how it works?
W: Sure. ④ **All you have to do is mix** it with warm water and wash your clothes.
M: Wow, what a brilliant idea!

남: 너희 아버지 연세가 어떻게 되시니?
여: 17세이셔.
남: 뭐라고? 어떻게 그게 가능해?
여: 내가 태어났을 때에서야 아버지가 되었으니까.
남: 정말 대단한 대답인걸! 너의 창의적인 논리가 마음에 들어.

여: 우리는 길을 잃었어. 어느 길로 가야 할지 모르겠다. 서쪽으로? 아니면 동쪽으로?
남: 지도에서 우리의 위치를 살펴보자.
여: 오, 그래! 좋은 생각이야! 지도에서 표지판과 기호들 읽는 법을 아니?

남: 어휴, 옷에 묻은 음식 얼룩이 맘에 안 들어. 어떻게 음식 얼룩을 없앨 수 있는지 아니?
여: 응. 소금 한 숟가락을 사용할 수 있어.
남: 소금 한 숟가락? 어떻게 효과가 있는지 설명해 줄 수 있니?
여: 응. 네가 해야 할 일은 소금을 따뜻한 물과 섞고 옷을 세탁하는 게 다야.
남: 와, 대단한 아이디어구나!

미니 백과

뉴저지 주의 지도 기호들 예시

Pullover or Parking Area	X Collecting Site
Large Bridge	Small Bridges
Railroad	Hiking Trail
North	Mine

구문

① What a brilliant answer (it is)!는 뒤에 it is가 생략되어 있으며 What a great answer!와 바꾸어 쓸 수 있다.
   ex.) What a tall building (it is)! (빌딩이 정말 높구나!)
② I don't know which way to go.에서 which는 '어느~'의 뜻으로 뒤의 명사인 way를 꾸며준다.
   ex.) I don't know which one I should take. (어느 것을 고를지 모르겠다.)
③ a + 단위명사 + of + 물질명사의 형태로 물질명사를 셀 수 있다.
   ex.) a spoonful of sugar (설탕 한 숟가락)
④ All + 주어 + have[has] to do is 동사원형(또는 to부정사)은 '~가 해야 할 일은 오직 …이다'의 뜻이다.
   ex.) All you have to do is wait. (네가 할 일은 기다리는 것뿐이다.)

LISTEN IN

MONOLOGUE | Listen and answer the questions. 🎧
다음을 듣고 물음에 답하시오.

1. What is the purpose of the lecture? (강의의 목적은 무엇인가?)
  ⓐ to explain the importance of brain training (두뇌 훈련의 중요성을 설명하기 위해)
  b. to ask listeners if they enjoy doing brain training (청자들이 두뇌 훈련 하는 것을 즐기는지 묻기 위해)
  c. to inform listeners about how to think in a creative way (청자들에게 창의적으로 생각하는 법을 알리기 위해)

2. Listen again and correct the wrong information in the lecture notes.
 (다시 듣고 강의 메모에서 잘못된 정보를 수정하시오.)

A Brain Workout (두뇌 운동)
▶ Brain training → As important as maintaining a healthy body
  두뇌 훈련 → 건강한 몸을 유지하는 것만큼 중요함
  – With three hours → one hour of brain training a week, you can both improve your thinking skills and prevent psychological → memory disorders
  일주일에 세 시간(→ 한 시간)의 두뇌 훈련은 사고 기술을 향상시키고 심리적(→ 기억) 장애를 막을 수 있다.
▶ Regular brain training → Better memory and greater creativity
  규칙적인 두뇌 훈련 → 더 나은 기억력과 더 큰 창의력

M: Do you know how to get in good shape? Perhaps you're thinking about a workout. 📋 **Listening Tip 1** But when was the last time you thought about a brain workout? Training your brain is just ① **as important as** maintaining a healthy body. Studies show that with one hour of brain training a week, you ② **not only** improve the thinking skills you use every day **but also** prevent memory disorders. 📋 **Listening Tip 2** With regular brain training, you will notice that you have better memory and greater creativity in your daily life. Train your brain by doing different types of brain questions on a daily basis or by approaching daily problems in a way ③ **you're not used to.** Just make a conscious effort to think of different ways of doing things.

남: 신체를 건강하게 하는 법을 알고 있습니까? 아마도 여러분은 운동에 대해 생각하고 있을 것입니다. 하지만 두뇌 운동에 대해 마지막으로 생각해 본 때가 언제였나요? 두뇌를 훈련시키는 것은 건강한 몸을 유지하는 것 만큼 중요합니다. 연구들에 의하면 일주일에 1시간의 두뇌 훈련으로 여러분이 매일 사용하는 사고 기술이 향상될 뿐 아니라 기억 장애도 막을 수 있다고 합니다. 규칙적인 두뇌 훈련으로 여러분은 일상생활에서 더 좋은 기억력과 더 큰 창의력을 가지게 된다는 것을 알게 될 것입니다. 매일 다양한 유형의 두뇌 문제를 풀거나 여러분이 익숙하지 않은 방식으로 매일의 문제들에 접근함으로써 두뇌를 훈련하십시오. 어떤 일을 하는 다양한 방법들을 생각해 내기 위해 의식적인 노력을 하십시오.

해설

1. Training your brain is just as important as maintaining a healthy body.라고 말한 부분부터 두뇌 훈련의 중요성이 이어진다.

2. ~one hour of brain training a week, you not only improve the thinking skills you use every day but also prevent memory disorders. 에서 1시간의 두뇌 연습으로 언급되어 있으며 심리적 장애가 아닌 기억 장애임이 드러난다.

어휘

get in good shape 건강한 신체를 갖다
maintain [meintéin] 유지하다
disorder [disɔ́ːrdər] 장애
on a daily basis 매일
be used to -ing: ~에 익숙하다
conscious [kánʃəs] 의식적인
psychological [sàikəládʒikəl] 심리적인

📋 **Listening Tip**

To understand the purpose of dialogues
대화의 목적 이해하기

1. Focus on keywords.
   핵심 어구에 집중하라.
2. Understand the whole situation.
   전체 상황을 이해하라.

구문

① A as 원급 as B는 'A는 B만큼 ~한'의 뜻으로 A와 B가 동등함을 나타낸다.
  ex.) Eyewitnesses are not as reliable as one might believe. (목격자는 사람들이 믿는 것만큼 믿을만하지 않다.)
② not only A but also B는 'A뿐 아니라 B도'의 뜻으로 「B as well as A」와 바꾸어 쓸 수 있다.
  ex.) The candidate campaigned not only in Sydney but also in Canberra. (그 후보자는 시드니뿐 아니라 캔버라에서도 캠페인을 벌였다.)
③ be used to + -ing (또는 명사)는 '~에 익숙하다'의 의미로 be accustomed to + -ing와 바꾸어 쓸 수 있다.
  ex.) He is used to going to bed late at night. (그는 늦게 잠자리에 드는 데 익숙하다.)

🎧 Listen and Speak

DIALOGUE | Listen and answer the questions. 🔊
다음을 듣고 물음에 답하시오.

1. What are the speakers mainly talking about?
(화자들은 주로 무엇에 관해 대화하고 있는가?)
a. creative inventors of the world
   (세계의 창의적인 발명가들)
b. the development of the Joseon dynasty
   (조선 왕조의 발전)
ⓒ. a famous inventor and his or her invention
   (유명한 발명가와 그의/그녀의 발명품)

2. When will the speakers talk more about the topic?
(화자들은 언제 그 주제에 관해 더 이야기를 할까?)
a. after school (방과 후)
b. the next morning (다음 날 아침)
ⓒ. during lunch time (점심시간 중)

M: Hey, Grace. Did you watch that documentary about Jeong Yakyong last night?

W: You mean the late Joseon dynasty scholar? — ① **the one who** wrote *Mokminsimseo*?

M: That's right. He also built the Hwaseong Fortress in Suwon with his creative invention.

W: I ② **haven't seen** the documentary, but I did read a book about him. His creativity was incredible. I was particularly impressed reading about the system he invented to handle heavy building materials. What was it called... *Geojunggi*?

M: ③ **That's the one**. And I agree — I think *geojunggi* is his greatest invention. What a brilliant idea it is, right?

W: You can say that again. Do you know how to operate it? I was surprised to see it lifting huge stones.

M: Yes, actually, I saw one once at a folk village and tried it out.

W: That sounds pretty cool. I'm interested in engineering. If you have a moment, can you tell me more about it?

M: Sure. Let's talk about it during lunch time.

W: Thanks. See you soon.

남: 안녕, Grace. 어젯밤 정약용에 관한 다큐멘터리 봤니?

여: 조선 왕조 후기의 학자 말이니? 목민심서 쓴 사람?

남: 맞아. 또한 창의적인 발명품으로 수원의 화성도 지었어.

여: 다큐멘터리는 못 보았지만 그에 관한 책은 읽었지. 그의 창의성은 놀라웠어. 특히 그가 무거운 건물 자재를 다루기 위해 발명한 시스템에 관해 읽고 감명받았어. 뭐라고 불렸더라... 거중기인가?

남: 그게 바로 그거야. 나도 동의해. 내 생각에 거중기는 그의 최고의 발명품인 것 같아. 정말 대단한 아이디어야, 그렇지?

여: 맞아. 어떻게 그것이 작동하는지 알아? 나는 그것이 거대한 돌들을 들어 올리는 것을 보고 놀랐어.

남: 응, 사실, 나는 민속촌에서 그것을 한 번 보고 시험 삼아 해봤어.

여: 정말 대단한 걸. 나는 공학에 관심이 있어. 시간 있으면 그것에 관해 더 이야기 해 줄 수 있니?

남: 그래. 점심시간 동안 그것에 대해 이야기하자.

여: 고마워. 곧 만나.

📖 **구문**

① the one who ~는 '~한 사람'의 뜻이다. the one that ~은 '~한 것[사람]'의 의미로 쓰일 수 있다.
   ex.) Jeremy is the one who I met last Sunday. (Jeremy가 내가 지난 일요일에 만난 사람이다.)
② 현재완료 구문이 경험을 나타내어 '~한 적 있다'의 뜻을 지닌다.
   ex.) I have been to Paris before. (나는 전에 파리에 가 본 적 있다.)
③ That's the one.은 '바로 그거야.'의 의미이다.
   ex.) That's the one I've been looking for. (그게 바로 내가 찾던 거야.)

SPEAK OUT

1. Look at the inventions and pick the one you want to use.
발명품들을 보고 사용하고 싶은 것을 하나 고르시오.

* **Anywhere Writing Board**

Directions:
Pull and open the bottom bar.

You can present your creative ideas ① **anywhere you want!**

* **Puppy Self Photo Kit**

Directions:
Fit it on the camera.

Your dog will have no problem focusing on the camera!

* **Spill Stopper**

Directions:
Put it on the milk bottle.

You won't spill your milk on the table anymore!

해석

Anywhere Writing Board (어디 서든 쓰기 판)
- 지시문: 바닥의 막대기를 당겨 여세요. 여러분이 원하는 어떤 곳에서도 창의적인 아이디어들을 발표할 수 있습니다!

Puppy Self Photo Kit (강아지 셀 프 사진 조립 키트)
- 지시문: 카메라에 끼우세요. 여러분 의 강아지는 카메라에 집중하는 데 문제가 없을 겁니다!

Spill Stopper(흘림 방지기구)
- 지시문: 우유병 위에 놓으세요. 식 탁에 더 이상 우유를 흘리지 않을 거 예요!

2. Practice the dialogue with your partner using the information above.
위의 정보를 이용하여 짝과 대화를 연습하시오.

A: I want to get the Anywhere Writing Board. What a creative invention!
B: Do you know how to use it?
A: Yes, I can simply pull and open the bottom bar and it's ready to use.
B: Wow, it looks very convenient.
A: It is! ② **That's because you can present** your creative ideas anywhere you want.

해석

A: 나는 'Anywhere Writing Board'를 가지고 싶어. 대단한 발명품이야!
B: 어떻게 사용하는지 아니?
A: 응, 그냥 바닥을 잡아당겨서 열면 사용할 준비가 돼.
B: 와, 아주 편리해 보인다.
A: 그래! 그래서 원하는 곳 어디서든 지 창의적인 아이디어를 발표할 수 있는 거야.

구문

① anywhere + 주어 + 동사 ~가 긍정문에 쓰이면 '~는 어디든지'의 뜻이다.
　ex.) You can stay anywhere you want. (네가 원하는 곳 어디에든 머물러도 돼.)
② That's because + 주어 + 동사 ~는 '그것은 ~ 때문이다'의 뜻으로 이유를 말할 때 쓰인다.
　ex.) A: I can't find my glasses. (안경을 못 찾겠어.)
　　　 B: That's because your room is so messy. (그건 네 방이 너무 더러워서야.)

어휘

spill [spil] 흘리다, 흘림
convenient [kənvíːnjənt] 편리한
present [prizént] 발표하다

Review Points

1. After listening to the lecture and dialogue, I understood the purpose of the lecture as well as the main idea and details of the dialogue.
　강의와 대화를 들은 후 나는 대화의 주제와 세부 사항 뿐 아니라 강의의 목적을 이해했다.

2. I asked how to use a creative product and got information about it.
　나는 창의적인 제품들을 사용하는 법을 묻고 그것에 관한 정보를 얻었다.

Into Real Life

Topic

The Six Thinking Hats strategy (여섯 색깔 모자 전략)

Have you ever heard of the Six Thinking Hats strategy? Let's learn about it, and do an activity to make a decision by using it.

여섯 색깔 모자 전략에 대해 들어봤나요? 그것에 관해 배우고 그것을 사용하여 결정을 내리는 활동을 하시오.

STEP 1 **LISTEN TO THE TALK SHOW** 토크쇼를 들어보시오.

Listen and answer the questions. 듣고 질문에 답하시오.

Edward de Bono (born May 19th, 1933) Edward de Bono is a physician, psychologist, author, inventor, and consultant. He is famous for coming up with a thinking strategy called Six Thinking Hats.

Source: Edward de Bono, *Six Thinking Hats*

해석

Edward de Bono (1933년 5월 19일생)

Edward de Bono는 내과 의사, 심리학자, 저자, 발명가 그리고 상담 가이다. 그는 여섯 색깔 모자라고 불리는 전략을 생각해 내서 유명하다.

1. What are the speakers mainly talking about?(화자들은 주로 무엇에 관해 이야기하고 있는가?)

 a. fashion tips that help people match colors (사람들이 색들을 어울리게 맞추도록 돕는 패션에 대한 충고)

 b. types of brains that are good at certain things (특정한 것들을 잘하는 두뇌의 유형)

 ⓒ a thinking strategy that makes people think in different ways (사람들이 다양하게 생각하도록 만드는 사고 전략)

해석

사실 – 흰 모자는 모든 필요한 정보를 기억한다.

감정 – 빨간 모자는 감정과 정서를 좋아한다.

창의성 – 초록 모자는 새 아이디어들과 창의성에 집중한다.

긍정적 관점 – 노란 모자는 긍정적으로 생각한다.

부정적 관점 – 검은 모자는 경고를 준다. 그것은 비판적으로 생각하게 한다.

조정 – 파란 모자는 사고 과정을 관리하고 균형을 잡는다.

2. Listen again and fill in the blanks with information about each hat. (다시 듣고, 각각의 모자에 관한 정보를 가지고 빈칸을 완성하시오.)

Wear Six Hats and Make the Best Decisions!

(여섯 색깔 모자를 쓰고 최상의 결정을 내리시오!)

Facts	Positive View
The white hat remembers all necessary <u>information</u>.	The yellow hat thinks <u>positively</u>.

Feelings	Negative View
The red hat loves <u>feelings</u> and <u>emotions</u>.	The black hat gives <u>warnings</u>. It makes you think <u>critically</u>.

Creativity	Control
The green hat focuses on new ideas and <u>creativity</u>.	The blue hat <u>manages</u> and <u>balances</u> the thinking process.

해설

1. Well, let me introduce a psychologist, Dr. de Bono, who can help everyone think more creatively.에서 사람들이 창의적으로 생각하도록 돕는 사람으로 de Bono 박사를 소개하고 있으므로 c가 정답임을 알 수 있다.

2. 흰 모자는 필요한 정보를 기억하고, 빨간 모자는 감정과 정서를 좋아하고, 초록 모자는 새로운 아이디어와 창의력에 집중한다는 내용이 본문에 나온다. 또 노란 모자는 긍정적으로 생각하고, 검은 모자는 경고하고 비판적으로 생각하게 하고, 파란 모자는 사고 과정을 관리하고 균형을 맞춘다는 내용이 나와 있다.

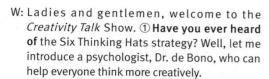

W: Ladies and gentlemen, welcome to the *Creativity Talk* Show. ① **Have you ever heard of** the Six Thinking Hats strategy? Well, let me introduce a psychologist, Dr. de Bono, who can help everyone think more creatively.

Dr. de Bono: Thank you for inviting me. One day, I was trying to solve a problem. I ② **found myself thinking** about many things at the same time and got confused with no solutions. So, I tried to think about one thing at a time and each time, in a different way. That helped me a lot, and I was able to come up with the Six Thinking Hats strategy. ③ **Let's suppose** you wear six hats, each with a different color: white, red, blue, green, yellow, and black, and the way you think changes with each hat. Wouldn't it be fun?

W: Indeed. So each hat would make a person think in a different way. Is that right?

Dr. de Bono: Yes. Let's start with the white hat. It remembers all information you need and deals with facts. The red hat, on the other hand, loves feelings and emotions.

W: What about the green one?

Dr. de Bono: The most important hat you wear is the green one. It focuses on new ideas and creativity. With this hat on, any thought is welcome!

W: What a brilliant idea!

Dr. de Bono: Also, you get to think positively and explore the bright side of things ④ **with the yellow hat on.** The black hat gives warnings and makes you think critically about things. Above all, there is a hat that manages and balances the whole process — a blue hat. It is the boss of all hats.

W: How interesting! How can we apply this strategy in real life? Please give us an example.

여: 신사 숙녀 여러분, *Creativity Talk Show*에 오신 것을 환영합니다. 여섯 색깔 모자 전략에 대해 들어보신 적이 있나요? 자, 모든 분들이 더 창의적으로 생각하는 데 도움을 주실 수 있는 심리학자 de Bono 박사님을 여러분께 소개합니다.

de Bono박사: 초대해주셔서 감사합니다. 어느 날, 저는 어떤 문제를 해결하기 위해 노력하고 있었습니다. 동시에 많은 것들에 관해 생각하고 있는 나 자신을 발견하고 아무 해결책도 없이 혼란스러웠습니다. 그래서 매번 다른 방식으로 한 번에 한 가지를 생각하려고 노력했습니다. 그것은 많은 도움이 되었고 저는 여섯 색깔 모자 전략을 생각해 낼 수 있었습니다. 여러분이 흰색, 빨간색, 파란색, 초록색, 노란색, 그리고 검은색의 각기 다른 여섯 가지 모자를 쓰고 있고 같이 여러분이 생각하는 방식이 각각의 모자에 따라 바뀐다고 가정해 봅시다. 재미있지 않을까요?

여: 정말 그렇군요. 그래서 각각의 모자는 한 사람이 다른 방식으로 생각하게 하겠군요. 맞습니까?

de Bono박사: 네. 흰 모자부터 시작합시다. 그것은 여러분이 필요로 하는 모든 정보를 기억하고 사실을 다룹니다. 빨간 모자는 반대로 감정과 정서를 사랑합니다.

여: 초록색은 어떤가요?

de Bono: 여러분이 쓰고 있는 가장 중요한 모자가 초록색입니다. 그것은 새로운 아이디어와 창의성에 집중합니다. 이 모자를 쓰면 어떤 생각도 환영입니다!

여: 멋진 생각이네요!

de Bono: 또한, 노란색을 쓰고 여러분은 긍정적으로 생각하고 사물의 밝은 면을 탐험하게 됩니다. 검은 모자는 경고를 해주고 여러분으로 하여금 사물에 대해 비판적으로 생각하게 만듭니다. 무엇보다 전 과정을 관리하고 균형을 맞추는 모자가 있습니다 – 파란 모자입니다. 그것은 모든 모자들의 우두머리입니다.

여: 정말 재미있네요! 이 전략을 실생활에서 어떻게 적용할 수 있을까요? 저희에게 예시를 주세요.

어휘

strategy [strǽtədʒi] 전략
get confused 혼란스러워지다
deal with ~을 다루다
give warnings 경고를 내리다
critically [krítikəli] 비판적으로
balance [bǽləns] 균형; 균형을 잡다
apply [əplái] 적용하다

구문

① Have you ever heard of ~?는 '~에 관해 들어본 적 있니?'의 뜻으로 경험을 묻는 말이다.
   ex.) Have you ever heard of a talking flower? (말하는 꽃에 대해 들어본 적 있니?)

② find myself + 분사는 '~하고 있는 나 자신을 발견하다 / (어느새) 나는 ~하고 있었다'의 뜻이다.
   ex.) He found himself falling in love with her. (그는 그녀와 사랑에 빠진 자신을 발견했다.)

③ Let's suppose + 주어 + 동사 ~는 '~라고 가정하자'라는 뜻으로 가정할 때 쓰인다.
   ex.) Let's suppose you are in London and you want to go to a theater. (여러분이 London에 있고 극장에 가고 싶다고 칩시다.)

④ with + 의류 + on은 '~을 걸치고(착용하고)'의 의미이다.
   ex.) Who is the boy with his glasses on? (안경 쓴 소년은 누구니?)

STEP 2   APPLY IT 응용해 보시오.

1. Read about Seonmi's situation. 선미의 상황에 대해 읽어보시오.

Seonmi is having a hard time deciding ① **which present she should** get for her best friend's birthday. ② **She doesn't know if she should buy** a practical one or a memorable one. Please help her!

해석

선미는 제일 친한 친구의 생일에 어떤 선물을 살지 결정하는 것을 힘들어하고 있다. 실용적인 것을 살지 아니면 기억에 남을 것을 살지 모르고 있다. 그녀를 도와라!

2. Make a group of six and choose one gift. Comment on it using the Six Thinking Hats strategy.

여섯 모둠으로 나누어 선물을 하나 고르시오. 여섯 색깔 모자 전략을 이용하여 그것에 관해 의견을 남기시오.

water bottle

pencil case

photo album

💡 Your Own Idea

Seonmi's friend can drink water anywhere he or she wants to. It is light and could have an attractive color.

White Hat: Jinu

Black Hat
Seonmi's friend might not like the design of the water bottle.

Red Hat
I think Seonmi's friend will feel happy if the water bottle is colorful. Let's get one with a lively color.

Green Hat
We can make a water bottle both a practical and memorable gift by putting Seonmi's friend's name on it.

Yellow Hat
What a brilliant idea! A water bottle is also very practical. Seonmi's friend will carry it every day.

Group Leader
Blue Hat
Most of the comments are positive about a water bottle. But let's think about negative points. Black Hat?

해석

흰 모자(진우): 선미의 친구는 원하는 곳 어디서든 물을 마실 수 있어. 그것은 가볍고 매력적인 색을 가졌을 거야.

빨간 모자: 내 생각에 선미 친구는 물병이 화려하면 좋아할 거야. 화려한 색깔을 사자.

녹색 모자: 선미 친구의 이름을 넣음으로써 물병은 실질적이면서 기억에 남을 수 있어.

노란 모자: 얼마나 멋진 생각인가! 물병은 또한 정말 실용적이야. 선미 친구는 매일 가지고 다닐 거야.

파란 모자: 의견 대부분이 물병에 대해 긍정적이네. 하지만 부정적인 면도 생각해 보자. 검정 모자?

검정 모자: 선미 친구는 물병 디자인이 마음에 들지 않을 수 있어.

어휘

practical [prǽktikəl] 실용적인
memorable [mémərəbl] 기억할 만한

구문

① which + 명사 + 주어 + should ~는 '어느 ~를 …할지'의 뜻이다.
② She doesn't know if she should ~에서 if 는 '~인지 아닌지'의 뜻으로 명사절을 이끄는 접속사이다.

1~2차시 어휘 정리

▶ apply 적용하다
▶ be used to -ing ~에 익숙하다
▶ convenient 편리한
▶ development 발달
▶ get confused 혼란스러워지다
▶ inventor 발명가
▶ memorable 기억할 만한
▶ spill 흘리다; 흘림
▶ symbol 상징, 기호
▶ present 발표하다

▶ a spoonful of 한 숟가락의 ~
▶ brilliant 화려한
▶ critically 비판적으로
▶ disorder 장애, 질환
▶ give warnings 경고를 내리다
▶ logic 논리
▶ mix A with B A 를 B와 섞다
▶ strategy 전략
▶ on a daily basis 매일
▶ psychological 심리적인

▶ balance 균형; 균형을 잡다
▶ conscious 의식의
▶ deal with ~을 다루다
▶ dynasty 왕조
▶ incredible 놀랄 만한
▶ maintain 유지하다
▶ scholar 학자
▶ stain 얼룩
▶ practical 실용적인
▶ try out 시도하다

Review Points

1. I understood the details of the Six Thinking Hats strategy.
   나는 여섯 색깔 모자 전략의 세부 사항을 이해했다.

2. I praised my friends' creative thoughts while doing an activity to choose the best gift.
   나는 최상의 선물을 고르는 활동을 하면서 친구들의 창의적인 생각들을 칭찬했다.

Topic

Training the brain (두뇌 훈련하기)
How creative are you? Test your creativity with brain games and think about what creative thinking is. 여러분은 얼마나 창의적인가요? 두뇌 게임으로 창의성을 테스트하고 창의적 사고가 무엇인지 생각해 보시오.

1. Answer the question and talk with your partner about how you solved it.
질문에 답하고 어떻게 해결했는지에 대해 짝과 이야기 나누시오.

> By changing the position of only THREE circles, turn the triangle upside down so that the base is on top and the point is at the bottom. How would you do it?

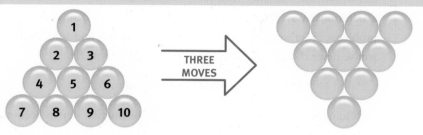

Tip ▶ You have to build a wide top and narrow bottom. Think about a single move that can create the narrowest bottom.

Move circle number ⑦ to the left of ②. / Move circle number ⑩ to the right of ③. / Put circle number ① at the bottom. / * creative answer: Just turn your book upside down, or walk to the other side of the desk. Then you don't need to move any of the circles.

해석
세 원들만 위치를 변경하여, 삼각형을 거꾸로 해서 바닥은 꼭대기로 가고 뾰족한 끝은 바닥에 가도록 하시오. 어떻게 할 건가요?
Tip! 넓은 꼭대기와 좁은 바닥을 만들어야 합니다. 가장 좁은 바닥을 만들 수 있는 한 번의 움직임에 대해 생각해 보시오.

어휘
position [pəzíʃən] 위치
turn ~ upside down ~을 뒤집다

2. Look at the picture and talk with your partner about its message.
그림을 보고 그림의 메시지에 대해 짝과 이야기하시오.

> I got a good idea outside the box!

A: What do you think this picture's message is?
B: I think it tells you that you have to step out of old thinking patterns to get new ideas.

해석
상자 밖에서 좋은 생각이 떠올랐어!
A: 이 그림의 메시지가 무엇이라고 생각하니?
B: 나는 새로운 아이디어를 얻기 위해 옛 생각의 패턴에서 걸어 나와야 한다는 것을 말해준다고 생각해.

어휘
pattern [pǽtərn] 양식, 패턴

On Your Own

Read the passage quickly and answer the questions. 본문을 빨리 읽고 질문에 답하시오.

1. How many brain games are in the passage? (글에는 몇 가지의 두뇌 게임이 있습니까?)
   There are three brain games.

2. What's the main idea of each brain game? (각각의 두뇌 게임의 주된 아이디어는 무엇입니까?)
   Brain game 1: How can the golfer get the lowest number of swings?
   Brain game 2: How can you fence off the largest area with the smallest amount of wire?
   Brain game 3: Where in the portrait is the queen?

🎧 Interpretation

¹두뇌 게임

²상자 밖에서 생각하기를 시작하라

³영어로 무슨 단어가 항상 잘못 써지는가? ⁴길고 어려운 단어가 떠오른다면, 다른 추측을 해 보자. ⁵생각나는 게 있는가? ⁶답은 "틀리게 (incorrectly)"라는 단어 그 자체이다! ⁷이것은 그저 넌센스 질문처럼 보일지도 모르지만, 그것에는 눈에 보이는 것보다 훨씬 더 많은 것이 있다. ⁸대부분의 사람들이 이 질문에 다가가는 방식은 그들이 "상자 안에서," 즉 전통적인 방식으로 생각하는 경향이 있다는 것을 보여준다. ⁹하지만 때때로 이것은 도전적인 문제를 해결하는 데 도움이 되지 않는다. ¹⁰상상의 상자 밖으로 걸어 나와 전에 생각해 본 적이 없던 방식으로 문제를 해결하려고 시도해 보라. ¹¹여러분의 상상력이 날개를 달게 하라.

¹²첫 번째 라운드: 익숙한 것을 넘어서라.

¹³익숙한 것을 넘어서는 것은 창의적이 되는 첫 번째 단계일 수 있다. ¹⁴여기 첫 번째 질문이 있다. ¹⁵한 위대한 골프 선수는 3, 5, 7, 또는 11야드만 성공적으로 칠 수 있다. ¹⁶경기의 마지막 홀에서 그는 마지막 샷을 하는 중이다. ¹⁷이제 그는 20 야드짜리 스윙을 해야 한다. ¹⁸공이 곧장 들어가지 않으면, 그것은 홀을 지나 굴러갈 것이다. ¹⁹그가 성공적으로 홀 안에 공을 넣을 최소한의 스윙 숫자는 무엇일까? ²⁰여기 힌트가 있다. ²¹골프 선수가 직선 방향으로 친다는 개념에서 벗어나 – 그가 대각선으로도 칠 수 있다고 생각해 보는 것은 어떨까? ²²답을 찾았는가? ²³여러분의 답이 '네 번'인가? ²⁴실제로 대각선 방향으로 11야드로 두 번 스윙함으로써, 골프 선수는 성공적으로 경기를 끝낼 수 있을 것이다!

¹*Brain Games*

²Start Thinking Outside the Box

³What word in the English language is always spelled incorrectly? ⁴If long and difficult words come to mind, take another guess. ⁵Any ideas? ⁶The answer is the word "incorrectly" itself! ⁷Although this may seem to be just a nonsense question, there is much more to it than meets the eye. ⁸The way most people approach this question shows that they tend to think "inside the box," which means thinking in a traditional way. ⁹Sometimes, however, this doesn't help you solve challenging problems. ¹⁰Try stepping outside your imaginary box and solve problems in a way you've never thought about before. ¹¹Let your creativity fly.

¹²First Round: Go Beyond What You Are Used to

¹³Going beyond what you are used to can be the first step in becoming creative. ¹⁴Here is question number one. ¹⁵A great golfer can only successfully hit the ball 3, 5, 7, or 11 yards. ¹⁶On the final hole of the game, he's on his last shot. ¹⁷Now, he has to make a 20-yard swing. ¹⁸If the ball doesn't directly go in, it will roll past the hole. ¹⁹What is the lowest number of swings that it would take for him to successfully put the ball in the hole? ²⁰Here's a clue. ²¹What about thinking outside the concept of the golfer hitting in a straight direction—he can hit diagonally, as well. ²²Did you get the answer? ²³Is your answer four times? ²⁴Actually, by swinging two times for 11 yards in a diagonal direction, the golfer could successfully finish the game!

While you read

Q. What does "thinking inside the box" mean?

"상자 안에서 생각하기"는 무슨 뜻인가?

예시 답안 It means thinking in a traditional way. (그것은 전통적인 방식으로 생각하기를 의미한다.)

해설 8번 문장에서 thinking inside the box의 의미가 thinking in a traditional way라고 언급되어 있다.

📋 Words and Idioms

incorrectly: 부정확하게, 틀리게 ▶ You typed this word incorrectly. (너 이 단어 잘못 타이핑했어.)

come to mind: 생각나다 ▶ His phone number doesn't come to mind. (그의 전화번호가 떠오르지 않는다.)

approach: ~에 다가가다 / 접근법 ▶ The train for Busan is now approaching. (부산행 열차가 들어오고 있다.)

tend to + 동사원형: ~하는 경향이 있다 ▶ I don't like the person who tends to be emotional. (나는 감정에 치우치는 경향이 있는 사람을 좋아하지 않는다.)

imaginary: 상상의 ▶ I had an imaginary pet friend when I was a child. (나는 어렸을 때

상상 속의 동물 친구가 있었다.)

creativity: 창의성 ▶ I was amazed at his creativity. (나는 그의 창의성에 놀랐다.)

be used to + 명사: ~에 익숙하다 ▶ People tend to do what they are used to. (사람들은 자신들에게 익숙한 것을 하려는 경향이 있다.)

concept: 개념 ▶ It is very difficult to define the concept of the term. (그 용어의 개념을 정의하는 것은 아주 어렵다.)

diagonally: 대각선으로 ▶ Draw the line diagonally. (선을 대각선으로 그려라.)

Key Points

2 **Start Thinking** Outside the Box: start, quit, finish 등은 -ing를 목적어로 취하는 동사로 start -ing는 '~하는 것을 시작하다'의 의미이다.

7 **Although** this may seem to be just a nonsense question, there is much more to **it** than meets the eye.: Although는 '비록 ~일지라도'의 뜻으로 양보의 의미를 나타내는 접속사이며 뒤에 「주어 + 동사」가 이어진다. / it이 가리키는 것은 앞의 a nonsense question이다.

8 **The way** most people approach this question shows that they tend to think "inside the box," **which** means thinking in a traditional way.: the way는 '~하는 방식'이라는 뜻으로, The way ~ question까지가 주어이다. / which는 앞에 콤마가 있으므로 관계대명사의 계속적 용법으로 쓰였다.

9 Sometimes, however, this doesn't **help you solve** challenging problems.: 「help + 목적어 + (to) + 동사원형」 구문으로 '~가 …하는 것을 돕다'라는 뜻이다.

10 **Try stepping** outside your imaginary box and solve problems in a way you've never thought about before.: try -ing는 '시험 삼아 해보다'의 뜻이고 try to는 '~하려고 노력하다'의 의미이다.

ex.) Try to do your best in the final exam. (기말고사에서 최선을 다하려고 노력하라.)

13 Going beyond **what you are used to** can be the first step in becoming creative.: what you are used to의 what은 선행사를 포함하는 관계대명사로 '~하는 것'으로 해석한다. 전치사 뒤에는 명사 상당어구가 오므로 in 뒤에 동명사 becoming이 쓰였다.

19 What is the lowest number of swings **that it would take for him to** successfully **put** the ball in the hole?: that 이하는 앞의 the lowest number of swings를 선행사로 취하는 관계대명사절이고 that은 목적격 관계대명사이다. 「it takes + 횟수 + for + 목적격 + to부정사」 구문으로 여기서 「for + 목적격」은 의미상의 주어이고 to부정사 이하가 진주어이다. 이때 it은 해석하지 않는다. 한편 to부정사 사이 즉 to와 동사원형 사이에 successfully 같은 부사가 오기도 한다.

21 What about thinking outside the concept of **the golfer hitting in a straight direction**—he can hit diagonally, as well.: golfer를 꾸며주는 현재분사구가 hitting ~ direction까지이다. golfer와 hit의 관계가 능동이므로 현재분사가 쓰였다.

24 Actually, **by swinging** two times for 11 yards in a diagonal direction, the golfer could successfully finish the game!: by -ing는 '~함으로써'의 뜻이다.

Mini Test

정답과 해설 p. 359

1. 다음 괄호 안의 단어들을 순서대로 배열하시오.

(1) (most, the, way, people, approach) this question shows that they tend to think "inside the box."

(2) What about thinking outside the concept of (in, direction, the, golfer, hitting, a, straight)?

2. 다음 우리말에 맞게 빈칸에 알맞은 말을 쓰시오.

(1) 새로운 사고를 하기 시작하라.
_____ outside the box.

(2) 익숙한 것을 넘어서는 것은 창의적이 되는 첫 번째 단계일 수 있다.
Going beyond _____ can be the first step in becoming creative.

3. 다음 주어진 표현을 이용하여 문장을 완성하시오.

(1) come to mind: 생각나다
What _____ when you look at this picture?
(너는 이 그림을 보면 무엇이 생각나니?)

(2) tend to + 동사원형: ~하는 경향이 있다
People _____ less sleep as they get older.
(사람들은 나이가 들수록 잠을 덜 필요로 하는 경향이 있다.)

(3) try -ing: ~하는 것을 시도하다, 시험 삼아 해보다
Try _____ and on again.
(그것을 껐다가 다시 켜봐라.)

(4) be used to + -ing[명사]: ~에 익숙하다
I am _____ in the library.
(나는 도서관에서 공부하는 게 익숙하다.)

Interpretation

¹다음 질문에 대한 준비가 되어 있는가? ²어느 날, 한 농부가 엔지니어, 물리학자, 수학자에게 최소한의 양의 철사로 가장 넓은 지역에 울타리를 치는 사람이 이기는 게임을 제의했다. ³모두가 각자의 생각하는 방식을 가지고 있는 것 같았다. ⁴엔지니어는 그녀의 철사로 큰 원을 만들었다. ⁵물리학자는 엔지니어의 것보다 더 적은 철사를 이용하여 긴 울타리를 만들었다. ⁶그는 울타리는 무한하게 긴 직선이고 지구의 반에 울타리를 칠 것이라고 말했다. ⁷마지막으로 수학자는 다른 두 명을 비웃었고 자신의 아이디어를 농부에게 제시했다. ⁸아주 놀라서 농부는 수학자가 승자라고 발표했다. ⁹수학자의 아이디어는 무엇이었을까?

¹⁰수학자는 그녀의 둘레에 작은 울타리를 만든 다음에 말했다. "제가 서 있는 이 작은 땅을 제외하고 전 세계에 울타리를 쳤습니다." ¹¹다른 두 도전자들은 울타리 반대쪽이 아니라 울타리 안에 무엇이 있는지에만 집중했기 때문에 그녀가 이렇게 말하리라는 예상을 하지 못했다.

¹²여러분은 Columbus의 달걀에 대한 이야기를 기억할지도 모른다. ¹³사람들은 Columbus에게 그의 신대륙 발견은 그리 대단한 일이 아니었다고 말했다. ¹⁴그래서 그는 그들에게 달걀을 똑바로 세우는 아주 간단한 과제를 하도록 요청했다. ¹⁵잠시 후, 모두가 포기했다. ¹⁶자신의 요점을 확실하게 하면서 Columbus는 달걀을 탁자에 톡톡 두드림으로써 그것을 끝으로 서게 했다. ¹⁷이와 같은 것이 여러분에게 주어지면, 처음에는 간단해 보일지도 모른다. ¹⁸하지만 어려운 부분은 여러분에게 익숙한 것을 넘어서 처음 생각하는 게 되는 것이다. ¹⁹다른 방식으로 생각함으로써, 여러분은 자신이 창의성의 완전히 새로운 단계에 있는 것을 발견할 것이다.

---

¹Are you ready for the next question? ²One day, a farmer challenged an engineer, a physicist, and a mathematician to a game in which the person who fenced off the largest area with the smallest amount of wire would win. ³It seemed that everyone had his or her own way of thinking. ⁴The engineer made a large circle with her wire. ⁵The physicist made a long fence, using less wire than the engineer's. ⁶He said that the fence could be an infinitely long straight line and would fence in half of the earth. ⁷Finally, the mathematician laughed at the other two and presented her idea to the farmer. ⁸Quite surprised, the farmer announced that the mathematician was the winner. ⁹What was the mathematician's idea?

¹⁰The mathematician had made a tiny fence around herself and said, "I fenced off the entire world except for this little piece of land that I'm standing on." ¹¹None of the other challengers had expected her to say this because they had only focused on what was inside the fence and not the other way around.

¹²You might remember the story of the egg of Columbus. ¹³People told Columbus that his discovery of the New World was not a big deal. ¹⁴So he asked them to do the very simple task of making an egg stand upright. ¹⁵After a while, everyone gave up. ¹⁶Clearly making his point, Columbus got the egg to stand on its end by tapping it on the table. ¹⁷When something like this is shown to you, it seems to be easy at first glance. ¹⁸However, the hard part is to be the first to think beyond what you are used to. ¹⁹By thinking in a different way, you will find yourself at a whole new level of creativity.

Words and Idioms

physicist: 물리학자 ▶ He finally finished his training as a physicist. (그는 물리학자로서의 훈련을 마침내 끝냈다.)

fence off: 울타리를 치다 ▶ They agreed to fence off small areas of the land for cultivation. (그들은 경작을 위해 그 땅의 작은 면적에 울타리를 치는 데 동의했다.)

wire: 철사 ▶ The pieces of wire he'd cut were too short. (그가 잘랐던 철사의 조각들은 너무 짧았다.)

infinite: 무한한 ▶ The universe is infinite. (우주는 무한하다.)

announce: 발표하다 ▶ They announced their marriage in 'The Herald.' (그들은 헤럴드지에 그들의 결혼을 발표했다.)

Over to you

What do you think about the mathematician's way of answering the question?

질문에 대답한 수학자의 방식에 대해 어떻게 생각하나요?

except for: ~를 제외하고 ▶ The shop is open every day except for weekends. (그 상점은 주말을 제외하고 매일 연다.)

the other way around: 반대쪽으로 ▶ The door only works the other way around. (그 문은 반대쪽으로만 작동한다.)

upright: 똑바로 ▶ Keep the bottle upright. (병을 똑바로 두어라.)

glance: 흘끗 보기; 곁눈으로 보다 ▶ He saw at a glance what had happened. (그는 한눈에 무슨 일이 있었는지 알았다.)

Key Points

2 One day, a farmer challenged an engineer, a physicist, and a mathematician to a game **in which** the person who fenced off the largest area with the smallest amount of wire would win.: which는 앞의 a game을 꾸며준다. which ~ win in에서 전치사 in이 관계대명사 앞으로 가서 「전치사 + 관계대명사」의 구조를 이루고 있다.

3 **It seemed that** everyone had his or her own way of thinking.: It seems that ~구문은 「주어 + seem(s) to부정사 ~」와 바꾸어 쓸 수 있다. 주절과 종속절의 시제가 같으므로 「to + 동사원형」으로 나타낸다. 즉, Everyone seemed to have his or her ~와 바꾸어 쓸 수 있다.

5 The physicist made a long fence, **using** less wire than the engineer's.: using~은 분사구로 when he used ~를 분사구문으로 바꾼 것이다.

7 Finally, the mathematician laughed at **the other two** and presented her idea to the farmer.: the other ~는 '나머지 ~'의 뜻으로 한정된 수 이내에서 나머지 모두를 나타낸다. 여기서는 engineer 와 physicist를 가리킨다.

8 **Quite surprised**, the farmer announced that the mathematician was the winner.: As he was quite surprised ~에서 접속사와 주어가 생략되고 was가 being으로 바뀐 상태에서 being이 생략된 분사구문이다.

10 The mathematician had made a tiny fence around herself and said, "I fenced off the entire world except for this little piece of land **that I'm standing on.**": that 이하는 this little piece of land를 선행사로 취하는 관계대명사절이다. 전치사 on은 관계대명사 that이 쓰인 경우 「전치사 + who / which」의 형태처럼 관계대명사 앞에 올 수 없다.

11 **None of** the other challengers had expected her to say this because they had only focused on **what was inside the fence** and not the other way around.: 「none of + 복수명사」는 '~중 아무도 …않는'의 뜻이다. / what was inside the fence에서 what은 선행사를 포함하는 관계대명사로 '~한 것'이라는 의미이다.

14 So he **asked** them **to do** the very simple task of **making an egg stand** upright.: ask, tell 등의 동사는 목적보어로 to부정사를 취한다. / make는 사역동사로 '~을 …하게 만들다'의 의미이다. 이때 목적어와 목적보어의 관계가 능동이므로 목적보어는 동사원형이 쓰였다.

16 **Clearly making his point**, Columbus got the egg to stand on its end by tapping it on the table.: As he was clearly making his point ~의 의미로 「접속사와 주어」가 생략된 분사구문이다.

17 When something like this is shown to you, **it seems to be easy at first glance**.: it seems that it is easy at first glance를 「It seems to + 동사원형 ~」으로 나타낸 구문이다.

Mini Test

정답과 해설 p. 359

1. 다음 괄호 안의 단어들을 순서대로 배열하시오.

(1) The mathematician (other, two, laughed, at, the) and presented her idea to the farmer.

(2) So he (do, asked, to, them) the very simple task of making an egg stand upright.

2. 다음 우리말에 맞게 빈칸에 알맞은 말을 쓰시오.

(1) 모두가 각자의 생각하는 방식을 가지고 있는 것 같았다.
_____ his or her own way of thinking.

(2) 자신의 요점을 확실하게 하면서 Columbus는 식탁 위에 달걀을 쳐서 끝으로 서게 했다.
Clearly _____, Columbus got the egg to stand on its end by tapping it on the table.

3. 다음 주어진 표현을 이용하여 문장을 완성하시오.

(1) fence off: 울타리로 나누다
They _____ part of the backyard.
(그들은 뒷마당의 일부를 울타리 쳤다.)

(2) except for: ~을 제외하고
He doesn't wear suits _____.
(그는 특별한 경우를 제외하고는 정장을 입지 않는다.)

(3) none of : ~ 중 아무(것)도 않다
_____ answered my question.
(그들 중 아무도 내 질문에 대답하지 않았다.)

(4) the other way around: 반대쪽으로
We practice translating from Korean to English and
_____.
(우리는 한국어를 영어로 또 그 반대로 번역하는 것을 연습한다.)

Interpretation

¹두 번째 라운드: 상상력을 이용하여 눈에 보이는 것을 확장하라

²안주하는 영역에서 벗어나 눈에 보이는 것 너머를 보는 것도 도움이 될 것이다. ³다시 말해, 상상력을 사용하라! ⁴여러분의 마지막 두뇌 게임은 낭만적인 이야기로 시작한다.

⁵옛날에 부유한 왕이 살았다. ⁶아내를 무척 사랑해서, 그는 영원히 그녀와 함께 있고 싶었다. ⁷어느 날 그는 화가에게 그와 왕비의 그림을 그리라고 요청했다. ⁸화가가 그린 그림 "아름다운 왕비"는 위와 같이 그려졌다. ⁹여기 질문이 있다: 왕비는 어디에 있는가? ¹⁰그녀를 보려면 여러분은 창의력을 이용해야 할 것이다!

¹¹초상화를 네 개의 정사각형으로 나누고 나서야 문제를 풀 수 있다. ¹²왕비를 찾기 위해 여러분은 정사각형들을 거꾸로 하거나 그들의 자리를 바꾸어야 한다. ¹³이제 왕비의 아름다운 형태가 보이는가? ¹⁴왕을 자세히 보거나 노란 배경을 응시하는 것은 질문에 대답하는 데 도움이 될 수 없다. ¹⁵그러나 상상력을 이용하여 여러분은 초상화에서 여인을 볼 수 있다.

¹**Second Round: Use Your Imagination to Expand What You Can See**

²It is also helpful to step out of your comfort zone and look beyond what you can see. ³In other words, use your imagination! ⁴Your final brain game begins with a romantic story.

⁵There once lived a rich king. ⁶Loving his wife so much, he wanted to be with her forever. ⁷One day, he asked an artist to paint a painting of himself and the queen. ⁸The painting the artist drew, "A Beautiful Queen," is pictured above. ⁹Here is your question: where is the queen? ¹⁰You'll need to use your creativity to see her!

¹¹It is not until you divide the portrait into four squares that you can solve the question. ¹²To find the queen, you have to turn the squares upside down or switch their places. ¹³Now, do you see the queen's beautiful outline? ¹⁴Neither looking closely at the king nor staring at the yellow background can help you answer the question. ¹⁵However, by using your imagination, you can see a lady in the portrait.

Words and Idioms

expand: 팽창하다 ▶ The air in the plastic bag expands when heated. (비닐봉지 안의 공기는 가열되면 팽창한다.)

step out of one's comfort: ~의 안주에서 나오다 ▶ It's hard to step out of our comfort zone. (안주하는 영역에서 나오는 것은 어렵다.)

zone: 구역 ▶ This has been designated a danger zone. (이곳은 위험 구역으로 지정되었다.)

beyond: ~을 넘어서 ▶ The library is just beyond the bridge. (도서관은 다리 바로 너머에 있다.)

It is not until A that B: A하고 나서야 B하다 ▶ It was not until after midnight that we arrived at our hotel. (자정이 넘어서야 우리는 호텔에 도착했다.)

Over to you

Try to think in many different ways while solving the problem and explain how you solved it.

문제를 풀면서 많은 다양한 방법들을 생각하려고 노력하고 어떻게 문제를 풀었는지 설명하시오.

portrait: 초상화 ▶ My uncle is a **portrait** painter. (우리 삼촌은 초상화가이다.)

upside down: 거꾸로 ▶ Turn the bottle **upside down** and shake it. (병을 거꾸로 해서 흔들어라.)

switch: 바꾸다 ▶ She started studying engineering, but

switched to law in her second year. (그녀는 공학을 공부하기 시작했지만 2학년 때 법학으로 바꾸었다.)

neither A nor B: A도 B도 아닌 ▶ **Neither** my mother **nor** my father had a job at that time. (그 당시에 우리 엄마도 아빠도 직업이 없었다.)

Key Points

1 Second Round: Use Your Imagination to Expand **What** You Can See: what은 선행사를 포함하는 관계대명사로 '~하는 것'으로 해석된다.

2 It is also helpful **to** step out of your comfort zone and look beyond what you can see.: It은 가주어, to step ~이하가 진주어이다. 가주어는 해석하지 않는다.

3 **In other words**, use your imagination!: in other words는 namely의 뜻으로 '다시 말하자면'의 의미를 가진 연결어이다.

5 **There** once **lived a rich king.**: 「There + 동사 + 주어」 구문으로 a rich king이 주어임에 유의한다. 이때 there는 해석하지 않는다.

6 Loving his wife so much, he wanted to be with her forever.: As he loved his wife so much에서 「접속사 + 주어」를 생략하고 loved를 loving으로 바꾼 구문이다. 분사구문에서 주절과 부사절의 시제가 일치할 때 -ing로 나타낸다.

7 One day, he **asked an artist to paint** a painting of himself and the queen.: 「ask + 목적어 + 목적보어(to부정사)」 구문으로

'~에게 …하도록 요청하다'의 의미이다. 이렇게 to부정사를 목적보어로 취하는 동사에는 decide, tell, advise, order 등이 있다

8 **The painting the artist drew, "A Beautiful Queen,"** is pictured above.: The painting the artist drew와 "A Beautiful Queen"은 「명사, 명사」 형태인 동격이다.

11 **It is not until** you divide the portrait into four squares **that** you can solve the question.: You can't solve the question until you divide the portrait into four squares.와 같은 뜻으로 「It is not until A that + 주어 + 동사 ~」는 'A하고 나서야 ~하다'의 의미이다.

12 **To find the queen**, you have to turn the squares upside down or switch their places.: to부정사가 목적을 나타내며 「in order to / so as to」와 바꾸어 쓸 수 있다.

14 **Neither** looking closely at the king **nor** staring at the yellow background can help you answer the question.: 「neither A nor B」는 'A도 B도 아닌'의 뜻으로 A와 B에는 같은 문법구조가 와서 병렬구조를 이룬다.

Mini Test

정답과 해설 p. 359

1. 다음 괄호 안의 단어들을 순서대로 배열하시오.

(1) There once (a, king, lived, rich).

(2) (is, also, it, helpful, to, step) out of your comfort zone and look beyond what you can see.

2. 다음 우리말에 맞게 빈칸에 알맞은 말을 쓰시오.

(1) 아내를 너무 사랑해서, 그는 영원히 그녀와 함께 있고 싶었다.

_____ so much, he wanted to be with her forever.

(2) 왕을 자세히 보거나 노란 배경을 노려보는 것도 질문에 대답하는 데 도움이 될 수 없다.

_____ at the king nor staring at the yellow background can help you answer the question.

3. 다음 주어진 표현을 이용하여 문장을 완성하시오.

(1) step out of one's comfort: ~의 안주에서 나오다

Try to _____.

(너의 안주하는 영역에서 나오려고 노력해라.)

(2) It is not until A that B: A하고 나서야 B하다

_____ that she started to write.

(그녀는 50세가 되어서야 비로소 글을 쓰기 시작했다.)

(3) upside down: 거꾸로

The plane was _____ at high speed.

(비행기가 빠른 속도로 거꾸로 날고 있었다.)

(4) neither A nor B: A도 B도 아닌

They speak _____.

(그들은 프랑스어도 독일어도 못한다.)

📖 Interpretation

¹이 문제를 해결하는 것은 상상력을 필요로 한다. ²상상력은 마음속에 어떤 것에 관한 마음의 그림을 만드는 능력이다. ³그러나 이 능력에 관해 아주 재미있는 것은 머릿속에서 이미지를 보는 것만으로 국한되지 않는다는 것이다. ⁴그것은 눈에 보이는 것을 넘어서 아주 잘 진행되는 모든 오감과 감정을 포함할 수 있다. ⁵여러분이 모든 오감과 감정을 결합하도록 상상력을 훈련하는 것은 여러분의 창의성을 강화하는 데 도움이 될 수 있다.

⁶두뇌 게임으로 두뇌를 북돋우는 것을 즐겼는가? ⁷상자 밖에서 생각하는 것은 처음에 어려울 수도 있다. ⁸그러나 오래된 생각의 패턴의 경계를 무너뜨리려고 노력함에 따라 더 쉬워질 수 있다. ⁹문제에 부딪히면, 너무 쉽게 포기하지 마라. ¹⁰마음을 열고 상상력이 여러분을 위해 작동하게 하라!

¹Solving this problem requires imagination. ²Imagination is the ability to make a mental picture of something in your mind. ³What's so interesting about this ability, however, is that it is not limited only to seeing images in your head. ⁴It can include all the five senses and feelings — so going well beyond what can be seen. ⁵Training your imagination to combine all the five senses and emotions will help you to strengthen your creativity.

⁶Did you enjoy pumping up your brain with these brain games? ⁷Thinking outside the box might seem difficult at first. ⁸However, it gets easier as you try to break the boundaries of your old thinking patterns. ⁹When you face a problem, don't give up too quickly. ¹⁰Open your mind and let your creativity work for you!

*You can find the answer of each brain game on p. 223.

Over to you

Think about the purpose of the reading passage and share your thoughts with your partner.

본문의 목적에 관해 생각하고 여러분의 생각을 짝과 공유하시오.

📝 Words and Idioms

require: 필요로 하다 ▶ Please call this number if you require any further information. (정보가 더 필요하시면 이 번호로 전화주세요.)

ability: 능력 ▶ There's no doubt about her ability. (그녀의 능력에 관해서 의심할 여지가 없다.)

include: 포함하다 ▶ The bill includes tax and service fee. (그 계산서에는 세금과 서비스료가 포함된다.)

combine: 결합하다 ▶ They've decided to combine the two departments. (그들은 두 부서를 합치기로 결정했다.)

five senses: 오감 ▶ Smell is one of the five senses. (후각은 오감 중 하나이다.)

strengthen: 강화시키다 ▶ I did some exercises for strengthening my lower back. (나는 등 아래를 강화하기 위해 약간의 운동을 했다.)

pump up: 주입하다, 증가시키다 ▶ Pump all the tires up. (모든 타이어에 공기를 넣어 주세요.)

think outside the box: 상자 밖에서 생각하다, 창의적으로 생각하다 ▶ It's difficult for people to think outside the box. (사람들이 창의적으로 생각하는 것은 어렵다.)

boundary: 경계 ▶ Can we see the world without boundaries someday? (언젠가 경계가 없는 세계를 볼 수 있을까?)

Key Points

1. **Solving this problem** requires imagination.: solving은 주어의 역할을 하는 동명사이다. 주어는 solving this problem이다.

2. Imagination is the ability **to make** a mental picture of something in your mind.: to make는 앞의 the ability를 꾸며주는 to부정사의 형용사적 역할을 한다. '~할'로 해석된다.

3. **What**'s so interesting about this ability, however, is **that it is not limited only to seeing images in your head.**: what은 관계대명사로 '~하는 것'의 뜻이다. 선행사를 포함하므로 앞에 선행사가 오지 않는다. / that 이하는 주격보어로 이때 that은 접속사 역할을 한다.

4. **It** can include all the five senses and feelings—so going well beyond what can be seen.: It은 앞 문장의 this ability, 즉 imagination을 가리킨다.

6. Did you **enjoy pumping** up your brain with these brain games?: enjoy, mind, finish, consider 등은 -ing를 목적어로 취하는 동사들이다.

7. Thinking outside the box might **seem difficult** at first.: 「seem + 형용사」 구문으로 이때 형용사는 주격보어의 역할을 한다. '~인 것 같다'의 뜻이다.

8. However, it **gets easier** as you try to break the boundaries of your old thinking patterns.: 「get + 비교급」은 '더 ~되다'의 뜻으로 변화를 나타낸다. as는 '~함에 따라'의 뜻으로 접속사로 쓰였다.

10. Open your mind and **let your creativity work** for you!: 「let + 목적어 + 동사원형」은 '~을 …하게 하다'의 뜻으로 이때 let은 사역동사이다. 목적어와 목적보어의 관계가 능동이면 목적보어로 동사원형, 수동이면 과거분사가 온다.

Mini Test

정답과 해설 p. 359

1. 다음 괄호 안의 단어들을 순서대로 배열하시오.

(1) Thinking outside the box might (at, difficult, seem, first).

(2) Open your mind and (let, work, your, creativity) for you!

2. 다음 우리말에 맞게 빈칸에 알맞은 말을 쓰시오.

(1) 이 문제를 푸는 것은 창의성을 필요로 한다.
_____ requires imagination.

(2) 상상력은 마음속에 어떤 것에 관한 마음의 그림을 만드는 능력이다.
Imagination is _____ a mental picture of something in your mind.

(3) 이 두뇌 게임들로 두뇌를 북돋우는 것을 즐겼는가?
Did you _____ your brain with these brain games?

3. 다음 주어진 표현을 이용하여 문장을 완성하시오.

(1) five senses: 오감
Sight, hearing, touch, smell, and taste _____.
(시각, 청각, 촉각, 후각 그리고 미각이 오감이다.)

(2) pump up: 증가시키다
Can you _____?
(볼륨 좀 크게 해주겠니?)

(3) think outside the box: 상자 밖에서 생각하다, 창의적으로 생각하다
When members _____, they could be more creative.
(구성원들이 상자 밖에서 생각했을 때, 그들은 더 창의적이 될 수 있었다.)

(4) get + 비교급: 점점 더 ~해지다
In winter it tends to _____.
(겨울에는 더 건조해지는 경향이 있다.)

📖 After You Read

1. Complete the summary of the three different brain games.
세 개의 다른 두뇌 게임에 대한 요약문을 완성하시오.

> Thinking <u>inside</u> the box rarely helps you to solve challenging problems.
> Try to step <u>outside</u> your imaginary box and let your <u>creativity</u> fly!

First Round: Go <u>beyond</u> what you are used to.	
Question 1	How can the golfer get the lowest number of swings?
Question 2	How can you fence off the largest area with the smallest amount of wire?

| **Second Round:** Use your <u>imagination</u> to expand what you can see. ||
| Question 3 | Where in the portrait is the queen? |

> Thinking <u>outside</u> the box may seem difficult at first, but it gets
> easier once you try to break the <u>boundaries</u> of your old thinking patterns.

해석

상자 안에서 생각하는 것은 여러분이 도전적인 문제들을 푸는 데 거의 도움을 주지 않는다.
여러분의 상상의 상자 밖으로 나오려고 노력하고 여러분의 창의력에 날개를 달게 하라!
첫 번째 라운드: 여러분이 익숙한 것을 넘어서라.
질문 1: 골프 선수는 어떻게 최소한의 스윙을 할 수 있을까?
질문 2: 여러분은 어떻게 가장 적은 양의 철사로 가장 넓게 울타리를 칠 수 있을까?
두 번째 라운드: 여러분의 상상력을 이용하여 눈에 보이는 것을 확장시켜라.
질문 3: 초상화 어디에 왕비가 있는가?
상자 밖에서 생각하는 것은 처음에는 어려워 보일지도 모르지만, 일단 여러분의 오래된 생각 패턴의 경계를 깨려고 노력하면 더 쉬워진다.

해설

상자 안에서 생각하는 것이 도움이 되지 않는다는 내용이므로 '안에서'에 해당하는 inside가 처음에 온다. 두 번째와 세 번째 빈칸에는 상상의 상자 밖으로 나와 창의성을 날게 하라는 뜻이므로 outside와 creativity가 온다. 첫 번째 라운드에서는 익숙한 것을 넘어서라는 내용이므로 beyond가 온다. 두 번째 라운드에서는 상상력을 사용하라는 내용이므로 imagination이 온다. 결론 부분은 상자 밖에서 생각하고 오래된 생각 패턴의 경계를 깨라는 내용이므로 outside와 boundaries가 온다.

해설

수학자가 가장 큰 구역에 울타리를 쳐서 우승했으므로 (2)는 일치하지 않는다.
(4) It is not until you divide the portrait into four squares that you can solve the question.로 보아 네 조각으로 나누어야 함을 알 수 있다.

어휘

certain [sə́ːrtn] 특정한, 어떤

2. Listen and select True or False. 🎧 듣고 맞으면 True, 틀리면 False를 고르시오.

(1) The golfer is good at hitting the ball only certain distances.

(2) The engineer in the second question fenced off the largest area.

(3) You have to think in a different way to be creative.

(4) You have to divide the king's portrait into three pieces to find the queen.

(5) You can have a better imagination when you combine all the five senses and emotions.

(1) 골프 선수는 특정한 거리에서만 공을 치는 데 익숙하다.

(2) 두 번째 질문에서 엔지니어가 가장 큰 구역에 울타리를 쳤다.

(3) 여러분은 창의적이기 위해 다른 방법으로 생각해야 한다.

(4) 왕의 초상화를 세 조각으로 나누어 왕비를 찾아야 한다.

(5) 여러분은 모든 오감과 감정들을 결합할 때 더 나은 상상력을 가질 수 있다.

(1) ☑ True / ☐ False
(2) ☐ True / ☑ False
(3) ☑ True / ☐ False
(4) ☐ True / ☑ False
(5) ☑ True / ☐ False

THINK AND TALK

3. Talk with your partner about the meaning of "thinking outside the box."

짝과 함께 "상자 밖에서 생각하기'의 의미에 관해 이야기하시오.

A: What do you think "thinking outside the box" means?
B: I think it means to <u>stop thinking by using the same old patterns</u>.
A: I think so, too. So, how did you change after reading this?
B: Well, <u>I try to ask myself what the creative solution to the problem is all the time</u>.

해석

A: "상자 밖에서 생각하기"가 무슨 뜻이라고 생각하니?

B: 나는 그것이 <u>똑같은 오래된 방식을 이용하여 생각하는 것을 멈추는 것</u>을 의미한다고 생각해.

A: 나도 그래. 그래서 이것을 읽은 후 너는 어떻게 바뀌었니?

B: 글쎄, <u>나는 항상 무엇이 창의적인 해결책인지를 스스로에게 물으려고 노력해.</u>

어휘

all the time 항상

활동 팁

창의적인 사고를 잘하기 위한 방법

1. 미술, 음악, 책 등을 많이 접함으로써 우뇌를 자극한다.
2. 단기적인 꿈 외에도 장기적인 꿈을 꾸면서 더 큰 꿈을 갖고 있도록 한다.
3. 상상력을 자주 자극한다.
4. 일상이나 주변의 사소한 것에도 관심을 갖는다.
5. 메모를 습관화 해서 작은 아이디어라도 기록한다.
6. 질문을 자주 하도록 한다.

3~5차시 어휘 정리

▶ announce 발표하다
▶ beyond ~을 넘어서
▶ come to mind 생각나다
▶ diagonally 대각선으로
▶ fence off 울타리를 치다
▶ glance 흘끗 보기
▶ include 포함하다
▶ infinite 무한한
▶ physicis 물리학
▶ pump up 올리다, 바람을 넣다
▶ the other way around 반대로
▶ step out of one's comfort zone 안주하는 영역에서 나오다
▶ upside down 거꾸로
▶ whole 전체의

▶ approach ~에 다가가다
▶ combine 결합하다
▶ creativity 창의성
▶ except for ~을 제외하고
▶ five senses 오감
▶ imaginary 상상의
▶ incorrectly 틀리게
▶ neither A nor B A도 B도 아닌
▶ portrait 초상화
▶ tend to ~하는 경향이 있다
▶ think outside the box 독창적으로 생각하다
▶ switch 바꾸다
▶ wire 철사
▶ zone 구역

Review Points

1. I understood the theme of the reading passage.
   나는 본문의 주제를 이해했다.
2. I organized my thoughts about the reading passage, where creative thinking is possible by thinking in new ways and using my imagination.
   나는 창의적인 생각은 새로운 방식으로 생각하고 내 상상력을 이용함으로써 가능하다는 본문에 관한 내 생각을 정리했다.

Language Notes

About Words

사람을 만드는 접미사 -er/-ist/-ian
designer 디자이너
tourist 여행자
logician 논리학자
librarian 사서

동사 + off/at/for
1) off + 명사: 붙어 있는 상태가 떨어짐
   get off (차에서 내리다)
2) at은 초점을 나타냄
   glare at (~를 보다)
3) for는 대상을 나타냄
   apply for (~에 지원하다)

해석
(1) A: 네 어머니께서 선박 엔진 일을 하신다고 들었어.
    B: 응, 엄마는 해양 공학자이셔.
(2) A: 나를 놀리는 것 그만둬! 모두가 나를 비웃는 게 보이지 않니?
    B: 이런, 미안해. 너를 당황하게 할 의도는 아니었어.
(3) A: 오늘밤 외식하자! 해산물 먹는 게 어때?
    B: 미안하지만 나는 해산물만 빼고 다 좋아해.

WORDS IN USE

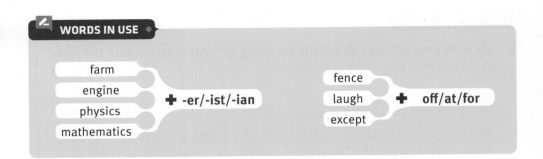

farm
engine
physics
mathematics
+ -er/-ist/-ian

fence
laugh
except
+ off/at/for

1. **Choose the appropriate word in each dialogue.** 각 대화에 알맞은 단어를 고르시오.
   (1) A: I heard your mother works with ship engines.
       B: Yes, she's a marine (<u>engineer</u> / engine).
   (2) A: Stop making fun of me! Don't you see everyone is laughing (on / <u>at</u>) me?
       B: Oops, sorry. I didn't mean to embarrass you.
   (3) A: Let's eat out tonight! What about having some seafood?
       B: I'm sorry, but I enjoy everything except (off / <u>for</u>) seafood.

PHRASES IN USE

come to mind: to remember or think of something suddenly 생각나다: 어떤 것에 관해 갑자기 기억하거나 생각하다
If long and difficult words *come to mind*, take another guess.
만약 길고 어려운 단어들이 떠오르면, 다른 것을 추측하라.

the other way around: in the opposite position, direction, or order 반대로: 반대 위치, 방향 또는 순서로
They had only focused on what was inside the fence and not *the other way around*.
그들은 울타리 안에 있는 것에만 집중했고 반대쪽으로는 집중하지 않았다.

step out of one's comfort zone: to try new things you were scared of 안주하는 영역에서 나오다: 두려워했던 새로운 것들을 시도하다
It is also helpful to *step out of your comfort zone* and look beyond what you can see.
안주하는 영역에서 나와 눈에 보이는 것 너머를 보는 것도 도움이 된다.

해석
(1) 뭔가 생각나는 게 있으면, 전화해.
(2) 열쇠가 그런 방식으로는 맞지 않을 거야. 반대 방향으로 해봐.
(3) 나는 새로운 학교로 옮겨가기로 결정했을 때 안주하는 영역에서 나와야 했다.

2. **Complete the sentences with the phrases above. You may need to change the form.**
   위의 구문을 이용해서 문장을 완성하시오. 형식을 바꿔야 할 수도 있습니다.

   (1) If anything <u>comes to mind</u>, call me.
   (2) The key won't fit that way. Try it <u>the other way around</u>.
   (3) I had to <u>step out of my comfort zone</u> when I decided to move to a new school.

FOCUS ON FORM

- **It seemed that** everyone had his or her own way of thinking.
  모두가 자신만의 사고방식을 가지고 있는 것 같았다.
- When something like this is shown to you, **it seems to be** easy at first glance.
  이런 것이 당신에게 보여지면, 처음에는 쉽게 보일 것이다.

- Quite **surprised**, the farmer announced that the mathematician was the winner.
  무척 놀라서, 농부는 수학자가 우승자라고 발표했다.
- **Loving** his wife so much, the king wanted to be with her forever.
  아내를 무척 사랑해서, 왕은 그녀와 영원히 함께 있고 싶었다.

3. Read the story and answer the questions. 이야기를 읽고 질문에 답하시오.

(1) It seems (to / that) she is scared of me. But I want to be close to her. What should I do?

Let's cook together!

O... Okay.

Now (2) he seems to be a gentle and kind beast. Maybe he has a warm heart.

Source: The Walt Disney Company, *Beauty and the Beast*

(1) Choose the appropriate word in the sentence. 문장에서 알맞은 단어를 고르시오.
that

(2) Change the sentence using *It seems that* ~ phrase. It seems that ~구문을 이용하여 문장을 바꾸시오.
It seems that he is a gentle and kind beast.

4. Choose the appropriate form in each sentence. 각 문장에 알맞은 형태를 고르시오.

Creative people daydream. (1) (Viewed / <u>Viewing</u>) daydreaming as a waste of time, noncreative people usually stop doing it when they find themselves exploring imaginative worlds. (2) (Had / <u>Having</u>) curiosity about daydreaming, however, a group of scientists studied the act of daydreaming and suggested that it is a source of creativity. They also said that daydreaming can lead to sudden insights because it is related to our ability to remember information. In addition, the scientists have found that a brain goes through the same process when it daydreams and when it comes up with creative ideas.

Improve Yourself

Check or write down the words, expressions, or sentences you didn't understand well in this unit. Explain at least one of them to your group members. (이 과에서 잘 이해하지 못한 단어, 표현, 문장들을 확인하거나 적어 보세요. 모둠원들에게 적어도 그것들 중 하나를 설명해 보세요.)

☐ disorder (장애, 질환) ☐ conscious (의식하는) ☐ folk village (민속촌) ☐ in good shape (좋은 상태인)
☐ on a daily basis (매일)

Your Own ▶ 스스로 해보기

About Forms

It seems that ~ 구문
「It seems that 주어+동사~」 구문은 '~인 것 같다'의 뜻으로 「주어+seem+to부정사 ~」의 형태로 바꾸어 쓸 수 있다.
It seems that they will get married soon. = They seem to get married soon.

분사구문
현재분사나 과거분사로 시작하는 구이며 때, 이유, 양보; 동시동작 등을 나타낸다.
* 접속사가 있는 절을 분사구로 바꾸기
1) 종속절의 접속사 생략
2) 종속절의 주어가 주절의 주어와 일치하면 주어 생략
3) 종속절의 시제가 주절의 시제와 같으면 동사를 현재분사 (-ing)로, 주절의 시제보다 하나 앞선 시제이면 「having + 과거분사」로 바꾼다.

해석
야수: 그녀가 나를 두려워하는 것 같아. 하지만 나는 그녀와 가까워지고 싶어. 어떻게 해야 하지?
Bell: 같이 요리해요!
야수: 조... 좋아요.
Bell: 이제 그는 순하고 친절한 야수인 것 같아. 아마도 따뜻한 마음을 가지고 있을 거야.

해설
(1) she is ~와 같이 「주어 + 동사 ~」가 이어지므로 that절이 나오는 것이 맞다.
(2) 「주어 + seem + to부정사」 구문을 「It seems that + 주어 + 동사 ~」로 바꾸면 된다.

해석
창의적인 사람들은 몽상을 한다. 몽상하는 것을 시간 낭비로 보기 때문에 창의적이지 않은 사람들은 자신이 상상의 세계를 탐험하고 있음을 깨달을 때 보통 그것을 그만둔다. 그러나 몽상에 관해 호기심을 갖고 있는 한 그룹의 과학자들이 몽상의 행위를 연구했고 그것이 창의성의 근원이라고 제시했다. 그들은 또한 몽상이 정보를 기억하는 능력과 관련 있으므로 갑작스런 통찰력의 결과를 가져올 수 있다고 말했다. 게다가 과학자들은 뇌가 몽상할 때와 창의적 아이디어를 낼 때 같은 과정을 겪는다는 것을 발견했다.

해설
(1) As they view daydreaming as a waste of time ~에서 접속사와 주어가 생략된 분사구문이다. 이때 주절과 종속절의 시제가 같으므로 -ing를 쓴다.
(2) As they had curiosity about daydreaming ~의 분사구문으로 as 와 they를 생략하고 having을 쓴다.

Write It Right

Creative solutions (창의적인 해결책)

Have you ever heard of examples for solving problems with a novel idea? What could you learn from them? Think about how we can fix daily problems creatively.

새로운 아이디어로 문제를 해결하는 예를 들어본 적 있나요? 거기서 무엇을 배울 수 있을까요? 매일의 문제들을 어떻게 창의적으로 해결할 수 있는지 생각해 보세요.

 **READ TO WRITE** 쓰기 위해 읽어보시오.

Read the story about a creative solution and compare the two ways.

창의적인 해결책에 관한 이야기를 읽고 두 가지 방법을 비교하시오.

해석

일본의 한 비누 회사의 창의성에 관한 위대한 이야기가 있다. 회사는 비어 있는 비누 상자를 샀던 고객에게서 항의를 받았다. 비누가 들어있지 않은 몇몇 상자들이 공장을 떠났다는 것을 발견하고 나서, 회사는 문제를 해결하기로 결정했다. 어떻게? 회사는 조립 라인 위에 있는 모든 상자를 스캔할 비싼 스캐너를 구입했고 모든 포장을 살펴볼 두 명의 엔지니어들을 두었다. 이것은 잘 되어가는 것 같았지만 비용이 아주 비쌌다. 어느 날, 공장에서 한 정규직원이 조립 라인 끝에 단지 전기 선풍기를 놓는 놀라운 아이디어를 생각해 냈는데, 그것은 빈 상자들을 날려버리는 것이었다. 가득 찬 상자들은 너무 무거웠고 선풍기에 의해 영향을 받지 않을 것이었다. 그의 아이디어 덕에 회사는 값싼 비용으로 문제를 완전히 해결할 수 있었다.

어휘

complaint [kəmpléint] 항의, 불평
purchase [pə́ːrtʃəs] 구매하다
assembly line 조립 라인
employee [implɔ́iiː] 직원
come up with an idea 아이디어가 생각나다

There is a great story about creativity at a Japanese soap company. The company had received a complaint from a customer who had bought a box of soap that was empty. ① **Having discovered** that some boxes left the factory without any soap, the company decided to solve the problem. How? The company purchased an expensive scanner to scan every box that was on the assembly line and had two engineers look at each package. This seemed to work, but it was very expensive. One day, a regular employee at the factory came up with the brilliant idea to simply put an electric fan at the end of the assembly line, ② **which** would blow away any empty boxes. Boxes that were full would be too heavy and would not be affected by the fan. Thanks to his idea, the company was able to completely solve the problem at a low cost.

General Way of Thinking

Creative Way of Thinking

 구문

① Having discovered ~는 분사구로 After the company had discovered ~에서 접속사와 주어가 생략된 구문이다. 부사절의 시제가 주절보다 앞서기 때문에 「having p.p.」가 온다.
② which 앞에 콤마가 있으므로 관계대명사의 계속적 용법이다. which 는 and it (the fan)을 나타낸다.

 **ORGANIZE YOUR IDEAS** 당신의 생각을 조직화하시오.

Think about a problem in your school and write about how your school is dealing with it now. Then add your creative solution. 학교에서의 문제를 하나 생각해 보고 학교가 지금 그 문제를 어떻게 다루고 있는지에 대해 쓰시오. 그리고 창의적인 해결책을 덧붙이시오.

	Example	Your Idea
Problem	Food waste at school	
Current Solution	Students pay a fine when they don't finish their meal.	
Creative Solution	Draw lines on the lunch tray to show ① **the amount of food.**	

해석

문제: 학교의 음식물 쓰레기
현재의 해결책: 학생들이 음식물을 다 먹지 못하면 벌금을 낸다.
창의적인 해결책: 음식의 양을 나타내기 위해 점심 식판에 선을 그린다.

어휘

current [kə́ːrənt] 현재의
pay a fine 벌금을 내다

 구문

① food는 여기서 셀 수 없는 명사이므로 양을 나타내기 위해 the amount of food를 사용했다.

STEP 3 WRITE YOUR CREATIVE SOLUTION 여러분의 창의적인 해결책을 쓰시오.

1. Write a creative problem-solving paragraph using your ideas in Step 2.

Step 2에서 낸 여러분의 아이디어를 이용하여 창의적으로 문제를 해결하는 글을 쓰시오.

Many students don't eat all the food on their lunch tray. It's reported that the average student threw away 23kg of food waste in Korea in 2016. A current solution is to make students pay a fine when they don't eat all the food on their lunch tray. However, I think this is not an effective way to reduce food waste. To solve this problem creatively, I think drawing lines on lunch trays would be a great idea. The lines would allow students to adjust the amount of food they eat. This solution can change students' bad habits and encourage them to have control over how much they eat.

해석

많은 학생들이 점심 식판의 음식을 다 먹지는 않는다. 2016년에 한국에서 보통 학생들은 23kg의 음식물 쓰레기를 버린다고 보도된다. 현재의 해결책은 학생들이 그들의 점심 식판의 모든 음식을 먹지 않을 때 벌금을 내게 하는 것이다. 하지만 나는 이것이 음식물 쓰레기를 줄이는 효과적인 방법이라고 생각하지 않는다. 이 문제를 창의적으로 해결하기 위해 점심 식판에 선을 그리는 것이 좋은 아이디어가 될 것이라고 생각한다. 선들은 학생들이 자신들이 먹는 음식의 양을 조절하게 할 것이다. 이 해결책은 학생들의 나쁜 습관을 바꿀 수 있고 그들이 얼마나 먹는지에 관해 조절하도록 북돋을 수 있다.

2. Check your writing. 당신의 영작문을 점검하시오.

☐ Does your writing consist of three parts: a description of the problem, a current solution, and a creative solution?

글이 세 부분: 문제에 관한 설명, 현재의 해결책, 그리고 창의적인 해결책의 세 부분으로 구성되나요?

☐ Do your sentences naturally flow together?

문장들이 자연스럽게 흐름을 따라가나요?

☐ Do your sentences have clear details and information?

문장들이 분명한 세부 사항과 정보를 가지고 있나요?

어휘

allow *A* to+동사원형 A가 ~하도록 허락하다
encourage *A* to+동사원형 A가 ~하도록 격려하다

STEP 4 SHARE YOUR SOLUTIONS 당신의 해결책을 공유하시오.

Present your paragraph to your classmates. Listen to others' ideas and choose the most creative solution. 당신의 글을 급우들에게 발표하시오. 다른 사람들의 아이디어를 듣고

가장 창의적인 해결책을 고르시오.

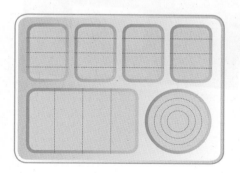

The solution is awesome! Actually, it will help us control the amount of food.

What a brilliant idea!

해석

A: 해결책이 대단하다! 실제로 우리가 음식의 양을 조절하는 데 도움을 줄 거야.
B: 정말 멋진 생각이야!

Review Points

1. I thought about a creative solution and what it means to make an effort to solve a problem in a creative way.
   나는 창의적인 해결책과 창의적인 방식으로 문제를 해결하기 위해 노력하는 것이 무엇을 의미하는지에 관해 생각했다.

2. I wrote a paragraph according to the instructions.
   나는 지시에 따라 글을 썼다.

Creative People in the World 세상의 창의적인 사람들

Albert Einstein

He was a physicist who had a large impact on how we perceive the universe.

Quote: *"Creativity is intelligence having fun."*

Albert Einstein

그는 우리가 어떻게 우주를 인지하는가에 관해 커다란 영향을 끼친 물리학자였다.

어록: *"창의성은 재미있는 지성이다."*

Christina Canters

She used to be an architect who took a huge risk by quitting her job to travel the world. She helps people improve their communication skills.

Quote: *"Everyone has creativity within them. It's just a matter of unlocking that creativity."*

Christina Canters

그녀는 세계를 여행하기 위해 직업을 그만둠으로써 큰 위험을 감수한 건축학자였다. 그녀는 사람들이 의사소통 기술을 향상시키도록 돕는다.

어록: *"모두가 자신 안에 창의성을 가지고 있다. 그것은 그 창의성의 문을 여는가의 문제일 뿐이다."*

Rita Mae Brown

She is an author of the Mrs. Murphy series and a successful poet.

Quote: *"Creativity comes from trust. Trust your instincts. And never hope more than you work."*

Rita Mae Brown

그녀는 Mrs. Murphy 시리즈의 작가이고 성공한 시인이다.

어록: *"창의성은 신뢰에서 나온다. 자신의 본능을 믿어라. 그리고 당신이 일하는 것보다 더 많이 바라지 마라.*

Steve Jobs

He was a CEO and technology pioneer who changed how we use our mobile phones.

Quote: *"Creativity is just connecting things."*

Steve Jobs

그는 우리가 휴대전화를 사용하는 방식을 바꾼 CEO이자 기술 개혁가였다.

어록: *"창의성은 그저 사물을 연결하는 것이다."*

CREATIVE PROJECT: Create Your Own Invention

STEP 1

Think about a situation where you needed something that had not been invented yet.
아직 발명되지 않았던 어떤 것이 필요했던 상황에 대해 생각해 보시오.

STEP 2

Draw your own invention and explain what it does.
여러분의 발명품을 그리고 그것이 무엇을 하는지 설명하시오.

[Your Own Invention]

Function: This is used to _____
_____.

STEP 3

Present your invention to your classmates and share your opinions about it. 여러분의 발명품을 급우들에게 발표하고 그것에 관해 의견을 공유하시오.

✅ Check Your Progress

● LISTEN / SPEAK ●

[1-2] Listen and answer the questions. 🎧 듣고 질문에 답하시오.

해설

1. Easy! His name must be Fifty, right?이라고 말하자 여학생이 Wrong!이라고 말한 것에서 첫 번째 시도에서 틀렸음을 알 수 있다.

2. I should go and eat some fish for dinner right now! 라고 말한 것에서 저녁 식사로 생선을 먹을 것임을 알 수 있다.

어휘

be likely to ~일 것 같다
chemical [kémikəl] 화학물질
lower [lóuərr] 낮추다

W: Chris, did you see the *Creativity Talk Show* yesterday? It included a new brain question.

M: No, what is the question about?

W: It was such a brilliant question. According to the show, you are likely to have a high IQ if you solve this question.

M: I love such challenges! Bring it on!

W: All right. Listen. John's father has five sons. Four are named Ten, Twenty, Thirty, and Forty. Can you guess what the name of the fifth son would be?

M: Easy! His name must be Fifty, right?

W: Wrong! Since it's John's father, he needs a son named John. So the fifth son's name is John.

M: Wow, that's so obvious but also so hard at the same time. I want to be good at these things, but my brain moves too slowly. Do you know how to improve brain function?

W: Well, actually, the show gave some tips on how to boost brain power, and one of them was eating a lot of fish. Fish have special chemicals that help your brain to work faster.

M: Oh, that's awesome! I love eating fish.

W: It will also help you lower your risk of developing memory disorders.

M: Well, I should go and eat some fish for dinner right now!

여: Chris, *Creativity Talk Show* 어제 봤니? 새로운 두뇌 문제가 나왔어.

남: 아니. 무엇에 관한 질문이었는데?

여: 정말 대단한 질문이었어. 프로그램에 따르면, 이 문제를 풀면 너는 IQ가 높을 거야.

남: 나 그런 도전 좋아해! 해 봐!

여: 좋아. 들어 봐. John의 아빠에게 5명의 아들이 있어. 네 명의 이름은 Ten, Twenty, Thirty, 그리고 Forty야. 다섯 번째 아들의 이름이 무엇인지 맞출 수 있겠어?

남: 쉽네! Fifty겠지, 맞지?

여: 틀렸어! John의 아빠니까 John이라는 이름의 아들이 필요하지. 그래서 다섯 번째 아들의 이름은 John이야.

남: 와, 그거 참 분명한데 동시에 어렵기도 하다. 이런 거 잘하고 싶은데 내 머리는 작동이 너무 느려. 두뇌 기능을 향상시키는 법 아니?

여: 사실, 그 프로그램은 두뇌력을 활성화시키는 법에 관해 몇 가지 조언을 해줬고 그것들 중 하나가 생선을 많이 먹으라는 거야. 생선에는 뇌가 더 빨리 작동하도록 돕는 특별한 화학 물질이 있대.

남: 그거 대단하다! 나 생선 먹는 것 좋아해.

여: 기억력 장애가 생길 위험을 낮추는 데도 도움이 될 거야.

남: 그럼, 난 지금 저녁 식사로 생선 먹으러 가야겠다!

---

1. Which one is NOT correct? 옳지 않은 것을 고르시오.

ⓐ The boy solved the problem at the first attempt. 남학생은 첫 번째 시도에서 문제를 풀었다.

b. The girl got some useful tips from the TV show. 여학생은 TV 프로그램에서 유용한 조언들을 얻었다.

c. Fish contain special chemicals that help the brain to work faster.
생선은 두뇌가 더 빨리 작동하도록 돕는 특별한 화학물질을 함유하고 있다.

2. What will the boy do next? 남학생은 다음에 무엇을 할까?

ⓐ have fish for dinner 저녁 식사로 생선 먹기

b. search for new brain questions 새로운 두뇌 질문 찾기

c. watch the TV show for more information 더 많은 정보를 위해 TV 프로그램 보기

3. Solve the triangle question and complete the dialogue. Then share your solution with your partner.
삼각형 문제를 풀고 대화를 완성하시오. 그리고 짝과 해결책을 공유하시오.

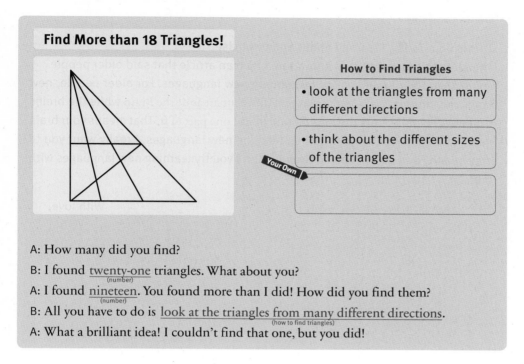

Find More than 18 Triangles!

How to Find Triangles
- look at the triangles from many different directions
- think about the different sizes of the triangles

Your Own

A: How many did you find?

B: I found <u>twenty-one</u> triangles. What about you?
(number)

A: I found <u>nineteen</u>. You found more than I did! How did you find them?
(number)

B: All you have to do is <u>look at the triangles from many different directions</u>.
(how to find triangles)

A: What a brilliant idea! I couldn't find that one, but you did!

해석

18개 이상의 삼각형을 찾아라!
삼각형 찾는 법
* 많은 다양한 방향에서 삼각형들을 보아라.
* 다양한 크기의 삼각형들에 대해 생각하라.
A: 얼마나 많이 찾았니?
B: 21개의 삼각형을 찾았어. 너는 어때?
A: 나는 19개 찾았어. 네가 나보다 많이 찾았구나! 어떻게 찾았니?
B: 네가 할 일은 많은 다양한 방향에서 삼각형들을 보는 거야.
A: 좋은 생각이야! 나는 그걸 못 찾았는데, 너는 해냈구나!

READ / WRITE

[4-5] Read the article and answer the questions. 기사를 읽고 물음에 답하시오.

The brain is usually not considered to be like a muscle, but it is actually the same as any other part of the body. Just like the muscles in your arms or legs, it will get weaker without regular exercise. Research has shown that learning new languages later in life has some very important benefits. One of the most significant benefits is related to how the brain keeps the new language information it learned. For younger people all the information about a new language seems to be stored in just one part of the brain. But for people whose brains are already developed, the new language information is kept in several different areas of the brain. This means that more of the brain is being used and exercised.

4. Which one is NOT correct? 일치하지 않는 것은 어느 것인가?

a. The brain is like a muscle in other parts of the body.
뇌는 몸의 다른 부분들에 있는 근육과 비슷하다.

b. If you don't exercise your brain regularly, it will get weaker and weaker.
뇌를 규칙적으로 운동시키지 않으면 점점 더 약해질 것이다.

c. The brain of younger people usually gets more exercise than that of older people when learning languages.
더 젊은 사람들의 뇌는 언어를 배울 때 나이 든 사람들의 뇌보다 운동을 더 많이 한다.

해석
뇌는 보통 근육으로 간주되지 않지만 사실 몸의 여느 다른 부분과 같다. 팔이나 다리의 근육과 같이, 그것은 규칙적인 운동을 하지 않으면 더 약해진다. 연구에 따르면 새로운 언어를 인생에서 나중에 배우는 것은 아주 중요한 장점들이 있다고 한다. 가장 중요한 장점 중 하나는 학습한 새로운 언어 정보를 뇌가 어떻게 지키는지와 관련 있다. 젊은 사람들에게 새로운 언어에 관한 모든 정보는 뇌의 한 부분에만 저장되는 듯하다. 하지만 이미 뇌가 발달된 사람들에게 새로운 언어 정보는 뇌의 몇몇 다른 부분에 저장된다. 이것은 뇌의 더 많은 곳이 사용되고 운동되고 있다는 것을 의미한다.

해설
But for people whose brains ~에서 마지막 문장까지 나이든 사람들의 뇌가 언어를 배울 때 뇌의 더 많은 곳을 사용하고 운동시킨다는 내용이 나온다.

어휘
store [stɔːr] 저장하다

5. Complete the letter based on the information in the article above.
위 기사에 있는 정보에 기초하여 편지글을 완성하시오.

해석

할머니께,

저 진우예요. 오늘 두뇌 운동에 관해 배웠어요. 할머니도 아셔야 할 것들도 있어요! 저는 노인들이 새로운 언어를 배움으로써 뇌를 건강하게 유지할 수 있다는 기사를 읽었어요. 나이 든 분들에게 새로운 언어 정보는 뇌의 몇몇 다른 부분에 저장되는데, 반면 젊은 사람들의 뇌는 그것의 한 부분에만 그 정보를 저장합니다. 그것은 할머니의 뇌가 새로운 언어들을 배울 때 저의 뇌보다 더 운동을 한다는 뜻이지요. 저는 정말 할머니께서 영원히 건강하시고 영원히 똑똑하셨으면 좋겠어요. 그러니 저와 함께 새로운 언어들을 배우는 시도를 해 보시는 게 어떨까요?

사랑을 담아, 진우가

해설

앞의 글의 For younger people all the information about a new language seems to be stored in just one part of the brain. But for people whose brains are already developed, the new language information is kept in several different areas of the brain.에서 젊은 사람의 뇌에는 언어 정보가 한 부분에, 나이 든 사람들의 뇌에는 언어 정보가 뇌의 몇몇 다른 부분에 저장된다는 내용이 나와 있다.

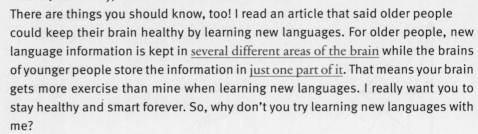

Dear Grandma,

This is Jinu. Today, I learned about brain exercise.
There are things you should know, too! I read an article that said older people could keep their brain healthy by learning new languages. For older people, new language information is kept in <u>several different areas of the brain</u> while the brains of younger people store the information in <u>just one part of it</u>. That means your brain gets more exercise than mine when learning new languages. I really want you to stay healthy and smart forever. So, why don't you try learning new languages with me?

With love,
Jinu

Self-Evaluation

I can understand the topic and purpose of the dialogues. **듣기** 나는 대화의 주제와 목적을 이해할 수 있다.		☆ ☆ ☆
I can express my opinion using the Six Thinking Hats strategy. **말하기** 나는 여섯 색깔 모자 전략을 사용하여 의견을 표현할 수 있다.		☆ ☆ ☆
I can get important information after reading the passage quickly. **읽기** 나는 지문을 빨리 읽은 후 중요한 정보를 얻을 수 있다.		☆ ☆ ☆
I can write a short problem-solving paragraph. **쓰기** 나는 문제를 해결하는 짧은 단락을 쓸 수 있다.		☆ ☆ ☆

Further Study

There are many more ways to be a creative person. Why don't you look for them to boost your creativity?
창의적인 사람이 되기 위한 더 많은 방법들이 있습니다. 여러분의 창의력을 신장시키기 위해 그 방법들을 살펴보는 것이 어떤가요?

• how to boost your creativity: www.pbs.org/video/2365624024
창의력 신장시키기

Words and Phrases

정답과 해설 p. 359

다음 단어와 어구의 뜻을 쓰시오.

1. stain _____
2. a spoonful of _____
3. maintain _____
4. disorder _____
5. on a daily basis _____
6. be used to -ing _____
7. conscious _____
8. psychological _____
9. dynasty _____
10. scholar _____
11. incredible _____
12. development _____
13. spill _____
14. convenient _____
15. strategy _____
16. get confused _____
17. deal with _____
18. give warnings _____
19. critically _____
20. practical _____
21. memorable _____
22. announce _____
23. approach _____
24. beyond _____
25. combine _____

26. come to mind _____
27. creativity _____
28. diagonally _____
29. except for _____
30. fence off _____
31. five senses _____
32. glance _____
33. imaginary _____
34. include _____
35. incorrectly _____
36. infinite _____
37. neither *A* nor *B* _____
38. physicist _____
39. portrait _____
40. pump up _____
41. tend to _____
42. think outside the box _____
43. step out of one's comfort zone _____
44. switch _____
45. upside down _____
46. wire _____
47. zone _____
48. logic _____
49. inventor _____
50. 나만의 단어 / 어구 _____

Functions

▶ What a brilliant idea!
상대방의 생각을 칭찬하는 표현.

▶ Do you know how to + 동사원형 ~?
상대방이 어떤 일을 할 수 있는지 물을 때 쓰는 표현.

Forms

▶ **It seemed that** every one had his or her own way of thinking. (It seems that ~구문)
• It seems that 주어 + 동사 ~구문은 '~인 것 같다'의 뜻으로 「주어 + seem(s) + to부정사 ~」 구문과 바꾸어 쓸 수 있다.
 ex.) **It seemed that** he overate. (그는 과식한 것처럼 보였다.)
  = He seemed to overeat.
• 주절의 시제와 that이하의 시제가 다른 경우 완료부정사, 즉, 「to have + 과거분사」를 쓴다.
 ex.) **It seems that** he has been sick recently.
  = He seems to have been sick recently.
  (최근 들어 그는 아파 보인다.)
▶ Quite **surprised**, the farmer announced that the mathematician was the winner. (분사구문)
• 현재분사나 과거분사로 시작하는 구로, 때, 이유, 양보, 동시동작 등을 나타낸다.
 ex.) **Discouraged** by the long hours and low pay, I quit my job.
  (긴 시간과 낮은 임금에 낙담해서 나는 그 일을 그만두었다.) (이유)

• 접속사가 있는 절을 분사구로 바꾸기
 – 종속절의 접속사 생략
 – 종속절의 주어가 주절의 주어와 일치하면 생략
 – 종속절의 시제가 주절의 시제와 같으면 동사를 현재분사 (-ing)로 바꾼다.
  ex.) As Harry <u>was</u> excited about dinner, he ran the whole way home.
   → (Being) **Excited** about dinner, Harry ran the whole way home. (저녁 식사에 대한 흥분으로 Harry는 집까지 달려갔다.)
   * 분사구문의 being이나 having been은 생략될 수 있다.
 – 주절의 시제보다 하나 앞선 시제이면 「having + 과거분사」로 바꾼다.
  ex.) After Jane <u>had been</u> sick for a year, she knew the importance of exercise.
   → <u>**Having been**</u> sick for a year, Jane knew the importance of exercise. (1년을 앓은 후에, Jane은 건강의 중요성을 알았다.)

date: . . .　　　　student number:　　name:　　/25

1 주어진 단어의 뜻을 <u>잘못</u> 연결한 것을 고르시오.　3점

① logic: 논리
② infinite: 무한한
③ portrait: 초상화
④ physicist: 물리학자
⑤ diagonally: 수직으로

2 다음 영영풀이가 설명하는 단어를 고르시오.　3점

> to officially tell people about something, especially about a plan or a decision

① switch
② combine
③ approach
④ maintain
⑤ announce

3 다음 중 숙어의 뜻이 <u>잘못</u> 연결된 것을 고르시오.　3점

① pump up: 증가시키다
② except for: ~을 제외하고
③ tend to: ~하는 경향이 있다
④ neither *A* nor *B*: A도 B도 아닌
⑤ the other way around: 가던 방향으로

4 다음 대화의 밑줄 친 부분의 의도로 알맞은 것을 고르시오.　3점

> A: How old is your father?
> B: He is 17 years old.
> A: What? How is that possible?
> B: He became a father only when I was born.
> A: <u>What a brilliant answer!</u> I like your creative logic.

① 제안　　　　② 승낙
③ 거절　　　　④ 칭찬
⑤ 비난

5 다음 〈보기〉의 우리말과 같도록 할 때, 빈칸에 알맞은 표현을 고르시오.　3점

> **보기** » 너는 이 기계 사용하는 법을 아니?
> → Do you know ＿＿＿＿＿ to use this machine?

① how　　　　② when
③ what　　　　④ whom
⑤ where

6 주어진 글 뒤에 이어질 대화의 순서로 알맞은 것을 고르시오.　3점

> Ugh. I hate food stains on clothes. Do you know how to remove food stains?

> (A) A spoon of salt? Can you explain how it works?
> (B) Yes, you can use a spoonful of salt.
> (C) Sure. All you have to do is mix it with warm water and wash your clothes.

① (A)-(C)-(B)　　② (B)-(A)-(C)
③ (B)-(C)-(A)　　④ (C)-(A)-(B)
⑤ (C)-(B)-(A)

[7~8]　다음 대화를 읽고, 물음에 답하시오.

> A: Hey, Grace. Did you watch that documentary about Jeong Yakyong last night?
> B: You mean the late Joseon dynasty scholar? — the one who wrote *Mokminsimseo*?
> A: That's right. He also built the Hwaseong Fortress in Suwon with his creative invention.
> B: I haven't seen the documentary, but I did read a book about him. His creativity was incredible. I was particularly impressed reading about (a)<u>the system</u> he invented to handle heavy building materials. What was it called… *Geojunggi*?
> A: That's the one. And I agree — I think *geojunggi* is his greatest invention. What a brilliant idea it is, right?
> B: You can say (b)<u>that</u> again. Do you know how to operate (c)<u>it</u>? I was surprised to see (d)<u>it</u> lifting huge stones.
> A: Yes, actually, I saw one once at a folk village and tried (e)<u>it</u> out.
> B: That sounds pretty cool. I'm interested in engineering. If you have a moment, can you tell me more about it?
> A: Sure. Let's talk about it during lunch time.
> B: Thanks. See you soon.

7 위 대화의 밑줄 친 (a) ~ (e) 중 가리키는 것이 <u>다른</u> 것을 고르시오.　3점

① (a)　　　　② (b)
③ (c)　　　　④ (d)
⑤ (e)

8 What was '*geojunggi*' used for? Answer in English.　5점

＿＿＿＿＿＿＿＿＿＿＿＿＿＿＿＿＿＿＿＿

9 다음 밑줄 친 부분 중 어법상 잘못된 것을 고르시오. [3점]

① <u>Arrived</u> at the store, I found that it was closed.
② <u>Washing</u> his truck, Fred developed sore muscles.
③ <u>Running</u> for the bus, she gave her husband a call.
④ <u>Removing</u> his glasses, he checked the ingredients.
⑤ The building, <u>destroyed</u> by a fire, was never rebuilt.

10 다음 〈보기〉의 우리말과 같도록 괄호 안의 단어들을 알맞게 배열하시오. (필요한 경우 형태를 바꾸시오.) [5점]

> 보기 » 옛날 영화를 보면서 Marco는 잠이 들었다.
> _____, Marco fell asleep.

→ _____
(movie/old/watch/an)

[11~12] 다음 대화를 읽고, 물음에 답하시오.

A: Ladies and gentlemen, welcome to the *Creativity Talk Show*. Have you ever heard of the Six Thinking Hats strategy? Well, let me introduce a psychologist, Dr. de Bono, who can help everyone think more creatively.
B: Thank you for inviting me. One day, I was trying to solve a problem. I found myself thinking about many things at the same time and got confused with no solutions. So, I tried to think about one thing at a time and each time, in a different way. That helped me a lot, and I was able to come up with the Six Thinking Hats strategy. Let's suppose you wear six hats, each with a different c_____: white, red, blue, green, yellow, and black, and the way you think changes with each hat. Wouldn't it be fun?
A: Indeed. So each hat would make a person think in a different way. Is that right?
B: Yes. Let's start with the white hat. It remembers all information you need and deals with facts. The red hat, on the other hand, loves feelings and emotions.

11 위 대화의 빈칸에 들어갈 말을 주어진 철자로 시작하여 쓰시오. [5점]

_____

12 위 대화에서 빨간 모자가 다루는 것이 무엇인지 우리말로 쓰시오. [5점]

_____

[13~14] 다음 대화를 읽고, 물음에 답하시오.

A: Chris, did you see the *Creativity Talk Show* yesterday? It included a new brain question.
B: No, what is the question about?
A: It was such a brilliant question. According to the show, you are likely to have a high IQ if you solve this question.
B: I love such challenges! _____(a)
A: All right. Listen. John's father has five sons. Four are named Ten, Twenty, Thirty, and Forty. Can you guess what the name of the fifth son would be?
B: Easy! His name must be Fifty, right?
A: Wrong! Since it's John's father, he needs a son named John. So the fifth son's name is John.
B: Wow, that's so obvious but also so hard at the same time. I want to be good at these things, but my brain moves too slowly. Do you know how to improve brain function?
A: Well, actually, the show gave some tips on how to boost brain power, and one of them was eating a lot of fish. Fish have _____(b)_____.
B: Oh, that's awesome! I love eating fish.
A: It will also help you lower your risk of developing memory disorders.
B: Well, I should go and eat some fish for dinner right now!

13 위 대화의 빈칸 (a)에 들어갈 말로 가장 알맞은 것을 고르시오. [3점]

① Bring it on!
② I can't agree!
③ What a shame!
④ That's awesome!
⑤ I can't believe it!

14 위 대화의 빈칸 (b)에 들어갈 알맞은 말을 〈보기〉에서 찾아 알맞게 배열하시오. [5점]

> 보기 » chemicals, that, brain, special, to, faster, work, help, your

→ _____

15 다음 글의 빈칸에 가장 알맞은 것을 고르시오. [3점]

What word in the English language is always spelled incorrectly? If long and difficult words come to mind, take another guess. Any ideas? The answer is the word "incorrectly" itself! Although this may seem to be just a nonsense question, there is much more to it than meets the eye. The way most people approach this question shows that they tend to think "inside the box," which means thinking in a traditional way. Sometimes, however, this doesn't help you solve challenging problems. Try _____ and solve problems in a way you've never thought about before. Let your creativity fly.

① thinking inside the box
② starting with easy questions
③ imitating other people's way
④ remembering what you have learned
⑤ stepping outside your imaginary box

[16~17] 다음 글을 읽고, 물음에 답하시오.

Going beyond what you are used to can be the first step in becoming creative. Here is question number one. A great golfer can only successfully hit the ball 3, 5, 7, or 11 yards. On the final hole of the game, he's on his last shot. Now, he has to make a 20-yard swing. If the ball doesn't directly go in, it will roll past the hole. What is _____(a)_____ for him to successfully put the ball in the hole? Here's a clue. What about thinking outside the concept of the golfer hitting in a straight direction—he can hit diagonally, as well. Did you get the answer? Is your answer four times? Actually, by swinging two times for 11 yards in a ____(b)____ direction, the golfer could successfully finish the game!

16 윗글의 빈칸 (a)에 들어갈 말을 <보기>에서 찾아 알맞게 배열하시오. [5점]

보기 » of, swings, that, would, it, the, lowest, take, number

→ _____

17 윗글의 빈칸 (b)에 가장 알맞은 것을 고르시오. [3점]

① left   ② vertical
③ upright   ④ downward
⑤ diagonal

18 다음 두 문장이 같도록 할 때 빈칸에 알맞은 것을 고르시오. [3점]

It seems that my dog understands English.
= My dog seems _____ understand English.

① to   ② for
③ like   ④ which
⑤ being

[19~20] 다음 글을 읽고, 물음에 답하시오.

(A) He said that the fence could be an infinitely long straight line and would fence in half of the earth. _____, the mathematician laughed at the other two and presented her idea to the farmer. Quite surprised, the farmer announced that the mathematician was the winner. What was the mathematician's idea?

(B) The mathematician had made a tiny fence around herself and said, "I fenced off the entire world except for this little piece of land that I'm standing on." None of the other challengers had expected her to say this because they had only focused on what was inside the fence and not the other way around.

(C) One day, a farmer challenged an engineer, a physicist, and a mathematician to a game in which the person who fenced off the largest area with the smallest amount of wire would win. It seemed that everyone had his or her own way of thinking. The engineer made a large circle with her wire. The physicist made a long fence, using less wire than the engineer's.

19 윗글을 내용에 맞게 순서대로 배열한 것을 고르시오. [3점]
① (A)–(C)–(B)   ② (B)–(A)–(C)
③ (B)–(C)–(A)   ④ (C)–(A)–(B)
⑤ (C)–(B)–(A)

20 윗글의 빈칸에 들어갈 말로 알맞은 것을 고르시오. [3점]
① Sadly
② Finally
③ For example
④ Nevertheless
⑤ Unfortunately

21 다음 두 문장의 뜻이 같도록 빈칸에 알맞은 말을 쓰시오. 5점

> It seems that the clouds are clearing up.
> → The clouds _____ clearing up.

[22~23] 다음 글을 읽고, 물음에 답하시오.

> Do you know how to get in good shape? Perhaps you're thinking about a workout. But when was the last time you thought about a brain workout? Training your brain is just as important as maintaining a healthy body. Studies show that with one hour of brain training a week, you not only improve the thinking skills you use every day but also prevent memory disorders. With regular brain training, you will notice that you have better memory and greater creativity in your daily life. Train your brain by doing different types of brain questions on a daily basis or by approaching daily problems in a way you're not used to. Just make a conscious effort to think of different ways of doing things.

22 윗글에서 화자가 말하는 목적으로 가장 알맞은 것을 고르시오.

① to reserve a flight ② to book a table 3점
③ to cancel an order ④ to introduce a speaker
⑤ to give information

23 윗글의 내용으로 보아 아래 빈칸에 알맞은 말을 본문에서 찾아 한 단어로 쓰시오. 5점

> Train your _____ as well as your body.

24 다음 글의 빈칸에 알맞은 말을 주어진 철자로 시작하여 쓰시오. 5점

> There once lived a rich king. Loving his wife so much, he wanted to be with her forever. One day, he asked an artist to paint a painting of himself and the queen. The painting the artist drew, "A Beautiful Queen," is pictured above. Here is your question: where is the queen? You'll need to use your creativity to see her!
>
> It is not until you divide the portrait into four squares that you can solve the question. To find the queen, you have to turn the squares upside down or switch their places. Now, do you see the queen's beautiful outline? Neither looking closely at the king nor staring at the yellow background can help you answer the question. However, by using your i_____, you can see a lady in the portrait.

25 다음 〈보기〉를 참조하여 존경하는 발명가와 발명품을 소개하는 글을 쓰시오. 10점

> **보기 》** King Sejong and *Hangeul*
> King Sejong was the fourth king of the Joseon Dynasty and he is well-known for inventing *Hangeul*, the Korean alphabet. Before *Hangeul* was invented, Korean people used Chinese characters, but it was so hard and complex to learn that many of them were illiterate. King Sejong realized they needed a new kind of alphabet which could be learned easily. As a result of his efforts, he finally published *Hangeul* in 1446.

서술형 평가

1 다음 뜻풀이에 해당하는 말을 주어진 철자로 시작하여 쓰시오.
각 5점

(1) p_____: a person who studies physics or whose job is connected with physics

(2) u_____ d_____: having the part that is usually at the top turned to be at the bottom

(3) p_____: a painting, photograph, drawing, etc. of a person or, less commonly, of a group of people

(4) i_____: to contain something as a part of something else, or to make something part of something else

2 다음 우리말과 같도록 빈칸에 알맞은 말을 쓰시오.
각 6점

(1) We need to think _____. (우리는 독창적으로 생각해야 한다.)

(2) My car _____ overheat in the summer. (내 차는 여름에 과열되는 경향이 있다.)

(3) The planting area was _____ from the main garden. (그 경작지는 주 정원으로부터 울타리 쳐졌다.)

(4) She invited everyone _____ Tony. (그녀는 Tony를 제외하고 모두를 초대했다.)

(5) I _____ know _____ care what happened to him. (나는 그에게 무슨 일이 일어났는지 알지도 못하고 관심도 없다.)

(6) I always thought that baseball was more interesting than basketball, but in fact it's _____. (나는 항상 야구가 농구보다 더 재미있다고 생각했지만 사실 반대였다.)

3 우리말에 맞게 괄호 안의 어휘를 사용하여 문장을 완성하시오.
각 6점

(1) 약간 늦어질 것 같다.
_____ going to be a slight delay.
(there/seems/it/is)

(2) 여기는 내내 비가 오는 것 같다.
_____ all the time here.
(rain/seems/to/it)

(3) 거리를 돌아다니다가, 그는 옛 친구 Jimmy를 만났다.
_____, he met his old friend Jimmy.
(through/wandering/the/street)

(4) 무거운 책더미를 나르다가 그는 발이 계단에 걸렸다.
_____, he caught his foot on a step.
(pile/a/books/carrying/heavy/of)

수행 평가

4 다음 〈보기〉와 같은 두뇌 게임의 중요성을 설명하는 글을 쓰시오.
20점

보기 ›› Square Game

*directions

1. You can use numbers from 1 to 9.
2. You can't use the same number more than once.
3. Arrange the numbers diagonally, vertically, horizontally to add up to 15.

		6
	5	
4		

UNIT 7

The Name of the Game in Creative Industries

Topic 문화의 경제적 가치, 창조 산업

Functions Nothing compares to attending an arts festival. (비교하기)

The graph indicates that your concert sold the most tickets this month in the country. (진술·보고하기)

Forms 1. The Harry Potter series is known **to have earned** the U.K. a large amount of money so far. (완료부정사)

2. **If** you **had** the chance to visit Broadway, you **would be** amazed by the glamor of the musicals. (가정법과거)

Listen and Speak

Topic

Culture in your life (생활 속의 문화)

Why don't you look around and find various forms of culture in your life – music, movies, plays, or books? Here are some dialogues about culture in your life

주위를 둘러보고 여러분의 생활 속에 있는 문화의 다양한 형태 – 음악, 영화, 연극 혹은 책들을 찾아보는 게 어때요? 생활 속 문화에 관한 대화들이 여기 있어요.

GET READY

Listen and write the number of the dialogue on the correct picture. 🎧

대화를 듣고 어울리는 사진에 알맞은 번호를 쓰시오.

📖 About Functions

Nothing compares to ~는 '~은 그 어떤 것과도 비교할 수 없다, 견줄 수 없다'는 뜻으로 to 뒤에는 주로 명사가 온다.

The graph indicates that ~은 '이 도표는 ~임을 보여준다, 나타낸다'라는 뜻으로 도표를 통해 어떠한 사실이나 정보를 상대방에게 알려줄 때 쓰이는 표현이다.

해설

1. 남자는 가게에서 친구 생일 선물을 찾고 있고 여자는 그에게 유명한 캐릭터 상품을 추천해주고 있다.

2. 남학생은 '헝거 게임'이라는 책을 읽고 있었고 여학생과 그에 대한 대화를 나누고 있다.

3. 여학생은 남학생에게 요즘 유명한 뮤지컬에 대해 물어봤고 남학생은 인터넷 검색을 통해 '영웅'이라는 뮤지컬이 1위임을 알려준 후 같이 보러 갈 것을 제안했다.

어휘

look for ~을 찾다
character [kǽriktər] 캐릭터
chart [tʃɑːrt] 도표
indicate [índikèit] 나타내다

🏷️ 미니 백과

The Hunger Games

주인공인 열여섯 살 소녀 Katniss Everdeen은 북아메리카에 있는 판엠(Panem)이라는 국가의 암울한 미래 세계에 살고 있다. 가운데에 위치한 도시인 캐피톨(Capitol)은 강력한 힘을 가지고 있으며 이들은 헝거 게임을 매년 개최하여 국가 전역에 실시간으로 방송한다. 이 게임은 12개의 구역에서 뽑힌 만 12세~18세의 소년, 소녀들이 단 한 사람만이 살아남을 때까지 버텨야 하는 서바이벌 게임이다.

1.

W: ① **How may I help you?**
M: I'm looking for a birthday present for my friend.
W: How about this one? These days, ② **nothing compares to** the popularity of this little character.
M: I'm sure my friend will like it. Thanks for your help.

여: 무엇을 도와드릴까요?
남: 제 친구를 위한 생일 선물을 찾고 있습니다.
여: 이건 어떠세요? 요즘, 이 작은 캐릭터의 인기와 견줄 만한 것이 없어요.
남: 제 친구가 틀림없이 좋아할 거예요. 도와주셔서 고맙습니다.

2.

W: What are you reading?
M: I'm reading *The Hunger Games*. Have you ever read it?
W: No, I haven't. But I've seen the movie.
M: Me, too. But I prefer the books because nothing compares to the original.

여: 무엇을 읽고 있어?
남: '헝거 게임'을 읽고 있어. 너 읽어본 적 있어?
여: 아니, 읽지 않았어. 하지만 그 영화는 봤어.
남: 나도. 하지만 원전에 견줄 만한 것은 없기 때문에 나는 책을 선호해.

3.

W: ③ **I'm really into** musicals. What is popular these days?
M: Let me search the Internet. This website has a chart of this month's top five musicals.
W: This chart indicates that *Hero* is ranked first!
M: Do you want to go see it together?
W: Sounds great.

여: 나는 뮤지컬에 정말 관심이 많아. 요즘 무엇이 유명해?
남: 인터넷에 검색해 볼게. 이 웹사이트엔 이번 달 5위에 드는 뮤지컬에 대한 도표가 있어.
여: 이 도표는 *Hero*가 1위를 차지했다고 표시되어 있네!
남: 같이 가서 볼까?
여: 좋은 생각이야.

📖 구문 📑

① How may I help you?는 '무엇을 도와드릴까요?'라는 뜻으로 매장이나 백화점, 병원 등에서 직원이 고객에게 정중하게 쓰는 표현이다. How can I help you?, Do you need any help?, Can I help you? 등을 쓸 수도 있다.
   ex.) A: How may I help you? (어디가 불편하신가요?)
       B: I have a pain in my chest. (가슴에 통증이 있습니다.)
② nothing compares to ~는 '~에 견줄 수 없다'라는 뜻으로 어떤 것이 가장 좋다는 것을 표현할 때 쓰인다.
   ex.) Nothing compares to a quiet evening alone. (혼자 있는 조용한 저녁이 최고다.)
③ be really into ~는 '~에 푹 빠지다'라는 뜻으로 어떤 것에 대한 관심을 표현할 때 쓰인다.
   ex.) I'm really into sports these days. (난 요즘 운동에 빠져 있어.)

● LISTEN IN

DIALOGUE 1 | Listen and answer the questions. 🎧 다음을 듣고 물음에 답하시오.

1. **Why is the boy excited?** (소년은 왜 신이 났는가?)
   a. He got into a school band. (그는 학교 밴드에 들어갔다.)
   b. He is going to his favorite band's concert. (그는 그가 가장 좋아하는 밴드의 공연에 갈 것이다.)
   c. His favorite band got invited to a famous festival. (그가 가장 좋아하는 밴드가 한 유명한 축제에 초대되었다.)

2. **Listen again and complete the description of the Edinburgh Festival Fringe.** (다시 듣고 에든버러 페스티벌 프린지에 대한 설명을 완성하시오.)

The Edinburgh Festival Fringe is a huge <u>arts</u> festival held every August in Scotland.

This festival includes various forms of the performing arts such as plays, <u>comedy</u>, <u>dance</u>, and concerts.

Previously, *Nanta*, a Korean performance, attracted the world's attention and was invited to <u>Broadway</u>.

W: You look quite excited today. ① **What's up**?
M: My favorite band YBB is going to the Edinburgh Festival Fringe!
W: Congratulations! But what is the Fringe?
M: Oh, the Edinburgh Festival Fringe is a huge arts festival ② **held in** Edinburgh, Scotland every August.
W: Cool! Nothing compares to attending an arts festival. So is it for bands only?
M: No. This festival includes plays, comedy, dance, and concerts.
W: So it's a festival for all the performing arts?
M: Exactly. Several Korean performers have taken part ③ **so far**. A few years ago, *Nanta* performed there and was invited to Broadway afterwards.
W: This must be a great opportunity for your favorite band then!
M: Yes, it is. Oh, I really want to fly to Edinburgh!
W: Where can you buy tickets?
M: You can buy them from the website or from street musicians there.

여: 너 오늘 꽤 신나 보인다. 무슨 일이야?
남: 내가 가장 좋아하는 밴드인 YBB가 에든버러 페스티벌 프린지에 간대!
여: 축하해! 그런데 프린지가 뭐야?
남: 아. 에든버러 페스티벌 프린지는 매년 8월 스코틀랜드의 에든버러에서 열리는 큰 규모의 예술 축제야.
여: 멋지다! 예술 축제에 참가하는 것과 견줄 만한 것은 없지. 그래서 그 축제는 오로지 밴드를 위한 거야?
남: 아니. 이 축제는 연극, 코미디, 춤, 그리고 콘서트도 포함하고 있어.
여: 그러면 모든 공연 예술을 위한 축제인 거니?
남: 그렇지. 지금까지 몇몇의 한국 공연가들도 참가했어. 몇 년 전에, 그곳에서 '난타'가 공연했고 그 후 브로드웨이에도 초대되었지.
여: 그러면 네가 가장 좋아하는 밴드에게는 이것이 큰 기회겠구나!
남: 응. 그렇지. 아, 에든버러로 정말 가고 싶다!
여: 어디에서 표를 살 수 있어?
남: 웹사이트에서나 그곳에서 거리의 음악가들에게 표를 살 수 있어.

해설

1. 남학생의 첫 번째 말에서 그가 가장 좋아하는 밴드인 YBB가 유명한 축제에 초대되었음을 알 수 있다.

2. 남학생의 두 번째 말에서 에든버러 페스티벌 프린지는 큰 예술 축제임을 알 수 있다. 남학생의 세 번째 말을 통해 이 축제가 연극, 코미디, 춤과 공연 등의 공연 예술을 포함한다는 것을 확인할 수 있으며 남학생의 네 번째 말에서 한국의 공연인 난타가 브로드웨이에 초청 받았었음을 알 수 있다.

에든버러 페스티벌 프린지는 스코틀랜드에서 매년 8월에 열리는 큰 예술 축제이다.

이 축제는 연극, 코미디, 춤과 공연 등의 다양한 형태의 공연 예술을 포함한다.

이전에, 한국의 공연인 난타가 세계의 이목을 집중시켰고 브로드웨이에 초대되었다.

어휘

festival [féstivəl] 축제
include [inklúːd] 포함하다
play [plei] 연극
performing arts 공연 예술
afterwards [æftərwərdz] 나중에
opportunity [àpərtjúːnəti] 기회
musician [mjuːzíʃən] 음악가, 연주자

● 구문 ⫴

① What's up은 '무슨 일이야?'라는 뜻으로 비슷한 표현으로는 What's new?가 있다.
ex.) A: What's up? (무슨 일이야?) B: Nothing much. (별일 없어.)

② be held in은 '~에서 열리다'라는 뜻이다.
ex.) The events will be held in a plaza near the Eiffel. (그 행사는 에펠탑 근처의 광장에서 열릴 것이다.)

③ so far는 '지금까지'라는 뜻이다.
ex.) What do you think of the show so far? (지금까지의 그 쇼에 대해 어떻게 생각하세요?)

🎙 Listen and Speak

1. 대화의 초반에서 세계 순회공연에 대한 이야기를 하고 있으므로 질문을 하는 사람은 기자이고 대답하는 사람은 가수이다.

2. (1) 여자의 해외 팬들은 노래를 따라 부를 정도의 한국어 실력을 갖고 있었다.

(3) 한복을 입고 그녀를 반긴 사람들은 유럽 팬들이었다.

어휘

abroad [əbrɔ́ːd] 해외에
article [áːrtikl] 기사
grateful [gréitfəl] 감사하는
international [ìntərnǽʃənəl] 국제적인
meaningful [míːniŋfəl] 의미 있는
influence [ínfluəns] 영향
greet [griːt] 환영하다
appreciate [əpríːʃièit] 진가를 알아보다
the Korean Wave 한류

DIALOGUE 2 | Listen and answer the questions. 🎧 다음을 듣고 물음에 답하시오.

1. **What is the relationship between the speakers?** (화자들의 관계는 무엇인가?)
   a. fan – celebrity (팬 – 연예인)
   ⓑ reporter – singer (기자 – 가수)
   c. designer – model (디자이너 – 모델)

2. **Listen again and select True or False.** (다시 듣고, 맞으면 True, 틀리면 False에 표시하시오.)
   (1) The woman's international fans didn't know the Korean language at all.
   (여자의 해외 팬들은 한국어를 전혀 몰랐다.) ☐ True ☑ False
   (2) She visited the Korean language center in Vietnam.
   (그녀는 베트남의 한국어 센터를 방문했다.) ☑ True ☐ False
   (3) Her family greeted her wearing *hanbok*.
   (그녀의 가족은 한복을 입고 그녀를 반겼다.) ☐ True ☑ False

M: Hello, Suji. Thank you for ① **taking the time to** talk to us. How was your world tour?

W: It was great. I was amazed that so many fans from abroad came to my concert.

M: Actually, I brought a newspaper article about your concert in Indonesia. ② **The graph in the article indicates that** your concert sold the most tickets this month in the country. Congratulations!

W: Thank you. I feel grateful to all my international fans.

M: Singing your songs in front of many international fans must feel very different.

W: Actually, they aren't so ③ **different from** Korean fans. They even knew some words in my songs and sang along with me.

M: They must have learned the Korean language from Korean dramas and movies. ④ **Speaking of** the Korean language, you also visited a Korean language center in Vietnam.

W: Yes, I did. It was a very meaningful experience to meet students learning Korean.

M: You must have been very proud of the Korean Wave and its influence in various areas.

W: Of course. Some of my European fans greeted me in *hanbok* at the airport.

M: How wonderful!

W: I think people are appreciating Korean culture ⑤ **more and more** internationally. And I feel honored to be part of this great Korean Wave.

남: 안녕하세요. 수지 씨. 우리와 대화할 시간을 주셔서 고맙습니다. 세계 순회공연은 어떠셨나요?

여: 좋았습니다. 해외의 많은 팬들이 제 공연에 오셔서 놀라웠어요.

남: 사실. 인도네시아에서의 당신의 공연에 관한 신문 기사를 가져왔어요. 이 기사의 도표는 당신의 공연이 이번 달 그 나라에서 가장 표가 많이 팔렸다고 나타내고 있어요. 축하합니다!

여: 고맙습니다. 저의 모든 해외 팬들에게 감사해요.

남: 많은 해외 팬들 앞에서 당신의 노래를 부르는 것은 아주 다른 느낌일 거예요.

여: 사실. 그들은 한국 팬들과 크게 다르진 않아요. 그들은 심지어 제 노래의 몇몇 단어들을 알고 있고 저와 함께 따라 불렀어요.

남: 그들은 한국 드라마와 영화를 통해 한국어를 배웠을 거예요. 한국어에 대한 얘기가 나와서 말인데, 베트남의 한국어 센터도 방문하셨다면서요.

여: 네. 그랬어요. 한국어를 배우는 학생들을 만나게 되어 참 의미 있는 경험이었어요.

남: 한류와 여러 분야에서 그 영향에 대해 아주 자랑스러웠겠어요.

여: 물론이에요. 몇몇의 유럽 팬들은 공항에서 한복을 입고 저를 반겼어요.

남: 대단하군요!

여: 해외에서도 사람들이 한국 문화의 진가를 점점 알아보는 것 같아요. 이 대단한 한류의 한 부분이 될 수 있어서 영광스럽게 생각합니다.

📖 **구문** 📃

① take the time to ~는 '시간을 내서 ~하다'라는 뜻이다.
   ex.) Please take the time to help me. (시간을 내서 좀 도와주세요.)

② ~ indicates that은 '~는 that 이하임을 나타내다'라는 뜻이다.
   ex.) New research indicates that dogs recognize friends. (새로운 연구는 강아지가 친구를 인식한다고 나타낸다.)

③ be different from ~은 '~와 다르다'라는 뜻이다.
   ex.) Twins can be totally different from one another. (쌍둥이는 서로 완전히 다를 수 있다.)

④ speaking of ~는 '~에 대한 말이 나온 김에 말인데'라는 뜻으로 앞서 언급된 내용에 관해 추가적인 언급을 하기 위해 사용되는 표현이다.
   ex.) Speaking of music, do you play any instrument? (음악 얘기가 나와서 말인데, 너 연주하는 악기 있니?)

⑤ more and more는 '더욱더'라는 뜻으로 어떤 것의 물량 또는 강도가 많아지고 진보하는 것을 나타내고자 할 때 쓰인다. 반대의 표현은 less and less이다.
   ex.) I'm feeling more and more tired these days. (나는 요즘 점점 더 피곤해.)

● SPEAK OUT ●

Practice the dialogue using the examples below. You may use your own ideas and words.
아래에 예시된 표현을 사용하여 대화를 연습하시오. 여러분 자신의 생각과 표현을 이용해도 됩니다.

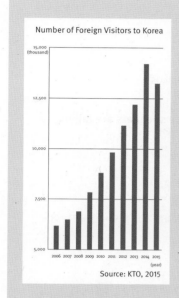

Number of Foreign Visitors to Korea

15,000 (thousand)

12,500

10,000

7,500

5,000

2006 2007 2008 2009 2010 2011 2012 2013 2014 2015 (year)

Source: KTO, 2015

A: Look, there's an interesting article about Korea's tourism industry in today's newspaper.
B: Let me see. This graph in the article indicates that the number of international tourists ① **is on the increase**.
A: Yeah, I think the Korean Wave is ② **attracting more and more international visitors to** Korea.
B: Then, maybe my <u>writing skills</u> will ③ **come in handy** in the future.
A: How?
B: You know, nothing compares to <u>the power of good stories</u> these days.
A: That's right. I'm sure you will be a <u>wonderful writer</u>.
B: Thanks. Do you want to be my fan, then?

writing skills /
the power of good stories /
wonderful writer
글솜씨 / 좋은 이야기의 파급력 /
멋진 작가

artistic talent /
the popularity of products
with unique designs /
creative designer
예술적인 재능 / 독특한 디자인을 가진
제품의 인기 / 창의적인 디자이너

◀ **Your own talents and dreams**

● 구문 ●

① be on the increase는 '증가하고 있다'라는 뜻으로 일반적인 증가 현상을 표현하는 동사구이다.
　ex.) The number of jellyfish around beaches is on the increase. (해변가의 해파리 개체 수가 증가하고 있다.)

② attract+목적어+to 는 '~을 ···로 끌어들이다'라는 뜻이다.
　ex.) The program will attract many people to the center. (그 프로그램은 많은 사람들을 그 센터로 끌어들일 것이다.)

③ come in handy는 '쓸모가 있다. 도움이 되다'라는 뜻이다.
　ex.) A map would come in handy right now. (지금 지도가 있으면 쓸모가 있을 텐데.)

Review Points

1. After listening to the dialogues, I understood that culture influences our lives greatly.
   대화를 듣고 난 후, 나는 문화가 우리의 삶에 크게 영향을 미친다는 것을 이해했다.

2. I analyzed and talked about a graph that describes the tourism industry.
   나는 관광 산업을 묘사하는 도표를 분석하고 그것에 관해 이야기를 나눴다.

Into Real Life

Topic	**Your favorite movies** (여러분이 가장 좋아하는 영화들) Do you enjoy watching movies? Movies are one of the most common types of culture that gives us pleasure. Don't you want to know your friends' favorite movies? 영화 보는 것을 좋아하나요? 영화는 우리에게 기쁨을 주는 가장 흔한 문화 유형 중 하나입니다. 친구들이 가장 좋아하는 영화를 알고 싶지 않나요?

STEP 1 **LISTEN TO THE TALK** 대화를 들으시오.

Listen and answer the questions. 다음을 듣고 물음에 답하시오.

---

1. What is the most appropriate title for the pie chart the speakers are talking about? (화자들이 이야기하는 원형 도표에 가장 적절한 제목은 무엇인가?)

 ⓐ. Students' Favorite Movies (학생들이 가장 좋아하는 영화)
 b. The Newest Movies to Watch (볼만한 가장 최신 영화)
 c. The Yearly Report of the Movie Industry (영화 산업의 연례 보고서)

2. Which chart best describes the survey results? (설문 결과를 가장 잘 묘사한 도표는 어느 것인가?)

ⓐ.  b.  c.

- history
- sci-fi
- others

W: Okay, Jihun. Let's ① **get started** on our newspaper article about movies. Look at this pie chart.
M: Is this the one about students' favorite movies?
W: Yes. The graph reveals that 40% of students chose history movies as their favorite.
M: Interesting. It also says here that sci-fi movies ② **account for** 35%.
W: And the most popular movie was *The Admiral*. It ③ **seems like** nothing compares to the dynamics of movies about Korean history.
M: I can't believe *The Admiral* beat *Interstellar*.
W: *Interstellar* ④ **came in second** by only five votes.
M: What about the remaining 25%?
W: They chose action movies, animations, or others.
M: This will be a great article for the school newspaper.

여: 자, 지훈아. 영화에 대한 우리의 신문 기사를 시작해 보자. 이 원형 도표를 봐.
남: 이것이 학생들이 가장 좋아하는 영화에 관한 것이니?
여: 응. 이 그래프는 40%의 학생들이 가장 좋아하는 영화로 역사 영화를 선택했음을 보여주고 있어.
남: 흥미롭다. 여기에 공상 과학 영화가 35%를 차지한다고도 나와 있네.
여: 그리고 가장 인기 있는 영화는 '명량'이었어. 한국 역사에 대한 영화의 역동성과 견줄 만한 것은 없는 것 같아 보이네.
남: '명량'이 '인터스텔라'를 이겼다니 믿을 수 없어.
여: '인터스텔라'는 다섯 표 차이로 2위가 되었어.
남: 나머지 25%는?
여: 그들은 액션영화, 애니메이션, 혹은 기타를 선택했어.
남: 이것은 학교 신문을 위한 멋진 기사가 될 거야.

 구문

① get started는 '(어떤 일을 하기) 시작하다'라는 뜻이다.
  ex.) It looks like we're all here, so I'll get started. (모두 이곳에 참석한 것 같으니 시작하도록 하겠습니다.)

② account for는 '(부분, 비율을) 차지하다, 구성하다'라는 뜻이다.
  ex.) Their orders account for 15 percent of our annual revenues. (그들의 주문량은 우리 연 매출의 15퍼센트를 차지한다.)

③ seem like는 '~처럼 보이다'라는 뜻이다.
  ex.) Doesn't this story seem like a fairy tale? (이 이야기가 마치 동화 속 이야기 같지 않나요?)

④ come in+서수는 '몇 위를 하다'라는 뜻으로 경주에서 쓰일 때에는 「finish+서수」로 바꿔 쓸 수 있다.
  ex.) I'm not here to come in second. (나는 2위를 하기 위해 이곳에 있는 게 아니야.)

 **STEP** **PREPARE TO TALK** 대화를 준비하시오.

Answer the questions about your favorite type of movie.

당신이 가장 좋아하는 유형의 영화에 대한 질문에 답하시오.

1. **What is your favorite type of movie?**
   (History / Sci–fi / Action / Animation / _____) movies

2. **Why do you like these movies?**
   I like them because _____.

3. **Which movies of this type are your favorite?**
   My favorite movies are _____ and _____.

해석

1. 당신이 가장 좋아하는 유형의 영화는 무엇인가? (역사/ 공상 과학/ 액션/ 애니메이션/ _____) 영화
2. 왜 이 영화들을 좋아하는가? 나는 _____이기 때문에 그것들을 좋아한다.
3. 이 유형의 어떤 영화들을 가장 좋아하는가? 내가 가장 좋아하는 영화는 _____와 _____이다.

STEP **TALK AND TAKE NOTES** 말하고 받아 적으시오.

Talk with your friends about your favorite type of movie. Then take notes.

당신이 가장 좋아하는 유형의 영화에 대해 친구들과 이야기하시오. 그러고 나서 받아 적으시오.

A: What is your favorite type of movie?
  (네가 가장 좋아하는 영화의 유형은 무엇이니?)
B: I'm a big fan of history movies. (나는 역사 영화의 열렬한 팬이야.)
A: Why do you like history movies? (너는 왜 역사 영화를 좋아하니?)
B: I like them because the setting is different from our times, and it's interesting.
  (배경이 우리 시대와 다르고 흥미롭기 때문에 좋아해.)
A: What are some examples of history movies?
  (역사 영화의 예로는 무엇이 있니?)
B: My favorite movies are *Dongju* and *Gwansang.*
  (내가 가장 좋아하는 영화는 '동주'와 '관상'이야.)

어휘

setting [sétiŋ] 배경
times [taimz] 시대

Name	_____
Type	_____
Why	_____
Examples	_____

Name	_____
Type	_____
Why	_____
Examples	_____

STEP 4 CONDUCT A CLASS SURVEY 학급 설문 조사를 하시오.

What is the most popular type of movie in your class? Conduct a class survey. Then, analyze the graph. 😀 여러분의 반에서 가장 인기 있는 유형의 영화는 무엇인가요? 학급 설문 조사를 하시오. 그리고 나서 도표를 분석하시오.

해석

위 도표는 액션 영화가 우리 반에서 가장 인기 있다는 것을 나타냅니다. 저는 환상적인 액션과 진짜 같은 컴퓨터 그래픽 때문에 많은 학생들이 이러한 영화들에 투표했다고 생각합니다.

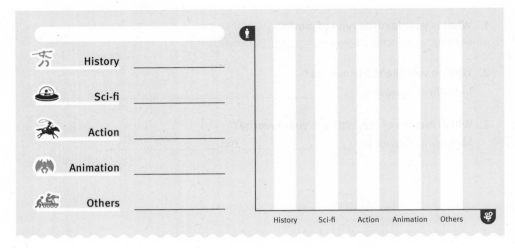

→ The graph above reveals that <u>action</u> movies are most popular in my class. I think many students voted for these movies because <u>they like the fantastic action and realistic computer graphics</u>.

활동 팁

설문 조사를 할 때에는 자리에서 일어나 여기저기를 돌아다니며 활발하게 조사를 한다. 질문하는 사람은 "What is your favorite type of movie?" 라고 묻고, 대답하는 사람은 "My favorite type of movie is ~."라고 대답한다. 해당 영화에 맞게 누계한 후 도표로 나타낸다.

• 1~2차시 어휘 정리 • 😀

▶ abroad 해외에
▶ appreciate 진가를 알아보다
▶ artistic 예술적인
▶ beat 이기다
▶ chart 도표
▶ festival 축제
▶ greet 환영하다
▶ include 포함하다
▶ influence 영향
▶ look for ~을 찾다
▶ musician 음악가, 연주자
▶ original 원전
▶ pie chart 원그래프, 원형 도표
▶ popularity 인기
▶ reveal 드러내다
▶ setting 배경
▶ these days 요즘에는
▶ visitor 방문객

▶ afterwards 나중에, 그 뒤에
▶ article 기사
▶ attract 끌어들이다
▶ character 캐릭터
▶ dynamic 역동적인
▶ grateful 감사하는
▶ handy 유용한
▶ indicate 나타내다
▶ international 국제적인
▶ meaningful 의미 있는
▶ opportunity 기회
▶ performing arts 공연 예술
▶ play 연극
▶ product 제품
▶ sci-fi 공상 과학의
▶ the Korean Wave 한류
▶ times 시대
▶ vote 투표하다; 투표수

Review Points

1. I thought about my favorite type of movie and shared it with my friends.
   나는 내가 가장 좋아하는 영화 유형에 관해 생각해 보고 내 친구들과 그것을 공유했다.

2. I got to know my classmates' favorite movie type and made a graph about it.
   나는 내 급우들이 가장 좋아하는 영화 유형을 알게 되었고 그것에 관한 도표를 만들었다.

Topic

> **Culture's impact** (문화의 영향)
> Culture is meaningful in itself, but did you know that its influence in other areas is also remarkable? Why don't you find several countries' cultural strengths and influences?
> 문화는 그 자체로 의미가 있지만, 다른 분야에 대한 그것의 영향 또한 주목할 만하다는 것을 알고 있나요? 몇몇 나라들의 문화의 힘과 영향에 관해 찾아보는 것은 어떤가요?

1. Think about the meaning of the title "Money Talks? Culture Talks!"
"돈이 말한다(힘이다)? 문화가 말한다(힘이다)!"라는 제목의 의미에 대해 생각해 보시오.

I think "Money Talks" means money creates something.

Talking means delivering a message. So I think it means money and culture can deliver a message.

Money Talks? Culture Talks!

I guess talking here means having influence or having great value. So culture has economic value like money.

I think culture can do a lot of things just as money can do a lot of things. (돈이 많은 것들을 할 수 있는 것처럼 문화도 많은 것들을 할 수 있다.)고 생각해.

◀ Your Own Idea

해석
A: 나는 "돈이 말한다"는 돈이 무언가를 만들어낸다는 것을 의미한다고 생각해.
B: "말한다"라는 것은 어떤 메시지를 전달한다는 거야. 따라서 나는 돈과 문화가 어떤 메시지를 전달할 수 있다는 것을 의미한다고 생각해.
C: 여기서 "말한다"라는 것은 영향력을 갖거나 높은 가치를 가지고 있는 것을 의미한다고 생각해. 따라서 문화는 돈처럼 경제적 가치를 갖는 거야.

어휘
deliver [dilívər] 전달하다
value [vǽljuː] 가치

2. Match each phrase with the appropriate description.
주어진 각 어구를 적절한 설명과 연결하시오.

ⓐ creative industries
창조 산업

ⓑ product placement (PPL)
작품 속 광고

ⓒ the "Frodo economy"
프로도 경제효과

해석
(1) 텔레비전 쇼의 간접 광고
(2) 인간의 지식과 상상력을 생산하거나 사용하는 것이 수반되는 산업
(3) 뉴질랜드의 '반지의 제왕'의 성공에 따른 경제적 영향력

어휘
indirect advertising 간접 광고

(1) indirect advertising on TV shows (ⓑ)

(2) industries that involve producing or using human knowledge and imagination (ⓐ)

(3) the economic impact of the success of *The Lord of the Rings* for New Zealand (ⓒ)

`구문` involve -ing는 '~하는 것을 포함시키다, 수반되다'라는 뜻이다.

On Your Own

Read the passage quickly and find the types of creative industries that are mentioned.
본문을 빠르게 읽고 언급되어진 창조 산업의 유형을 찾아보시오.
book, movie, musical, concert, character, TV show, music, animation

Read and Think

Interpretation

¹돈이 말한다(힘이다)? 문화가 말한다(힘이다)!

²Frodo를 알고 있는가? ³그는 영화 '반지의 제왕'의 등장인물이다. ⁴영화가 개봉된 후, 많은 사람들이 뉴질랜드를 방문했는데, 그곳은 영화가 촬영된 장소였고, 그 나라의 경제를 되살렸다. ⁵이것은 너무 성공적이어서 이 현상은 자신만의 이름을 갖게 되었다 – 'Frodo 경제 효과'이다. ⁶이런 종류의 문화적 내용이 수반되는 산업은 '창조 산업'이라고 불린다. ⁷창조 산업이란 인간의 지식과 상상력을 사용하는 것과 관련된 경제적 활동이다.

영국

⁸ 영국의 창조 산업은 대체로 영국의 창작 문학에 기반을 둔다. ⁹Frodo에게 생명을 불어넣은 바로 그 작가가 영국인이었고, 고전 문학의 상징인 Shakespeare도 마찬가지이다. ¹⁰전 시대의 가장 성공적인 작가들 중 한 명도 영국인이다. ¹¹J. K. Rowling의 작품은 수백만의 사람들을 끌어들여 Harry Potter 스튜디오, 킹스크로스 역의 플랫폼 9¾과 그 시리즈가 쓰여진 카페를 구경하기 위해 런던을 방문하도록 했다. ¹²Harry Potter 시리즈는 지금까지 영국에 많은 금액의 돈을 벌어들인 것으로 알려져 있다. ¹³영국의 문화 중 한 가지 독특한 측면은 스토리텔링 클럽이다. ¹⁴스토리텔링 클럽에서는, 사람들이 모여서 흥미로운 이야기를 나누고, 아이들의 상상력을 키운다. ¹⁵그러한 창의성과 결합되어, 이러한 몇몇의 이야기들이 책, 영화와 공연 예술로 아름답게 옮겨진다.

¹*Money Talks? Culture Talks!*

²Do you know Frodo? ³He is a character from the movie *The Lord of the Rings*. ⁴After the movie was released, a great number of people visited New Zealand, where the movie was filmed, reviving the nation's economy. ⁵It was so successful that this phenomenon got its own name – the "Frodo economy." ⁶The industries that involve this kind of cultural content are called "creative industries." ⁷Creative industries are economic activities that are related to using human knowledge and imagination.

U.K.

⁸The U.K.'s creative industries are largely based on its imaginative literature. ⁹The very writer who gave life to Frodo was British, along with the icon of classic literature—Shakespeare. ¹⁰One of the most successful writers of all time is British as well. ¹¹J.K. Rowling's work has attracted millions of people to visit London to see the Harry Potter Studios, Platform $9\frac{3}{4}$ at King's Cross Station, and the cafe where the series was written. ¹²The Harry Potter series is known to have earned the U.K. a large amount of money so far. ¹³One unique aspect of the U.K.'s culture is its storytelling clubs. ¹⁴In storytelling clubs, people gather to share interesting stories, feeding children's imagination. ¹⁵Combined with such creativity, some of these stories are beautifully translated into books, films, and the performing arts.

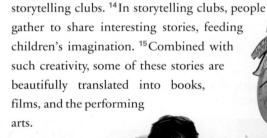

Words and Idioms

release: 개봉, 출시 ⊙ The movie was banned one week before the day scheduled for release. (그 영화는 개봉이 예정된 날의 일주일 전에 금지되었다.)

a great number of: 많은 ⊙ A great number of sightseers visit Jeju. (제주에 많은 관광객들이 몰린다.)

revive: 활기를 되찾다, 회복하다 ⊙ This movie is intended to revive her flagging career. (이 영화는 그녀의 쇠퇴하는 경력을 회복시키기 위해 만들어졌다.)

phenomenon: 현상 ⊙ This phenomenon is called "tropical night." (이러한 현상을 '열대야'라고 부른다.)

imagination: 상상 ⊙ We leave the rest to our readers' imagination. (나머지는 독자들의 상상에 맡긴다.)

Over to you

Based on the definition of creative industries in the reading passage, what type of creative industries are you most familiar with?

본문 속 창조 산업의 정의에 기반하여, 여러분이 가장 익숙한 창조 산업의 종류는 무엇인가요?

largely: 대체로 ▶ He is largely responsible for the success of the business. (사업이 성공하느냐는 주로 그 사람에게 달려 있다.)

literature: 문학 ▶ Her master's degree is in literature. (그녀는 문학 석사 학위를 가지고 있다.)

give life to: ~에 생기를 불어넣다 ▶ Donations are made to give life to small political parties. (기부는 군소 정당을 살린다.)

icon: 우상, 상징 ▶ From that day on, she became a fashion icon. (그날 이후로, 그녀는 패션의 상징이 되었다.)

attract: 끌어들이다 ▶ What types of customers do you expect to attract? (어떤 유형의 고객을 끌어들일 것으로 예상하나요?)

a large amount of: 다량의 ▶ There was a large amount of information. (많은 양의 정보가 있었다.)

storytelling: 이야기를 하는 ▶ The students spend more time on art, music and storytelling. (그 학생들은 예술, 음악, 그리고 이야기를 하는 데 더 많은 시간을 사용한다.)

🔑 Key Points

4 After the movie was released, **a great number of** people visited New Zealand, **where** the movie was filmed, reviving the nation's economy.: 「a great number of」~는 '아주 많은 ~'의 뜻으로 항상 복수 취급한다. / where는 장소를 나타내는 관계부사로 앞에 콤마로 보아 계속적 용법으로 쓰였다. 계속적 용법은 부가적인 설명을 나타낼 때 쓰인다.

5 It was **so** successful **that** this phenomenon got its own name – the "Frodo economy.": 「so + 형용사 + that + 주어 + 동사 ~」 구문으로 '너무 ~해서 …하다'의 뜻이며 원인/결과를 나타낸다.

6 The industries **that involve this kind of cultural content** are called "creative industries.": that ~ content까지 the industries를 꾸며주는 관계대명사절로 content까지가 주어이다.

7 Creative industries are economic activities **that are related to using human knowledge and imagination.**: that이하는 economic activities를 꾸며주는 형용사절로 that은 주격관계대명사이다.

9 **The very** writer who gave life to Frodo was British, along with the icon of classic literature—Shakespeare.: 「the very + 명사」는 '바로 그 ~'의 뜻으로 very가 명사를 강조하고 있다.

10 **One of the most successful writers** of all time is British as well.: 「one of the + 최상급 + 복수명사」는 '가장 ~한 …중 하나'의 뜻으로 여기서는 one이 주어이므로 단수동사인 is가 쓰였다.

12 The Harry Potter series **is known to have earned** the U.K. a large amount of money so far.: 「be known to ~」는 '~에게 알려져 있다[유명하다]'의 뜻이고 「be known for ~」는 '~로 유명하다', 「be known as ~」는 '~로 알려지게 되다'의 뜻이다. 또한 to have earned는 「to have + 과거분사」의 형태로 완료부정사이며 to 이하의 시제가 주절의 시제보다 앞설 때 쓰인다.

15 **Combined** with such creativity, some of these stories are beautifully translated into books, films, and the performing arts.: As some of these stories are combined with such creativity에서 접속사(As)와 주어(some of these stories)가 생략되고 Being combined ~로 시작하는 분사구문으로 이 문장에서 Being이 생략되어 있다.

Mini Test

정답과 해설 p. 361

1. 다음 괄호 안의 단어들을 순서대로 배열하시오.

(1) Creative industries are economic activities (using, that, are, to, related) human knowledge and imagination.

(2) The very writer (Frodo, gave, to, who, life) was British, along with the icon of classic literature – Shakespeare.

2. 다음 우리말에 맞게 빈칸에 알맞은 말을 쓰시오.

(1) Harry Potter 시리즈는 지금까지 영국에 많은 금액의 돈을 벌어들인 것으로 알려져 있다.
The Harry Potter series is known _____ the U.K. a large amount of money so far.

(2) 영화가 개봉된 후, 많은 사람들이 뉴질랜드를 방문했는데 그곳은 영화가 촬영된 장소였고, 그 나라의 경제를 되살렸다.
After the movie was released, a great number of people visited New Zealand, _____, reviving the nation's economy.

3. 다음 주어진 표현을 이용하여 문장을 완성하시오.

(1) a great number of: 다수의, 많은
_____ were parked outside the building.
(건물 밖에 많은 차들이 주차되어 있었다.)

(2) so ~ that …: 너무 ~해서 …한
She was _____ she won the first prize.
(그녀는 너무 똑똑해서 1등상을 받았다.)

(3) be based on: ~에 기초하다
Science _____ the truth.
(과학은 사실에 기초해야 한다.)

(4) combined with: ~와 결합되다
Brain power _____ is a winning formula.
(두뇌의 명석함과 결합된 팀워크가 승리의 비결이다.)

Interpretation

미국

¹미국은 문화 명소가 주요 관광 달러를 벌고 있는 또 다른 나라이다. ²이것의 가장 큰 강점은 그것의 화려함에 있다. ³할리우드 스튜디오는 그들의 훌륭한 컴퓨터 그래픽을 사용하여 세계에서 가장 환상적이고 역동적인 몇몇 영화를 창조해낸다. ⁴그뿐만 아니라, 사람들은 유명한 영화 산업에 기반을 둔 테마파크인 유니버설 스튜디오를 즐길 수 있다. ⁵여기에서는, 방문객들이 Shrek과 같은 진짜 할리우드 영화를 기반으로 둔 환상적인 쇼뿐만 아니라 재미있는 놀이 기구를 즐길 수 있다. ⁶문화적으로, 미국은 뉴욕에 있는 브로드웨이도 특징으로 삼는다. ⁷브로드웨이를 방문할 기회가 있다면, 여러분은 뮤지컬의 화려함에 놀랄 것이다. ⁸'라이언 킹'의 사실적인 분장과 의상, '맘마미아!'의 재미있는 춤과 음악, 그리고 '오페라의 유령'의 멋진 노래와 구성을 즐길 수 있다. ⁹브로드웨이 쇼는 2015-2016년도에 13억 달러 이상을 벌어들인 것으로 추정된다.

While you read

Q1. What can people do at Universal Studios?

유니버설 스튜디오에서 사람들이 무엇을 할 수 있는가?

예시 답안 People can enjoy rides and watch shows based on movies. (사람들은 놀이 기구를 즐기고 영화를 기반으로 한 쇼를 볼 수 있다.)

해설 다섯 번째 문장에서 방문객들이 할리우드 영화를 기반으로 한 환상적인 쇼뿐만 아니라 재미있는 놀이 기구를 즐길 수 있다고 했다.

U.S.A.

¹The United States of America is another country whose cultural attractions have earned major tourism dollars. ²Its greatest strength lies in its glamor. ³Hollywood studios create some of the most fantastic and dynamic movies in the world, making use of their fine computer graphics. ⁴Not only that, people can enjoy Universal Studios, a theme park based on the famous movie industry. ⁵Here, visitors can enjoy fun rides as well as fantastic shows based on real Hollywood movies such as *Shrek*. ⁶Culturally, the U.S.A. also features Broadway in New York. ⁷If you had the chance to visit Broadway, you would be amazed by the glamor of the musicals. ⁸You could enjoy the realistic make-up and costumes in *The Lion King*, the fun dance and music of *Mamma Mia!*, and the terrific songs and plot of *The Phantom of the Opera*. ⁹Broadway shows are estimated to have gained more than 1.3 billion dollars in 2015-2016.

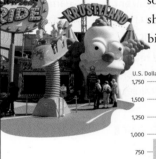

U.S. Dollars (in millions)

Broadway Profits 2006-2016   Source: Statista, 2016

Words and Idioms

cultural attraction: 문화 명소 ⊙ Many cultural attractions are free and world-class. (많은 문화 명소가 무료이며 세계 수준이다.)

strength: 장점 ⊙ What is your strength? (당신의 장점은 무엇인가?)

lie in: ~에 있다 ⊙ His strength lies in his honesty. (정직이 그의 장점이다.)

glamor: 화려함 ⊙ The celebrities liked their glamor and fame. (연예인들은 그들의 화려함과 명성을 좋아했다.)

fine: 훌륭한 ⊙ A fine child becomes a fine man. (훌륭한 아이가 훌륭한 인간이 된다.)

movie industry: 영화 산업 ⊙ Hollywood is the heart of the world movie industry. (할리우드는 세계 영화 산업의 중심지이다.)

ride: 놀이기구 ⊙ The little boy was scared of the amusement park rides. (그 작은 소년은

놀이공원 놀이 기구를 타는 것이 두려웠다.)

feature: 특징으로 삼다 ▶ Our flight today does feature complimentary movie service. (오늘 비행에서는 무료 영화 서비스를 특징으로 삼습니다.)

realistic: 사실적인 ▶ The completed face looks very realistic. (그 완성된 얼굴은 매우 사실적인 것처럼 보인다.)

costume: 의상 ▶ The chief was wearing an Indian costume. (우두머리는 인디안 의상을 입고 있었다.)

terrific: 멋진 ▶ He is a terrific football player. (그는 대단한 축구 선수다.)

plot: 구성, 줄거리 ▶ The writer formed an idea of the main plot. (작가는 중심 줄거리를 구상했다.)

phantom: 유령 ▶ He is only a phantom of a leader. (그는 이름뿐인 지도자에 불과하다.)

estimate: 추정하다 ▶ Both sides estimate that the margin of victory will be very slim. (양측 모두 득표차가 근소할 것으로 예상한다.)

Key Points

1 The United States of America is another country **whose** cultural attractions have earned major tourism dollars.: whose는 관계대명사 소유격으로 선행사 another country를 꾸며주는 형용사절을 이끈다. 소유격 관계대명사 뒤에는 명사가 온다.

2 Its greatest strength **lies in** its glamor.: lie in ~은 '~에 있다'의 뜻으로 consist in과 바꾸어 쓸 수 있다.

3 Hollywood studios create some of the most fantastic and dynamic movies in the world, **making** use of their fine computer graphics.: making 이하는 분사구문으로 as they make use of their fine computer graphics에서 접속사와 주어를 생략하고 동사를 -ing로 바꾼 형태이다.

4 Not only that, people can enjoy Universal Studios, a theme park **based on the famous movie industry**.: based 이하는 과거분사구로 앞의 a theme park를 꾸며준다. 이때 a theme park와 base는 수동의 관계이므로 과거분사를 쓴다.

5 Here, visitors can enjoy fun rides **as well as** fantastic shows based on real Hollywood movies such as *Shrek*.: 「B as well as A」는 'A뿐 아니라 B도'의 뜻으로 「not only A but (also) B」와 바꾸어 쓸 수 있다.

7 **If you had** the chance to visit Broadway, **you would be** amazed by the glamor of the musicals.: 「If + 주어 + 과거동사 ~, 주어 + 조동사의 과거 + 동사원형~」의 형태인 가정법과거 구문으로 현재 사실에 반대되는 내용을 나타내어 '만약 ~라면 …할 텐데'로 해석한다.

9 Broadway shows are estimated **to have gained** more than 1.3 billion dollars in 2015-2016.: It is estimated that Broadway shows gained more than 1.3 billion dollars in 2015-2016.의 의미로 완료부정사 to have gained가 쓰인 것은 추정(estimated)되는 시기보다 돈을 벌어들인 시기가 앞서기 때문이다.

Mini Test

정답과 해설 p. 361

1. 다음 괄호 안의 단어들을 순서대로 배열하시오.

(1) The United States of America is another country (have, earned, cultural, attractions, tourism, dollars, whose, major).

(2) Broadway shows (have, gained, estimated, are, to) more than 1.3 billion dollars in 2015-2016.

2. 다음 우리말에 맞게 빈칸에 알맞은 말을 쓰시오.

(1) 브로드웨이를 방문할 기회가 있다면, 여러분은 뮤지컬의 화려함에 놀랄 것이다.

_____, you would be amazed by the glamor of the musicals.

(2) 그뿐만 아니라, 사람들은 유명한 영화 산업에 기반을 둔 테마파크인 유니버설 스튜디오를 즐길 수 있다.

_____, people can enjoy Universal Studios, a theme park based on the famous movie industry.

3. 다음 주어진 표현을 이용하여 문장을 완성하시오.

(1) make use of: ~을 이용하다
Try _____ every opportunity of speaking English.
(영어로 말할 수 있는 기회를 최대한 이용하려고 해라.)

(2) as well as: 게다가, ~에 더하여
A healthy diet is important for children _____ for adults.
(건강한 영양 섭취는 어른뿐만 아니라 아이들에게도 중요하다.)

(3) feature: 특징으로 삼다
The film _____ dream cast and the dream director.
(그 영화는 완벽한 캐스팅에 완벽한 감독을 특징으로 합니다.)

(4) be estimated to: ~로 추정되다
This year's rice crop _____ be below the average.
(올해 벼농사는 평년 이하인 것으로 추정된다.)

Interpretation

한국

¹만일 여러분이 한국의 창조 산업 하나를 대라고 요구받는다면, 무엇을 선택하겠는가? ²많은 것들이 있기 때문에 어려운 질문일 것이다. ³사실, 한국의 창조 산업은 10년 이상 국제적으로 성공적이라고 보도되어졌다. ⁴오늘날, '한류'의 경제적 영향은 새로운 기술과 좋은 전략을 사용함으로써 증가하고 있다. ⁵특히, K-pop은 발전된 기술을 사용하여 큰 수익을 얻고 있다. ⁶새로운 유형의 콘서트인 K-pop과 홀로그램 기술의 결합은, 꽤 수익성이 있다. ⁷이 콘서트에서 관객은 가수가 실제로 무대 위에 있는 것처럼 느낀다. ⁸이것의 독특성에 이끌려, 점점 더 많은 K-pop 팬들이 홀로그램 콘서트 홀로 모여든다.

⁹마케팅 전략이 한류의 또 다른 성공의 열쇠이다. ¹⁰캐릭터 산업에서, 몇몇 캐릭터들은 장난감, 테마파크, 그리고 다른 제품들로 만들어지기 전에 우선 만화로 된 시리즈에 소개되어진다. ¹¹이렇게 하여, 그 캐릭터들은 일단 그것들이 인기가 있음이 드러나면 다른 분야로 확장될 수 있다. ¹²많은 회사들이 텔레비전 쇼에서의 간접 광고를 위해 작품 속 광고라고 불리는 마케팅 전략을 활용한다. ¹³이 회사들은 해외의 한류 팬들이 텔레비전 쇼에서 한국 연예인들이 어떤 제품을 사용하는지에 주의를 기울이며 그들이 사는 같은 제품을 구입하려고 한다는 사실을 이용한다.

KOREA

¹If you were asked to name one successful creative industry in Korea, what would you choose? ²It would be a hard question because there are so many. ³In fact, Korea's creative industries are reported to have been internationally successful for more than a decade. ⁴Nowadays, the economic impact of the "Korean Wave" is increasing by using new technology and good strategies. ⁵In particular, K-pop is gaining large profits using advanced technologies. ⁶A new type of concert, a combination of K-pop and hologram technology, is quite profitable. ⁷In this concert the audience feels as if the singer were actually on stage. ⁸Attracted to its uniqueness, more and more K-pop fans flock to hologram concert halls.

⁹Marketing strategies are another key to the success of the Korean Wave. ¹⁰In the character industry, some characters are first introduced in an animated series before they are made into toys, theme parks, and other products. ¹¹This way, the characters can expand into other fields once they prove to be popular. ¹²Many companies also use a marketing strategy called product placement for indirect advertising on TV shows. ¹³These companies take advantage of the fact that Korean Wave fans abroad pay close attention to what products Korean celebrities use on TV shows and try to purchase the same items as they do.

While you read

Q2. What is the secret to the success of the Korean character industry?
한국 캐릭터 산업의 성공의 비밀이 무엇인가?

예시 답안 Characters are first introduced in an animated series and then made into other products. (캐릭터는 우선 만화로 된 시리즈로 소개되고 그 후에 다른 제품으로 만들어진다.)

해설 열 번째 문장에서 몇몇 캐릭터들은 장난감, 테마파크, 그리고 다른 제품들로 만들어지기 전에 우선 만화로 된 시리즈에 소개되어진다고 했다.

Words and Idioms

decade: 10년 ⊙ People want to see changes now, not a decade later. (사람들은 10년 후가 아닌, 지금 당장 변화를 보고 싶어 한다.)

profit: 수익 ⊙ There is no profit in doing such a thing. (그런 일을 하는 것은 아무런 이득이 없다.)

hologram: 홀로그램(입체 사진술에 의한 입체 화상) ⊙ It's the first hologram theater in the world. (그것은 전 세계 최초의 홀로그램 공연장입니다.)

audience: 관객 ⊙ An audience burst into a laugh by his action. (청중이 그의 행동에 웃음을 터뜨렸다.)

uniqueness: 독특성 ⊙ Expressing your uniqueness is important. (당신의 개성을 표현하는 것은 중요하다.)

flock to: ~로 모여들다 ▶ Travellers from all over the world flock to this city. (세계 각지의 여행객들이 이 도시를 찾는다.)

marketing strategy: 마케팅 전략 ▶ Was your choice of name a marketing strategy? (마케팅 전략 차원에서 이런 이름을 선택한 것이었나요?)

expand into: ~로 확장하다 ▶ Japan plans to expand into Asia and South America. (일본은 아시아와 남미 시장으로 진출할 계획이다.)

product placement: 작품 속 광고 ▶ Does product placement always have the desired effect? (간접 광고 기법이 항상 소기의 목적을 달성하는가?)

indirect: 간접적인 ▶ He suffers from the indirect effects of smoking. (그는 흡연의 간접적인 영향으로 괴로워한다.)

advantage: 장점 ▶ She has the advantage of being a people person. (그녀는 사교성이라는 강점을 갖고 있다.)

celebrity: 연예인 ▶ He became a celebrity on the strength of one hit song. (그는 히트송 하나로 연예인이 되었다.)

Key Points

1 **If you were** asked to name one successful creative industry in Korea, what **would you choose**? : 「If + 주어 + 과거동사 ~, 주어 + 조동사의 과거 + 동사원형~」의 형태인 가정법과거 구문으로, 여기서는 주절이 의문문으로 쓰였다.

2 It would be a hard question because there are so many. : many 뒤에는 creative industries in Korea가 생략되어 있다.

5 In particular, K-pop is gaining large profits **using** advanced technologies. : using 이하는 분사구문으로 as it uses advanced technologies에서 「접속사 + 주어」가 생략되고 주절의 동사(is)와 시제가 같으므로 uses를 분사구문 단순형인 using으로 바꾸었다.

7 In this concert **the audience** feels as if the singer were actually on stage. : audience는 집합명사로 한 집합체로 생각할 때는 단수형으로, 단수 동사를 쓰고, 개개의 구성원에 중점을 둘 때는 단수형 또는 복수형을 쓰기도 한다.

8 **Attracted** to its uniqueness, more and more K-pop fans flock to hologram concert halls. : As they are attracted to ~의 의미인 분사구문으로 접속사와 주어가 생략되고 주절의 동사(flock)와 시제가 같으므로 are는 분사구문 단순형인 being으로 바뀌나 being이 생략되어 attracted가 맨 앞에 나왔다.

11 This way, the characters can expand into other fields **once** they prove to be popular. : once가 접속사로 쓰여 '일단 ~하면'의 뜻을 가지고 있다.

12 Many companies also use a **marketing strategy called** product placement for indirect advertising on TV shows. : called 이하는 과거분사구로 a marketing strategy와 call의 관계가 수동이므로 과거분사인 called를 써서 수식한다.

13 These companies take advantage of **the fact that** Korean Wave fans abroad pay close attention to what products Korean celebrities use on TV shows and try to purchase the same items as they do. : the fact that ~의 that은 동격의 that으로 the fact에 해당하는 내용이 나온다. 관계대명사와 달리 동격의 that 뒤에는 완전한 문장이 이어진다.

Mini Test

정답과 해설 p. 361

1. 다음 괄호 안의 단어들을 순서대로 배열하시오.

(1) In this concert (were, the audience, the singer, as, feels, if) actually on stage.

(2) This way, (into, the, characters, can, other, expand, fields) once they prove to be popular.

2. 다음 우리말에 맞게 빈칸에 알맞은 말을 쓰시오.

(1) 만일 여러분이 한국의 창조 산업 하나를 대라고 요구받는다면, 무엇을 선택하겠는가?
_____ asked to name one successful creative industry in Korea, what would you choose?

(2) 사실, 한국의 창조 산업은 10년 이상 국제적으로 성공적이라고 보도되어졌다.
In fact, Korea's creative industries are reported _____ _____internationally successful for more than a decade.

3. 다음 주어진 표현을 이용하여 문장을 완성하시오.

(1) attracted to: ~에 매료되어, 이끌려
Butterflies _____ wild flowers.
(나비는 야생화에 이끌린다.)

(2) as if+주어+동사의 과거형: 마치 ~인 것처럼
He talks _____ a doctor.
(그는 마치 자신이 의사인 것처럼 말한다.)

(3) flock to: ~로 모여들다
More than 15 million visitors _____
Venice each year.
(천오백만 명 이상의 방문객들이 매년 베니스로 모여든다.)

(4) prove to be: ~임이 드러나다
This belief might _____.
(이 믿음은 틀린 것으로 드러날 수 있다.)

📖 Interpretation

다른 나라들

¹영국, 미국, 그리고 한국과 마찬가지로, 세계의 많은 다른 나라들도 그들의 창조 산업을 홍보하고 있다. ²세계에서 가장 큰 영화 산업인 인도의 볼리우드는, 자신의 독특한 제품으로 점점 더 많은 팬을 끌어들이고 있다. ³다채로운 문화적 그리고 역사적 자원을 가진 나라인 중국은, 창조 산업을 지원하기 위해 정책을 내놓고 있다. ⁴일본은 애니메이션과 J-pop 같은 일본의 창조 산업을 홍보하기 위해 자신의 고유한 브랜드인 "Cool Japan"을 출시했다.

⁵몇몇의 학자들이 예측하는 것처럼, 과거에 농업 또는 제조업이 그러했듯이, 창조 산업은 다음의 글로벌 산업이 될 수도 있다. ⁶누가 알겠는가? ⁷다음 세대의 선두적인 최고 경영자들이 창의적인 공상가들 또는 로맨틱한 작가들일 수도 있다.

Other Countries

¹Along with the U.K., the U.S.A., and Korea, many other countries around the world are promoting their creative industries. ²Bollywood in India, the largest movie industry in the world, is attracting more and more fans with its unique products. ³China, a country with rich cultural and historical resources, is introducing policies to support its creative industries. ⁴Japan has launched its own brand "Cool Japan" to promote Japanese creative industries such as animation and J-pop.

⁵As some scholars predict, creative industries may be the next global industry, just like farming or manufacturing was in the past. ⁶Who knows? ⁷The next generation's leading CEOs may be imaginative daydreamers or romantic writers.

While you read

Q3. What is the writer trying to say in the last paragraph?

마지막 단락에서 글쓴이는 무엇을 전달하고자 하는가?

[예시 답안] Prepare yourself for the new major industry.

새로운 주요 산업에 대비하라.

[해설] 다섯 번째 문장인 창조 산업이 다음의 글로벌 산업이 될 수 있다는 말을 통해 작가는 독자들에게 이 새로운 주요 산업에 대비하라는 뜻을 전하고 있다.

📋 Words and Idioms

promote: 홍보하다 ▶ He stood model to promote the company's product. (그는 그 회사의 제품을 홍보하기 위해 모델로 섰다.)

rich: 풍요로운, 다채로운 ▶ This novel is rich with detail. (이 소설은 세부 묘사가 풍부하다.)

resource: 자원, 원천 ▶ The Internet may not be a good resource for information. (인터넷은 정보의 좋은 원천이 아닐 수 있다.)

policy: 정책 ▶ The president announced a new policy. (대통령은 새로운 정책을 선포했다.)

launch: 출시하다 ▶ The book will be launched next week. (그 책은 다음 주에 출판될 거다.)

scholar: 학자 ▶ You may call him a scholar. (그는 학자라고 할 만하다.)

farming: 농업 ▶ This is a good year of farming. (금년은 농업에 적합한 해이다.)

manufacture: 제조하다; 제조 ▶ The process of manufacture is a closely guarded secret. (그 제조 방법은 극비다.)

leading: 선두적인 ▶ It was the leading hamburger chain last year. (그것은 작년의 선두적인 햄버거 체인점이었다.)

imaginative: 창의적인, 상상력이 풍부한 ▶ You should be imaginative to design nice buildings. (멋진 건물을 디자인하기 위해서는 창의력이 있어야 한다.)

daydreamer: 공상가 ▶ She is far away from reality. She is a daydreamer. (그녀는 현실과는 거리가 멀다. 그녀는 공상가이다.)

🔑 Key Points

1 **Along with the U.K., the U.S.A., and Korea**, many other countries around the world are promoting their creative industries.: along with ~는 '~과 함께/ ~을 비롯하여'의 뜻으로 삽입구이므로 주어는 many other countries이다.

2 **Bollywood in India, the largest movie industry in the world**, is attracting more and more fans with its unique products.: Bollywood in India와 the largest movie industry in the world는 「명사, 명사」의 형태로 쓰인 동격이다. 따라서 주어는 Bollywood이다.

3 **China, a country with rich cultural and historical resources**, is introducing policies to support its creative industries.: China 와 a country with rich cultural and historical resources는 「명사, 명사」의 형태로 쓰인 동격이며 주어는 China이다.

4 Japan has launched its own brand "Cool Japan" **to promote** Japanese creative industries such as animation and J-pop.: to promote는 to부정사의 부사적 용법 중 목적을 나타내며 '~하기 위해서'의 의미이다. in order to / so as to와 바꾸어 쓸 수 있다.

5 **As** some scholars predict, creative industries may be the next global industry, **just like** farming or manufacturing was in the past.: 접속사 as는 '~처럼, ~하듯이'로 쓰여 부사절을 이끈다. / just like 뒤에 명사가 오면 '~ 같은'의 의미이다.

6 Who knows?: '누가 알아?, (뭐라고 말할 수 없지만) 어쩌면 그럴지도 모르지!'라는 의미이다. 경우에 따라서는 No one knows. (아무도 모르는 거야.) 등의 의미를 갖고 있다.

▶ Mini Test

정답과 해설　p. 361

1. 다음 괄호 안의 단어들을 순서대로 배열하시오.

(1) China, (resources, and, historical, a country, cultural, rich, with), is introducing policies to support its creative industries.

(2) Japan has launched its own brand "Cool Japan" (creative, to, Japanese, industries, promote) such as animation and J-pop.

2. 다음 우리말에 맞게 빈칸에 알맞은 말을 쓰시오.

(1) 세계에서 가장 큰 영화 산업인 인도의 볼리우드는, 자신의 독특한 제품으로 점점 더 많은 팬을 끌어들이고 있다.
Bollywood in India, the largest movie industry in the world, is ＿＿＿＿＿＿＿ with its unique products.

(2) 몇몇의 학자들이 예측하는 것처럼, 과거에 농업 또는 제조업이 그러했듯이, 창조 산업은 다음의 글로벌 산업이 될 수도 있다.
＿＿＿＿＿＿＿, creative industries may be the next global industry, just like farming or manufacturing was in the past.

3. 다음 주어진 표현을 이용하여 문장을 완성하시오.

(1) along with: ~와 마찬가지로
He was in trouble, ＿＿＿＿＿＿＿ .
(그는 다른 두 남자들과 마찬가지로 위기에 처했다.)

(2) more and more: 점점 더 많은
＿＿＿＿＿＿＿ have moved out into the suburbs.
(점점 더 많은 사람들이 시외로 이주했다.)

(3) such as A and B: A와 B 같은
He has many books ＿＿＿＿＿＿＿ .
(그는 소설, 만화와 같은 많은 책을 갖고 있다.)

(4) just like: 꼭 ~처럼
He acts ＿＿＿＿＿＿＿ .
(그는 꼭 어린애처럼 군다.)

After You Read

1. Complete the summary of the reading passage about creative industries.
창조 산업에 관한 본문의 요약본을 완성하시오.

> Creative industries are economic activities related to producing or using human knowledge and imagination.

U.K.
- based on its imaginative literature
- storytelling clubs

U.S.A.
- glamorous Hollywood movies and Broadway musicals

Korea
- advanced technologies and marketing strategies

Other Countries
- India, China, and Japan
- expanding creative industries

2. Listen and select True or False. 듣고 맞으면 True, 틀리면 False를 고르시오.

(1) The term "Frodo economy" refers to the economic impact the movie *The Lord of the Rings* had on New Zealand.

(2) The writer of the Harry Potter series is American.

(3) Universal Studios is a theme park with fun rides and fantastic shows.

(4) Many Korean companies make use of indirect advertising on TV shows.

(5) Manufacturing will be the next global industry.

(1) 'Frodo 경제 효과'라는 용어는 영화 '반지의 제왕'이 뉴질랜드에 미친 경제적 효과를 나타낸다.

(2) Harry Potter 시리즈의 작가는 미국인이다.

(3) 유니버셜 스튜디오는 재미있는 놀이 기구와 환상적인 쇼가 있는 테마파크이다.

(4) 많은 한국 회사들이 텔레비전 쇼의 간접 광고를 이용한다.

(5) 제조업은 다음 글로벌 산업이 될 것이다.

(1) ☑ True ☐ False　(2) ☐ True ☑ False　(3) ☑ True ☐ False　(4) ☑ True ☐ False　(5) ☐ True ☑ False

THINK AND TALK

3. What aspect of Korean culture do you want to introduce to your international friend? Talk with your partner. 여러분의 외국 친구에게 한국 문화의 어떤 면을 소개하고 싶은가요? 짝과 이야기하시오.

> I would introduce <u>Korean characters to my international friend because</u> <u>they are cute and friendly. And</u> <u>their animated movies are fun and</u> <u>educational.</u>

해석

나는 <u>한국의 캐릭터들을 나의 외국 친구에게 소개하고 싶어. 왜냐하면 그것들은 매우 귀엽고 친근하기 때문이야. 그리고 그것들의 만화 영화는 재미있고 교육적이야.</u>

해설

외국 친구에게 한국의 캐릭터를 소개하고 싶어하며 그 이유도 설명하고 있다.

활동 팁

자신이 소개하고 싶은 한국의 문화 중 하나를 선정하여 그 문화의 좋은 점들을 브레인스토밍한다. 이때 선정한 문화는 외국 친구에게 흥미로운 것이어야 하며 다른 나라와는 차별성 있는, 한국을 대표할 수 있는 것이어야 한다. 짝과 이야기할 때는 주어진 구문을 활용한다.

3~5차시 어휘 정리

▶ advantage 장점
▶ audience 관객
▶ daydreamer 공상가
▶ deliver 전달하다
▶ estimate 추정하다
▶ field 분야
▶ hologram 홀로그램(입체 화상)
▶ imagination 상상
▶ influence 영향
▶ indirect 간접인
▶ literature 문학
▶ marketing strategy 마케팅 전략
▶ phenomenon 현상
▶ profit 수익
▶ realistic 사실적인
▶ revive 활기를 되찾다, 회복하다
▶ storytelling 스토리텔링, 이야기를 하는
▶ uniqueness 독특성

▶ attract 끌어들이다
▶ costume 의상
▶ decade 10년
▶ economic 경제적인
▶ feature 특징으로 삼다
▶ glamor 화려함
▶ icon 우상, 상징
▶ imaginative 창의적인, 상상력이 풍부한
▶ industry 산업
▶ indirect advertising 간접 광고
▶ manufacture 제조하다
▶ phantom 유령
▶ product placement 작품 속 광고
▶ promote 홍보하다
▶ release 개봉, 출시
▶ so many 아주 많은
▶ terrific 멋진
▶ value 가치

Review Points

1. I read the passage and understood each country's unique cultural characteristics.
   나는 본문을 읽고 각 나라의 독특한 문화적 특성을 이해했다.
2. I realized the power of culture in various areas.
   나는 여러 분야에서의 문화의 힘을 깨달았다.

📖 Language Notes

📑 About Words

-ic / -able 이 들어간 어휘들

-ic는 명사 뒤에 붙어서 '~의, ~와 같은, ~으로 이루어진'의 의미를 나타낸다. 주어진 예시 외에 heroic(영웅의), magnetic(자석 같은) 등이 있다.

-able은 타동사 뒤에 붙어서 '~할 만한, ~할 수 있는, ~하기 쉬운'의 의미를 나타내며 명사 뒤에 붙었을 때는 '~에 적합한, ~을 주는'의 의미로 사용된다. 주어진 예시 외에 lovable(사랑할 만한), usable(사용할 수 있는), breakable(깨지기 쉬운), comfortable(편안함을 주는) 등이 있다.

해석

(1) 사업이 너무 수익성이 있어서 그는 돈을 많이 벌어들였다.
(2) 그 게임의 경제적인 영향이 예상했던 것보다 훨씬 더 크다.
(3) 그녀는 마케팅을 통해 큰 수익을 얻었다.
(4) 창조 산업 덕분에 그 나라의 경제는 빠르게 회복하고 있다.

✏️ WORDS IN USE

economy: the way goods and services are produced, bought, and sold
경제: 상품과 서비스가 생산되고, 구매되고, 팔리는 방식
economic: relating to the way goods and services are produced, bought, and sold
경제의: 상품과 서비스가 생산되고, 구매되고, 팔리는 방식과 관련된

profit: money that is made in a business
수익: 사업에서 벌어들인 돈
profitable: making a lot of profit
수익성이 있는: 수익을 많이 만들어 낸

1. Choose the appropriate word in each sentence. 각 문장에서 자연스러운 단어를 고르시오.

(1) The business was so (economic / <u>profitable</u>) that it earned him a lot of money.

(2) The (<u>economic</u> / profitable) impact of the game is much bigger than anticipated.

(3) She earned a huge (economy / <u>profit</u>) through marketing.

(4) Thanks to its creative industries, the nation's (<u>economy</u> / profit) is rapidly recovering.

🔑 PHRASES IN USE

a great number of: many 다수의: 많은
After the movie was released, *a great number of* people visited New Zealand.
영화가 개봉된 후, 많은 사람들이 뉴질랜드를 방문했다.

give life to: to produce, create for the first time ~에 생명을 불어넣다: 최초로 생산, 창조하다
The very writer who *gave life to* Frodo was British.
Frodo를 창조한 바로 그 작가는 영국인이었다.

make use of: to use something for a certain purpose
~을 이용하다: 어떤 목적으로 무언가를 사용하다
Hollywood studios *make use of* their fine computer graphics.
할리우드 스튜디오는 그들의 훌륭한 컴퓨터 그래픽을 이용한다.

해석

(1) 이 등장인물을 창조해낸 분에게 감사의 말을 전하고 싶어.
(2) 그 댄서 주변에 많은 기자들이 있었다.
(3) 당신의 시간을 더 현명하게 이용하는 것은 어떤가요?

2. Complete the sentences with the phrases above. You may need to change the form.
위의 구문을 이용해서 문장을 완성하시오. 필요하면 형태를 바꾸시오.

(1) I'd like to thank the person who <u>gave life to</u> this character.

(2) There were <u>a great number of</u> reporters around the dancer.

(3) Why don't you <u>make use of</u> your time more wisely?

FOCUS ON FORM

- The Harry Potter series is known **to have earned** the U.K. a large amount of money so far.
  Harry Potter 시리즈는 지금까지 영국에 많은 금액의 돈을 벌어들인 것으로 알려져 있다.
- Broadway shows are estimated **to have gained** more than 1.3 billion dollars in 2015-2016.
  브로드웨이 쇼는 2015-2016년도에 13억 달러 이상을 벌어들인 것으로 추정된다.

- If you **had** the chance to visit Broadway, you **would be** amazed by the glamor of the musicals.
  브로드웨이를 방문할 기회가 있다면, 여러분은 뮤지컬의 화려함에 놀랄 것이다.
- If you **were** asked to name one successful creative industry in Korea, what **would** you **choose**?
  만일 여러분이 한국의 창조 산업 하나를 대라고 요구받는다면, 무엇을 선택하겠는가?

About Forms

완료부정사

완료부정사는 「to have+p.p」의 형태로 주절의 동사보다 이전 시간의 일을 나타내기 위해 쓰인다. be동사와 함께 쓰여 'seemed (~처럼 보인다), believed (~라고 믿긴다), estimated (추측된다), assumed (추정된다), known (알려지다), thought (생각된다)' 등의 추측성 표현들과 많이 쓰인다.

가정법 과거

가정법 과거는 현재의 사실이나 예상과 반대되는 상황을 나타내고자 할 때 사용된다. 형태는 「If+주어+동사의 과거형(were) ~, 주어+would, should, could, might+ 동사원형 ~.」이고 '~한다면 …할 텐데'라고 해석한다.

3. Change the underlined sentence into the correct form. 밑줄 친 단어를 알맞은 형태로 고치시오.

Source: The Walt Disney Company, *Marvel's The Avengers*

해석

Iron Man: Banner 박사님 안녕하신가. 그래, 당신이 그 유명한 초록 괴물이라고?
Black Widow: 내가 만일 너라면 지금 당장 그것을 멈출 거야. 그러지 마!
Iron Man: 왜? 아무 일도 일어나지 않는데.
Black Widow: 도망치는 게 좋을 거야!
Black Widow: 멈추라고 말했잖아!
Iron Man: 다음번엔 네 말을 들을게!

4. Change the sentences to another structure.
문장들을 다른 구조로 바꾸시오.

(1) It seems that Mickey Mouse's appearance has changed a lot.
  ▶ Mickey Mouse's appearance seems <u>to have changed a lot</u>.

(2) The news reported that the video game industry has earned more than 2.5 billion dollars this year.
  ▶ The video game industry is reported <u>to have earned more than 2.5 billion dollars this year</u>.

해석

(1) Mickey Mouse의 외모가 많이 바뀐 것처럼 보인다.
(2) 비디오게임 산업이 올해에 25억 달러 이상을 벌어들였다고 뉴스에서 보도했다.

Improve Yourself

Check or write down the words, expressions, or sentences you didn't understand well in this unit. Explain at least one of them to your group members. (여러분이 이 단원에서 잘 이해하지 못했던 단어, 표현, 문장들을 체크하거나 적어보세요. 그것들 중 적어도 하나를 모둠원에게 설명해 보세요.)

☐ so ~ that~ (너무 ~해서…한)
☐ a key to (~의 비결)
☐ be released (개봉되다, 출시되다)
☐ cause A to B (A가 B하는 것을 유발하다)

Your Own ▶ 스스로 해보기

Write It Right

	Making a brochure (책자 만들기)
Topic	A brochure would be a good way to advertise a cultural aspect of Korea. Why don't you design your own culture park and introduce it in a brochure? 소책자는 한국의 문화적 측면을 홍보하기에 좋은 방법입니다. 자신만의 문화 공원을 설계하여 소책자에 소개하는 것은 어떤가요?

STEP 1 **STUDY THE MODEL** 모델을 연구하시오.

Read the following brochure and underline the information that interests you most. 다음 소책자를 읽고 당신이 가장 흥미 있는 정보에 밑줄 치시오.

The Jeju Hallyu Center

The Jeju Hallyu Center ① **is expected to** be the new center of the Korean Wave. You will enjoy your stay here with our concert hall and food zone.   *Introduction*

1. You can visit our beautiful concert hall and watch hologram concerts of K-pop singers. Here you will feel as if the singers were right there on stage.

2. Not only that, you can taste delicious Korean food in our amazing food zone. You will be surprised because the menu includes traditional food ② **like** *pajeon* and modern food like *tteokbokki*.

Your experience here will be exciting, dynamic, and fun. *Conclusion*

STEP 2 **ORGANIZE YOUR IDEAS** 당신의 생각을 조직화하시오.

Think of two places you would like to include in your culture park. Then, complete the chart below.
여러분의 문화 공원에 포함하고 싶은 장소 두 곳을 생각하시오. 그 후, 아래의 도표를 완성하시오.

What's the name of the culture park? – _____

place 1. _____   place 2. _____

   What can visitors do there?   What can visitors do there?
   _____   _____

   What is special about it?   What is special about it?
   _____   _____

Why will the visitors like it? – Because they will have a(n) _____ experience.

구문

① be expected to ~는 '~하는 게 기대된다'라는 뜻으로 to 다음에 동사원형이 오며 수동태 문장이다.
   ex.) Gas prices are expected to rise next month. (다음 달에 기름값이 오를 것으로 예상된다.)

② like는 일반적으로 '좋아하다'라는 의미의 동사로 쓰이지만, '~처럼'의 전치사로도 쓰인다.
   ex.) I want to dance well like you. (나도 너처럼 춤을 잘 추고 싶어.)

STEP 3 MAKE YOUR OWN BROCHURE 여러분만의 책자를 만드시오.

1. Make a brochure that introduces your culture park based on your ideas in Step 2. Step 2에서의 아이디어를 바탕으로 여러분의 문화 공원을 소개하는 소책자를 만드시오.

_____ is expected to be the new center of the Korean Wave. You will enjoy your stay here with _____.

1. You can visit our _____ and _____. Here _____.

2. Not only that, you can _____ _____. You will be surprised because _____ _____.

Your experience here will be _____

해석

_____는 한류의 새로운 중심이 되리라 기대됩니다. 여러분은 이곳의 _____와 함께 이곳에서 좋은 시간을 보낼 것입니다.

1. 당신은 이곳의 _____을 방문하여 _____.

이곳에서 _____.

2. 그뿐만 아니라, 당신은 _____. 당신은 _____ 때문에 놀랄 것입니다.

이곳에서의 경험은 _____.

Expression Tip

exciting, dynamic, memorable, exotic, traditional, modern ...
흥미 있는, 역동적인, 기억할 만한, 이국적인, 전통적인, 현대의 …
You will feel as if ~ / It includes ~ / You can experience ~
~처럼 느낄 것이다 / ~것들을 포함한다 / ~것들을 경험할 수 있다

2. Check your writing. 당신의 영작문을 점검하시오.

☐ Is the purpose of the brochure clear?
소책자의 목적이 분명한가?

☐ Do the attractions meet a wide range of expectations and needs of tourists?
명소들이 관광객들의 광범위한 기대와 필요를 만족시키는가?

☐ Were enough descriptive words used to make the culture park seem appealing?
문화 공원을 매력적으로 보이도록 묘사하는 단어들이 충분히 사용되었는가?

STEP 4 SHARE YOUR BROCHURE 당신의 책자를 공유하시오.

Present your work to your classmates. Listen to your classmates' work and exchange comments. 여러분의 작품을 급우들에게 발표하시오. 급우들의 작품을 듣고 의견을 나누시오.

I'm interested in your music zone. I'd love to sing and dance to Korean pop music.

How about adding a movie tour to your culture park?

Review Points

1. I found several appealing characteristics of a culture park.
나는 문화 공원의 매력적인 몇몇 특징을 알았다.

2. I made a brochure that describes my culture park in detail.
나는 나의 문화 공원을 상세하게 설명하는 소책자를 만들었다.

🌏 Around the World

Famous Comics of the World 세계의 유명한 만화들

Do you enjoy reading comics? Comics are not only entertaining to read but also fun to write. 만화책 읽는 것을 좋아하나요? 만화는 재미있을 뿐만 아니라 연재하는 것도 재미있습니다.

The Smurfs(Belgium)

This comic book features small blue creatures that live in their own village. It was first created by the comics artist Peyo in 1958. What's special about these characters is that their names represent their personalities. For example, Papa Smurf is the leader while Brainy Smurf is very smart.

스머프 (벨기에)

이 만화책에는 자신들만의 마을에 살고 있는 파란색의 작은 생명체들이 등장한다. 이것은 1958년에 만화 작가인 Peyo에 의해 처음 만들어졌다. 이 등장인물들의 특별한 점은 그들의 이름이 그들의 개성을 나타낸다는 것이다. 예를 들어, Papa Smurf가 리더이고 Brainy Smurf는 매우 똑똑하다.

Spider-Man(U.S.A.)

This comic book was created by Stan Lee and Steve Ditko in 1962. The main character, Peter Parker, gains special powers by accident when he is bitten by a spider. These powers mean he can shoot spider webs and cling to tall buildings to fight crime. Spider-Man has become one of the most popular American super heroes.

스파이더맨 (미국)

이 만화책은 1962년에 Stan Lee와 Steve Ditko에 의해 만들어졌다. 주인공인 Peter Parker는 거미에 물린 사고로 인해 특별한 능력을 얻게 된다. 이러한 능력들은 그가 범죄에 맞서기 위해 거미줄을 쏘고 높은 건물에 매달릴 수 있음을 뜻한다. 스파이더맨은 미국의 가장 인기 있는 슈퍼 히어로 중 한 명이 되었다.

Case Closed(Japan)

This comic book, written and illustrated by Gosho Aoyama, features Conan, a detective, who has been transformed into a child. He investigates and solves many cases.

명탐정 코난 (일본)

Gosho Aoyama에 의해 쓰여지고 그려진 이 만화책에는 아이로 탈바꿈한 탐정인 코난이 등장한다. 그는 많은 사건들을 조사하고 해결한다.

Dooly the Little Dinosaur(Korea)

Baby dinosaur Dooly is one of the most loved characters in Korea. This comic book was first introduced by Sujeong Kim in 1983. Dooly gains special powers from creatures from outer space. These powers allow him to survive the Ice Age and he eventually comes to Seoul, Korea. He continues his adventures with his new friends.

아기공룡 둘리 (한국)

아기공룡 둘리는 한국에서 가장 사랑받는 캐릭터 중 하나이다. 이 만화책은 1983년 김수정에 의해 처음으로 소개되었다. 둘리는 우주의 생명체로부터 특별한 능력을 얻게 된다. 이 능력들은 둘리로 하여금 빙하기를 살아남도록 해주었고 마침내 둘리는 한국의 서울로 오게 된다. 그는 새로운 친구들과 함께 그의 모험을 진행한다.

[CREATIVE PROJECT: Draw a comic with your friends.]

Make a plot outline for your comic with your group members. 모둠원과 함께 당신의 만화 줄거리의 개요를 만드시오.

예시 답안

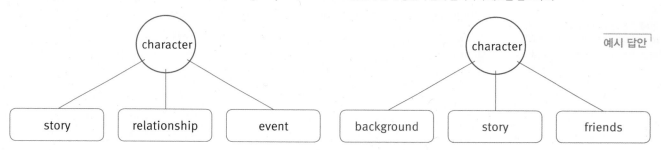

STEP 2

Draw your comic. 여러분의 만화를 그리시오.

예시 답안

Show your comic to your classmates. Then, exchange comments. 급우들에게 여러분의 만화를 보여주시오. 그 후, 의견을 공유하시오.

LISTEN / SPEAK

[1-2] Listen and answer the questions. 🔊 듣고 질문에 답하시오.

어휘

weekly [wíːkli] 주간의, 매주의
genre [ʒáːnrə] 장르
taste [teist] 취향

M: Hello, Daehan High School students. Today in our weekly school news, we'd like to show you the results of the school survey "What is your favorite genre of the performing arts?" Our club members asked more than 200 students in the school to participate in this survey. Please take a look at this pie chart. This chart indicates that 50% of students chose concerts while 35% chose musicals. The remaining 15% chose dance, plays, and others. It was good to see that Daehan High School students have a variety of tastes in the performing arts. Next week, we will bring you more interesting news about our school. See you then!

남: 안녕하세요, 대한 고등학교 학생 여러분. 오늘 우리의 주간 학교 뉴스에서 우리는 "가장 좋아하는 공연 예술의 장르가 무엇인가요?"에 관한 학교 설문 결과를 보여드리도록 하겠습니다. 저희 동아리 멤버들은 우리 학교 200명 이상의 학생들에게 이 설문에 참여하기를 요청했습니다. 이 원그래프를 보시길 바랍니다. 이 도표는 50%의 학생들이 콘서트를 선택한 반면에 35%가 뮤지컬을 선택했다고 나타내고 있습니다. 나머지 15%는 춤, 연극, 그리고 기타를 선택했습니다. 대한 고등학교 학생들이 공연 예술에 관해 다양한 취향을 갖고 있다는 것이 보기 좋았습니다. 다음 주에, 학교에 대한 더 흥미로운 뉴스를 갖고 오겠습니다. 그때 만나요!

해설

두 번째 문장에서 "가장 좋아하는 공연 예술의 장르가 무엇인가요?"에 관한 학교 설문 결과를 보여주려고 한다는 내용으로 미루어볼 때 정답은 b 이다.

1. What is the purpose of the news? 뉴스의 목적은 무엇인가?

a. to advertise a school news club 학교 뉴스 동아리를 홍보하기 위해
ⓑ to report school survey results 학교 설문 결과를 보고하기 위해
c. to encourage students to participate in a school survey
   학교 설문에 학생들이 참여하도록 독려하기 위해

해설

50%의 학생들이 콘서트를 선택한 반면에 35%가 뮤지컬을 선택했고 나머지 15%는 춤, 연극, 그리고 기타를 선택했다고 했으므로 정답은 b 이다.

어휘

encourage A to B A가 B 하도록 격려하다
participate in ~에 참여하다

2. Which one is correct? 어느 것이 옳은가?

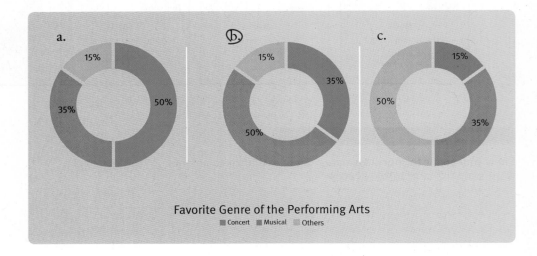

a.   ⓑ   c.

Favorite Genre of the Performing Arts
■ Concert ■ Musical □ Others

3. **Choose your favorite genre of the performing arts and talk with your partner.** 여러분이 좋아하는 장르의 공연 예술을 선택하고 짝과 이야기하시오.

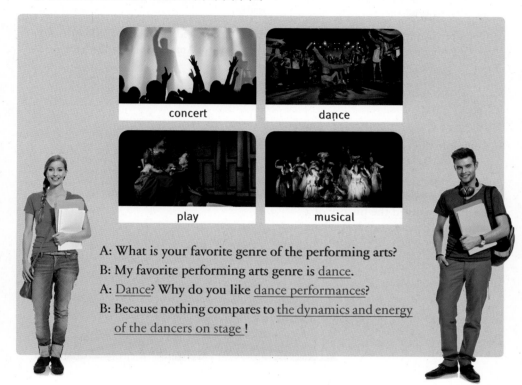

concert
dance
play
musical

A: What is your favorite genre of the performing arts?
B: My favorite performing arts genre is <u>dance</u>.
A: <u>Dance</u>? Why do you like <u>dance performances</u>?
B: Because nothing compares to <u>the dynamics and energy of the dancers on stage</u> !

해석
A: 가장 좋아하는 공연 예술의 장르가 무엇이니?
B: 내가 가장 좋아하는 공연 예술 장르는 댄스야.
A: 댄스라고? 왜 댄스 공연을 좋아하니?
B: 왜냐하면 <u>무대 위 댄서들의 역동성과 에너지에 견줄 것은 없기 때문이야</u>!

해설
My favorite performing arts genre is 다음 빈칸에는 concert, dance, play, musical 중 하나를 골라서 넣고 그 다음 빈칸에는 되묻는 표현이므로 선택한 장르를 반복한다. Why do you like ~?는 '왜 ~을 좋아하니?'라는 뜻이므로 선택한 장르에 performance를 덧붙여서 쓴다. Because nothing compares to 다음의 마지막 빈칸에는 그 공연 예술을 가장 좋아하게 된 요소를 명사형으로 넣어서 말한다.

● **READ / WRITE** ●

[4-6] Read the passage and answer the questions. 글을 읽고 물음에 답하시오.

Stories have power. They not only can change people's lives but can also change the world. <u>We know that one story that has changed the history of America is *Uncle Tom's Cabin*.</u> This story realistically describes the hard lives of American slaves. This sensational, yet touching, story upset many Americans and started a debate over the freedom of American slaves. These days, stories affect the world in a different way: well-made stories can expand to other industries such as movies, characters, and tourism, making a large amount of money.

4. **How did the story *Uncle Tom's Cabin* change the history of America?** 'Tom 아저씨의 오두막'은 미국의 역사를 어떻게 바꾸었나요?

(a.) It raised public awareness about slavery.
노예 제도에 대한 대중의 인식을 높였다.

b. It expanded to various creative industries.
다양한 창조 산업으로 확장되었다.

c. It was a huge economic success and brought fame to the nation.
큰 경제적 성공으로 국가에 명성을 가져다 주었다.

해석
소설은 힘이 있다. 그것들은 사람들의 인생을 바꿀 수 있을 뿐만 아니라 세계를 바꿀 수 있다. 우리는 미국의 역사를 바꾼 소설이 'Tom 아저씨의 오두막'이라는 것을 알고 있다. 이 소설은 미국 노예들의 힘겨운 삶을 사실적으로 묘사한다. 이 감동적이면서도 매우 훌륭한 소설은 많은 미국인을 속상하게 했고 미국 노예들의 자유에 대한 토의를 시작하게 했다. 요즘, 소설은 다른 방식으로 세상에 영향을 미친다: 잘 만들어진 소설은 많은 금액의 돈을 벌어들이면서 영화, 캐릭터와 관광 등의 다른 산업으로 확장될 수 있다.

해설
'Tom 아저씨의 오두막'은 많은 미국인들을 속상하게 하고 미국 노예들의 자유에 대한 토의를 시작하게 했으므로 정답은 a이다.

어휘
sensational [senséiʃənəl] 매우 훌륭한, 환상적인
touching [tʌ́tʃiŋ] 감동적인

해석

<u>미국의 역사를 바꾼</u> 것으로 알려진 한 이야기는 'Tom 아저씨의 오두막'이다.

5. Place the given words in the correct order to change the underlined sentence from the reading passage into another structure. 윗글의 밑줄 친 문장을 다른 구조로 바꾸기 위해 주어진 단어를 올바른 순서로 배열하시오.

One story that is known (the history of America / to / changed / have) is *Uncle Tom's Cabin*.
→ One story that is known <u>to have changed the history of America</u> is *Uncle Tom's Cabin*.

해석

소설은 힘이 있다. 과거에, 한 이야기가 <u>한 나라의 역사를 바꿨고</u>, 오늘날에는, 소설이 <u>경제적 힘을 갖고 있다</u>.

6. Complete the summary of the passage. 본문의 줄거리를 완성하시오.

Stories are powerful. In the past, one story <u>changed the history of a nation</u>, and nowadays, stories <u>have economic power</u>.

<table>
<tr><td rowspan="4">✔️
Self-Evaluation</td><td>🎧 I can predict speakers' feelings after listening to dialogues about cultural events.
듣기 나는 문화적 행사에 관한 대화를 듣고 화자의 감정을 예측할 수 있다.</td><td>☆ ☆ ☆</td></tr>
<tr><td>💬 I can exchange opinions about favorite movies.
말하기 나는 가장 좋아하는 영화에 관한 의견을 교환할 수 있다.</td><td>☆ ☆ ☆</td></tr>
<tr><td>📖 I can understand the details of the passage about creative industries.
읽기 나는 창조 산업에 관한 본문의 구체적인 내용을 이해할 수 있다.</td><td>☆ ☆ ☆</td></tr>
<tr><td>✏️ I can make a brochure describing my own culture park.
쓰기 나는 나만의 문화 공원에 관해 설명하는 책자를 만들 수 있다.</td><td>☆ ☆ ☆</td></tr>
<tr><td>**Further Study**</td><td colspan="2">Find more about the creative industries and tourism industry of Korea.
한국의 창조 산업과 관광에 대한 추가 자료를 검색하시오.
• creative industries: www.index.go.kr/potal/main/EachDtlPageDetail.do?idx_cd=2752
  창조 산업
• tourism industry: www.index.go.kr/potal/main/EachDtlPageDetail.do?idx_cd=1653
  관광 산업</td></tr>
</table>

Words and Phrases

정답과 해설 p. 361

다음 단어와 어구의 뜻을 쓰시오.

1. abroad _____
2. advantage _____
3. afterwards _____
4. article _____
5. artistic _____
6. attract _____
7. audience _____
8. beat _____
9. chart _____
10. costume _____
11. daydreamer _____
12. decade _____
13. deliver _____
14. dynamic _____
15. economic _____
16. estimate _____
17. glamor _____
18. grateful _____
19. hologram _____
20. icon _____
21. imaginative _____
22. include _____
23. indicate _____
24. indirect _____
25. influence _____

26. literature _____
27. meaningful _____
28. opportunity _____
29. performing arts _____
30. pie chart _____
31. play _____
32. popularity _____
33. product _____
34. manufacture _____
35. marketing strategy _____
36. phantom _____
37. phenomenon _____
38. product placement _____
39. profit _____
40. promote _____
41. realistic _____
42. release _____
43. reveal _____
44. revive _____
45. sci-fi _____
46. storytelling _____
47. terrific _____
48. uniqueness _____
49. value _____
50. 나만의 단어 / 어구 _____

Functions

► Nothing compares to ~
상대방에게 어떤 것이 최고임을 이야기할 때 쓰는 표현.

► The graph indicates that ~
도표에 나타난 정보를 상대방에게 알려줄 때 쓰는 표현.

Forms

► The Harry Potter series is known **to have earned** the U.K. a large amount of money so far. (완료부정사)

• to have+p.p.의 형태이며 완료시제(have+p.p.)와 to부정사가 결합된 형태이다.

• 완료부정사의 시제가 주절의 동사보다 앞선 시제의 일을 나타내기 위해 쓰인다. 즉, '이미 발생한 것, 그때 이미 ~했던 것' 이라는 의미를 담고자 할 때 쓰인다.

• be동사와 함께 쓰여 seemed (~처럼 보인다), believed (~라고 믿어진다), estimated (추측된다), assumed (추정된다), known (알려지다), thought (생각된다), suspected (의심된다), supposed (가정된다) 등의 추측성 표현들과 많이 쓰인다.

ex.) The man is known **to have been** a spy. (그 남자는 스파이였던 것으로 알려져 있다.) 즉, 알려지기 전에 이미 그 남자는 스파이였다.

ex.) The book is estimated **to have been written** 30 years ago. (그 책은 30년 전에 쓰여진 것으로 추정된다.) 즉, 추측되기 전에 이미 책은 쓰였었다.

► **If you had** the chance to visit Broadway, **you would be** amazed by the glamor of the musicals. (가정법 과거)

• 현재의 사실이나 예상과 반대되는 상황을 나타내고자 할 때 쓰임.

• If+주어+동사의 과거형~, 주어+would/should/could/might+동사원형 ~

• 의미: (실제로는 아니지만) 만약 ~한다면, …할텐데
ex.) If I had a lot of money, I could buy a new car.
(내가 돈이 많다면, 새 차를 살 수 있을 텐데.)
= As I do not have a lot of money, I can't buy a new car.

ex.) If she had more time, she could do it better.
(그녀가 시간이 조금 더 있다면 그 일을 더 잘 해낼 수 있을 텐데.)
= As she does not have more time, she can't do it better.

If 뒤에 be동사를 쓰는 경우에는 주어가 I/he/she/it 등일지라도 were를 쓴다. 단 일상 대화에서는 was를 쓸 수도 있다.
ex.) If I were an actress, I would be rich and famous.
(내가 만약 배우라면, 나는 부유하고 유명할 것이다.)

date: . . .　　　　student number:　　name:　　/25

1 주어진 단어의 뜻을 잘못 연결한 것을 고르시오. 3점
① profit: 수익
② fine: 훌륭한
③ strength: 단점
④ launch: 출시하다
⑤ promote: 홍보하다

2 다음 중 숙어의 뜻이 **잘못** 연결된 것을 고르시오. 3점
① flock to: ~로 확장하다
② a great number of: 많은
③ make use of: ~을 이용하다
④ prove to be: ~임이 드러나다
⑤ give life to: ~에 생기를 불어넣다

3 다음 중 영영풀이가 잘못된 것을 고르시오. 3점
① profitable: making a lot of profit
② profit: money that is made in a business
③ fantastic: something that is wonderful and good
④ make use of: to use something for a certain purpose
⑤ society: the way goods and services are produced, bought, and sold

4 다음 중 〈보기〉와 비슷한 의미의 표현이 **아닌** 것을 고르시오. 3점

보기 » I'm really into musicals.

① I really like musicals.
② I'm interested in musicals.
③ Musicals are not my thing.
④ I enjoy watching musicals.
⑤ I think musicals are the best.

5 다음 〈보기〉의 우리말과 같도록 할 때, 빈칸에 알맞은 표현을 고르시오. 3점

보기 » 그것의 독특함에 매료되어서 더 많은 K-pop 팬들이 홀로그램 콘서트 홀로 몰려든 것이다.
→ _____ to its uniqueness, more and more K-pop fans flock to hologram concert halls.

① Attract
② Pulled
③ Pulling
④ Driving
⑤ Attracted

6 다음 대화를 읽고, 밑줄 친 부분의 우리말 뜻으로 알맞은 것을 고르시오. 3점

> A: What are you reading?
> B: I'm reading *The Hunger Games*. Have you ever read it?
> A: No, I haven't. But I've seen the movie.
> B: Me, too. But I prefer the books because <u>nothing compares to the original</u>.

① 마음이 편안해진다.
② 상상력이 풍부해진다.
③ 원전에 견줄 것은 없다.
④ 영화와 비교할 수 있다.
⑤ 다양한 음향 효과가 멋지다.

7 다음 대화를 읽고, 빈칸에 들어갈 말로 가장 적절한 것을 고르시오. 3점

> A: You look quite excited today. What's up?
> B: My favorite band YBB is going to the Edinburgh Festival Fringe!
> A: Congratulations! But what is the Fringe?
> B: Oh, the Edinburgh Festival Fringe is a huge arts festival held in Edinburgh, Scotland every August.
> A: Cool! Nothing compares to attending an arts festival. So is it for bands only?
> B: No. _____
> A: So it's a festival for all the performing arts?
> B: Exactly. Several Korean performers have taken part so far. A few years ago, *Nanta* performed there and was invited to Broadway afterwards.
> A: This must be a great opportunity for your favorite band then!
> B: Yes, it is. Oh, I really want to fly to Edinburgh!
> A: Where can you buy tickets?
> B: You can buy them from the website or from street musicians there.

① It is an official festival.
② You can take part in it easily.
③ This festival is only for bands.
④ It is for anyone who can dance.
⑤ This festival includes plays, comedy, dance, and concerts.

[8~9] 다음 대화를 읽고, 물음에 답하시오.

> A: I'm really into musicals. What is popular these days?
> B: Let me search the Internet. This website has a chart of this month's top five musicals.
> A: This chart indicates that *Hero* is ranked first!
> B: Do you want to go see it together?
> A: Sounds great.

8 위 대화에서 A가 좋아하는 것이 무엇인지 우리말로 쓰시오. 5점

_____

9 위 대화에서 B가 제안한 것으로 알맞은 것을 고르시오. 3점
① 함께 뮤지컬을 보러 간다.
② 좋아하는 영화를 관람한다.
③ 인터넷을 검색하여 영상을 찾는다.
④ 뮤지컬 '영웅'에 대한 소감문을 쓴다.
⑤ 요즘 인기 있는 뮤지컬을 도표로 정리한다.

[10~11] 다음 대화를 읽고, 물음에 답하시오.

> A: How may I help you?
> B: I'm looking for a birthday present for my friend.
> A: How about this one? These days, nothing compares to the popularity of this little character.
> B: I'm sure my friend will like it. Thanks for your help.

10 위 대화에서 B가 찾는 것이 무엇인지 고르시오. 3점
① 기념품
② 당첨 상품
③ 수업 준비물
④ 친구 생일 선물
⑤ 자신이 좋아하는 캐릭터

11 위 대화에서 A가 B에게 권한 것이 무엇인지 우리말로 쓰시오.
5점
_____

[12~13] 다음 대화를 읽고, 물음에 답하시오.

> A: Hello, Suji. Thank you for taking the time to talk to us. How was your world tour?
> B: It was great. I was amazed that so many fans from abroad came to my concert.
> A: Actually, I brought a newspaper article about your concert in Indonesia. The graph in the article indicates that your concert sold the most (a) t_____ this month in the country. Congratulations!
> B: Thank you. I feel grateful to all my international fans.
> A: Singing your songs in front of many international fans must feel very different.
> B: Actually, they aren't so different from Korean fans. They even knew some words in my songs and sang along with me.
> A: (b) They must have learned the Korean language from Korean dramas and movies. Speaking of the Korean language, you also visited a Korean language center in Vietnam.
> B: Yes, I did. It was a very meaningful experience to meet students learning Korean.
> A: You must have been very proud of the Korean Wave and its influence in various areas.
> B: Of course. Some of my European fans (c) g_____ me in *hanbok* at the airport.
> A: How wonderful!
> B: I think people are appreciating Korean culture more and more internationally. And I feel honored to be part of this great Korean Wave.

12 위 대화의 빈칸 (a)와 (c)에 들어갈 말을 주어진 철자로 시작하여 각각 쓰시오. 5점
(a) _____
(c) _____

13 위 대화의 밑줄 친 (b) They가 의미하는 바를 영어로 쓰시오. 5점

_____

[14~15] 다음 대화를 읽고, 물음에 답하시오.

A: Okay, Jihun. Let's get started on our newspaper article about movies. Look at this pie chart.
B: Is this the one about students' favorite movies?
A: Yes. _____ 40% of students chose history movies as their favorite.
B: Interesting. It also says here that sci-fi movies account for 35%.
A: And the most popular movie was *The Admiral*. It seems like nothing compares to the dynamics of movies about Korean history.
B: I can't believe *The Admiral* beat *Interstellar*.
A: *Interstellar* came in second by only five votes.
B: What about the remaining 25%?
A: They chose action movies, animations, or others.
B: This will be a great article for the school newspaper.

14 위 대화의 빈칸에 알맞은 말을 〈보기〉에서 찾아 배열하시오.
(필요한 경우 형태를 바꾸시오.) 5점

보기 » reveal, graph, that, the

15 위 대화의 내용과 일치하지 않는 것을 고르시오. 3점
① 40%의 학생들이 역사 영화를 선택했다.
② 가장 인기 있는 영화 장르는 공상 과학 영화이다.
③ 원형 도표는 학생들이 가장 좋아하는 영화에 관한 것이다.
④ *Interstellar*는 5표 차이로 *The Admiral*보다 순위가 낮았다.
⑤ 나머지 25%의 학생들은 액션, 애니메이션 등을 선택했다.

[16~17] 다음 글을 읽고, 물음에 답하시오.

The U.K.'s creative industries are largely based on its imaginative literature. The very writer who gave life to Frodo was British, along with the icon of classic literature—Shakespeare. One of the most successful writers of all time is British as well. J.K. Rowling's work has attracted millions of people to visit London to see the Harry Potter Studios, Platform $9\frac{3}{4}$ at King's Cross Station, and the cafe where the series was written. The Harry Potter series _____ the U.K. a large amount of money so far. One unique aspect of the U.K.'s culture is its storytelling clubs. In storytelling clubs, people gather to share interesting stories, feeding children's imagination. Combined with such creativity, some of these stories are beautifully translated into books, films, and the performing arts.

16 다음 〈보기〉의 단어들을 이용하여 빈칸에 들어갈 알맞은 말을 쓰시오. (필요한 경우 형태를 바꾸시오.) 5점

보기 » is, to, have, earn, know

→ _____

17 윗글의 내용과 일치하지 않는 것을 고르시오. 3점
① Frodo를 창조한 작가는 영국인이다.
② 영국의 문화 중 독특한 것은 스토리텔링 클럽이다.
③ 스토리텔링 클럽은 어른들만을 위한 독서 모임이다.
④ 영국의 창조 산업은 대체로 창작 문학에 기반을 둔다.
⑤ J.K. Rowling의 작품은 수백만 명의 사람들을 런던으로 끌어들였다.

[18~20] 다음 글을 읽고, 물음에 답하시오.

The United States of America is another country whose ___(a)___ attractions have earned major tourism dollars. Its greatest strength lies in its glamor. Hollywood studios create some of the most fantastic and dynamic movies in the world, making use of their fine computer graphics. Not only that, people can enjoy Universal Studios, a theme park based on the famous ___(b)___ industry. Here, visitors can enjoy fun rides as well as fantastic shows based on real Hollywood movies such as *Shrek*. Culturally, the U.S.A. also features Broadway in New York. If you had the chance to visit Broadway, you would be amazed by the glamor of the musicals. You could enjoy the realistic make-up and costumes in *The Lion King*, the fun dance and music of *Mamma Mia!*, and the terrific songs and plot of *The Phantom of the Opera*. Broadway shows are estimated to have gained more than 1.3 billion dollars in 2015-2016.

18 윗글의 빈칸 (a)에 들어갈 말로 알맞은 것을 고르시오. 3점
① old
② local
③ mutual
④ cultural
⑤ superficial

19 윗글의 빈칸 (b)에 들어갈 알맞은 말을 쓰시오. 5점

_____

20 윗글의 내용과 일치하지 <u>않는</u> 것을 고르시오. 　[3점]

① 브로드웨이는 뉴욕에 있다.
② 미국 문화 명소의 가장 큰 장점은 화려함이다.
③ 유니버설 스튜디오에서 방문객들은 놀이 기구를 탈 수 있다.
④ 미국 영화 산업의 단점 중 하나로 취약한 컴퓨터 그래픽을 꼽을 수 있다.
⑤ 브로드웨이 쇼는 2015-2016년도에 13억 달러 이상을 벌어들인 것으로 추정된다.

21 다음 〈보기〉의 우리말과 같도록 주어진 단어를 포함하여 빈칸에 알맞은 말을 쓰시오. 　[5점]

> **보기 »** 능숙하게 글을 읽는 독자는 문맥과 예측을 사용한다.
> (use)

→ Skilled readers _____ context and prediction.

22 다음 중 어법상 <u>어색한</u> 것을 고르시오. 　[3점]

① She is said to be rich.
② The man is known to have been an actor.
③ Something terrible seemed to have happened to him.
④ The building is estimated to have been built 30 years ago.
⑤ The document is assumed to be written hundreds of years ago.

23 다음 글의 밑줄 친 ①~⑤ 중 문맥상 낱말의 쓰임이 적절하지 않은 것을 고르시오. 　[3점]

> Marketing strategies are another key to the ① <u>success</u> of the Korean Wave. In the character industry, some characters are first introduced in an animated series before they are made into toys, theme parks, and other products. This way, the characters can ② <u>expand</u> into other fields once they prove to be ③ <u>unpopular</u>. Many companies also use a marketing strategy called product placement for indirect advertising on TV shows. These companies ④ <u>take advantage of</u> the fact that Korean Wave fans abroad pay close attention to what products Korean celebrities use on TV shows and try to purchase the ⑤ <u>same</u> items as they do.

①　　　②　　　③　　　④　　　⑤

24 다음 〈보기〉의 우리말과 같도록 주어진 단어들을 알맞게 배열하시오. 　[5점]

> **보기 »** 내가 만일 너라면, 나는 포기하지 않을 거야.
> (you, would, I, never, if, give up, were, I)

→ _____

25 다음 〈보기〉를 참조하여 자신이 가장 좋아하는 장르의 영화를 소개하는 글을 쓰시오. 　[10점]

> **보기 » Sci-fi Movies: Imagination Translated into Reality**
>
> My favorite type of movie is Sci-fi movies. My favorite movies of this type are *District 9* and *The Martian*. There are two reasons why I like them. First, sci-fi movies have no restriction in its setting and plot. Since they are based on imagination as well as scientific fact, I can enjoy a variety of dynamic stories when watching these movies. Second, sci-fi movies deliver a strong message. Most of them take place in the future and deal with subject matters that are likely to be a threat to mankind such as environmental issues and artificial intelligence. These imaginative futures make us think more about our inconsiderate actions.

----

1 다음 뜻풀이에 해당하는 말을 주어진 철자로 시작하여 쓰시오. 각 5점

(1) a_____: to cause people to like or come to it with its particular qualities

(2) i_____: between or involving different countries

(3) e_____: something related to money, industry, and trade of a country, region, or society

(4) p_____: an amount of money that you gain when you are paid more for something than it cost you to make, get, or do it

2 다음 우리말과 같도록 빈칸에 알맞은 말을 쓰시오. 각 6점

(1) The musical *Hero* _____ dream cast and dream director. (뮤지컬 '영웅'은 완벽한 캐스팅과 완벽한 감독을 특징으로 삼는다.)

(2) K-pop fans _____ concerts of their favorite singers. (K-pop 팬들은 그들이 가장 좋아하는 가수의 콘서트로 몰려든다.)

(3) This haste could _____ a big mistake. (이 서두름은 큰 실수로 드러날 수 있다.)

(4) You could learn a lot from people _____ books. (책에서 뿐만 아니라 사람들한테서도 많은 걸 배울 수 있다.)

(5) This tree is _____ be about 300 years old. (이 나무는 약 300년 된 것으로 추정된다.)

(6) The pursuit of knowledge should be _____ wisdom. (지식의 추구는 지혜가 결합되어야 한다.)

3 우리말에 맞게 괄호 안의 단어들을 바르게 배열하여 문장을 완성하시오. 각 6점

(1) 다수의 사람들이 그 대학교에 지원했다.
_____ applied for the university.
(number/ a/ people/ great/ of)

(2) 그 화가는 사물에 생명을 불어넣을 수 있다.
The painter can _____.
(life/ things/ to/ give)

(3) 그녀는 너무 놀라서 그 자리에 못 박힌 듯 서 있었다.
She was _____ she stood nailed to the spot. (surprised/ so/ that)

(4) 이 이야기는 소설이지만 사실에 근거를 두고 있다.
This story is fiction, but it is _____.
(on/ fact/ based)

4 다음 〈보기〉를 참조하여 자신만의 문화 공원을 홍보하는 글을 쓰시오. 20점

보기 » **The Hallyu Town**

　　The Hallyu Town is expected to be the new center of the Korean Wave. You will enjoy your stay here with our K-pop zone and K-beauty zone. You can visit our dance hall and learn some of the dance moves of your favorite songs. Here you will feel as if you are a star. Not only that, you can try some of the cosmetics in our K-beauty zone. You will be surprised because you can learn some beauty tips from professional make-up artists. Your experience here will be exciting, dynamic, and fun.

What Makes a Good Citizen?

Topic	시민 의식, 준법 정신, 안전
Functions	1. Do I really have to do that? (의무 여부 묻기) 2. What a shame! (실망 표현하기)
Forms	1. They should be ashamed of themselves for **having broken** traffic laws. (완료동명사) 2. The police reported that more than a hundred people **had been hurt** that day. (과거완료수동태)

Listen and Speak

Topic

Manners in public and safety (공공 예절과 안전)

Do you behave well in public? Do you follow safety rules? Find out what we should do to make our society a better, safer place. 여러분은 공공장소에서 예의바르게 행동하나요? 안전 수칙을 따르나요? 우리 사회를 더 좋고 안전한 곳으로 만들기 위해 무엇을 해야 하는지 알아보세요.

GET READY

Listen and write the number of the dialogue on the correct picture. 🅟

대화를 듣고 어울리는 사진에 알맞은 번호를 쓰시오.

📖 About Functions

Do I really have to ~?는 '내가 정말 ~해야 하니?'의 뜻으로 의무인지 아닌지 묻는 표현이다. 이때 대답은 Yes / No 로 한다.

What a shame!은 '안됐구나.' '안타 깝다!'의 뜻으로 유감, 실망을 나타내는 표현이다. Too bad. / I'm sorry. 등 과 바꾸어 쓸 수 있다.

해설

1. 엄마가 운전을 하고 있는 상황이 므로 마지막 그림이 대화의 상황과 일치한다.

2. bike, helmet과 같은 단어로 보 아 자전거를 타는 상황이므로 두 번 째 그림과 일치한다.

3. 도서관에서 책을 대신 빌려달라고 부탁하고 있으므로 첫 번째 그림과 일치한다.

어휘

funny-looking 웃기게 생긴
absolutely [æbsəlúːtli] 절대적으 로
due date 마감 날짜
shame [ʃeim] 수치

1.

M: Mom, do you really have to drive so slowly?
W: I'm just trying to be safe!
M: But we are late!
W: Trust me. ① **It's always better to be safe than sorry.**

남: 엄마, 정말 그렇게 느리게 운전해야 해요?
여: 난 그저 안전하려고 노력하는 거야!
남: 하지만 우리 늦었어요!
여: 나를 믿으렴. 후회하기 보단 안전한 게 나아.

2.

W: ② **Let's get going!**
M: Before we start, you should wear this helmet.
W: Dad, do I really have to wear this funny-looking helmet when I ride my bike?
M: ③ **Absolutely.** It will keep you safe.

여: 가요!
남: 출발하기 전에 이 헬멧을 써야지.
여: 아빠, 자전거 탈 때 정말 이 웃기게 생긴 헬멧 을 꼭 써야 해요?
남: 당연하지. 그것이 너를 안전하게 지켜줄 거 야.

3.

W: Taylor, will you borrow some books from the library for me?
M: Why can't you do that yourself?
W: Last time, I returned some books past the due date. So I can't borrow books for the next ten days.
M: ④ **What a shame!**

여: Taylor, 나를 위해 도서관에서 책을 좀 빌려 줄 수 있니?
남: 왜 네가 못하고?
여: 지난번에 내가 마감 일자 지나서 책을 반납했 어. 그래서 앞으로 10일 간 책을 빌릴 수가 없 어.
남: 안됐구나!

📑 미니 백과

최초의 자전거는 프랑스의 귀족이던 콩트 드 시브락 백작(Conte de Sivrac)이 1790년에 만든 셀레리페르(Célérifère) 라고 알려져 있다. 이것은 '빨리 달릴 수 있는 기계'라는 뜻으로 아이들이 타고 놀던 목마와 비슷한 형태이다. 나무로 된 두 개의 바퀴를 연결한 후 안장을 얹 은 모습으로 페달도 없었고 핸들도 없었 다. 당시에는 오락 기구로 인기가 있었 다고 한다.

📖 구문 📑

① It's always better to be safe than sorry.는 후회하는 것보다 안전한게 낫다는 표현으로 안전을 강조한다.
　ex.) A: Should I fasten my safety belt? (안전벨트 매야 할까요?)
　　　 B: Better safe than sorry. (후회하느니 안전한 게 낫지.)
② Let's get going!은 '시작하자!', '가자!'의 뜻으로 이때 get -ing는 '시작하다'의 뜻이다.
③ Absolutely.는 Yes.라는 말을 강조하여 '물론이지.'의 뜻으로 쓰인다. Of course.의 의미이다.
④ What a shame!은 '안됐구나!'의 뜻으로 What a shame 뒤에 주어 + 동사가 이어져 '~하다니 안됐구나!'의 의미를 나 타낼 수 있다.
　ex.) What a shame you failed the exam! (시험에서 떨어지다니 안됐구나!)

● LISTEN IN ●

DIALOGUE 1 | Listen and answer the questions. 🎧 다음을 듣고 물음에 답하시오.

1. **Where is the dialogue taking place?** (대화가 이루어지는 장소는 어디인가?)
   - ⓐ on the subway (전철에서)
   - b. in the library (도서관에서)
   - c. at school (학교에서)

2. **Listen again and complete the girl's recommendations.** (다시 듣고, 여학생이 추천한 내용을 완성하시오.)

Do not <u>drink water</u> or <u>bring smelly fruit</u> on the subway in Singapore. (싱가포르에서는 전철에서 물을 마시거나 냄새나는 과일을 가져오면 안돼.)

W: How was your first week in Singapore as an exchange student, Ed?
M: Great. I noticed that the country is so clean.
W: Throwing trash on the street is illegal here.
M: Many other countries have that law, too. But I feel like it's much better kept in Singapore.
W: Maybe ①**it's because of** the penalty. When you are caught three times, you have to clean the city ②**once a week** wearing certain clothes.
M: ③**That must be embarrassing.** (pause) Will you hold my stuff while I drink some water?

📋 Listening Tip 1

W: You mean, you want to drink it here on the subway? If I were you, I'd wait until we get off the subway.
M: Do I really have to do that? I'm thirsty.

📋 Listening Tip 2

W: Drinking and eating on the subway are illegal in Singapore.
M: Really? I didn't know that. Is there anything else I should know?
W: Let me tell you one more thing. Bringing smelly fruit on the subway is illegal, too.
M: You mean like strong-smelling fruit? Thanks for telling me.

여: Ed, 교환 학생으로서 싱가포르에서의 첫 주는 어땠니?
남: 좋았어. 싱가포르가 아주 깨끗하다는 것을 알았어.
여: 여기서는 거리에서 쓰레기 버리는 것이 불법이야.
남: 많은 나라들도 그 법을 가지고 있어. 하지만 나는 싱가포르에서 그것이 훨씬 더 잘 지켜진다고 느꼈어.
여: 아마 처벌 때문일 거야. 세 번 걸리면 특정한 옷을 입고 도시를 한 주에 한 번 청소해야 해.
남: 그거 난처하겠다. 내가 물 마시는 동안 짐 좀 맡아줄래?
여: 여기 지하철에서 물을 마시고 싶다는 거니? 내가 너라면 지하철에서 내릴 때까지 기다리겠어.
남: 정말 그렇게 해야 돼? 나 목 말라.
여: 지하철에서 마시고 먹는 것은 싱가포르에서 불법이야.
남: 정말? 몰랐어. 그 밖에 내가 알아야 할 것이 있을까?
여: 한 가지 더 이야기해 줄게. 냄새나는 과일을 전철에 가져오는 것도 불법이야.
남: 심한 냄새가 나는 과일 말이지? 말해줘서 고마워.

해설
1. 여자가 You mean, you want to drink it here on the subway? 라고 말한 것에서 두 사람이 있는 곳은 전철임을 알 수 있다.
2. Drinking and eating on the subway are illegal in Singapore. Bringing smelly fruit on the subway is illegal, too. 라고 한 것에서 지하철에서 먹고 마시는 것과 냄새나는 과일을 가져오는 것이 불법임을 알 수 있다.

어휘
illegal [ilíːgəl] 불법인
penalty [pénəlti] 벌금, 처벌
strong-smelling 강한 냄새가 나는
recommendation [rèkəməndéiʃən] 추천

● 구문 📑

① It's because of + 명사는 '그건 ~ 때문이야'의 뜻이다.
   ex.) It's all because of you. (그건 모두 너 때문이야.)

② once a week은 '일주일에 한 번'의 뜻으로 배수사를 이용하여 '~번'을 나타낼 수 있다.
   ex.) twice a month (한 달에 두 번)

③ must be는 '~임에 틀림 없다'는 뜻으로 확신을 나타낼 수 있다.
   ex.) The earrings must be expensive. (그 귀걸이는 비싼 것이 분명하다.)

DIALOGUE 2 | Listen and choose a behavior that is NOT mentioned. 🔊

다음을 듣고 언급되지 않은 행동을 고르세요.

해설

kept kicking my seat에서 발로 의자를 계속 차는 행동, the man in front of me stood up에서 일어나는 행동, one woman fell and hurt herself에서 여자가 넘어진 것은 알 수 있지만 여자가 먹고 있는 그림인 ⓐ는 본문에서 언급되지 않았다.

어휘

ruin [rúːin] 망치다
transfer [trænsfɔ́ːr] 이동하다
immediately [imíːdiətli] 즉시

M: Hi, Suji. What did you do last weekend?
W: I went to my favorite singer's concert.
M: That sounds exciting. ①**How did you like it?**
W: The concert itself was very good, but the audience's bad manners ruined my day.
M: Oh, no. What was the matter?
W: The man behind me kept kicking my seat, and the man in front of me stood up, blocking my view.
M: What a shame!
W: ②**Not only that,** the people at the front pushed the fence so hard that one woman fell and hurt herself.
M: That sounds terrible. ③**What happened to her,** then?
W: Fortunately, she was transferred to the hospital immediately, but the concert wasn't the same as before.
M: ④**I'm sorry to hear that.**

남: 안녕, 수지. 지난 주말에 뭐했니?
여: 내가 제일 좋아하는 가수 콘서트에 갔어.
남: 신났겠다. 어땠니?
여: 콘서트 자체는 아주 좋았지만 관객들의 무례함 때문에 하루를 망쳤어.
남: 이런. 무슨 일이 있었어?
여: 내 뒤에 있는 남자는 내 의자를 발로 계속 찼고 앞에 있는 남자는 일어나서 내 시야를 막았어.
남: 안됐구나!
여: 그것만이 아니야. 앞에 있는 사람들이 펜스를 너무 심하게 밀어서 여자 한 명이 넘어져서 다쳤어.
남: 끔찍한걸. 그래서 그 여자는 어떻게 됐어?
여: 다행히 즉시 병원으로 이송됐지만 콘서트는 이전 같지 않았지.
남: 그 말을 들으니 안됐다.

📖 구문 📑

① How did you like it?은 '그것은 어땠니?.' '~가 마음에 드십니까?'의 뜻으로 여기서는 콘서트가 어땠는지 묻는 표현이다.
　ex.) A: How do you like your new car? (새 차 어때?) / B: Oh, I love it. (아주 좋아.)
② not only that은 '비단 그뿐 아니라'의 뜻으로 뒤에 다른 이유를 덧붙이는 경우가 많다.
　　ex.) The sweater is too expensive. Not only that, I don't like the color. (그 스웨터는 너무 비싸. 그뿐 아니라 색도 마음에 안 들어.)
③ What happened to ~?는 '~에 무슨 일이 있었니?'의 뜻으로 구체적인 사람이나 사물에 일어난 일을 묻는 말이다. 그냥 What happened?라고 묻기도 한다.
　　ex.) I don't know what happened to Jane. (Jane에게 무슨 일이 있었는지 모르겠어.)
④ I'm sorry to hear that.은 유감을 나타내는 표현으로 What a pity!, What a shame!과 바꾸어 쓸 수 있다.

DIALOGUE 3 | Listen and select True or False. 🔊 듣고, 맞으면 T, 틀리면 F를 고르시오.

(1) The boy crossed the street on a red light not to be late.
　(소년은 늦지 않기 위해 빨간불일 때 길을 건넜다.)　☐ True ☑ False

(2) Mingming broke her leg while jaywalking.
　(Mingming은 무단 횡단하다 다리가 부러졌다.)　☐ True ☑ False

(3) The speakers will visit Mingming this weekend.
　(화자들은 이번 주말에 Mingming을 방문할 것이다.)　☑ True ☐ False

W: Jinu, you have to wait for the green light.
M: Do I really have to do that? I'm late!
W: Didn't you hear the news about Mingming?
M: What happened to her?
W: Last Friday, she got hit by a car while jaywalking and ① **broke her arm.**
M: That's terrible news!
W: ② **No kidding.** I also recently saw on the news that ③ **out of** all the causes of teenage traffic accidents, jaywalking ranked first.
M: What a shame!
W: It seems like a little thing to just wait for the light, but if you don't, you could face serious problems.
M: You're right. And I hope Mingming gets better soon.
W: I'm going to visit her this weekend. Will you join me?
M: Absolutely!
W: Oh, let's go. The light's green.

여: 진우야. 초록불을 기다려야지.
남: 내가 정말 그래야 해? 늦었어!
여: Mingming에 대한 소식 못 들었어?
남: 무슨 일 있었어?
여: 지난 금요일에 무단 횡단하다 차에 치어서 팔이 부러졌어.
남: 끔찍한 뉴스인걸!
여: 정말 그래. 나는 또 최근에 10대의 교통사고의 모든 원인 중에 무단 횡단이 1위라는 뉴스를 봤어.
남: 그것 참 안타깝다!
여: 신호등을 기다리는 것이 작은 일 같지만, 네가 그렇게 하지 않으면 심각한 위험이 닥칠 수도 있어.
남: 맞아. Mingming이 곧 낫길 바라.

여: 이번 주말에 방문할 거야. 같이 갈래?

남: 물론이지!
여: 오, 가자. 초록불이다.

해설

(1) Oh, let's go. The light's green. 이라고 말한 것에서 초록불이 들어오자 건너기로 한 것을 알 수 있으므로 내용과 맞지 않다.

(2) Last Friday, she got hit by a car while jaywalking and broke her arm.에서 다리가 아니라 팔이 부러졌음을 알 수 있으므로 대화의 내용과 다르다.

(3) I'm going to visit her this weekend. Will you join me? 라고 제안하자 남학생이 좋다고 답하고 있으므로 대화의 내용과 일치한다.

어휘

jaywalk [dʒéiwɔ̀ːk] 무단횡단하다
teenage [tíneiìdʒ] 10대의
get better 회복되다

• 구문

① She broke her arm.은 She had her arm broken.의 뜻으로 '그녀는 팔이 부러졌다'의 뜻이다.
   ex.) Tom broke his leg. (Tom은 다리가 부러졌다.)

② No kidding.은 '정말이야, 진짜 그래.'의 뜻으로 사실임을 강조하거나 방금 한 말에 동의를 표할 때 쓴다. '진심이야'의 뜻으로 농담이 아님을 나타낼 수도 있다.
   ex.) No kidding. I'm telling the truth. (농담 아냐. 난 진실을 말하고 있어.)

③ out of ~는 '안에서 밖으로'의 뜻 이외에 여기서는 '~ 중에서'의 뜻으로 여럿 중 몇몇을 나타낼 때 쓰인다.
   ex.) ten out of twenty (20개 중 10개)

• SPEAK OUT

Talk about the dangerous behaviors in the pictures using the given words.

주어진 단어들을 이용하여 그림에서 잘못된 행동들에 대해 이야기하시오.

wear / seatbelt   cross / smartphone   walk over / structure

A: Oh! She/He is not wearing a seatbelt. What a shame!
B: It's not a big deal. I don't do that, either.
A: You should always wear your seatbelt.
B: Do I really have to do that?
A: Of course! It's always better to be safe than sorry.

해석

착용하다/ 안전벨트
건너다 / 스마트폰
~ 위를 걷다 / 구조물
A: 오! 그녀/그는 안전벨트를 착용하지 않고 있어. 안타깝다!
B: 별일 아냐. 나도 안 해.
A: 항상 안전벨트를 매야 해.
B: 내가 정말 그렇게 해야 하니?
A: 물론이지! 후회하는 것보다 안전한 게 항상 낫지.

어휘

cross [krɔːs] 건너다
structure [strʌ́ktʃər] 구조(물)

Review Points

1. After listening to the dialogues about how we should behave in public, I understood the details of the dialogues.
   공공 장소에서 어떻게 행동해야 하는지에 관한 대화를 들은 후, 나는 대화의 세부 내용을 이해했다.

2. I thought about safety rules in my daily life and realized their importance.
   나는 일상생활에서의 안전 수칙에 대해 생각했고 그것들의 중요성을 깨달았다.

	Topic	**Emergencies** (비상 상황)

Have you experienced an emergency situation like a fire? Do you know how you should react in emergencies?
화재 같은 비상 상황을 경험한 적이 있나요? 비상 상황에서 어떻게 대처해야 하는지 알고 있나요?

STEP 1 **LISTEN TO THE ANNOUNCEMENT** 안내 방송을 들으시오.

Listen and answer the questions. 🎧 듣고 질문에 답하시오.

Emergency Telephone Numbers
Around the World:
Australia 000
Greece 112
Korea 119
U.S.A. 911
U.K. 999

해설

1. Please leave the auditorium immediately through the doors on the right.부터 Make sure you do not use the elevators. 까지 화재가 발생한 상황에서 강당을 나가는 방법을 설명하고 있다.

2. Make sure you do not use the elevators.는 엘리베이터를 이용하지 말라는 뜻이므로 a는 방송의 내용에 맞는 조치가 아니다.

어휘

detect [ditékt] 감지하다
panic [pǽnik] 당황하다
inform [infɔ́ːrm] 알리다
first aid 응급 처치
get out of ~에서 나가다

1. **What is the purpose of the announcement?** (방송의 목적은 무엇인가?)
    a. to teach first aid management (응급 처치법을 가르치기 위해서)
    b. to comfort people going through hard times (힘든 시기를 겪고 있는 사람들을 위로하기 위해서)
    ⓒ. to guide people on how to get out of the building (건물 밖으로 나가는 법을 사람들에게 안내하려고)

2. **Listen again. Which is NOT an appropriate action to take in this situation?**
    (다시 한 번 들으시오. 이 상황에서 적절한 조치가 아닌 것은 어느 것입니까?)

ⓐ.   b.   c.

(*Siren sounds.*)

M: Ladies and gentlemen, your attention, please. We have detected signs of a ① **fire** on the fifth floor of the building. Please leave the auditorium immediately through the doors on the right. Use the exit stairs to ② **the ground level**. Please follow the safety instructions and do not panic. Make sure you do not use the elevators. Stay close to the floor, and if possible, cover your mouth and nose with wet tissues.
Your attention, please. ③ **We would like to inform you again that** we have detected signs of a fire ....

(사이렌 소리)

남: 여러분, 집중해 주시기 바랍니다. 건물 5층에서 화재 신호를 감지했습니다. 오른쪽에 있는 문들을 통해 즉시 강당을 떠나시기 바랍니다. 1층까지 비상계단을 이용하십시오. 안전 지시를 따르시고 당황하지 마십시오. 엘리베이터를 사용해서는 안 된다는 것을 명심하십시오. 바닥에 가까이 머무시고 가능하다면 입과 코를 젖은 휴지로 가리십시오.
집중해 주십시오. 화재 신호를 감지했다는 것을 다시 한 번 알려 드립니다 ... .

① fire는 '불'이라는 뜻이지만 a fire와 같이 셀 수 있는 명사로 쓰이면 '화재'의 의미이다.

   ex.) In the event of a fire, never use the elevator. (화재 시에는 엘리베이터를 이용하지 마시오.)

② the ground level은 영국식 영어로 '1층'을 뜻한다.

   ex.) Can I get a seat on the ground level? (1층에 좌석이 있을까요?)

③ We would like to inform you that + 주어 + 동사 ~는 공식적인 알림을 나타낼 때 쓰이는 정중한 표현이다.

   ex.) We would like to inform you that it wouldn't be possible. (그것은 불가능하다는 것을 알려 드립니다.)

STEP 2 — GENERATE IDEAS 아이디어를 만들어 보시오.

The signs below show what to do in dangerous situations. Describe what these signs mean.

아래의 표시는 위험한 상황에서 무엇을 할지 보여줍니다. 이 표시들이 무엇을 뜻하는지 설명하시오.

In case of a fire,
use the stairs instead of elevators.

In case of an earthquake,
go to a nearby park to stay away from dangerous structures

If the lights go out,
do not light any fires.
Use flashlights instead.

해석

화재 시에는 엘리베이터 대신 계단을 이용하시오.
지진이 났을 때는 위험한 구조물로부터 멀리 떨어져 있기 위해 근처 공원으로 가시오.
전기가 나가면 어떠한 불도 붙이지 마시오. 대신에 손전등을 사용하시오.

어휘

in case of ~의 경우에
light [lait] 불을 켜다
go out 전원이 꺼지다
flashlight [flǽʃlàit] 손전등

STEP 3 — ORGANIZE YOUR IDEAS 생각을 조직화하시오.

Discuss with your group members why you have to take the actions in Step 2.

Step 2에서 그 조치들을 왜 취해야 하는지 이유를 모둠원들과 토론하시오.

A: What dangerous situation is this sign about?
B: It's about fires.
A: What do you have to do ① **in case of** a fire?
B: You have to use the stairs instead of elevators.
A: Do I really have to do that?
B: Of course, because the elevators may ② **stop working**.

해석

A: 이 표지판은 어떤 위험한 상황에 대한 거니?
B: 화재에 대한 거야.
A: 화재가 나면 무엇을 해야 하지?
B: 엘리베이터 대신 계단을 사용해야 해.
A: 꼭 그렇게 해야 해?
B: 물론이야, 엘리베이터가 작동을 멈출 수 있어서 그래.

어휘

stair [stɛər] 계단
instead of ~대신에

① in case of는 '~의 경우에 있어서'라는 뜻이다.
② stop -ing는 '~하는 것을 멈추다'라는 뜻으로 stop 뒤에 나오는 -ing는 동명사로 stop의 목적어로 쓰인다.

STEP 4 SHARE YOUR IDEAS 아이디어를 나누시오.

Make a presentation letting people know what to do in dangerous situations. Provide reasons. 위험한 상황에서 무엇을 할지에 대해 사람들이 알도록 발표하시오. 이유를 말하시오.

We would like to tell you about wise actions to take in dangerous situations.

 First, when there is <u>a fire</u>, you have to <u>use the stairs instead of elevators</u> because <u>the elevators may stop working</u>.

 Second, in case of <u>an earthquake</u>, you should <u>go to a nearby park to stay away from dangerous structures</u> because <u>they may fall on you</u>.

 Last, if <u>the lights go out</u>, you need to <u>use flashlights instead of fires</u> because <u>your belongings may catch fire</u>.

해석

우리는 위험한 상황에서 취해야 할 현명한 조치들에 대해 말씀드리겠습니다.
첫 번째, 화재가 났을 때, 엘리베이터는 멈출 수도 있기 때문에 엘리베이터 대신 계단을 이용해야만 합니다.
두 번째, 지진이 발생했을 때는, 위험한 구조물이 떨어질 수 있으므로 피하기 위해 근처 공원으로 가세요.
마지막으로, 전기가 나간다면, 소지품들에 불이 붙을 수 있으므로 불 대신 손전등을 사용하세요.

어휘

belonging [bilɔ́:ŋiŋ] 소지품

활동 팁

발표 시 가져야 할 태도

1. 명확한 주제와 내용을 가지고 말한다.
2. 한 곳만 쳐다보지 말고 시선 분배를 잘한다.
3. 시간 분배를 잘해서 적절한 시간에 맞게 진행되는지 확인한다.
4. 일방적으로 내용을 전달하지 말고 질의 응답 시간을 갖는다.
5. 발표문을 여러 번 확인해서 오탈자가 없는지, 멀리서도 잘 보이는지 점검한다.
6. 발표문에 과도한 색과 시각적 효과는 피로도를 주고 산만하게 할 수 있으므로 피한다.

1~2차시 어휘 정리

▶ absolutely 절대적으로
▶ detect 감지하다
▶ first aid 응급 처치
▶ funny-looking 우습게 생긴
▶ get out of ~에서 나가다
▶ illegal 불법인
▶ in case of ~의 경우에
▶ jaywalk 무단 횡단하다
▶ not only that 그뿐 아니라
▶ penalty 벌금, 처벌
▶ ruin 망치다
▶ strong-smelling 강한 냄새가 나는
▶ teenage 10대의

▶ belonging 소지품
▶ due date 마감 날짜
▶ flashlight 손전등
▶ get better 회복되다
▶ go out 전원이 꺼지다
▶ immediately 즉시
▶ inform 알리다
▶ light 불을 켜다
▶ panic 당황; 허둥대다
▶ recommendation 추천
▶ shame 수치
▶ structure 구조(물)
▶ transfer 이동하다

Review Points

1. I understood the purpose and the details of the emergency announcement.
   나는 긴급 방송의 목적과 세부 사항을 이해했다.
2. I made a presentation about emergency instructions.
   나는 비상 시 지시 사항에 관해 발표했다.

Before You Read

Topic

Responsible citizenship (책임 있는 시민 의식)
How is your behavior as a citizen of the country? Read the passage and reflect on your civic life.
나라의 시민으로서 여러분의 행동은 어떠한가요? 본문을 읽고 여러분의 시민 생활을 되돌아 보시오.

1. Read the story and talk about what the problem is with your partner. 이야기를
읽고 문제가 무엇인지 짝과 이야기 나누시오.

해석
A: 이런! 나 시멘트 대신에 밀가루를 가지고 있어. 하지만 누가 상관하겠어?
B: 이런! 나는 밀가루 대신 시멘트를 가지고 있어. 하지만 누가 상관하겠어?
C: 이건 시멘트가 아니야! 밀가루야! 하지만 누가 상관하겠어?
D: 이건 밀가루가 아니야. 시멘트야! 하지만 누가 상관하겠어?

어휘
flour [fláuər] 밀가루
cement [simént] 시멘트
care [kɛər] 상관하다, 마음쓰다

2. How do you behave in public? Select Y(Yes) or N(No). 공공장소에서 어떻게 행동하는가?
Y(Yes) 또는 N(No)를 골라 보시오.

☐ I throw garbage on the street because it will be cleaned up by someone else anyway. ☐Y / ☐N

☐ When I go biking, I listen to music. ☐Y / ☐N

☐ When I see an older person with some heavy stuff, I offer to help. ☐Y / ☐N

해석
나는 어쨌든 누군가 거리를 청소할 것이므로 거리에 쓰레기를 버린다.
나는 자전거를 타러 가면 음악을 듣는다
나는 무거운 물건을 들고 계신 연세 있는 분을 보면 도움을 드린다.

어휘
offer [ɔ́:fər] 제공하다

On Your Own

Read the passage quickly and find the message in each of the three examples.
본문을 빠르게 읽고 각각의 세 가지 예에서 메시지를 찾으시오.
Follow simple rules. / Show good manners in public. / Help neighbors in need.

Read and Think

Interpretation

¹기본으로 돌아가라

²도서관에서 크게 떠드는 부주의한 사람들을 보고 눈살을 찌푸린 적이 있는가? ³지하철에서 밀치는 사람들에 의해 위협받는다고 느낀 적이 있는가? ⁴오늘 학교 가는 길에 무단 횡단을 했는가? ⁵이 모든 것들은 시민 생활과 관련되어 있다. ⁶책임 있는 시민들이, 구성원들이 서로의 행복과 편안함에 이바지하는 더 안전하고 더 깨끗한 사회를 형성한다. ⁷다음의 세 가지 예들은 책임 있는 시민이 어떻게 행동해야 하는지를 보여준다. ⁸시민 의식은 교통 법규 같은 간단한 규칙들을 따를 때 시작된다. ⁹그러나 많은 구급차 운전자들은 이기적인 운전자들과 부주의한 통행자들에 대해 불평한다. ¹⁰"비켜 주세요. 응급 상황입니다!" ¹¹구급차 운전자들이 이 말을 근처 차들에게 소리치고 사이렌이 울리고 있었는데도 단지 몇몇 차들만이 천천히 차선을 변경하고 있었다. ¹²교통 법규에 따르면 운전자들은 응급 차량에게 길을 내주어야 한다. ¹³보행자들 역시 힘들게 했다. ¹⁴빨간 불에 길을 건너는 몇몇 보행자들이 길을 막았고 구급차의 도착을 늦게 만들었다. ¹⁵구급차가 마침내 목적지에 도착했을 때, 운전자는 말했다. "제 시간에 온 건 진짜 행운입니다! 하지만 우리에게 길을 내주지 않은 사람들은 교통법을 어긴 것에 대해 부끄러워해야만 합니다."

¹⁶알고 있었나요?

¹⁷1. 자전거는 구급 차량에게 길을 내어줘야 한다.

¹⁸2. 길을 건널 때는 자전거에서 내려야 한다.

¹⁹3. 자전거를 탈 때 음악을 들어서는 안 된다.

---

¹Back to Basics

²Have you ever frowned at thoughtless people who were talking loudly in the library? ³Have you ever felt threatened by people pushing you aside on the subway? ⁴Did you jaywalk on the way to school today? ⁵All of these are related to civic life. ⁶Responsible citizens form a safer, cleaner community where members contribute to one another's happiness and comfort. ⁷The three examples below show how a responsible citizen should act.

⁸Civic awareness begins when people follow simple rules such as traffic regulations. ⁹However, many ambulance drivers complain of selfish drivers and careless pedestrians.

¹⁰"Please move over. This is an emergency!"

¹¹Even though an ambulance driver shouted this to the cars nearby and the siren was ringing, only some cars were slowly changing their lanes. ¹²According to traffic regulations, drivers must make way for emergency vehicles.

¹³Pedestrians also caused difficulties. ¹⁴Several pedestrians who crossed the street at a red light blocked the way, delaying the ambulance's arrival.

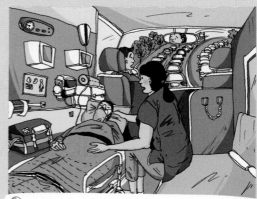

¹⁵When the ambulance finally arrived at the destination, the driver said, "It is very fortunate that we made it in time! But the people who didn't make way for us should be ashamed of themselves for having broken traffic laws."

¹⁶**Did you know?**

¹⁷1. Bikes must make way for emergency vehicles.

¹⁸2. You should get off your bike to cross the street.

¹⁹3. You should not listen to music when riding a bike.

While you read

Q1. What caused the ambulance difficulties?

무엇이 구급차에게 어려움을 야기했는가?

예시 답안 people who broke traffic laws

교통법을 어긴 사람들

해설 11〜14번까지 문장에서 교통법을 어기는 운전자들과 보행자들이 응급 차량 이동에 어려움을 준다는 내용이 나온다.

Words and Idioms

frown: 찌푸리다 ⊙ He frowned as he read the instructions. (그는 지시문을 읽으면서 얼굴을 찌푸렸다.)

push aside: 떠다밀다, 밀어 치우다 ⊙ Push your concerns aside. (걱정은 밀어내라.)

jaywalk: 무단 횡단하다 ⊙ A lot of people still jaywalk. (많은 사람들이 아직도 무단 횡단을 한다.)

civic: 시민의 ⊙ She felt it was her civic duty. (그녀는 그것이 시민의 의무라고 느꼈다.)

responsible: 책임있는 ⊙ Who is responsible for this terrible mess? (이 끔찍한 난장판에 대한 책임이 누구에게 있니?)

regulation: 규범 ▶ New safety **regulations** have been brought in. (새로운 안전 규범들이 도입되어졌다.)

pedestrian: 보행자 ▶ A few **pedestrians** sheltered from the rain in doorways. (몇몇 보행자들이 문간에서 비를 피했다.)

vehicle: 차량 ▶ Tractors are farm **vehicles**. (트랙터는 농장 차량이다.)

make way for: ~에게 길을 열어주다 ▶ Move aside to make way for the stroller. (유모차 지나가게 비켜라.)

be ashamed of ~ for -ing: ~에게 …한 것을 부끄러워하다 ▶ I was ashamed of myself for making such a stupid mistake. (나는 그런 바보같은 실수를 한 것에 대해 스스로에게 부끄러웠다.)

Key Points

2 **Have you ever frowned** at thoughtless people who were talking loudly in the library?: 「Have you ever + 과거분사 ~?」는 경험을 묻는 말로 '이제껏 ~해본 적 있니?'의 뜻이다.

3 Have you ever **felt threatened** by people pushing you aside on the subway?: 「feel + 감정의 과거분사」는 '~을 느끼다'는 뜻이다.

6 Responsible citizens form a safer, cleaner community **where** members contribute to one another's happiness and comfort.: where는 장소를 나타내는 관계부사로 where~comfort까지 앞의 community를 꾸며준다.

7 The three examples below show **how a responsible citizen should act.**: how ~ act는 의문사가 이끄는 명사절로 목적어의 역할을 한다.

8 Civic awareness begins when people follow simple rules such as traffic regulations.: 「주어 + 동사(Civic awareness begins)」로 이루어진 1형식 문장이며, when 이하는 '~할 때'라는 의미를 갖는 부사절이다. such as는 '~과 같은'이라는 의미이다.

11 Even though an ambulance driver shouted **this** to the cars nearby and the siren was ringing, only some cars were slowly changing their lanes.: this는 앞에 나온 "Please move over. This is an emergency!"를 말한다.

14 Several pedestrians **who crossed the street at a red light** blocked the way, **delaying** the ambulance's arrival.: who ~at a red light는 앞의 several pedestrians를 꾸며주는 형용사절이며 who는 선행사가 several pedestrians인 주격 관계대명사이다. / delaying ~은 분사구로 and they delayed the ambulance's arrival의 의미이다.

15 When the ambulance finally arrived at the destination, the driver said, "**It** is very fortunate **that** we made it in time! But the people who didn't make way for us should be ashamed of themselves for **having broken** traffic laws.": It is very fortunate that ~에서 that 이하가 진주어, It은 가주어이다. / be ashamed of ~ for -ing에서 부끄러움을 느낀 시점보다 교통법을 어긴 시점이 이전이므로 「having + 과거분사」 즉, 완료동명사로 나타낸다.

18 3. You should not listen to music **when riding a bike.**: 「시간의 접속사 + 주어 + be동사 + 분사」의 경우 「주어 + be동사」는 생략될 수 있다. 따라서 when you are riding a bike에서 you are가 생략된 구문이다.

Mini Test

정답과 해설 p. 362

1. 다음 괄호 안의 단어들을 순서대로 배열하시오.

(1) The three examples below show (act, should, how, a, citizen, responsible).

(2) (is, it, very, that, fortunate) we made it in time!

2. 다음 우리말에 맞게 빈칸에 알맞은 말을 쓰시오.

(1) 우리에게 길을 내주지 않았던 사람들은 교통법을 어긴 것에 대해 부끄러워 해야만 합니다.
The _____ for us should be ashamed of themselves for having broken traffic laws.

(2) 자전거를 탈 때는 음악을 들어서는 안 된다.
You should not listen to music _____.

3. 다음 주어진 표현을 이용하여 문장을 완성하시오.

(1) Have you ever p.p. ~? : 이제껏 ~한 적 있니?
Have _____ the flute ?
(플룻 연주해 본 적 있니?)

(2) push aside : 떠다밀다
The woman _____ and got on the bus.
(그 여자는 나를 밀어제치고 버스에 올라탔다.)

(3) make way for : ~에게 길을 내어주다
Please _____ the housecleaning robot.
(청소용 로봇에게 길을 내어주렴.)

(4) be ashamed of ~ for -ing : ~에게 …한 것을 부끄러워하다
I _____ so easily angry.
(나는 그렇게 쉽게 화를 내는 것에 대해 내 자신이 부끄러웠다.)

Interpretation

¹책임 있는 시민은 또한 좋은 예절을 보여준다.
²공공장소에 있을 때, 그들은 질서를 지키고 자신들 처리를 깨끗이 한다. ³지난 토요일에 수천 명의 사람들이 불꽃놀이 축제에 모였다. ⁴불꽃놀이는 아름다웠지만 일부 사람들의 잘못된 행동이 불꽃놀이의 아름다움을 마음껏 즐기는 것을 어렵게 만들었다. ⁵대부분의 사람들은 법을 준수했다. ⁶그러나 어떤 사람들은 서로 밀어서 다른 사람들을 다치게 했다. ⁷경찰은 그날 100명이 넘는 사람들이 다쳤고 그들 중 14명은 병원에 실려갔다고 발표했다. ⁸게다가, 자원봉사자들은 그곳이 쓰레기로 가득했기 때문에 청소하느라 아주 힘든 시간을 보냈다. ⁹"나는 사람들이 단지 자기 자신보다 다른 사람들에게 더 관심 갖기를 바랍니다."라고 한 자원봉사자가 말했다.

¹⁰재미있는 표지판들

¹¹알지 못하나요? 소리가 새고 있어요.

¹²해변에서 하세요.

¹³쓰레기는 걷지 못합니다!

 ¹Responsible citizens also show good manners. ²When they are in public places, they keep order and clean up after themselves.

³Last Saturday, thousands of people flocked to a fireworks festival. ⁴Even though the fireworks were beautiful, some people's misbehavior made it hard to fully enjoy the beauty of the fireworks. ⁵Most people observed the law. ⁶However, some people pushed one another, hurting others. ⁷The police reported that more than a hundred people had been hurt and fourteen of them had been taken to hospital that day. ⁸Furthermore, volunteer workers had a very hard time cleaning up the area as it was full of garbage. ⁹"I wish people cared more about others than just about themselves," said a volunteer worker.

Source: www.seoul.co.kr, 2014-10-06

¹⁰Interesting Signs>>
¹¹Don't you realize? The sound is leaking.
¹²Please do it **at the beach**
¹³Garbage Can't Walk!

While you read

Q2. How does the writer seem to feel about the people at the festival?

필자는 축제에 간 사람들에 대해 어떻게 느끼는 것 같은가?

[예시 답안] The writer feels that they should have behaved better.

필자는 그들이 더 예의바르게 행동했어야 한다고 느낀다.

[해설] 6~8번 문장까지 축제에서 질서를 지키지 않은 사람들에 대한 설명이 나오므로 필자는 더 예의바르게 행동해야 한다고 느낀다는 것을 알 수 있다.

Words and Idioms

public: 공공의; 공중 ▶ The information became public after his death. (그의 죽음 이후 그 정보는 대중화되었다.)

keep order: 질서를 유지하다 ▶ Teachers try to keep order in the classroom. (교사들은 교실에서 질서를 유지하려고 노력한다.)

clean up after: 뒤처리를 깨끗이 하다 ▶ Other people always have to clean up after him. (다른 사람들이 항상 그의 뒤를 따라다니며 치워 주어야 한다.)

firework: (종종 fireworks) 폭죽, (불꽃)놀이 ▶ What time do the fireworks start? (불꽃놀이는 몇 시에 시작하니?)

flock: 모이다 ▶ Lots of fans will flock to see the actor this weekend. (이번 주말에 많은 팬들이 그 배우를 보러 모일 것이다.)

misbehavior: 나쁜 행실 ▶ He blamed David for his misbehavior. (그는 David의 나쁜 행실에 대해 비난했다.)

observe: 관찰하다, 준수하다 ▶ You must observe the school dress code. (너는 교복 규칙을 지켜야 한다.)

garbage: 쓰레기 ▶ There's nothing but garbage on TV tonight. (오늘 밤 TV에 쓰레기 밖에 안 나온다.)

care about: ~에 마음을 쓰다 ▶ I don't care about its cost. (나는 그것의 가격에는 신경 안 쓴다.)

leak: 누출되다 ▶ Water was leaking from the pipe. (파이프에서 물이 새고 있었다.)

Key Points

1 Responsible citizens also show good **manners**.: manner는 단수로 쓰이면 '방식'이라는 뜻이고 '예절'의 의미일 때는 복수형을 쓴다.

2 When they are in public places, they **keep** order and **clean up** after **themselves**.: and를 사이에 두고 keep과 clean이 병렬구조이므로 같은 문법구조인 동사원형이 쓰였다. / themselves는 they의 재귀대명사이다.

3 Last Saturday, **thousands of** people flocked to a fireworks festival.: thousands of는 '수천의'의 뜻이지만 일반적으로 많은 수를 나타낼 때도 쓰인다.

4 **Even though** the fireworks were beautiful, some people's misbehavior made **it** hard **to fully enjoy the beauty of the fireworks**.: even though는 '비록 ~일지라도'의 뜻으로 양보를 나타내는 접속사이며 부사절을 이끈다. / it은 가목적어로 직접목적어는 to fully enjoy the beauty of the fireworks이다. 가목적어는 해석하지 않는다.

5 Most people **observed** the law.: observe는 '규칙을 준수하다'의 뜻으로 obey, follow와 같은 의미이다. '관찰하다'의 뜻도 갖고 있다.

6 However, some people pushed one another, **hurting** others.: hurting 이하는 분사구로 and they hurt others의 의미이다. hurt는 hurt-hurt-hurt로 현재형, 과거형, 과거분사형이 모두 같다.

7 The police reported that more than a hundred people **had been hurt** and fourteen of them **had been taken** to hospital that day.: 「had been + 과거분사」는 과거완료수동태이며 '~되어 왔다,' '~된 적이 있었다'의 뜻으로 어떤 일이 과거를 시점으로 그 이전에 행해졌음을 나타낸다.

8 Furthermore, volunteer workers **had a** very **hard time cleaning** up the area **as** it was full of garbage.: 「have a hard time -ing」는 '~하느라 힘든 시간을 보내다'의 뜻으로 「have trouble (in) -ing」와 바꾸어 쓸 수 있다. / as는 이유를 나타내는 접속사로 '~ 때문에'의 뜻으로 쓰였다.

9 "**I wish** people **cared** more about others than just about themselves," said a volunteer worker.: 「I wish + 가정법과거」는 '~라면 좋을 텐데'의 뜻으로 현재의 실현 불가능한 소망을 나타낸다.

Mini Test

정답과 해설 p. 362

1. 다음 괄호 안의 단어들을 순서대로 배열하시오.

(1) Some people's misbehavior (fully, it, hard, to, enjoy, made) the beauty of the fireworks.

(2) I wish people (others, more, cared, about) than just about themselves.

2. 다음 우리말에 맞게 빈칸에 알맞은 말을 쓰시오.

(1) 그러나 어떤 사람들은 서로 밀어서 다른 사람들을 다치게 했다.

However, some people pushed one another, _____.

(2) 100명이 넘는 사람들이 다쳤었다.

More than a hundred people _____.

3. 다음 주어진 표현을 이용하여 문장을 완성하시오.

(1) have a hard time -ing: ~하느라 힘든 시간을 보내다

I _____ what to wear for the party.
(나는 파티에 무엇을 입을까 결정하는 데 힘들었다.)

(2) clean up after: 뒤처리를 깨끗이 하다.

They _____ their dogs.
(그들은 자신들의 개 뒤처리를 깨끗이 했다.)

(3) keep order: 질서를 유지하다.

How _____ in your classroom?
(어떻게 교실에서 질서를 유지하나요?)

(4) care about: ~에 대해 신경 쓰다

I _____ their contract.
(나는 그들의 계약에 대해 신경 쓰지 않는다.)

Interpretation

¹마지막으로, 그러나 역시 중요한 것은, 훌륭한 시민들은 도움이 필요한 이웃들을 소홀히 하지 않고 돕는다는 것이다.

²2월 14일 오전 6시 20분에 119 응급센터가 긴급한 전화를 받았다. ³"건물에 화재가 났어요! 그리고 사람들이 안에 있어요!" ⁴소방관들과 119 구조대가 현장에 도착했을 때 소방관들은 일상적인 주차 문제에 부딪히지 않았다. ⁵이웃들은 소방차를 위한 공간을 만들기 위해 이미 차들을 옮겼다. ⁶구조대가 15층에 도착했을 때 그들은 몇몇 이웃들이 소화기로 불을 끄려고 노력하는 것을 보았다. ⁷이웃들의 도움으로 119 구조대는 안에 갇혔던 가족을 구했다. ⁸119에 전화한 이웃 사람이 말했다. "그들이 안전한 것을 보니 정말 안심이 됩니다." ⁹응급센터 책임자가 말했다. "이웃들의 도움과 우리 팀의 빠른 대응으로 화재가 더 큰 재난으로 변하는 것을 막았습니다. 우리는 구조를 도와준 것에 대해 이웃들에게 감사드립니다."

¹⁰여러분은 이웃에게 얼마나 도움이 되는가?

¹¹1. 무거운 가방을 든 노인을 보면, 나는 그분을 돕는다.

¹²2. 다른 학생을 따돌리는 한 무리의 학생들을 보면 나는 돕는다.

¹³3. 나는 전철에서 아기와 함께 있는 엄마에게 자리를 기꺼이 내어준다.

☐ 항상   ☐ 가끔   ☐ 전혀 ~않는다

---

 ¹Last, but not least, good citizens do not neglect but help their neighbors in need.

²On February 14th at 6:20 a.m., the 119 emergency center received an urgent call. ³"There is a fire in the building! And there are people inside!"

⁴When the firefighters and the 119 rescue team arrived at the scene, the firefighters were not faced with the usual parking problem. ⁵The neighbors had already moved their cars to make space for the fire engine. ⁶When the rescue team arrived on the fifteenth floor, they saw some neighbors trying to put out the fire with fire extinguishers.

⁷With the neighbors' help, the 119 team rescued the family who had been trapped inside. ⁸The neighbor who called 119 said, "I was so relieved to see them safe." ⁹The head officer of the emergency center said, "The neighbors' help and our team's quick response kept the fire from turning into a bigger disaster. We'd like to thank the neighbors for having helped the rescue."

Source: www.geojenews.co.kr, 2007-02-14

¹⁰ How helpful are you to your neighbors?

¹¹1. When I see an older person with some heavy stuff, I help him or her.
☐ always   ☐ sometimes   ☐ never

¹²2. When I see a group of students bullying another student, I help him or her.
☐ always   ☐ sometimes   ☐ never

¹³3. I willingly give my seat to a mom with a baby on the subway.
☐ always   ☐ sometimes   ☐ never

While you read

Q3. How does the writer seem to feel about the neighbors and the firefighters in the article?

필자는 기사에서 이웃들과 소방관들에 대해 어떻게 느끼는 것 같은가?

 예시 답안 The writer admires and respects them.

필자는 그들에게 감탄하고 존경한다.

해설 9번의 내용 중 책임자의 말을 인용한 것에서 필자의 심경이 간접적으로 드러난다.

Words and Idioms

last but not least = last but by no means least: 마지막으로, 그러나 역시 중요한 것은 ▶ Last but not least, I would like to thank my husband. (마지막으로, 그러나 못지 않게 중요하게, 남편에게 감사를 전합니다.)

firefighter : 소방관 ▶ Some firefighters received commendation for their bravery. (몇몇 소방관들이 용감함에 대해 칭찬을 받았다.)

rescue: 구조; 구조하다 ▶ The president visited the fire station to support the rescue team. (대통령이 구조대를 응원하러 소방서를 방문했다.)

be faced with: ~에 직면하다 ▶ You're faced with a very difficult choice there. (여러분은 거기서 아주 힘든 선택에 직면해 있다)

put out: (불을) 끄다 ▶ Firefighters put out the fire and saved two dogs. (소방관들이 불을 끄고 두 마리의 개를 구했다.)

extinguisher: 불을 끄는 사람[기구], 소화기 ▶ He put a fire out with a fire extinguisher. (그가 소화기로 불을 껐다.)

trap: 가두다, 덫 ▶ The two men were injured when they were trapped in a burning building. (두 남자가 화재가 난 건물에 갇혔을 때 부상을 당했다.)

relieve: 덜어주다 ▶ She took a pill to relieve the pain. (그녀는 고통을 완화시키기 위해 알약을 먹었다.)

keep A from -ing: A가 ~하는 것을 막다 ▶ Am I keeping you from working? (제가 당신이 일하는 것을 방해하나요?)

disaster: 재난 ▶ It would be a disaster for me if I lost my job. (내가 직업을 잃는다면 재앙이 될 것이다.)

Key Points

1 Last, but not least, good citizens do **not** neglect **but** help their neighbors in need.: not A but B는 'A가 아니라 B이다'의 뜻이다. 이때 A와 B에는 같은 문법형태가 온다.

2 **On February 14th** at 6:20 a.m., the 119 emergency center received an urgent call.: 달 앞에는 in이 오지만, 구체적인 날짜 앞에는 on이 온다.

5 The neighbors **had** already **moved** their cars to make space for the fire engine.: 「had + 과거분사」는 과거완료형으로 앞 문장에서 119팀이 도착한 것이 과거이고 이웃들이 차를 옮긴 것은 그 이전임을 나타내기 위해 쓰였다.

6 When the rescue team arrived on the fifteenth floor, they **saw** some neighbors **trying** to put out the fire with fire extinguishers.: see, watch, listen, feel 등의 지각동사는 목적보어로 동사원형 또는 -ing를 취하며, 「지각동사 + 목적어 + -ing[동사원형]」의 형태이다. -ing를 쓰는 경우 좀 더 생생하게 진행 중임을 나타낸다.

7 With the neighbors' help, the 119 team rescued the family who **had been trapped** inside.: 「had been + 과거분사」는 과거완료수동태 구문으로 과거 시점 이전에 혹은 이전부터 '~되어졌었다/ ~되어져 왔었다' 등의 의미이다.

8 The neighbor who called 119 said, "I was so relieved **to see them** safe.": to부정사가 감정의 원인을 나타내어 '~해서'의 의미로 쓰였다. / 여기서 them은 the family를 가리킨다.

9 The head officer of the emergency center said, "The neighbors' help and our team's quick response kept the fire from turning into a bigger disaster. We'd like to thank the neighbors for **having helped** the rescue.": for 뒤에는 명사나 동명사에 상당하는 어구가 오는데 본동사보다 이전에 일어난 일을 나타낼 경우 「having + 과거분사」 즉, 완료동명사를 쓸 수 있다.

13 I **willingly** give my seat to a mom with a baby on the subway: willingly는 '기꺼이'라는 뜻의 부사이다.

Mini Test

정답과 해설 p. 362

1. 다음 괄호 안의 단어들을 순서대로 배열하세요.

(1) They (trying, some, saw, neighbors) to put out the fire with fire extinguishers.

(2) With the neighbors' help, the 119 team rescued the family who (trapped, had, been, inside).

2. 다음 우리말에 맞게 빈칸에 알맞은 말을 쓰시오.

(1) 훌륭한 시민들은 도움이 필요한 이웃들을 소홀히 하지 않고 돕는다.
Good citizens do _____ their neighbors in need.

(2) 이웃들은 소방차를 위한 공간을 만들기 위해 이미 차들을 옮겼다.
The neighbors _____ their cars to make space for the fire engine.

3. 다음 주어진 표현을 이용하여 문장을 완성하세요.

(1) keep + 목적어 + from -ing: ~가 …하는 것을 막다
Try to _____ food all over the floor.
(아이들이 음식을 바닥 곳곳에 던지지 못하도록 노력해.)

(2) put out a fire: 화재를 끄다
Firefighters _____ the fire successfully.
(소방관들은 성공적으로 화재를 진압했다.)

(3) be faced with : ~에 직면하다
They were _____.
(그들은 심각한 문제에 직면했다.)

(4) last but not least: 마지막으로, 그러나 역시 중요한 것은
_____, always love yourself.
(마지막으로, 그러나 역시 중요한 것은, 항상 자신을 사랑하라는 것입니다.)

Interpretation

¹이 세 가지 예들은 책임 있는 시민이 되는 간단한 방법들을 보여준다. ²간단한 규범을 지키는 것, 공공장소에서 바른 예절을 보여주는 것, 도움이 필요한 이웃들을 돕는 것이 많은 비극적 사고를 막을 수 있다. ³각 개인은 세상을 더 좋은 곳으로 만드는 데 공헌할 잠재력을 가지고 있다. ⁴요즘 점점 더 많은 운전자들이 응급 차량에게 길을 내어주고 있다. ⁵우리의 예절은 눈에 띄게 향상되고 있다. ⁶도움이 필요한 이들을 아주 기꺼이 돕는 자원봉사자들이 많다. ⁷책임 있는 시민이 되고 지역사회를 더 좋은 곳으로 만드는 것은 어렵지 않다. ⁸법을 준수하라 ⁹질서를 지켜라 ¹⁰다른 사람들에게 관심을 가져라. ¹¹즉, 기본부터 다시 시작하라.

¹These three examples show simple ways to become a responsible citizen. ²Observing simple regulations, showing good manners in public, and helping neighbors in need can prevent a lot of tragic accidents. ³Each individual has the potential to contribute to making the world a better place. ⁴These days, more and more drivers are making way for emergency vehicles. ⁵Our manners are noticeably improving. ⁶There are many volunteers who are more than willing to help those in need.

⁷Becoming a responsible citizen and making the community a better place are not difficult. ⁸Observe the law. ⁹Keep order. ¹⁰Care about others. ¹¹In other words, just go back to basics.

Just go back to basics

While you read
Q4. What is the writer trying to say?
필자는 무엇을 말하려고 노력하는가?

예시 답안 We should go back to basics and become responsible citizens.

우리는 기본으로 돌아가서 책임 있는 시민이 되어야 한다.

해설 8~11번까지 기본으로 돌아가자는 필자의 주장이 구체적으로 나와 있다.

Words and Idioms

prevent: 막다 ▶ I will do everything I can to prevent the business from failing. (그 사업이 망하는 것을 막기 위해 내가 할 수 있는 모든 것을 하겠다.)

tragic: 비극적인 ▶ It is tragic that they have to be apart. (그들이 헤어져야 한다니 비극적이다.)

potential: 잠재력; 잠재력 있는 ▶ You have the potential to get the promotion. (너는 승진할 만한 잠재력이 있다.)

contribute to: ~에 기여하다, ~의 원인이 되다 ▶ His two daughters contribute to family business. (그의 두 딸이 가족 사업에 힘을 보태고 있다.)

noticeably: 두드러지게 ▶ He has gotten noticeably better. (그는 눈에 띄게 회복되었다.)

be willing to: 기꺼이 ~하다 ▶ She needs a secretary who **is willing to** work at least six months. (그녀는 적어도 6개월을 기꺼이 일할 비서가 필요하다.)

in other words: 다시 말하자면 ▶ He is a senior citizen, **in other words**, he is an old person. (그는 어르신, 즉, 나이든 분이다.)

go back to basics: 기본[본질적인 것]으로 돌아가다 ▶ All you should do is **go back to basics**. (네가 해야 할 일은 오로지 기본으로 돌아가는 것이다.)

🔑 Key Points

1 These three examples show simple ways **to become** a responsible citizen.: to become은 '~될'의 뜻으로 to부정사가 앞의 simple ways를 꾸며주는 형용사적 용법으로 쓰였다.

2 **Observing** simple regulations, **showing** good manners in public, and **helping** neighbors in need can prevent a lot of tragic accidents.: observing ~, showing ~, helping ~은 모두 동명사로 시작하는 병렬구조를 이루며 주어는 Observing ~ need까지이다.

3 **Each** individual has the potential to contribute to making the world a better place.: each는 '각각의'의 뜻으로 뒤에 단수명사가 오며 단수동사가 따라온다. 한편 each가 대명사로 쓰일 수도 있고 「each of + 복수명사」의 형태로 쓰이기도 한다.

4 These days, **more and more** drivers are making way for emergency vehicles.: 「비교급 and 비교급」은 '점점 더 ~한'의 뜻이다.

6 There are many volunteers who are **more than** willing to help **those in need**.: 여기서 more than은 willing을 강조하기 위해 쓰여 '아주'의 뜻으로 해석한다. / those in need는 '도움이 필요한 사람들'의 뜻이다.

7 **Becoming** a responsible citizen and **making** the community a better place are not difficult.: becoming ~ citizen 과 making ~place 는 and를 사이에 두고 병렬구조를 이룬다.

8 **Observe** the law.: '법을 따르다'라는 뜻으로 observe 이외에 keep 또는 obey를 쓸 수 있다. 동사원형이 문장 앞에 온 명령문이다.

9 **Keep order:** order에는 '주문, 질서' 등의 의미가 있는데 여기서는 '질서'라는 뜻으로 쓰였다. keep order는 '질서를 지키다'라는 뜻이다.

11 **In other words**, just go back to basics.: in other words는 '즉'의 의미이다. that is (to say) 나 i.e. 또는 namely 등과 바꾸어 쓸 수 있다.

Mini Test

정답과 해설 p. 362

1. 다음 괄호 안의 단어들을 순서대로 배열하세요.

(1) These three examples show simple (citizen, become, ways, to, a, responsible)

(2) There are many volunteers who are more than willing to (need, in, help, those).

2. 다음 우리말에 맞게 빈칸에 알맞은 말을 쓰시오.

(1) 도움이 필요한 이웃들을 돕는 것이 많은 비극적 사고를 막을 수 있다.

_____ can prevent a lot of tragic accidents.

(2) 각 개인은 세상을 더 좋은 곳으로 만드는 데 공헌할 잠재력을 가지고 있다.

_____ contribute to making the world a better place.

3. 다음 주어진 표현을 이용하여 문장을 완성하시오.

(1) contribute to: ~에 기여하다, ~의 원인이 되다

Smoking _____ his illness.

(흡연 때문에 그가 병에 걸렸다.)

(2) be willing to: 기꺼이 ~하다

If you're _____ at night, you can get a much cheaper ticket.

(밤에 기꺼이 비행한다면, 훨씬 더 싼 표를 얻을 수 있다.)

(3) go back to basics: 기본[본질적인 것]으로 돌아가다

_____ and decide what we can do.

(본질로 돌아가서 우리가 무엇을 할 수 있을지 결정하자.)

(4) more and more: 점점 더 많은

_____ like to live alone.

(점점 더 많은 사람들이 혼자 사는 것을 좋아한다.)

📖 After You Read

1. Complete the summary of the reading passage about responsible citizenship. 책임 있는 시민 의식에 관한 본문의 요약문을 완성하시오.

How to be a <u>responsible</u> citizen

 Follow <u>simple rules</u> such as traffic laws.

 Show <u>good manners</u> in public such as cleaning up after yourself and keeping order.

 Do not neglect but help your <u>neighbors in need</u>.

2. Listen and select True or False. 🎧 듣고 맞으면 True, 틀리면 False를 고르시오.

(1) The reading passage introduces three ways to become a responsible citizen.

(2) In the first article, some pedestrians blocked the route of the ambulance.

(3) In the fireworks festival, all the visitors cleaned up after themselves.

(4) At the fire, the firefighters had a hard time parking their fire engine.

(5) One of the ways to become a responsible citizen is to help neighbors in need.

(1) 본문에는 책임 있는 시민이 되는 세 가지 방법들이 소개되어 있다.

(2) 첫 번째 기사에서, 몇몇 보행자들이 구급차의 길을 막았다.

(3) 불꽃놀이 축제에서 모든 방문객들은 뒤처리를 깨끗이 했다.

(4) 화재가 났을 때 소방관들은 소방차를 주차하느라 애를 먹었다.

(5) 책임 있는 시민이 될 방법들 중 하나는 도움이 필요한 시민을 돕는 것이다.

(1) ☑ True / ☐ False
(2) ☑ True / ☐ False
(3) ☐ True / ☑ False
(4) ☐ True / ☑ False
(5) ☑ True / ☐ False

해석

책임 있는 시민이 되는 법

교통 법규 같은 간단한 규칙들을 따르라.

뒤처리를 깨끗이 하거나 질서를 지키는 것처럼 공공장소에서 <u>좋은 예절을</u> 보여 주어라.

<u>도움이 필요한 이웃</u>들을 지나치지 말고 도와라.

해설

책임 있는 시민이 되는 법을 설명하고 있으므로 responsible이 제목에 들어가는 것이 적절하다. 그러려면 교통 법규 같은 간단한 규칙을 따르라는 내용이므로 첫 번째 그림의 빈칸에는 simple rules가 오고, 좋은 예절을 보여주라는 내용이므로 두 번째 그림의 빈칸에는 good manners가 온다. 세 번째 그림의 빈칸에는 도움이 필요한 이웃을 도와주라는 내용이므로 neighbors in need가 적절하다.

해설

(3) Furthermore, volunteer workers had a very hard time cleaning up the area as it was full of garbage.로 보아 방문객들이 못한 뒤처리를 자원봉사자가 했음을 알 수 있다.

(4) The neighbors had already moved their cars to make space for the fire engine.으로 보아 주차 문제가 없었음을 알 수 있다.

어휘

route [ru:t] 길

THINK AND WRITE

3. Reflect on your behavior as a citizen based on the reading passage.

본문에 기초하여 시민으로서의 여러분의 행동을 되돌아보시오.

> What are you already good at doing?
> What do you need to work on?

Among the three things mentioned, I am good at <u>following basic rules</u>.
For example, <u>I never jaywalk even when I am in a hurry</u>.
However, I need to work on <u>caring about others</u>
because <u>I sometimes see people in need on the street and pass them by</u>.

해석

너는 무엇을 잘 하니? 무엇에 노력을 해야 하니?

앞에서 언급한 세 가지 중, 나는 <u>기본 규칙을 지키는 것</u>을 잘 해.

예를 들어, <u>나는 바쁠 때조차 절대로 무단 횡단을 하지 않아</u>. 하지만 나는 <u>다른 사람들에게 관심을 갖도록</u> 노력해야 해. 왜냐하면 나는 <u>때때로 길에서 도움이 필요한 사람들을 보고 그냥 지나가기 때문이야</u>.

3~5차시 어휘 정리

▶ frown 찌푸리다
▶ jaywalk 무단 횡단하다
▶ regulation 규범
▶ citizen 시민
▶ vehicle 차량
▶ be ashamed of ~for -ing ~에게 …한 것을 부끄러워하다
▶ keep order 질서를 유지하다
▶ firework 폭죽, 불꽃놀이
▶ firefighter 소방관
▶ be faced with ~에 직면하다
▶ extinguisher 불을 끄는 사람[기구], 소화기
▶ relieve 덜어주다
▶ disaster 재난
▶ tragic 비극적인
▶ contribute to ~에 기여하다, 영향을 주다
▶ be willing to 기꺼이 ~하다
▶ in other words 다시 말하자면
▶ Who cares? 누가 상관이나 한대? [알 게 뭐야?]
▶ leak 누출되다
▶ be in a hurry 급하다

▶ push aside 떠다밀다
▶ civic 시민의
▶ responsible 책임 있는
▶ pedestrian 보행자
▶ make way for ~에게 길을 열어주다
▶ public 공공의; 공중
▶ clean up after 뒤처리를 깨끗이 하다
▶ last but not least 마지막으로, 그러나 마찬가지로 중요한
▶ rescue 구조하다; 구조
▶ put out (불을) 끄다
▶ trap 가두다; 덫
▶ keep A from -ing A가 ~하는 것을 막다
▶ prevent 막다
▶ potential 잠재력; 잠재력 있는
▶ noticeably 두드러지게 기본
▶ in other words 다시 말하자면
▶ observe 관찰하다, 준수하다
▶ garbage 쓰레기
▶ flock 모이다
▶ care about ~에 마음을 쓰다

활동 팁

글쓰기 방법

1. 실제로 사용되고 원어민들이 듣고 읽기에 자연스런 어구를 찾는다.
2. 사용하고 싶은 단어나 표현들이 떠오르지 않을 때는 사전을 찾거나 짝에게 묻거나 선생님께 여쭤본다.
3. 글쓰기가 끝나면 짝과 바꿔 본다.
4. 상대방의 의견에 대한 자신의 생각을 말하거나 적어준다.

Review Points

1. I read three articles and found out what a good citizen is like.
   나는 세 가지 기사문을 읽고 좋은 시민이 어떠한지를 알아냈다.
2. I reflected on my behavior as a citizen and decided to behave better from now on.
   나는 시민으로서의 내 행동을 되돌아보고 이제부터 더 잘 행동하기로 결심했다.

Language Notes

About Words

반의어

gain (얻다)	↔	lose (잃다)
attach (붙이다)	↔	detach (분리하다)
increase (증가하다)	↔	decrease (감소하다)
shorten (줄이다)	↔	lengthen (늘리다)
compliment (칭찬하다)	↔	insult (모욕하다)
demand (요구하다)	↔	supply (공급하다)
expand (팽창하다)	↔	contract (수축하다)
export (수출하다)	↔	import (수입하다)
construct (건설하다)	↔	destruct (파괴하다)

해석

준수하다 ↔ 어기다
대부분의 사람들은 법을 지켰다.
그들은 교통 법규를 어긴 데 대해 부끄러워해야 한다.

관심 갖다 ↔ 소홀히 하다
나는 사람들이 자기 자신뿐 아니라 다른 사람들에게도 더 관심 가지기를 바란다.
훌륭한 시민은 도움이 필요한 이웃들을 소홀히 하지 않고 돕는다.

WORDS IN USE

observe	⇔	break

Most people *observed* the law.

They should be ashamed of themselves for having *broken* traffic laws.

care about	⇔	neglect

I wish people *cared* more *about* others than just about themselves.

Good citizens do not *neglect* but help their neighbors in need.

1. Complete the sentences with the words above. You may need to change the form.
위에 나온 단어들을 사용해서 문장을 완성하시오. 형태를 바꿔야 할 수도 있습니다.

(1) I am willing to help you any time because I <u>care about</u> you. 나는 너에게 관심이 있어서 어느 때건 너를 기꺼이 돕겠다.

(2) How could you <u>neglect</u> a child who is crying for help? 너는 도움을 달라고 우는 아이를 어떻게 무시할 수 있었니?

(3) It is everyone's responsibility to <u>observe</u> the law. 법을 지키는 것은 모두의 책임이다.

(4) The result of <u>breaking</u> basic rules can be severe . 기본적인 규칙들을 어긴 결과는 심각할 수 있다.

PHRASES IN USE

be ashamed of ~ for -ing: to feel embarrassed by or disappointed with one's behavior
…에 대해 ~를 부끄러워하다: 누군가의 행동에 실망하거나 당황함을 느끼다
They should *be ashamed of themselves for having broken* traffic laws.
그들은 교통 법규를 어긴 것에 대해 자신을 부끄러워해야 한다.

be faced with: to be in a situation, usually unpleasant
~에 직면하다: 어떤 상황, 보통 유쾌하지 않은 상황에 있다
The firefighters *were* not *faced with* the usual parking problem.
소방관들은 일상적인 주차 문제에 직면하지 않았다.

keep ~ from -ing: to make it hard for somebody to do something
~가 …하는 것을 막다: 누군가 어떤 것을 하는 것을 어렵게 하다
The neighbors' help *kept the fire from turning* into a bigger disaster.
이웃의 도움이 화재가 더 큰 재난으로 변하는 것을 막았다.

해석

(1) 경찰은 어떤 사고도 일어나는 것을 막으려고 최선을 다했다.
(2) 여행 동안, 나는 예기치 않은 문제에 직면했다.
(3) 나는 교실에서 못된 행동을 한 것에 대해 나 자신을 부끄러워한다.

2. Place the given words in the correct order. You may need to change the form.
주어진 단어들을 알맞은 순서대로 정렬하시오. 형태를 바꿔야 할 수도 있습니다.

(1) The police did their best to <u>keep any accidents from occurring</u> (occur / any accidents / keep / from).

(2) During the trip, I <u>was faced with</u> (faced / be / with) unexpected challenges.

(3) I <u>am ashamed of myself for not behaving</u> (for / myself / not behaving / ashamed of / be) in the classroom.

FOCUS ON FORM

- They should be ashamed of themselves for **having broken** traffic laws.
  그들은 교통 법규를 어긴 것에 대해 자신을 부끄러워해야 한다.
- We'd like to thank the neighbors for **having helped** the rescue.
  우리는 구조를 도왔던 이웃들에 대해 감사드리고 싶습니다.

- The police reported that more than a hundred people **had been hurt** that day.
  경찰은 그 날 백 명이 넘는 사람들이 다쳤었다고 발표했다.
- The 119 team rescued the family who **had been trapped** inside.
  119 구조대는 안에 갇혀 있던 가족들을 구했다.

About Forms

완료동명사
완료동명사는 「having + 과거분사」의 형태로 주절의 동사 이전에 일어난 일을 나타낼 때 쓰인다. 특히 문맥상 동작의 시간이 분명하지 않게 드러난 경우에 명확하게 하기 위해 완료동명사를 사용한다.

과거완료수동태
과거완료수동태는 「had been + 과거분사」의 형태로 과거 시점 이전에 일어난 일로, 수동의 의미를 나타낸다. '(과거 시점까지) ~되어졌었다.' '~되어져 왔었다' 등으로 해석될 수 있다.

해석

마녀: 네가 축하연에 나를 초대하지 않았기 때문에 너의 왕국을 잠들게 하겠어!
왕자: 왕국 전체가 잠이 들어 버렸군.
왕자: 너와 싸워서 그들을 깨우겠어!

3. **Place the given words in the correct order.** 주어진 단어들을 알맞은 순서대로 정렬하시오.

Since you didn't invite me to your celebration, I will put your kingdom to sleep!

The entire kingdom has been put to sleep (been / put / has / to sleep).

I will fight you and wake them up!

Source: The Walt Disney Company, *Sleeping Beauty*

4. **Change the underlined words into the correct form.** 밑줄 친 단어를 알맞은 형태로 고치시오.

During the 2022 Qatar World Cup, thousands of people in red clothes gathered at City Hall to watch the Russia vs. Korea match. Not only the huge red wave itself, but also people's good manners impressed the world. The police later reported that there had been almost no accidents during the game and the street (1)<u>clean up</u> by the citizens. "I am proud of the citizens for (2)<u>keep order</u> throughout the game," said a police officer.

(1) had been cleaned up (2) having kept order

해석

2022년 카타르 월드컵 동안 붉은 옷을 입은 수천 명의 사람들이 러시아 대 대한민국 경기를 보기 위해 시청에 모였다. 거대한 붉은 물결 자체뿐 아니라 사람들의 바른 예절이 세계를 감동시켰다. 경찰은 나중에 경기 동안 사고는 거의 없었고 거리는 시민들에 의해 청소되었었다고 발표했다. "저는 경기 내내 질서를 지켰던 시민들이 자랑스럽습니다."라고 한 경찰관이 말했다.

Improve Yourself

Check or write down the words, expressions, or sentences you didn't understand well in this unit. Explain at least one of them to your group members. (여러분이 이 단원에서 잘 이해하지 못했던 단어, 표현, 문장들을 체크하거나 적어보세요. 그것들 중 적어도 하나를 모둠원에게 설명해보세요.)

☐ make way for
   (~에게 길을 내어주다)
☐ contribute to
   (~에 기여하다)
☐ be willing to
   (기꺼이 ~하다)
☐ thank *A* for *B* (A에게 B에 대해 감사하다)

Your Own ▶ 스스로 해보기

Write It Right

Safety accidents (안전 사고)

Can you think of anyone who helped you in an emergency? After listening to the news about an accident, write a thank-you letter, supposing you were the girl in the news. 응급 상황에서 당신을 도왔던 누군가를 생각해 낼 수 있나요? 사고에 대한 뉴스를 듣고, 여러분이 뉴스의 소녀라고 가정하고 감사 편지를 쓰세요.

 **STEP 1** LISTEN TO WRITE 듣고 쓰시오.

Listen and put the pictures in the correct order. Then complete the sentence to summarize the news. 🎧 듣고 순서에 맞게 그림을 정렬하시오. 그리고 나서 뉴스를 요약한 문장을 완성하시오.

해석

한 학생이 스마트폰을 보면서 계단을 내려오다 다리가 부러졌다. 하지만 수위 아저씨, 구조대, 의사의 도움 덕에 다리는 회복되고 있다.

어휘

janitor [dʒǽnətər] 수위
recover [rikʌ́vər] 회복되다

→ A student broke her leg as she was <u>looking at her smartphone</u> while walking down the stairs. But thanks to the help of a janitor, <u>the rescue team</u>, and the doctor, her leg is recovering.

 구문

① After checking ~은 분사구문으로 After he checked에서 접속사와 주어를 생략하는 것이 일반적이지만 접속사의 의미를 살리고자 할 때는 접속사를 분사 앞에 넣는다.

W: Last Saturday, a high school student was walking down the stairs looking at her smartphone. As a result, she fell down the stairs and broke her leg. Fortunately, Mr. Park, a janitor who was in the building discovered her. ① **After checking her leg**, he called 119. The emergency rescue team arrived at the building shortly afterwards and gave the girl emergency treatment. After she was transferred to the hospital, a doctor operated on the girl successfully. The girl said, "I thank everyone. I thank the janitor for staying with me until the ambulance came. Thanks to the rescue team, I received emergency treatment. Thanks to the doctor, my leg is recovering."

여: 지난 토요일에 한 고등학생이 스마트폰을 보면서 계단을 걸어 내려가고 있었다. 결국, 여학생은 계단에서 넘어져서 다리가 부러졌다. 다행히도 건물에 있던 수위인 박 씨 아저씨가 여학생을 발견했다. 다리를 확인한 후, 그는 119에 전화를 걸었다. 응급 구조대가 그 후 즉시 건물에 도착했고 여학생에게 응급 처치를 했다. 병원에 실려간 후, 의사는 여학생을 성공적으로 수술했다. 여학생이 말했다. "모두에게 감사드립니다. 구급차가 올 때까지 옆에 계셔주셨던 것에 대해 수위 아저씨께 감사드립니다. 구조대 덕분에 저는 응급 처치를 받았습니다. 의사 선생님 덕분에 제 다리는 회복되고 있어요."

STEP 2 ORGANIZE YOUR IDEAS 당신의 생각을 조직화하시오.

Imagine you were the girl in the news and answer the questions.
여러분이 뉴스에 나온 여학생이라고 상상하고 질문에 답하시오.

해석

1. 여러분이 그 여학생이라면, 누구에게 제일 먼저 감사하고 싶은가요? - 수위이신 박 씨 아저씨입니다.

2. 그 사람은 여러분을 위해 무엇을 했나요?
   - 그분은 저를 발견했고 상태를 확인하고 구조 서비스에 전화했습니다. 또한 구조대가 올 때까지 제 옆에 있었습니다.

1. If you were the girl, whom would you want to thank first?
   • Mr. Park, the janitor.
   • _____

2. What did that person do for you?
   • He found me, checked my condition, and called the rescue services. He also stayed with me until the rescue team came.
   • _____

3. What was the result of the person's help?
   • The rescue team came to me immediately.
   • _____

4. What are you most thankful to the person for?
   • for having called the rescue services and for staying with me
   • _____

해석
3. 그 사람의 도움의 결과는 무엇이었나요?
   - 구조대가 즉시 나에게 와 주었습니다.
4. 그 사람에게 무엇이 가장 감사한가요?
   - 구조 서비스에 전화를 했고 제 옆에 계셔 주신 것에 대해서입니다.

어휘
be thankful to A for B B에 대해 A에게 감사하다

 **WRITE A LETTER** 편지를 쓰시오

1. Write a thank-you letter from the girl's point of view using your answers in Step 2. Step 2에서 썼던 여러분의 답변들을 이용하여 여학생의 관점에서 감사 편지를 쓰시오.

Dear Mr. Park,

   I am the girl who got the leg operation last Saturday. I'd like to thank you for having rescued me that day. / Just before the accident, I had been looking at my smartphone as usual while walking. So I didn't see the stairs in front of me and fell. After falling, I could feel that my leg had been broken. / Fortunately, you found me, checked my condition, and called the rescue services. You also stayed with me until the rescue team came. Thanks to you, they came to me immediately. / I would like to thank you once again for having called the rescue team and for staying with me that day. I am ashamed of myself for having been so careless. I will never make the same mistake again.
Once again, thank you! / Best regards, / *Suji Kim*

Writing Tip

When you describe an event in order, you can use these expressions: and, then, until, shortly after
순서대로 사건을 설명할 때, 여러분은 이러한 표현들: '그리고, 그러고 나서, ~할 때까지, ~하고 곧'을 사용할 수 있습니다.

해석
아저씨께,
저는 지난 토요일에 다리 수술을 받은 여학생입니다. 그날 저를 구해주신 것에 대해 감사드리고 싶어요. 그 사고 바로 전에 저는 평소처럼 걸으면서 스마트폰을 보고 있었습니다. 그래서 앞에 있는 계단을 보지 못하고 넘어졌어요. 넘어진 후 저는 다리가 부러졌다는 것을 느낄 수 있었습니다. 다행히 아저씨께서 저를 발견하시고, 상태를 확인하시고 구조 서비스에 전화해 주셨습니다. 그리고 구조대가 올 때까지 저와 함께 해주셨지요. 아저씨 덕분에 구조대가 저에게 즉시 왔습니다. 저는 다시 한 번 그 날 구조대에 전화해 주시고 함께 계셔 주셨던 것에 대해 감사드리고 싶습니다. 저는 그렇게 부주의했던 것에 대해 제 자신이 부끄럽습니다. 같은 실수를 다시 하지 않을게요. 다시 한 번, 감사드립니다!
안부를 전합니다. 김수지 올림

2. Check your writing. 당신의 영작문을 점검하시오.

☐ Is the writing in the form of a letter? (including a greeting and closing)
작문이 편지의 형식인가요? (인사말과 맺음말을 포함하여)

☐ Is the reason for the thank-you letter clearly stated?
감사 편지를 쓴 이유가 분명하게 서술되어 있나요?

 **SHARE YOUR LETTER** 여러분의 편지를 공유하시오.

Exchange your letter with your partner and leave a comment. 여러분의 편지를 짝과 교환하고 의견을 남기시오.

어휘
careless [kέərlis] 부주의한
make a mistake 실수하다
해석
A: 이것은 아주 사려 깊은 감사 편지구나.
B: 사고에 대한 설명을 정말 잘했어.

This is a very thoughtful thank-you letter.

You did a very good job of describing the event.

Review Points

1. I listened to the news about an accident and understood what happened.
나는 사고에 관한 뉴스를 듣고 무슨 일이 일어났는지 이해했다.

2. I wrote a thank-you letter using a letter format.
나는 편지 형식을 이용하여 감사 편지를 썼다.

Around the World

Interesting Signs in the World 세계의 재미있는 표지판들

Watch out for Mines (Italy)

This sign is from Italy. Even though it is not a common sign you can see in Italy, it'd be best for you to watch out if you see a sign like this.

광산을 주의하시오. (이탈리아)
이 표지판은 이탈리아 것이다. 이탈리아에서 흔히 볼 수 있는 표지판은 아니지만 이런 표지판을 본다면 주의하는 것이 최상일 것이다.

Unfenced Road Ahead (Australia)

This warning sign is from Australia. As many wild animals live in Australia, you may meet them unexpectedly while traveling in Australia.

전면에 울타리 없는 도로 (호주)
이 경고 표지판은 호주의 것이다. 많은 야생 동물들이 호주에 살기 때문에 호주를 여행하는 동안 예기치 못하게 동물들을 만날 수도 있다.

[CREATIVE PROJECT: Make a Safety Sign]

STEP 1

Think of the potential causes of accidents in school. Then, make a list of safety rules to follow. 학교에서의 잠재적인 사고 원인에 대해 생각해 보시오. 그리고 나서 지켜야 할 안전 규칙의 목록을 만드시오.

Rules to Follow

1. Do not sit on the windowsill.   창턱에 앉지 마시오.

2. Do not stand on the desks.   책상 위에 올라가지 마시오.

3. Keep calm and be gentle.   조용히 하고 바르게 행동하시오.

Look out for Thieves (Malaysia)

This sign is from Kuala Lumpur, Malaysia. As Kuala Lumpur is a popular tourist destination, watching out for thieves is necessary.

도둑을 조심하시오. (말레이시아)
이 표지판은 말레이시아 쿠알라 룸푸르의 것이다. 쿠알라 룸푸르가 인기 있는 관광지이므로 도둑을 조심하는 것은 필수적이다.

Elephant Crossing. Go Slow. (India)

You can find elephants quite easily in India. Wouldn't it be nice to give way to elephants when they are crossing the street?

코끼리 지나감. 천천히 가시오. (인도)
인도에서는 코끼리를 아주 쉽게 발견할 수 있다. 코끼리들이 길을 건널 때는 길을 내어주는 것이 좋지 않을까?

STEP 2

From the list of rules in Step 1, pick one and make a sign for it.
Step 1의 규칙 목록에서 하나를 골라 그것에 관한 표지판을 만드시오.

STEP 3

Show your sign to your classmates. Then put it in an appropriate place to make your school a safer place. 여러분의 표지판을 급우들에게 보여 주시오. 그러고 나서 학교를 더 안전한 장소로 만들기 위해 적절한 곳에 그것을 두시오.

[1-3] Listen and answer the questions. 🎧 듣고 질문에 답하시오.

해설

여학생의 대사 You call this wonderful? I think it looks dangerous! He risked his life for this one picture. How silly! 에서 충격받은 심정이 나오고 Thank goodness! It's a fake cliff that's only a little above the ground! 에서 안도하는 심정이 드러난다.

어휘

risk one's life 목숨을 걸다
fake [feik] 가짜(의)
cliff [klif] 절벽

M: Look at this picture! Isn't this wonderful?
W: You call this wonderful? I think it looks dangerous!
M: ①**I'd go for the challenge if I could get a picture as beautiful as this.**
W: Please tell me you are not serious.
M: I think the man in the picture is really brave.
W: He risked his life for this one picture. How silly!
M: (laughing) ②**Take it easy.** It's a joke.
W: What do you mean it's a joke?
M: Look at this other picture. People took fake pictures here, so it looks like they are actually hanging on a real cliff.
W: Thank goodness! It's a fake cliff that's only a little above the ground!

남: 이 사진을 봐! 멋지지 않니?
여: 너는 이것이 멋지다고? 나는 위험해 보인다고 생각하는데!
남: 나는 이것처럼 예쁜 사진을 얻으려면 도전하겠어.
여: 진심이 아니겠지.
남: 사진 속 남자는 정말 용감하다고 생각해.
여: 그는 이 한 장의 사진에 목숨을 걸었어. 얼마나 바보같니!
남: (웃으면서) 진정해. 농담이야.
여: 농담이라니 무슨 뜻이야?
남: 다른 이 사진을 봐. 사람들이 여기서 가짜 사진을 찍었어. 그래서 그들은 진짜 절벽에 매달려 있는 것처럼 보여.
여: 세상에! 땅에서 조금 올라가 있는 가짜 절벽이라니!

1. How do the girl's feelings change? 여학생의 감정은 어떻게 변화하는가?

   (a.) shocked → relieved (충격 받은 → 안도하는)
   b. scared → confident (두려운 → 자신 있는)
   c. confused → shy (혼란스러운 → 부끄러운)

2. The speakers are looking at some pictures. Which picture below is most likely to be the second one they see? 화자들은 그림들을 보고 있습니다. 아래의 어떤 그림이 그들이 보는 두 번째 그림과 가장 비슷할까요?

해설

It's a fake cliff that's only a little above the ground!로 보아 땅 바로 위의 가짜 절벽 그림이 가장 흡사하다.

a.

ⓑ

c.

3. **Assume that this is a real cliff, and your friend says he or she wants to take a picture while hanging from the cliff. What can you say to him or her?** 이것이 진짜 절벽이고, 당신의 친구가 절벽에 매달려서 사진을 찍고 싶어한다고 가정해 보시오. 친구에게 뭐라고 말할 수 있을까요?

> Are you kidding? <u>You will hurt yourself if you fall.</u>

해석

농담해? 떨어지면 넌 다칠 거야.

해설

진짜 절벽이라면 매달려 사진 찍는 것이 위험한 상황이므로 hurt oneself를 이용하여 다친다고 경고하는 표현이 가장 적절하다.

구문

① If + 주어 + 과거동사 ~, 주어 + 조동사의 과거 + 동사원형 ~은 가정법과거 구문으로 '~라면 …할 텐데'의 의미이다. 현재의 실현 불가능한 소망을 나타낸다.
 ex.) If I had more money, I would take a trip to Russia. (내가 돈이 많다면, 나는 러시아로 여행갈 텐데.)
② Take it easy!는 안도감을 줄 때 쓰는 말로 Calm down!의 의미이다.

READ / WRITE

[4-5] Read the passage and answer the questions. 글을 읽고 물음에 답하세요.

> It has been discovered that the Titanic accident resulted from a number of little things that added up. According to a survivor, that night was especially dark with little moon light. Furthermore, the person in charge of watching for danger at night was not wearing his glasses. All these conditions were bad enough, but worse was to come. When warnings were finally issued, nearly half of the passengers did not come on the deck because people had confidence in the ship. <u>The ship had praised for its strength and security by the news magazines back then.</u> So, when passengers were told to leave the ship on lifeboats, many didn't feel the need to leave the "unsinkable" ship. Due to such ignorance, 473 lifeboat seats remained empty and more than 1,500 people drowned.
>
> Source: Casey M. Sabella, *Titanic Warning: Could this disaster have been prevented?*

해석

타이타닉호 사고는 누적된 많은 작은 일들에서 비롯되었음이 밝혀졌다. 생존자에 따르면, 그날은 약한 달빛이 있는 특히 어두운 밤이었다. 게다가 밤에 위험을 감시할 책임이 있는 사람이 안경을 쓰고 있지 않았다. 이 모든 조건들이 충분히 나빴지만 더 나쁜 일이 기다리고 있었다. 마침내 경고가 발령되었을 때 승객들의 거의 반이 배에 대한 자신이 있었기 때문에 갑판으로 나오지 않았다. 배는 내구성과 안정성으로 그 당시 뉴스 잡지에 의해 칭송받았었다. 그래서 구명보트를 타고 배를 떠나라는 말을 들었을 때, 많은 사람들이 "가라앉지 않을" 배를 떠날 필요성을 느끼지 못했다. 그러한 무지 때문에 473개의 구명보트 자리는 빈 채로 남아 있었고 1500명이 넘는 사람들이 익사했다.

해설

4. 473 lifeboat seats remained empty and more than 1,500 people drowned로 보아 구명보트는 충분했으므로 c는 사고의 원인이 될 수 없다.

어휘

result from ~에서 비롯되다
be in charge of ~을 책임지다
unsinkable [ʌnsíŋkəbl] 가라앉을 수 없는
drown [draun] 익사하다

해설

5. The ship had praised for its strength and security~에서 the ship과 praise의 관계는 수동이고 타이타닉호 사고보다 이전에 일어난 일을 나타내는 과거완료 시제가 적절하므로 과거완료 수동태인 「had been + 과거분사」를 쓰는 것이 적절하다.

4. **Which is NOT mentioned as a cause of the Titanic accident?** 타이타닉호 사고의 원인으로 언급되지 않은 것은 무엇인가?

 a. There was very little moon light. 달빛이 아주 약했다.
 b. People trusted the Titanic too much. 사람들은 타이타닉호를 너무 믿었다.
 ⓒ There weren't enough lifeboats. 충분한 구명보트가 없었다.

5. **Correct an error in the underlined sentence.** 밑줄 친 문장에서 잘못된 부분을 바르게 고쳐 쓰시오.

had praised → had been praised

6. **Write a thank-you note to a family member or friend who helped you in need.** 당신이 도움이 필요할 때 도와주었던 가족 구성원이나 친구에게 감사 쪽지를 쓰시오.

해석

민지에게,

내 수학 숙제를 도와준 것에 대해 고마워!

네 덕분에 나는 수학에 훨씬 더 자신감을 느껴.

여기 너에게 줄 작은 선물이 있어. 네가 좋아하면 좋겠어.

고마워.

헤지가

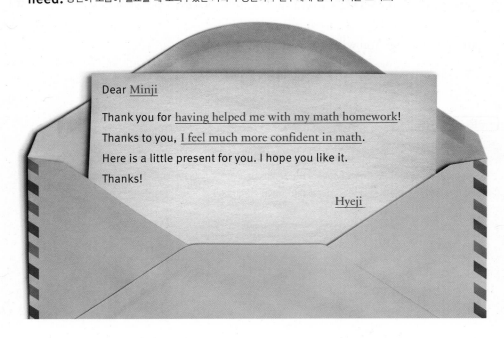

Dear Minji

Thank you for having helped me with my math homework!

Thanks to you, I feel much more confident in math.

Here is a little present for you. I hope you like it.

Thanks!

Hyeji

Self-Evaluation ☑

🎧 I can understand the details of dialogues about manners in public and safety.   ☆ ☆ ☆
듣기 나는 공공장소에서의 예절과 안전에 관한 대화들의 세부 사항을 이해할 수 있다.

💬 I can ask and answer questions about emergencies.   ☆ ☆ ☆
말하기 나는 응급 상황에 관한 질문을 묻고 질문에 대답할 수 있다.

📖 I can predict the writer's feelings after reading the passage about responsible citizenship.   ☆ ☆ ☆
읽기 나는 책임 있는 시민 의식에 대한 본문을 읽은 후, 필자의 감정을 추측할 수 있다.

✏️ I can write a letter to express my feelings.   ☆ ☆ ☆
쓰기 나는 내 감정을 표현하기 위한 편지를 쓸 수 있다.

Further Study

Find more about how you should act when biking or in an emergency situation.
자전거를 탈 때나 응급 상황에서 어떻게 행동해야 하는지에 대해 더 찾아 보시오.

- laws for biking: www.bike.go.kr/resources/images/contents/images/nation/JH_imsi_download/MiddleHighSchool.pdf
- emergency situations: http://tv.mpss.go.kr/GenCMS/gencms/cmsMng.do?sub_num=244&gcode=CG0000013&

Words and Phrases

정답과 해설 p. 362

다음 단어와 어구의 뜻을 쓰세요.

1. absolutely _____
2. belonging _____
3. detect _____
4. first aid _____
5. flashlight _____
6. funny-looking _____
7. illegal _____
8. immediately _____
9. in case of _____
10. jaywalk _____
11. not only that _____
12. panic _____
13. penalty _____
14. recommendation _____
15. ruin _____
16. shame _____
17. structure _____
18. teenage _____
19. transfer _____
20. be ashamed of ~ for -ing _____
21. be faced with _____
22. be willing to _____
23. care about _____
24. civic _____
25. contribute to _____

26. disaster _____
27. extinguisher _____
28. firefighter _____
29. firework _____
30. frown _____
31. floor _____
32. keep A from -ing _____
33. make way for _____
34. misbehavior _____
35. noticeably _____
36. observe _____
37. pedestrian _____
38. potential _____
39. prevent _____
40. public _____
41. push aside _____
42. put out a fire _____
43. regulation _____
44. relieve _____
45. rescue _____
46. garbage _____
47. keep order _____
48. tragic _____
49. trap _____
50. 나만의 단어 / 어구 _____

Functions

► Do I really have to do that?
상대방에게 꼭 해야 하는지 의무를 묻는 표현.

► What a shame!
어떤 일에 대한 실망을 나타내는 표현.

Forms

► They should be ashamed of themselves for **having broken** traffic laws. (완료동명사)
- 단순시제: -ing
  ex.) I have been looking forward to **seeing** you soon.
  (너를 곧 만나기를 고대하고 있다.)
- 완료시제: having + p.p.
  동명사의 행위가 주절의 행위보다 먼저 일어난 경우에 쓰이며 특히 시점을 명확하게 나타내고자 할 때 사용된다. 이는 동명사 자체가 과거의 의미를 지니고 있으므로 -ing 만으로도 이전 시제를 나타낼 수 있기 때문이다.
  ex.) She denies **having dated** with him.
  (그녀는 그와 데이트 했던 것을 부정한다.)
  = She denies she dated with him.
  cf.) She denies **dating** with him.
  (그녀는 그와 데이트 한다는 것을 부정한다.)
  = She denies she dates with him.

► The police reported that more than a hundred people **had been hurt** that day. (과거완료수동태)
- 현재완료수동태: 「have been + 과거분사」의 형태로 '~되어져 왔

다', '(현재시점까지) ~되어져 왔다' 등의 의미이다.
완료 수동태는 완료 시제에 수동태가 결합된 형태이다.
현재완료: have + p.p.
  수동태: be + p.p.
= _____ have + been + p.p.

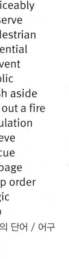

ex.) They know that the picture **has been painted** by David.
(그들은 그 그림이 David에 의해 그려졌다는 것을 안다.)

- 과거완료수동태: 「had been + 과거분사」의 형태로 '~되어졌었다', '(과거 시점까지) ~되어져 왔었다' 등의 의미이다.
과거완료: had + p.p.
  수동태: be + p.p.
= _____ had + been + p.p.
ex.) They claimed that the documents **had been signed** by the CEO.
(그들은 그 서류들이 CEO에 의해 서명되어 왔었다고 주장했다.)

date: . . . student number: name: /25

1 주어진 단어의 뜻을 잘못 연결한 것을 고르시오. 3점

① disaster: 재난
② regulation: 규범
③ potential: 잠재력
④ jaywalk: 무단횡단하다
⑤ recommendation: 비난

2 다음 중 반의어끼리 연결되지 않은 것을 고르시오. 3점

① observe – obey
② shame – honor
③ increase – decrease
④ behave – misbehave
⑤ care about – neglect

3 다음 중 숙어의 뜻이 잘못 연결된 것을 고르시오. 3점

① push aside: 떠다밀다
② put out a fire: 불을 끄다
③ contribute to: ~에 기여하다
④ make way for: ~에 대한 해결책을 찾다
⑤ keep *A* from -ing: A가 ~하는 것을 막다

4 다음 중 〈보기〉와 비슷한 의미의 표현을 고르시오. 3점

보기 » Do I have to sign up for the course?

① May I sign up for the course?
② Am I able to sign up for the course?
③ Shall I have to sign up for the course?
④ Don't you want me to sign up for the course?
⑤ Do you guess I need to sign up for the course?

5 다음 대화의 빈칸에 알맞은 표현을 고르시오. 3점

A: Taylor, will you borrow some books from the library for me?
B: Why can't you do that yourself?
A: Last time, I returned some books past the due date. So I can't borrow books for the next ten days.
B: _____

① What a shame!
② Good to hear that!
③ I really appreciate it.
④ Thanks for your help!
⑤ Hope to see you again!

6 주어진 문장에 이어질 대화 순서로 알맞은 것을 고르시오. 3점

How was your first week in Singapore as an exchange student, Ed?

(A) Great. I noticed that the country is so clean.
(B) Many other countries have that law, too. But I feel like it's much better kept in Singapore.
(C) Throwing trash on the street is illegal here.

① (A) – (C) – (B) ② (B) – (A) – (C)
③ (B) – (C) – (A) ④ (C) – (A) – (B)
⑤ (C) – (B) – (A)

[7~8] 다음 대화를 읽고, 물음에 답하시오.

A: Hi, Suji. What did you do last weekend?
B: I went to my favorite singer's concert.
A: That sounds exciting. How did you like it?
B: The concert itself was very good, but the audience's bad m_____ ruined my day.
A: Oh, no. What was the matter?
B: The man behind me kept kicking my seat, and the man in front of me stood up, blocking my view.
A: What a shame!
B: Not only that, the people at the front pushed the fence so hard that one woman fell and hurt herself.
A: That sounds terrible. What happened to her, then?
B: Fortunately, she was transferred to the hospital immediately, but the concert wasn't the same as before.
A: I'm sorry to hear that.

7 위 대화의 빈칸에 알맞은 말을 주어진 철자로 시작하여 쓰시오. 5점

_____

8 위 대화의 밑줄 친 부분에 나오는 여자에게 일어난 일로 알맞은 것을 고르시오. 3점

① 병원으로 후송되었다.
② 집으로 곧장 돌아갔다.
③ 극장에서 쉬다가 집에 갔다.
④ 뒤에 앉은 사람과 싸웠다.
⑤ 콘서트를 끝까지 관람했다.

[9~10] 다음 대화를 읽고, 물음에 답하시오.

> A: Jinu, you have to wait for the green light.
> B: Do I really have to do that? I'm late!
> A: Didn't you hear the news about Mingming?
> B: What happened to her?
> A: Last Friday, she got hit by a car while jaywalking and broke her arm.
> B: That's terrible news!
> A: No kidding. I also recently saw on the news that out of all the causes of teenage traffic accidents, jaywalking ranked first.
> B: What a shame!
> A: It seems like a little thing to just wait for the light, but if you don't, you could face serious problems.
> B: You're right. And I hope Mingming gets better soon.
> A: I'm going to visit her this weekend. Will you join me?
> B: Absolutely!
> A: Oh, let's go. The light's green.

9 A가 B에게 충고한 말의 요지로 알맞은 것을 고르시오. `3점`

① You should help your friend in need.
② You should take a rest to get better soon.
③ You should visit your friend this weekend.
④ You should turn off the lights when you're out.
⑤ You should keep simple rules like traffic regulations.

10 Mingming의 팔이 부러진 이유를 우리말로 쓰시오. `5점`

_____

11 다음 중 어법상 어색한 것을 고르시오. `3점`

① Sally's life had been saved by Dr. Rich.
② Had the problems been solved by Tim?
③ The banks had been robbed by two men.
④ They had been discovered another planet.
⑤ The invitation had not been accepted by her.

12 다음 글을 읽고, 안내하고 있는 내용과 <u>다른</u> 것을 고르시오. `3점`

> Ladies and gentlemen, your attention, please. We have detected signs of a fire on the fifth floor of the building. Please leave the auditorium immediately through the doors on the right. Use the exit stairs to the ground level. Please follow the safety instructions and do not panic. Make sure you do not use the elevators. Stay close to the floor, and if possible, cover your mouth and nose with wet tissues.
>
> Your attention, please. We would like to inform you again that we have detected signs of a fire ….

① 입을 가려라.
② 바닥에 가까이 머물러라.
③ 젖은 휴지로 코를 막아라.
④ 엘리베이터를 이용해서 이동하라.
⑤ 당황하지 말고 안전 지시를 따르라.

[13~14] 다음 대화를 읽고, 물음에 답하시오.

> A: Look at this picture! Isn't this wonderful?
> B: You call this wonderful? I think it looks dangerous!
> A: I'd go for the challenge if I could get a picture as beautiful as this.
> B: Please tell me you are not serious.
> A: I think the man in the picture is really brave.
> B: He r_____ his life for this one picture. How silly!
> A: (laughing) Take it easy. It's a joke.
> B: What do you mean it's a joke?
> A: Look at this other picture. People took fake pictures here, so it looks like they are actually hanging on a real cliff.
> B: Thank goodness! It's a fake cliff that's only a little above the ground!

13 위 대화의 빈칸에 알맞은 말을 주어진 철자로 시작하여 쓰시오. `5점`

_____

14 위 대화의 내용으로 보아 빈칸에 알맞은 말을 본문에서 찾아 완성하시오. `5점`

> The man in the picture is not dangerous because it is a _____ cliff.

[15~16]　다음 글을 읽고, 물음에 답하시오.

On February 14th at 6:20 a.m., the 119 emergency center received a[n] ①pleasant call. "There is a fire in the building! And there are people inside!"

When the firefighters and the 119 rescue team arrived at the ②scene, the firefighters were not faced with the usual ③parking problem. The neighbors had already moved their cars to make ④ space for the fire engine. When the rescue team arrived on the fifteenth ⑤floor, they saw some neighbors trying to put out the fire with fire extinguishers.

With the neighbors' help, the 119 team rescued the family who had been trapped inside. The neighbor who called 119 said, "I was so _____ _____." The head officer of the emergency center said, "The neighbors' help and our team's quick response kept the fire from turning into a bigger disaster. We'd like to thank the neighbors for having helped the rescue."

15 윗글의 밑줄 친 ① ~ ⑤ 중 문맥상 어울리지 않는 것을 고르시오. 　3점

① 　　② 　　③ 　　④ 　　⑤

16 윗글의 빈칸에 들어갈 알맞은 말을 〈보기〉의 단어들을 이용하여 쓰시오. 　5점

보기 » relieved, safe, see, to, them

→ _____

17 다음 글의 빈칸에 가장 알맞은 것을 고르시오. 　3점

"Please move over. This is an emergency!"

Even though an ambulance driver shouted this to the cars nearby and the siren was ringing, only some cars were slowly changing their lanes. According to traffic regulations, drivers must make way for emergency vehicles.

Pedestrians also caused difficulties. Several pedestrians who crossed the street at a red light blocked the way, delaying the ambulance's arrival.

When the ambulance finally arrived at the destination, the driver said, "It is very _____ that we made it in time! But the people who didn't make way for us should be ashamed of themselves for having broken traffic laws."

① easy　　　　　　② fortunate
③ improper　　　　④ impossible
⑤ displeasing

18 다음 글의 빈칸에 들어갈 알맞은 말을 〈보기〉에서 찾아 바르게 배열하시오. 　5점

보기 » staying, until, the ambulance, for, came, me, with

Last Saturday, a high school student was walking down the stairs looking at her smartphone. As a result, she fell down the stairs and broke her leg. Fortunately, Mr. Park, a janitor who was in the building discovered her. After checking her leg, he called 119. The emergency rescue team arrived at the building shortly afterwards and gave the girl emergency treatment. After she was transferred to the hospital, a doctor operated on the girl successfully. The girl said, "I thank everyone. I thank the janitor _____ _____. Thanks to the rescue team, I received emergency treatment. Thanks to the doctor, my leg is recovering."

[19~21]　다음 글을 읽고, 물음에 답하시오.

These three examples show simple ways to become a responsible citizen. Observing simple regulations, showing good manners in public, and helping neighbors in need can (a) p_____ a lot of tragic accidents. Each individual has the potential to contribute to making the world a better place. These days, more and more drivers are making way for emergency vehicles. Our manners are noticeably improving. There are many volunteers who are more than willing to help those in need.

Becoming a responsible citizen and making the community a better place are not difficult. Observe the law. Keep order. Care about others. _____ _____(b)_____, just go back to basics.

19 윗글의 빈칸 (a)에 들어갈 말을 주어진 철자로 시작하여 쓰시오. 　5점

→ _____

20 윗글의 빈칸 (b)에 들어갈 알맞은 말을 고르시오. `3점`

① However   ② Therefore
③ For instance   ④ In other words
⑤ Furthermore

21 윗글에 나타난 필자의 어조로 알맞은 것을 고르시오. `3점`

① cynical   ② persuasive
③ pessimistic   ④ sentimental
⑤ sympathetic

22 다음 〈보기〉의 우리말과 같도록 빈칸에 알맞은 말을 쓰시오. `5점`

보기 » 그는 과거에 결혼했었던 것을 부정한다.

→ He denies _____.

23 두 문장의 뜻을 같게 할 때 빈칸에 알맞은 것을 고르시오. `3점`

> She felt guilty because she hadn't answered his phone.
> = She felt guilty for not _____ his phone.

① answer
② to answer
③ have answered
④ having answered
⑤ having answering

24 다음 〈보기〉의 우리말과 같도록 주어진 단어들을 바르게 배열하시오. `5점`

보기 » 그 돈은 Tom에 의해 수납되었었다.
　　　 (the money, been, had, received, Tom, by)

→ _____

25 다음 〈보기〉의 운전 시 안전 수칙을 참조하여 자전거 탈 때의 안전 수칙 5가지를 쓰시오. `10점`

보기 » **Driving Safety**

1. Fasten your seatbelt.
2. Avoid driving drunk.
3. Be extra careful in bad weather.
4. Take your time and obey posted speed limits.
5. Keep your eyes on the road, your hands upon the wheel.

1.

2.

3.

4.

5.

서술형 평가

1 다음 뜻풀이에 해당하는 말을 주어진 철자로 시작하여 쓰시오. 　[각 5점]

(1) j_____ : to walk across a street at a place where it is not allowed or without taking care to avoid the traffic

(2) f_____ : to bring your eyebrows together so that there are lines on your face above your eyes to show that you are annoyed or worried

(3) p_____ : a person who is walking, especially in an area where vehicles go

(4) p_____ : relating to or involving people in general, rather than being limited to a particular group of people

2 다음 우리말과 같도록 빈칸에 알맞은 말을 쓰시오. 　[각 6점]

(1) He _____ and started searching the room. (그는 나를 밀치고 방을 뒤지기 시작했다.)

(2) People must _____. Nobody should be an exception. (모두가 법을 준수해야 한다. 아무도 예외가 되어서는 안 된다.)

(3) She has never _____ her appearance. (그녀는 자신의 외모에 대해 단 한 번도 신경 쓰지 않았다.)

(4) It took the firefighters several hours to _____ the flames. (방관들이 화염을 끄는 데는 몇 시간이 걸렸다.)

(5) Please _____ the wheelchair. (휠체어에 길을 내어 주세요.)

(6) I _____ help you if it is needed. (필요하다면 기꺼이 너를 돕겠다.)

3 우리말에 맞게 괄호 안의 어휘를 사용하여 문장을 완성하시오. 　[각 6점]

(1) 그 도시는 용감한 사람들에 의해 방어되어졌었다.
The city _____ the brave men.
(defended/been/by/had)

(2) 그 창문은 작은 소녀에 의해 깨어졌었다.
The window _____ the little girl.
(by/been/broken/had)

(3) 그들은 서로에게 다시는 말하지 않았던 채로 헤어졌다.
They parted _____ to each other again.
(without/spoken/having)

(4) 그녀는 그를 만났었던 것을 부인한다.
She _____ him. (having/denies/met)

수행 평가

4 다음 〈보기〉의 학교 규칙을 참조하여 자신의 반에서 지켜야 할 규칙을 5가지 쓰시오. 　[20점]

보기 » **School Rules**

1. Greet your teachers and classmates.
2. Keep the school clean.
3. Walk in the corridors.
4. Show respect for school and personal property.
5. Walk and play in a safe manner.

1.

2.

3.

4.

5.

UNIT 9

Maps Used to the Max

Topic	지도, 식당 위치, 공사 안내문
Functions	I'd be interested to know about tourist spots. (궁금증 표현하기) I'm surprised that they had the means to develop maps at that time. (놀람 표현하기)
Forms	1. There is no denying **the fact that** maps are more than just pieces of paper with geographical information on them. (동격의 that) 2. **No other technology** has been **as** revolutionary **as** the geographic information system (GIS). (원급을 이용한 최상급 표현)

Listen and Speak

Maps and our lives (지도와 우리의 삶)

How much do you think people depend on maps? Listen to dialogues about maps and think about the influence of maps on our lives.

사람들이 얼마나 지도에 의존한다고 생각하세요? 지도에 대한 대화를 듣고 지도가 우리의 삶에 미치는 영향에 대해 생각해 보세요.

GET READY

Listen and write the number of the dialogue on the correct picture.

대화를 듣고 어울리는 사진에 알맞은 번호를 쓰시오.

About Functions

I'd be interested to know about~은 어떤 것에 대해 궁금하거나 알고 싶다는 것을 표현할 때 쓰이며, about 다음에는 명사가 온다.

I'm surprised that~은 '~라는 게 놀라워'라는 뜻으로 놀람을 나타낼 때 쓰인다. that 다음에는 완전한 문장이 온다.

해설

1. 남학생이 인터넷으로 길을 찾겠다고 하자 여학생은 지도 앱을 사용하라고 권했다.

2. 남학생은 온라인 지도 서비스로 런던의 유명한 관광지를 보고 있다.

3. 남학생이 서면으로 가고고 하자 여학생은 지하철 지도를 확인했다.

어휘

look up 검색하다
application [æpləkéiʃən] 애플리케이션, 앱
route [ruːt] 길
transportation [trænspərtéiʃən] 교통편, 운송
tourist attraction 관광명소
reasonable [ríːzənəbl] 적정한

미니 백과

Online map service– Google Earth

구글어스는 구글에서 제공하는 위성 사진 서비스이다. 지구촌 곳곳의 위성 사진을 개인용 PC에서 마음대로 볼 수 있는 프리웨어 서비스이다. 지구의 지형을 인공위성으로 촬영한 3차원 이미지를 개인이 직접 마우스로 조작해 검색하고자 하는 특정 위치를 볼 수 있다.

1.

W: Let's go to the *Hanbat Library* in Daejeon this weekend.

M: Okay. I'll look up ① **how to** get there on the Internet.

W: ② **Why don't you** use a map application? It will give you the fastest route and the best transportation service.

M: That's a great idea! Can you tell me more about the application? I'd be interested to know how it works.

2.

W: Hey, what are you doing?

M: I'm enjoying famous tourist attractions in London using an online map service.

W: Really? That's amazing. I'm surprised that we can travel online.

M: It's great for people who don't have enough time and money to travel.

3.

W: I'd be interested to know where I can buy clothes at reasonable prices in Busan.

M: Why don't you go to Seomyeon? It's not far from here.

W: Seomyeon? ③ **Let me** take a look at the subway map. Oh, I just have to take line number 1.

M: Right. After getting off at Seomyeon Station, just check the tourist information map to find shopping centers.

여: 이번 주말에 대전에 있는 한밭 도서관에 가자.

남: 그래. 그 곳으로 가는 방법을 인터넷으로 검색해볼게.

여: 지도 앱을 사용하는 건 어때? 가장 빠른 경로와 가장 좋은 교통편 서비스를 알려줄 거야.

남: 그거 좋은 생각이다! 그 앱에 대해서 더 알려줄 수 있니? 그것이 어떻게 작동하는지 알고 싶어.

여: 뭐하고 있어?

남: 온라인 지도 서비스로 런던의 유명한 관광지를 즐기고 있어.

여: 정말? 굉장하다. 온라인상에서 여행할 수 있다니 놀라워.

남: 여행 다닐 충분한 시간과 돈이 없는 사람에게 좋아.

여: 부산에서 적정한 가격으로 옷을 살 곳을 알고 싶어.

남: 서면으로 가는 건 어때? 여기서 멀지 않아.

여: 서면? 지하철 지도로 한번 볼게. 아, 1호선을 타기만 하면 되는구나.

남: 맞아. 서면역에서 내린 후에, 쇼핑센터를 찾기 위해 관광 정보 지도를 확인해 봐.

구문

① how to는 '~하는 방법'이라는 뜻이다. how to 다음에는 동사가 온다.

② Why don't you ~?는 '~하는 것이 어때?'라는 뜻으로 어떤 행위를 권할 때 쓰인다. Why don't you 다음에는 동사가 온다는 점에 유의한다. ex.) Why don't you come here? (여기에 오는 게 어때?)

③ Let me~ 는 '내가 ~할게'라는 뜻으로 상대방에게 허락이나 무엇을 할 기회를 요청할 때 사용하는 표현이다. Let me 뒤에는 동사원형이 온다. ex.) Let me make my own decisions. (내가 스스로 결정할게.)

LISTEN IN

DIALOGUE 1 │ Listen and answer the questions. 🎧

다음을 듣고 물음에 답하시오.

1. **Where is the dialogue taking place?** (대화가 이루어지는 장소는 어디인가?)
   a. on a highway (고속도로)
   b. at a famous palace (유명한 궁)
   c. at a tourist information center (관광객 안내소)

2. **Listen again and choose the man's destination on the map.**
   (다시 듣고, 지도에서 남자의 목적지를 고르시오.)

You are here.

M: Excuse me.
W: Good morning. How can I help you?
M: ① **I'd be interested to know about** tourist spots in Seoul.
W: There are many beautiful places you can visit in Seoul. The nearest one is *Gyeongbokgung*. It's a famous palace.
M: Great! I've always wanted to visit a palace in Korea. ② **Can you tell me** how to get there?
W: Turn right at the next corner and walk straight to the end of the block.
M: Okay. Let me ③ **write** that **down**.
W: Then turn left and go straight for about 10 meters. You'll see the palace on your right.
M: Great! Thank you for your help.
W: You're welcome. Enjoy your tour!

남: 실례합니다.
여: 안녕하세요. 무엇을 도와드릴까요?
남: 서울의 관광지에 대해 알고 싶습니다.

여: 서울에는 방문할 아름다운 장소들이 많아요. 가장 가까운 곳은 경복궁입니다. 유명한 곳입니다.
남: 좋네요! 한국의 궁을 늘 방문하고 싶었어요. 그곳에 어떻게 가는지 알려줄 수 있나요?
여: 다음 모퉁이에서 우회전하고 그 블록 끝까지 쭉 걸으세요.
남: 알겠습니다. 받아 적을게요.
여: 그 후에 좌회전하고 약 10미터 정도 직진하세요. 오른편에 궁이 보일 거예요.
남: 좋아요! 도와주셔서 고맙습니다.
여: 천만에요. 좋은 여행 되세요!

구문

① I'd be interested to know about~은 '~에 대해 궁금하다, 알고 싶다'라는 뜻으로 비슷한 표현으로는 I want to know ~, Can you tell me about ~?, I'm curious about ~ 등이 있다.
   ex.) I'd be interested to know about Korean history. (한국사에 대해 알고 싶어.)
② Can you tell me~?는 '~을 말해줄 수 있니?'라는 뜻으로 어떤 것에 대해 알려줄 것을 요청할 때 쓰인다.
   ex.) Can you tell me your phone number? (너의 전화번호를 말해줄 수 있니?)
③ write ~ down은 '(기억하거나 기록하기 위해)~을 받아 적다'라는 뜻이다.
   ex.) Write down the address before you forget it. (잊기 전에 주소를 적어둬.)

DIALOGUE 2 | **Listen and choose the expression that best describes what happened on the man's trip.** 🔊

다음을 듣고 남자의 여행에서 일어난 일을 가장 잘 묘사한 표현을 고르시오.

a. Caught like a rat in a trap. (독 안에 든 쥐.)
b. Two heads are better than one. (백짓장도 맞들면 낫다.)
ⓒ. Too many cooks spoil the broth. (사공이 많으면 배가 산으로 올라간다.)

W: Hey, how was your trip?
M: It was great except that my friends and I constantly ① **argued over** directions.
W: Oh, no. Didn't you have a map with you?
M: Of course we did. We just had different opinions about which was the fastest way.
W: That happens quite frequently when you are traveling with a lot of people.
M: I guess so. But arguing about the shortest route made us ② **spend more time getting** to places.
W: ③ **That's too bad.** The journey to a place should be a fun part of traveling.
M: I totally agree with you. I'd be interested to know how people traveled thousands of years ago.
W: I'm sure traveling was more difficult then. By the way, did you know that maps existed even in the 6th century B.C.?
M: Really? That's quite a long time ago.
W: Yes. I'm surprised that they had the means to develop maps at that time.
M: Me, too.

여: 여행은 어땠어?
남: 내 친구들과 내가 끊임없이 길 때문에 다퉜던 것을 제외하고는 좋았어.
여: 저런. 지도가 없었어?
남: 당연히 있었지. 우리는 가장 빠른 길이 어느 것인지에 대해 의견 차가 있었을 뿐이야.
여: 많은 사람들과 여행하다 보면 그런 일이 꽤 자주 일어나더라.
남: 그런가봐. 하지만 가장 짧은 길에 대해 다투는 것 때문에 우리가 어느 곳에 가는 데에 더 많은 시간을 소비했어.
여: 안됐다. 어디론가 찾아가는 그 여정이 여행의 재미있는 부분이어야 하는데.
남: 전적으로 동의해. 수천 년 전에는 사람들이 어떻게 여행했는지 알고 싶어.
여: 분명히 그때에는 여행이 더 어려웠을 거야. 그나저나, 기원전 6세기에도 지도가 존재했다는 거 알고 있었어?
남: 정말? 꽤 오래전인데.
여: 응. 그 시기에 지도를 개발할 방법이 있었다니 놀라워.
남: 나도.

구문 📃

① argue over~는 '~을 두고 논쟁하다'라는 뜻으로 over 뒤에는 명사가 온다. argue about ~도 같은 표현이다.
　ex.) Don't argue over the result. (결과에 대해 언쟁을 벌이지 마세요.)
② spend+시간/돈 -ing는 '~하는 데에 시간/돈을 쓰다'라는 뜻이다.
　ex.) I spend a lot of time playing with my little brother. (나는 남동생과 노는 데에 시간을 많이 보낸다.)
③ That's too bad.는 '그것 참 안됐다.. 그렇다니 유감이다.'라는 뜻으로 상대방으로부터 좋지 않은 소식을 들었을 때 또는 상대방을 위로해줄 때 쓰는 표현이다.
　ex.) That's too bad, but there's a second chance. (안됐구나. 그래도 기회가 한 번 더 있잖아.)

MONOLOGUE | **Listen and choose the activity that the students are NOT going to do today.** 🔊

듣고 오늘 학생들이 하지 않을 활동을 고르시오.

ⓐ. examine the old maps of their city (그들 도시의 옛 지도를 살펴본다)
b. do an online search for the photographs of their city's past
　(그들 도시의 과거를 담은 사진을 온라인상에서 검색한다)
c. make a list of the similarities and differences between their city's past and present
　(그들 도시의 과거와 현재 간의 유사점과 차이점을 나열한다)
d. share what they found with their classmates (그들이 찾은 것을 급우들과 공유한다)

W: Good morning, everyone. For next week's geography class, we are going to examine the old maps of our city. We will also ① **compare** them **with** the city's latest maps. You'll be very surprised to see how much the city's features have changed in the past few decades. But before we investigate maps next week, today we are going to look at some old photos of our city. First, find some pictures of the city from the past on the Internet. Then, write down some similarities and differences ② **between** the city's past **and** present. Lastly, I want you to share what you found with the rest of the class. I'd be interested to know what kind of things you can learn just by looking at the photos.

여: 안녕하세요. 여러분. 다음 주 지리 시간에, 우리는 우리 도시의 옛 지도를 살펴보도록 하겠습니다. 또한 우리는 그것들을 도시의 가장 최근 지도와 비교할 것입니다. 지난 몇십 년간 도시의 특징이 얼마나 많이 바뀌었는지를 보면 놀랄 것입니다. 그러나 다음 주 우리가 지도들을 조사하기 전에, 오늘 우리는 우리 도시의 옛날 사진을 볼 것입니다. 첫째, 인터넷으로 옛날 도시의 사진을 찾으세요. 그 다음, 도시의 과거와 현재의 유사점과 차이점 몇 가지를 적으세요. 마지막으로, 여러분이 찾은 것을 급우들과 공유하였으면 합니다. 사진을 보는 것만으로도 어떤 종류의 것들을 배울 수 있는지 알고 싶네요.

구문

① compare A with B는 'A를 B와 비교하다'라는 뜻이다.
  ex.) How would you compare this novel with that one? (이 소설을 저것과 어떻게 비교하시겠어요?)
② between A and B는 'A와 B 사이에'라는 뜻이다.
  ex.) Did you watch the match between Korea and Japan last night? (어젯밤 한국 대 일본의 경기를 봤어?)

• SPEAK OUT

Look at the pictures and practice the dialogue with your partner. You can use the photos of your city's past and present.

사진을 보고 짝과 함께 대화를 연습하시오. 여러분 도시의 과거와 현재의 사진을 사용해도 됩니다.

A: When was this photo taken?
B: It was taken ① **in 1968**.
A: What similarity is there between the city in the past and in the present?
B: ② **There are** many cars near the train station.
A: Oh, I see. I'd be interested to know about the difference you noticed.
B: I'm surprised that the train station was ③ **much smaller** in the past.

in 1968

now

해석

A: 이 사진은 언제 찍힌 거야?
B: 이것은 1968년도에 찍힌 거야.
A: 도시의 과거와 현재에는 어떤 유사점이 있지?
B: 기차역 주변에 많은 차들이 있어.
A: 그렇구나. 네가 발견한 차이점도 알고 싶어.
B: 기차역이 과거엔 훨씬 작았다는 게 놀라워.

어휘

photo [fóutou] 사진
train station 기차역
in the past 과거에

구문

① in+연도는 '~년에'라는 뜻으로 어떤 일이 발생된 연도를 표현하고자 할 때 쓰인다. 「in the +연도s」는 '~년대에'라는 뜻이고 「in the last 연도s」는 '지난 ~년대에'라는 뜻이다. 이 밖에도 때를 나타내는 표현에는 「at+시각」, 「on+요일」, 「in+월」 등이 있다. ex.) The congress was established in 1923. (의회는 1923년도에 설립되었다.)
② there+be동사는 '~이 있다'라는 뜻으로 주로 사람이나 사물의 위치, 존재와 수를 표현한다.
  ex.) There's something wrong with my computer. (내 컴퓨터에 이상이 있어.)
③ much+비교급은 '훨씬, 한층 더'라는 뜻으로 much는 비교급을 강조하는 부사이다. even, a lot, far, still 등의 부사도 같은 역할을 한다. ex.) You need to try much harder to beat me. (너는 날 이기려면 훨씬 더 노력해야 해.)

Review Points

1. After listening to the dialogues about maps, I understood the specific information.
   지도에 대한 대화를 듣고 난 후, 나는 특정 정보를 이해했다.

2. I found out the similarities and differences between my city's past and present.
   나의 도시의 과거와 현재 간의 유사점과 차이점을 알아냈다.

Into Real Life

	Restaurants around School (학교 주변 식당)
📋 **Topic**	What kind of information should be contained in maps for special purposes? Listen to a TV show on a famous restaurant and give a presentation on a good restaurant using a map. 특별한 목적을 위한 지도에는 어떤 정보가 포함되어야 하나요? 유명한 식당에 관한 TV쇼를 듣고 지도를 사용하여 좋은 식당에 관해 발표하세요.

STEP 1 **LISTEN TO THE TV SHOW** 텔레비전 쇼를 들으시오.

Listen and answer the questions. 🎧 듣고 질문에 답하시오.

해설

1. 두 번째 문장에서 동네 주변의 좋은 한식당을 탐험한다고 한 것으로 보아 정답은 c이다.

2. 진행자의 이름, 식당의 위치, 식당의 전화번호는 언급되지 않은 정보이다.

어휘

explore [iksplɔ́ːr] 탐험하다
neighborhood [néibərhùd]
동네, 이웃, 인근
offer [ɔ́ːfər] 제공하다
dish [diʃ] 요리
equally [íːkwəli] 똑같이, 동일하게
accommodate [əkámədèit]
공간을 제공하다, 수용하다

1. What is the purpose of the TV show? (TV쇼의 목적은 무엇인가?)
   a. to give advice on opening a restaurant successfully
      (성공적으로 식당을 개업하는 것에 대해 조언하기 위해)
   b. to give information on different kinds of Korean food
      (다양한 종류의 한식에 대한 정보를 주기 위해)
   ⓒ to give useful tips about good Korean restaurants in the neighborhood
      (동네 주변의 좋은 한식당에 대한 유용한 정보를 주기 위해)

2. Listen again and select all the information that is NOT mentioned in the show.
   (다시 듣고 쇼에서 언급되지 않은 정보를 모두 고르시오.)

   ☐ name of the show (쇼의 이름)   ☐ name of the restaurant (식당의 이름)
   ☑ name of the host (진행자의 이름)   ☑ location of the restaurant (식당의 위치)
   ☑ contact number of the restaurant   ☐ kinds of food offered by the restaurant
      (식당의 전화번호)   (식당에서 제공되는 음식의 종류)

M: Hello, and welcome to *All About Eating Out*. Today, we're going to explore good Korean restaurants in the neighborhood. Our first choice is *Seoulite*. This restaurant offers over 70 different kinds of Korean food in 10 different categories. The menu includes popular dishes like *bulgogi* and *bibimbap* ① **as well as** some lesser known but equally good ones. This restaurant can comfortably accommodate 200 guests. And it's always full! Let me talk to ② **one of the customers** waiting here.
M: Hello. What's your name?
W: I'm Sarah.
M: Sarah, I'm surprised that this huge restaurant can ③ **be** so **full of** people! Are you a regular customer here?
W: Yes. I've been coming here regularly since the restaurant opened three years ago.
M: I'd be interested to know why you like this place so much.
W: I can always enjoy a great variety of delicious Korean food at reasonable prices.

남: 안녕하세요. '외식의 모든 것'에 오신 걸 환영합니다. 오늘, 우리는 동네 주변의 좋은 한식당을 탐험할 것입니다. 우리의 첫 번째 선택은 '서울라이트'입니다. 이 식당은 10가지 다른 항목에 있는 70가지 다른 종류의 한식을 제공합니다. 메뉴에는 불고기나 비빔밥 같은 인기 있는 음식뿐만 아니라 잘 알려지진 않았지만 그만큼 맛있는 음식들을 포함하고 있습니다. 이 식당은 200명의 손님을 편안하게 수용할 수 있습니다. 그리고 손님으로 항상 꽉 차 있어요! 여기에서 기다리고 있는 손님들 중 한 명과 이야기해 보겠습니다.
남: 안녕하세요. 이름이 어떻게 되시죠?
여: 저는 Sarah예요.
남: Sarah 씨, 이 큰 식당이 이렇게 사람으로 가득 차다니 놀랍네요! 여기 단골손님이세요?
여: 네. 3년 전 이 식당이 개업한 후부터 정기적으로 오고 있습니다.
남: 이곳을 왜 그렇게 좋아하는지에 대해 알고 싶습니다.
여: 합리적인 가격으로 맛있는 다양한 한식을 항상 먹을 수 있어요.

구문

① *B* as well as *A*는 'A뿐만 아니라 B도'라는 뜻으로 not only *A* but also *B*와 비슷한 표현이다.
　ex.) He has a dog as well as a cat. (그는 고양이뿐만 아니라 개도 한 마리 있어.)
② one of+복수명사는 '~중 하나'라는 뜻이다. 단수 취급하여 단수동사를 쓴다는 것에 유의한다.
　ex.) One of the passengers was having trouble breathing. (승객 중 한 명이 호흡 곤란을 겪고 있었다.)
③ be full of는 '~로 가득 차 있다'라는 뜻으로 상태를 나타낸다.
　ex.) The box is full of my old clothes. (그 상자는 내 옛날 옷으로 가득 차 있다.)

● **STEP 2** ● **PREPARE TO TALK** 대화를 준비하시오.

Make a group of six and talk about your favorite restaurants around your school. Then, draw a map and mark their locations. 😊

6인 1조를 만들고 학교 주변에서 여러분이 가장 좋아하는 식당에 대해 이야기하시오. 그 후, 지도를 그리고 그 위치를 표시하시오.

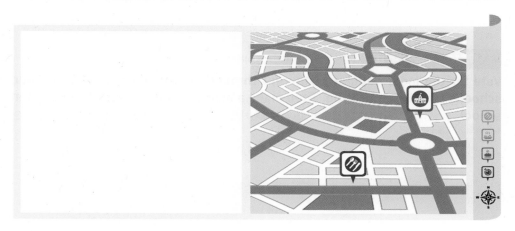

● **STEP 3** ● **ORGANIZE YOUR IDEAS** 생각을 조직화하시오.

Choose one restaurant and complete the table below.

하나의 식당을 고르고 아래의 표를 완성하시오.

» Example «

Name	Location	Menu	Best Menu	Photo	Food Quality
Top Taste	Next to the library	light meals and soft drinks	*tteokbokki* (2,500 won)		Great

💡Tip: You can get a 10 % discount when you show your student ID there.

Uncle's Pasta	Next to our school	Italian dish	Bolognese (12,000 won)		★★★★☆ Great

💡Tip:

해석

이름: 탑 테이스트
위치: 도서관 옆
메뉴: 간단한 식사와 음료
최고의 메뉴: 떡볶이(2,500원)
음식의 품질: 훌륭함
조언: 학생증을 제시하면 10% 할인
　　을 받을 수 있다.

어휘

location [loukéiʃən] 위치
quality [kwɑ́ləti] 품질

STEP 4 **PRESENT YOUR IDEAS** 여러분의 생각을 제시하시오.

Introduce the restaurant to your classmates with the map your group made as in the example below. 아래의 예시와 같이 여러분의 조가 만든 지도를 가지고 식당을 급우들에게 소개하시오.

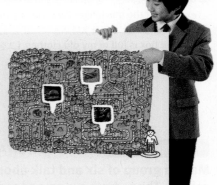

Hi, I'm Jinu from group A. Our group would like to introduce *Top Taste*. This restaurant sells many different kinds of light meals and soft drinks, but *tteokbokki* is the best. It costs 2,500 won and tastes great. Take a look at the map we made. As you can see, *Top Taste* is located next to the library. We have a tip for those of you who want to check out this place. You can get a 10 % discount when you show your student ID there. I'd be interested to know about other good restaurants near our school. Group B, could you come out to the front and tell us about your choice?

해석

안녕, 나는 A조의 진우야. 우리 조는 *Top Taste*를 소개하려고 해. 이 식당은 많은 다른 종류의 가벼운 식사와 음료를 판매하는데, 떡볶이가 최고야. 이것은 2,500원이고 정말 맛있어. 우리가 만든 지도를 봐. 보다시피, *Top Taste*는 도서관 옆에 있어. 이곳을 확인하고 싶어 하는 사람들을 위해 조언을 해줄게. 그곳에서 학생증을 보여주면 10% 할인을 해줘. 우리 학교 근처의 다른 좋은 식당들에 대해 알고 싶어. B조, 앞으로 나와서 너희들의 선택에 대해 말해줄래?

STEP 5 **SHARE YOUR IDEAS** 여러분의 생각을 공유하시오.

Vote for the most popular restaurant through an online group chat or your school's mobile application. Then make a map of good restaurants near your school. 온라인 그룹 채팅이나 학교 휴대폰 앱으로 가장 인기 있는 식당을 투표하시오. 그 후 여러분 학교 근처의 좋은 식당들의 지도를 만드시오.

활동 팁

발표 시 가져야 할 태도

1. 적절한 호흡 조절로 여유있고 명백한 표현을 하고 목소리의 강약 조절을 통해 강조하고 싶은 부분에 힘을 주어 말한다.
2. 목소리는 상대방이 알아들을 수 있도록 크게 하고, 발음은 가급적 정확하게 하도록 노력한다.
3. 세밀한 제스처로 청중들의 집중도를 높인다.
4. 청중들과 시선을 고루 맞추어, 보다 편안한 분위기를 유도하고 청중과의 소통, 교감을 할 수 있도록 노력한다.
5. 밝은 표정과 자신감 있는 모습을 남길 수 있도록 노력한다.

1~2차시 어휘 정리

- ▶ accommodate 공간을 제공하다, 수용하다
- ▶ constantly 끊임없이
- ▶ equally 똑같이, 동일하게
- ▶ explore 탐험하다
- ▶ frequently 자주, 흔히
- ▶ journey 여정
- ▶ look up 검색하다
- ▶ neighborhood 동네, 이웃, 인근
- ▶ palace 궁전, 성
- ▶ reasonable 적정한
- ▶ tip 조언, 충고
- ▶ tourist spot 관광지
- ▶ vote 투표하다

- ▶ application 애플리케이션, 앱
- ▶ difference 차이점
- ▶ examine 조사하다, 검사하다
- ▶ exist 존재하다
- ▶ investigate 조사하다, 살피다
- ▶ location 위치
- ▶ means 수단, 방법
- ▶ offer 제공하다
- ▶ quality 품질
- ▶ similarity 유사점
- ▶ tourist attraction 관광 명소
- ▶ transportation 교통편, 운송
- ▶ way 길

Review Points

1. I listened to the TV show about a famous restaurant and identified its purpose and details.
   나는 유명한 식당에 대한 TV쇼를 듣고 그것의 목적과 세부 사항을 확인했다.

2. I drew a map of good restaurants near my school and effectively delivered my opinion about them to my classmates.
   나는 나의 학교 근처 좋은 식당들의 지도를 그렸고 그것들에 대한 내 생각을 급우들에게 효과적으로 전달했다.

Topic

> **The development of maps** (지도의 개발)
>
> In what ways are you making use of maps? Think about how maps have been used in our lives and take a look at the history of their development.
>
> 여러분은 지도를 어떤 방법으로 사용하고 있나요? 우리의 삶에 지도가 어떻게 사용되고 있는지 생각해 보고 지도 개발의 역사를 살펴보세요.

1. Choose all of the occasions in which you use maps in your life and compare your choices with your partner's. 여러분의 삶에서 지도를 사용하는 모든 경우를 고르고 여러분의 선택과 짝의 선택을 비교해 보시오.

☐ to calculate my journey time

☐ to find the best route to a destination

☐ to find a place to hang out with my friends

☐ to obtain information about facilities in an area

☐ Other: _____

해석

이동 시간을 계산하기 위해
어느 목적지로 가는 최선의 경로를 찾기 위해
친구들과 놀 장소를 찾기 위해
어느 지역의 시설에 대한 정보를 얻기 위해
기타:

어휘

hang out with ~와 시간을 보내다
calculate [kǽlkjulèit] 계산하다
destination [dèstənéiʃən] 목적지
facility [fəsíləti] 시설

2. Match each term with the appropriate description.
각 용어를 적절한 설명에 연결하시오.

ground observation

remote sensing

geographic information system (GIS)

ⓐ It is a system used to collect, analyze, and display all types of geographic information about the earth.

ⓑ It refers to the use of sensors that derive information about the features of the earth's surface.

ⓒ It ① is used primarily to check the details of maps and to make local and small-scale maps.

해석

접지 관측 / 원격 탐사 / 지리 정보 시스템
ⓐ: 지구에 대한 지리적 정보의 모든 종류를 모으고, 분석하고, 보여주기 위해 사용되는 시스템이다.
ⓑ: 지구 표면의 특징에 대한 정보를 얻어내는 감지기를 사용하는 것을 뜻한다.
ⓒ: 이것은 주로 지도의 세부 사항을 확인하고 지역 지도와 소규모 지도를 만드는 데 사용된다.

어휘

geographic [dʒìːəgrǽfik] 지리적인
derive [diráiv] 얻다, 끌어내다
surface [sə́ːrfis] 표면
primarily [praimérəli] 주로

구문 ① be used to+동사는 '~하기 위해 사용되다'라는 뜻이다.

On Your Own

Run your eyes quickly over the headings, images, and text to find the keywords. Circle or underline important words or phrases if necessary.
핵심어를 찾기 위해 제목, 사진과 본문을 빠르게 훑어보시오. 필요하다면 중요한 단어나 어구를 동그라미 치거나 밑줄 치시오.

Interpretation

¹지도의 역사

²지도는 무엇인가?

³한나는 친구들과 시간을 보내는 것을 좋아하는 대학생이다. ⁴그녀는 오늘 아침에 늦게 일어나서, 수업에 늦지 않기 위해 택시를 탔다. ⁵택시 기사님은 그녀의 학교로 가는 가장 짧은 길을 찾기 위해 GPS 운행 유도 시스템을 사용했다. ⁶점심에, 한나는 좋은 식당에 대한 온라인 지도에서 찾은 장소들 중 하나로 친구들을 데려갔다. ⁷오후 수업을 마치고, 그녀는 온라인 지도 서비스를 통해 시립 도서관에 가는 방법을 알아냈다. ⁸도서관에 가는 길에, 외국 관광객 한 무리가 유명한 공원으로 가는 길을 물어봤다. ⁹한나는 그들에게 길을 안내하기 위해 지하철 지도를 사용했다. ¹⁰밤에 집에 도착했을 때, 그녀는 컴퓨터를 켰고 가족 여행을 위해 인터넷에 있는 몇몇 관광 정보 지도를 살펴봤다.

¹¹지도가 그저 지리적 정보가 있는 몇 장의 종이 그 이상이라는 것은 부정할 수 없는 사실이다. ¹²지도는 사람들의 일상생활의 큰 일부분이다. ¹³지도는 사업, 보안, 그리고 의료와 학업의 목적뿐만 아니라 동네의 좋은 식당을 찾는 간단한 일에도 쓰인다. ¹⁴지도가 개발된 이래로, 사람들은 정보를 교환하기 위해, 상상의 세계를 묘사하기 위해, 그들의 영토를 통제하기 위해, 그들의 생각을 전파하기 위해, 그리고 다음 세대에 그들의 생각을 전달하기 위해 지도를 사용해 왔다. ¹⁵지도가 어떻게 개발되어지고 사용되어져 왔는지 지도의 역사를 살펴보자.

¹*The History of Maps*

²What Is a Map?

³Hannah is a college student who likes to hang out with her friends. ⁴She woke up late this morning, so she took a cab to get to class on time. ⁵The cab driver used a GPS navigation system to find the shortest route to her school. ⁶For lunch, Hannah took her friends to one of the places she found through an online map of good restaurants. ⁷After her afternoon classes, she learned how she could get to the city library through an online map service. ⁸On her way to the library, a group of foreign tourists asked for directions to a famous park. ⁹Hannah used the subway map to give them directions. ¹⁰When she got home in the evening, she turned on her computer and examined several tourist information maps on the Internet for a family trip.

¹¹There is no denying the fact that maps are more than just pieces of paper with geographical information on them. ¹²They are a big part of people's daily lives. ¹³They are used for simple tasks like finding a good restaurant in the neighborhood, as well as for business, security, and medical and academic purposes. ¹⁴Ever since the development of maps, people have been using them to exchange information, describe imaginary worlds, control their land, distribute their ideas, and pass their thoughts on to future generations. ¹⁵Let's take a look at the history of maps to see how they have been developed and used.

While you read

Q1. What kind of purposes are maps used for?

지도는 어떤 종류의 목적을 위해 사용되는가?

예시 답안 They are used for simple tasks like finding a good restaurant in the neighborhood, as well as for business, security, and medical and academic purposes. (지도는 사업, 보안, 그리고 의료와 학업의 목적뿐만 아니라 동네의 좋은 식당을 찾는 간단한 일에도 쓰인다.)

해설 13번째 문장에서 지도가 사용되는 목적을 알 수 있다.

Words and Idioms

hang out with: ~와 시간을 보내다 ▶ I usually hang out with my friends after school. (나는 학교 끝나고 주로 친구들하고 시간을 보내.)

navigation: 항해, 운항 ▶ Don't ask me. Just turn on the navigation system. (나에게 물어보지 마. 그냥 내비게이션을 켜.)

route: 길, 경로 ▶ Each bus has a number indicating its route. (각 버스는 그것의 경로를 알려주는 번호를 갖고 있다.)

foreign: 외국의 ▶ Most foreign tourists come to Korea in spring or autumn. (대부분의 외국 관광객들은 봄이나 가을에 한국에 온다.)

examine: 조사하다, 검토하다 ▶ Let's examine each phase more closely. (각 단계에 대해 더 자세히 알아보자.)

geographical: 지리적인 ▶ Many birds follow major geographical features. (많은 새들이 주요 지형을 따른다.)

task: 일, 과업 ▶ This is not an easy task, so it takes time. (이것은 쉬운 일이 아니라 시간이 걸린다.)

purpose: 목적 ▶ What is the purpose of this passage? (이 글의 목적은 무엇인가?)

development: 발달, 성장 ▶ There is still much room for development. (여전히 발전의 여지가 많다.)

exchange: 교환하다; 교환 ▶ My family and I exchange presents on Christmas. (나와 내 가족은 크리스마스에 선물을 주고 받는다.)

distribute: 분배하다, 나누어주다 ▶ Would you please distribute these sheets of paper? (이 유인물들을 나눠주실래요?)

 ## Key Points

3　Hannah is a college student **who** likes to hang out with her friends.: 주격 관계대명사 who가 이끄는 형용사절로 앞의 선행사 a college student를 꾸며준다.

6　For lunch, Hannah took her friends to one of the places (that) **she found through an online map of good restaurants.**: she found through an online map of good restaurants는 앞에 목적격 관계대명사 that이 생략된 형용사절로 선행사 the places를 수식한다.

7　After her afternoon classes, she learned **how she could get to the city library through an online map service.**: 의문사 how가 이끄는 명사절이 목적어의 역할을 한다.

11　**There is no denying the fact that** maps are more than just pieces of paper with geographical information on them.: 「There is no -ing」는 '~하는 것은 불가능하다(= It is impossible to부정사)'의 뜻이다. the fact를 설명하는 것이 that 이하로 이때 that은 동격의 that이다. 동격의 that은 관계대명사와는 달리 완전한 절을 이끈다.

13　They are used for simple tasks like finding a good restaurant in the neighborhood, **as well as** for business, security, and medical and academic purposes.: 「B as well as A」는 'A뿐 아니라 B도'의 뜻이다. 「not only A but also B」와 같다.

14　**Ever since** the development of maps, people **have been using** them to exchange information, describe imaginary worlds, control their land, distribute their ideas, and pass their thoughts on to future generations.: 「(ever) since + 시점」인 경우 주절에는 완료형/완료진행형이 쓰이는 경우가 많으며 '~ 이후 계속 ~해왔다'의 의미를 지닌다. 여기서는 현재완료진행형이 나와 있어 '~해오는 중이다'로 해석한다. ever since 뒤에 절이 오기도 한다.

15　Let's take a look at the history of maps to see **how they have been developed and used.**: 의문사 how가 이끄는 명사절이 목적어의 역할을 하고 있다. 이 경우 「의문사 + 주어 + 동사 ~」의 어순이 된다. 「have been p.p.」는 현재완료수동태 구문으로 여기서는 '~되어져 왔다'의 뜻이다.

Mini Test

정답과 해설　p. 364

1. 다음 괄호 안의 단어들을 순서대로 배열하시오.

(1) She woke up late this morning, so she (on, class, a, cab, get, to, took, time, to).

(2) For lunch, Hannah took her friends to (found, one, she, the, places, of) through an online map of good restaurants.

2. 다음 우리말에 맞게 빈칸에 알맞은 말을 쓰시오.

(1) 도서관에 가는 길에, 외국 관광객 한 무리가 길을 물어봤다.
_____, a group of foreign tourists asked for directions.

(2) 지도가 그저 지리적 정보가 있는 몇 장의 종이 그 이상이라는 것은 부정할 수 없는 사실이다.
There is no _____ maps are more than just pieces of paper with geographical informations on them.

3. 다음 주어진 표현을 이용하여 문장을 완성하시오.

(1) There is no -ing: ~하는 것은 불가능하다
_____ what may happen.
(무슨 일이 일어날지 말할 수 없다.)

(2) on time: 정각에
Be sure to arrive _____.
(정각에 이곳에 도착해야 함을 명심하라.)

(3) on one's way: ~로 가는 중인
I'm _____ to your place.
(나는 네가 있는 곳으로 가는 중이야.)

(4) pass on to: ~로 전하다
Real passions are easy to _____ somebody else.
(진정한 열정은 다른 사람에게 쉽게 전달된다.)

Interpretation

¹초기의 지도

²현존하는 가장 초기의 세계 지도는 고대 바빌로니아에서 기원전 6세기 정도에 만들어진 점토판에 보존되어 있다. ³그것은 지구를 바다와 그 주변에 신화 속 섬이 있는 납작한 원이라고 묘사한다. ⁴중세 시대에 만들어진 유럽의 지도는 종교적인 관점에 의해 심한 영향을 받았다. ⁵예를 들어, 6세기에 만들어진 세계 지도는 세계가 납작하고 천국은 곡선의 뚜껑이 있는 상자 모양임을 보여주고 있다. ⁶당연히, 이러한 모든 초기 지도들은 사람 손으로 그려지고 그림이 넣어졌다. ⁷인쇄술의 발명은 지도가 15세기에 더욱 널리 이용 가능하도록 만들었다. ⁸지도 제작 기술은 15세기와 16세기의 탐험의 시대에 발전했다. ⁹해안 지대, 섬, 강, 그리고 항구가 지도에 묘사되었다. ¹⁰나침반 선과 다른 항해 보조 장치가 포함되었고 새로운 지도 투영법이 창안되었다. ¹¹그 시대의 사람들은 그러한 지도가 군사적 그리고 경제적 목적에 대단한 가치가 있다고 믿었고 지도들을 국가적 혹은 상업적 기밀로 자주 여겼다. ¹²오늘날의 것과 비슷한 전 세계 지도는, 콜럼버스와 다른 이들의 신세계로의 항해 이후인 16세기 초반에 등장하기 시작했다.

¹Early Maps

²The earliest surviving map of the world is preserved on a clay tablet made in ancient Babylonia in about 6th century B.C. ³It represents the earth as a flat circle with oceans and mythical islands around it. ⁴The European maps made during the Middle Ages were heavily influenced by religious views. ⁵For example, a map of the world created in the 6th century shows that the world is flat, and the heavens are shaped like a box with a curved lid. ⁶All of these early maps were, of course, drawn and illustrated by hand.

⁷The invention of printing made maps much more widely available in the 15th century. ⁸Map-making skills advanced during the Age of Exploration in the 15th and 16th centuries. ⁹Coast lines, islands, rivers, and harbors were described on maps. ¹⁰Compass lines and other navigation aids were included, and new map projections were devised. ¹¹People at the time had the belief that such maps had great value for military and economic purposes and often treated them as national or commercial secrets. ¹²Whole-world maps that resemble those of today began to appear in the early 16th century, following voyages by Columbus and others to the New World.

While you read

Q2. Why were early maps often treated as national or commercial secrets?

초기의 지도들은 왜 종종 국가적 혹은 상업적 비밀로 여겨졌는가?

예시 답안 Because people at the time had the belief that they had great value for military and economic purposes.

해설 11번째 문장에서 사람들은 지도가 군사적 그리고 경제적 목적에 대단한 가치가 있다고 믿었다고 했다.

Words and Idioms

preserve: 보존하다 ▶ Salt is used to preserve food. (소금은 음식을 보존하는 데 사용된다.)

clay: 점토, 찰흙 ▶ I pressed the clay into shape. (나는 찰흙을 눌러 모양을 만들었다.)

represent: 나타내다, 대표하다 ▶ These pictures represent a chronicle of war. (이 그림들은 전쟁의 연대기를 나타낸다.)

mythical: 신화 속에 나오는, 가공의 ▶ Does the mythical lost city of Atlantis exist? (신화 속의 잃어버린 도시 아틀란티스가 존재할까?)

illustrate: 삽화를 넣다, 설명하다 ▶ This is an illustrated book. (이것은 삽화가 들어간 책이다.)

coast line: 해안지대 ▶ There is massive investment in the east coast line. (동쪽 해안 지

대에 큰 투자가 이루어지고 있다.)

compass: 나침반 ▶ The North Star has been used by explorers as a compass. (북극성은 탐험가들에게 나침반처럼 쓰인다.)

projection: 투사, 투영 ▶ The skin is the projection of the nervous system. (피부는 신경 계통의 투영이다.)

devise: 창안하다, 고안하다 ▶ We may be able to devise a new approach. (우리는 새로운 접근법을 창안해낼 수 있을 것이다.)

commercial: 상업의 ▶ The World Cup is becoming too commercial. (월드컵은 너무 상업화 되어가고 있다.)

resemble: 닮다, 비슷하다 ▶ No two brothers can resemble each other more than they do. (그들만큼 닮은 형제도 드물다.)

Key Points

2 The earliest surviving map of the world is preserved on **a clay tablet made in ancient Babylonia in about 6th century B.C.:** made in ancient Babylonia in about 6th century B.C.는 앞의 a clay tablet을 꾸며주는 분사구이다. a clay tablet과 make의 관계가 수동이므로 make의 과거분사 made를 써서 수식한다.

3 It **represents** the earth as a flat circle **with oceans and mythical islands around it.:** represent는 '~을 나타내다/대표하다'의 뜻으로 stand for와 바꾸어 쓸 수 있다. / with 이하는 앞의 a flat circle을 꾸며준다. with는 '~을 가지고 있는'의 뜻이다.

4 The European maps **made during the Middle Ages** were heavily influenced by religious views.: made during the Middle Ages는 앞의 The European maps를 꾸며주는 분사구이다. The European maps와 make와의 관계가 수동이므로 '만들어진'의 뜻을 지닌 과거분사 made가 쓰였다.

5 For example, a map of the world **created in the 6th century** shows that the world is flat, and the heavens are shaped like a box with a curved lid.: created in the 6th century는 앞의 a map of the world를 꾸며주는 분사구이다. 이때 a map of the world와 create의 관계가 수동이므로 과거분사 created가 쓰였다.

7 The invention of printing made maps **much** more widely available in the 15th century.: much는 비교급을 강조하여 '훨씬'의 의미로 쓰인다. 이와 같이 비교급을 강조하여 '훨씬'의 의미로 쓰이는 부사에는 far, even 등이 있다.

11 People at the time had **the belief that** such maps had great value for military and economic purposes and often treated them as national or commercial secrets.: the belief를 설명하는 것이 that 이하이다. 이때 that은 동격의 that으로 동격의 that 뒤에는 완전한 문장이 온다. 동격의 that 앞에는 the belief / the thought / the fact 등의 명사가 많이 온다.

12 Whole-world maps that resemble **those** of today began to appear in the early 16th century, **following** voyages by Columbus and others to the New World.: those는 앞의 whole-world maps를 가리킨다. / following ~은 '~에 이어서'의 의미이다.

Mini Test

정답과 해설 p. 364

1. 다음 괄호 안의 단어들을 순서대로 배열하시오.

(1) It represents the earth as a flat circle (it, islands, mythical, with, and, oceans, around).

(2) The European maps made during the Middle Ages (by, influenced, heavily, were) religious views.

2. 다음 우리말에 맞게 빈칸에 알맞은 말을 쓰시오.

(1) 당연히, 이러한 모든 초기 지도들은 사람 손으로 그려지고 그림이 넣어졌다.
All of these early maps were, of course, drawn and _____.

(2) 그 시대의 사람들은 그러한 지도가 군사적 그리고 경제적 목적을 위해 대단한 가치가 있다고 믿었다.
People _____ such maps had great value for military and economic purposes.

3. 다음 주어진 표현을 이용하여 문장을 완성하시오.

(1) be influenced by: ~에게 영향을 받다.
I _____ my parents.
(나는 나의 부모님에게 영향을 받았다.)

(2) by hand: (기계가 아닌) 사람 손으로, 손수
He washes his car _____.
(그는 손수 세차를 한다.)

(3) have a great value: ~에 큰 가치가 있다.
Time _____ in our lives.
(시간은 우리의 인생에 있어 큰 가치가 있다.)

(4) treat+목+as: ~를 …로 대우하다
_____ you would like to be treated.
(대우받고 싶은 대로 남을 대우하라.)

Interpretation

¹근대의 지도

²지도는 17, 18, 19세기 동안에 과학적 방법의 적용으로 점점 더 정확하고 사실적이게 되었다. ³1500년에 처음 소개된 조감도, 즉 아주 높은 곳에서 내려다보는 전망법은, 17세기와 18세기에 널리 사용되기 시작했다. ⁴지리적 특징을 더 자세하게 보여주기 위해 명암법과 등고선이 사용되었다. ⁵제1차 세계 대전 이후 널리 사용된 항공 사진은 지도 제작 기술에 있어 큰 도약을 유발했다. ⁶이 기술로 인해 세계와 떨어진 가장 외딴 곳도 외부에 공개되었다. ⁷근대의 지도 제작 기술은 접지 관측과 원격 탐사의 조합에 기반을 두고 있다.

⁸과학의 발전과 사람, 국가 간의 교류 증가는 지도를 만들기 위한 고급 기술의 발전으로 이어졌다. ⁹그 어떤 기술도 지리 정보 시스템(GIS)만큼 혁명적이었던 것은 없는데, 이것은 1970년대와 1980년대에 생겨났다. ¹⁰이 시스템은, 컴퓨터 하드웨어, 소프트웨어, 그리고 디지털 정보로 구성되어 있는데, 사람들이 스스로, 검색을 만들고, 지형 공간 정보를 분석하고, 지도 정보를 수정할 수 있게 만들어준다. ¹¹오늘날 이것은 지도, 운행 유도 시스템, 운송 정보, 사업 지역의 분석, 그리고 기타 목적들에 사용된다.

¹²신증동국여지승람

¹³한국의 지도 제작 사업은 15세기에 본격적으로 시작되었다. ¹⁴그 시대의 많은 책들이 상세한 지도를 담고 있긴 했지만, 신증동국여지승람만큼 포괄적인 지리책은 없었다. ¹⁵1530년에 출판된, 이 55권의 책은 팔도총도와 같은 아주 상세한 조선 지도를 담고 있다. ¹⁶울릉도와 독도가 한국 영토의 한 부분으로 묘사되고 있는 것은 부인할 수 없는 사실이다.

²Maps became increasingly accurate and factual during the 17th, 18th, and 19th centuries with the application of scientific methods. ³First introduced in 1500, the bird's-eye view, or a view from a great height, became widely used in the 17th and 18th centuries. ⁴Shading and contour lines were used to show geographical features in more detail. ⁵The widespread use of air photos following World War I brought about a great leap in map-making skills. ⁶This technology revealed even the most remote places to the rest of the world. ⁷Modern map-making skills are based on a combination of ground observation and remote sensing.

⁸The advancement of science and increased exchanges among people and countries have led to the development of more advanced technologies for making maps. ⁹No other technology has been as revolutionary as the geographic information system (GIS), which emerged in the 1970s and 1980s. ¹⁰This system, which is composed of computer hardware, software, and digital information, makes it possible for people to create searches, analyze spatial information, and edit map information on their own. ¹¹It is used nowadays for maps, navigation systems, transportation information, analysis of business zones, and other purposes.

¹²*Sinjeungdonggukyeojiseungram*

¹³The map-making business in Korea began in full scale in the 15th century. ¹⁴While many books from that era contained detailed maps, no other geography book was as comprehensive as *Sinjeungdonggukyeojiseungram*. ¹⁵Published in 1530, the 55-volume book contains very detailed maps of the country such as *Paldochongdo*. ¹⁶There is no denying the fact that Ulleungdo and Dokdo are described as a part of Korea's territory.

Paldochongdo

While you read

Q3. What is GIS used for nowadays?
오늘날 GIS는 무엇에 사용되는가?

예시 답안 It is used for maps, navigation systems, transportation information, analysis of business zones, and other purposes. (지도, 운행 유도 시스템, 운송 정보, 사업 지역의 분석, 그리고 기타 목적들에 사용된다.)

해설 11번 문장에서 오늘날 GIS가 어디에 사용되는지 말해주고 있다.

Words and Idioms

accurate: 정확한 ▶ The numbers in the report are accurate. (그 보도에 사용된 수치는 정확하다.)

contour: 등고선 ▶ A geological map shows soil types or contour lines. (지질학 지도에는 토양 유형이나 등고선이 나타난다.)

widespread: 광범위한, 널리 퍼진 ▶ The news of the big fire was widespread in Germany. (그 대형 화재 소식은 독일에 널리 퍼졌다.)

map-making: 지도 제작 ▶ This city is the center of learning of astronomy, map-making, and physics. (이 도시는 천문학, 지도 제작과 물리학 학습의 중심지이다.)

be based on: ~에 근거하다 ▶ This story is based on fact. (이 이야기는 사실에 근거를 두고 있다.)

observation: 관찰, 관측 ▶ Only a single observation is collected at a time. (한 번에 하나의 관측치만 수집된다.)

be composed of: ~로 구성되어 있다 ▶ The new comic book is composed of ten books. (새 만화책은 10권으로 이루어졌다.)

hardware: 하드웨어 ▶ Hardware is a physical component of a computer system. (하드웨어는 컴퓨터 시스템의 물리적 구성 요소이다.)

spatial: 공간의 ▶ She could not have a piano due to spatial constraints. (그녀는 공간적인 제약으로 인해 피아노를 가질 수 없었다.)

 ## Key Points

3 **First introduced in 1500**, the bird's-eye view, or a view from a great height, became widely used in the 17th and 18th centuries.: After it was first introduced in 1500을 분사구로 바꾼 표현이다. 접속사와 주어를 생략하고 was를 being으로 바꾼 후 being도 생략된 형태이다.

5 **The widespread use of air photos following World War I** brought about a great leap in map-making skills.: 주어는 The widespread ~ World War I까지이다.

8 **The advancement of science and increased exchanges among people and countries** have led to the development of more advanced technologies for making maps.: The advancement ~ countries까지가 주어이다. 주어는 「A and B」의 형태로 일반적으로 복수주어에는 복수동사(have led)를 사용한다.

9 **No other technology** has been **as** revolutionary **as** the geographic information system (GIS), which emerged in the 1970s and 1980s.: 「No other + 단수명사 ~ as 원급 as …」는 '…만큼 ~한 것은 없다'의 뜻으로 최상급 의미를 가진다.

10 This system, which is composed of computer hardware, software, and digital information, **makes it possible for**

people to create searches, analyze spatial information, and edit map information on their own.: 「make + 가목적어 it + 형용사 + 의미상의 주어(for + 목적격) + 진목적어(to부정사 ~)」 구문으로 '의미상의 주어가 ~하는 것을 …하게 하다'의 뜻이다. 가목적어 it은 해석하지 않으며 it을 나타내는 것은 to 이하의 내용이다.

14 While many books from that era contained detailed maps, **no other geography book** was **as** comprehensive **as** *Sinjeungdonggukyeojiseungram*.: 「no other + 단수명사 ~ as 원급 as ~」 구문으로 '다른 어떤 명사도 ~만큼 …한 것은 없다'의 뜻으로 최상급의 의미이다.

15 **Published in 1530**, the 55-volume book contains very detailed maps of the country such as *Paldochongdo*.: It was published in 1530, and the 55-volume book ~의 의미를 가진 분사구문이다.

16 **There is no denying the fact that** Ulleungdo and Dokdo are described as a part of Korea's territory.: There is no denying the fact that ~은 '~라는 사실을 부정할 수 없다'는 뜻으로 여기서 that은 동격의 that으로 관계대명사 that과 달리 완전한 문장을 이끈다.

Mini Test

정답과 해설 p. 364

1. 다음 괄호 안의 단어들을 순서대로 배열하시오.

(1) The widespread use of air photos following World War I (leap, brought, a, in, great, about) map-making skills.

(2) (other, has, been, no, as, technology, as, revolutionary) the GIS.

2. 다음 우리말에 맞게 빈칸에 알맞은 말을 쓰시오.

(1) 근대의 지도 제작 기술은 접지 관측과 원격 탐사의 조합에 기반을 두고 있다.
Modern map-making skills _____ a combination of ground observation and remote sensing.

(2) 그 시대의 책들이 상세한 지도를 담고 있긴 했지만, *신증동국여지승람*만큼 포괄적인 지리책은 없었다.
While many books from that era contained detailed maps, _____
Sinjeungdonggukyeojiseungram.

3. 다음 주어진 표현을 이용하여 문장을 완성하시오.

(1) bring about: ~을 유발하다
What _____ the change in his attitude?
(그의 태도에 변화를 유발한 것이 무엇이지?)

(2) lead to: ~로 이어지다
That will only _____.
(그것은 그저 문제로 이어질 뿐이다.)

(3) make it possible for + 목적격 + to부정사: ~가 …하는 것을 가능하게 하다
This trip will _____ to experience the different culture.
(이 여행은 내가 다른 문화를 경험하는 것을 가능하게 할 것이다.)

(4) be composed of: ~으로 구성되다
The team _____ ten players.
(그 팀은 열 명의 선수들로 구성되어 있다.)

📖 Interpretation

¹**미래의 지도**

²사람들은 우리가 살고 있는 곳을 아주 생생하게 묘사하기 위해 오래전부터 지도를 개발해 오고 있다. ³과학자들은 우리의 삶의 방식에 대변혁을 일으킬 더욱 창의적인 기능을 위해 지도에 대한 오래된 발상을 사용해왔다. ⁴요즘, 사람들은 경영 활동, 국방, 인체의 탐구, 학술 연구, 그리고 지리적 변화의 예측을 위해 지도에 아주 많이 의존한다. ⁵GPS 운행 유도 시스템을 탑재한 드론과 로봇의 도움으로 많은 회사들이 그들의 제품을 고객에게 배송할 날이 머지않았다. ⁶미래에는, 지도를 제작하는 데 더 선진화된 기술이 사용될 것이다. ⁷미래의 지도는 실내 공간을 포함하여 물리적 공간에 있는 모든 것에 대한 정보를 담고 있을 가능성이 높다. ⁸따라서 여러분은 쇼핑센터로 가는 길뿐만 아니라 가게 내부의 길을 안내받을 수도 있다. ⁹게다가, 심지어 쇼핑을 가기 위해 증강 현실 지도로 걸어 들어갈 수도 있다. ¹⁰미래의 지도가 어떻게 생겼을지 보면 놀랄 것이다!

🚁 Future Maps

²People have long been developing maps to graphically describe the place where we live. ³Scientists have been using the old ideas of maps for more creative functions to revolutionize the way we live. ⁴These days, people rely heavily on maps for business activities, national defense, the exploration of the human body, academic research, and the prediction of geographical changes. ⁵It won't be long before many companies have their products delivered to customers with the help of drones and robots equipped with GPS navigation systems. ⁶In the future, more advanced technology will be used for making maps. ⁷There is a great possibility that future maps will contain information about everything in physical space, including indoor areas. ⁸So you may get directions not only to a shopping center, but also to the inside of the stores. ⁹What is more, you might even be able to walk into an augmented reality map to go shopping. ¹⁰You'll be surprised to see what future maps will look like!

Source: David Woodward, *The History of Cartography: Cartography in European Renaissance*

📝 Words and Idioms

function: 기능 ▶ It has a nice function. (그것은 좋은 기능을 갖고 있다.)

revolutionize: 혁신을 일으키다 ▶ It could revolutionize the public services. (그것은 공공 서비스에 혁명을 일으킬 수 있다.)

rely on: 기대다, 의존하다 ▶ I know I can rely on you. (내가 너에게 의지할 수 있다는 것을 알아.)

defense: 방어 ▶ The most effective defense is offense. (가장 효과적인 방어는 공격이다.)

exploration: 탐사, 탐구 ▶ This feels like going on an exploration. (꼭 탐험하는 기분이야.)

academic: 학업의 ▶ Those children have too much academic pressure. (저 아이들은 학

Over to you

Make a list of features you want to include in the maps we use now.

우리가 지금 사용하는 지도에 포함되기를 원하는 기능을 나열해 보시오.

업에 대한 압박감에 너무 많이 시달리고 있다.)

prediction: 예측 ▶ Your prediction is near the mark. (너의 예상은 거의 정확하다.)

drone: 드론 ▶ The drone reaches remote areas and hilly regions. (그 드론은 외딴 지역과 언덕이 많은 지역에 도달한다.)

possibility: 가능성 ▶ There is a possibility of another world war happening. (또 다른 세계 대전이 일어날 가능성이 있다.)

contain: ~이 들어있다 ▶ Coffee, tea and soft drinks usually contain caffeine. (커피, 차, 탄산음료에는 대개 카페인이 들어있다.)

indoor: 실내의 ▶ You can't smoke in any indoor facilities. (모든 시설의 실내에서 흡연할 수 없다.)

augment: 늘리다, 증가시키다 ▶ Augmented reality is what you are looking at. (당신이 보고 있는 것이 증강 현실이다.)

Key Points

2 People **have** long **been developing** maps to graphically describe **the place where we live.**: 「have been -ing」는 현재완료진행형으로 '계속해서 ~해 왔다'의 뜻이다. where we live에서 where는 관계부사이며 앞의 선행사 the place를 꾸며준다.

3 Scientists **have been using** the old ideas of maps for more creative functions to revolutionize **the way we live.**: 「have been -ing」는 현재완료진행형으로 '계속해서 ~해 왔다'의 뜻이다. 또한 the way와 we 사이에 관계부사 that이 생략되어 있으며 「the way + 주어 + 동사 ~」는 '~하는 방식'의 뜻이다.

5 **It won't be long before** many companies have their products delivered to customers with the help of drones and robots equipped with GPS navigation systems.: 「It will not be long before + 주어 + 동사 ~」는 '얼마 안 가 ~할 것이다'의 뜻이다.

6 In the future, more advanced technology **will be used** for making maps.: 조동사가 있는 수동태는 「조동사 + be + 과거분사」

의 형태이다.

7 There is **a great possibility that** future maps will contain information about everything in physical space, including indoor areas.: a great possibility를 나타내는 것이 that 이하이며 이때 that은 동격의 that이다. 동격의 that 뒤에는 완전한 문장이 온다.

8 So you may get directions **not only** to a shopping center, **but also** to the inside of the stores.: 「not only A but also B」는 'A뿐 아니라 B도'의 뜻으로 but이 종종 생략된다. A와 B는 같은 문법 형태를 쓴다.

9 **What is more**, you might even be able to walk into an augmented reality map to go shopping.: what is more는 '게다가, 더욱이'의 뜻으로 문장 전체를 수식한다.

10 You'll be surprised to see what **future maps will look like**!: what이 이끄는 명사절이 목적어로 쓰였다.

Mini Test

정답과 해설 p. 364

1. 다음 괄호 안의 단어들을 순서대로 배열하시오.

(1) People have long been developing maps to graphically describe (place, live, we, the, where).

(2) Scientists have been using the old ideas of maps for more creative functions (we, way, revolutionize, the, to, live).

2. 다음 우리말에 맞게 빈칸에 알맞은 말을 쓰시오.

(1) 드론의 도움으로 많은 회사들이 그들의 제품을 고객에게 배송할 날이 머지않았다.

_____ many companies have their products delivered to customers with the help of drones.

(2) 게다가, 심지어 쇼핑을 가기 위해 증강 현실 지도로 걸어 갈 수도 있다.

_____, you might even be able to walk into an augmented reality map to go shopping.

3. 다음 주어진 표현을 이용하여 문장을 완성하시오.

(1) rely on: ~에 의존하다
You had better not _____ weather forecasts.
(기상 통보에 의존하지 않는 게 좋아.)

(2) with the help of:~의 도움으로
He could solve the problem _____
_____.
(그의 삼촌의 도움으로 그는 문제를 해결할 수 있었다.)

(3) equipped with: ~을 갖춘
The library _____ up-to-date computers.
(그 도서관은 최신의 컴퓨터를 갖추고 있다.)

(4) look like: ~인 것처럼 보이다
_____ you're in another world.
(너는 다른 세상에 있는 사람 같아.)

📖 After You Read

1. Complete the summary of the history of maps.
지도의 역사에 대한 줄거리를 완성하시오.

What Is a Map?
Maps are used for simple tasks as well as for business, security, and medical and academic purposes.

Modern Maps (From the 17C)
Maps became more accurate and factual after the 17th century through the use of more scientific methods.

Future Maps
Future maps will likely contain information about everything in physical space, including indoor areas.

Early Maps (Until the 16C)
Early maps had great military and economic value.

Modern Maps (From the 20C)
The development of geographic information system (GIS) allowed people to create, analyze, and edit map information on their own.

해석

지도는 무엇인가?
지도는 <u>사업</u>, 보안 그리고 <u>의료</u>와 학업의 목적뿐만 아니라 간단한 일에도 쓰인다.

초기의 지도 (16세기까지)
초기의 지도는 군사적 그리고 경제적으로 큰 가치가 있었다.

근대의 지도 (17세기부터)
지도는 17세기 이후 더 과학적 방법을 통해 점점 더 <u>정확</u>하고 <u>사실적이게</u> 되었다.

현대의 지도 (20세기부터)
<u>지리 정보 시스템(GIS)</u>의 발전은 사람들이 스스로 지도의 정보를 창조, 분석, 수정할 수 있도록 만들었다.

미래의 지도
미래의 지도는 실내 공간을 포함하여 <u>물리적 공간</u>에 있는 모든 것에 대한 정보를 담을 가능성이 높다.

해설

지도는 사업, 보안, 그리고 의료와 학업의 목적에 쓰인다. 초기의 지도는 군사적, 경제적 가치가 있었다. 지도는 과학적 방법을 통해 점점 더 정확하고 사실적으로 변했다. 지리 정보 체계(GIS)의 발전은 사람들이 스스로 정보를 창조하고, 분석하고, 수정하도록 했다. 미래의 지도는 물리적 공간에 있는 모든 정보를 담을 가능성이 높다.

2. Listen and select True or False. 🎧
듣고 맞으면 True, 틀리면 False를 고르시오.

(1) Babylonia's clay tablet is the earliest surviving map of the world.

(2) The European maps made during the Middle Ages were strongly influenced by religious views.

(3) The bird's-eye view brought about a great leap in map-making skills after World War I.

(4) The geographic information system (GIS) emerged in the 1990s.

(5) People rely heavily on maps for the exploration of the human body these days.

(1) 바빌로니아의 점토판은 현존하는 가장 초기의 세계 지도이다.

(2) 중세 시대에 제작된 유럽의 지도는 종교적인 관점에 의해 큰 영향을 받았다.

(3) 제 1차 세계 대전 이후 조감도는 지도 제작 기술에 큰 도약을 유발했다.

(4) 지리 정보 시스템(GIS)은 1990년대에 등장했다.

(5) 오늘날 사람들은 인체의 탐험을 위해 지도에 아주 많이 의존한다.

해설

(3) 제1차 세계 대전 이후 지도 제작 기술에 큰 도약을 유발한 것은 항공 사진이다.

(4) 지리 정보 시스템은 1970년대와 1980년대에 생겨났다.

어휘

bring about 유발하다
religious [rilídʒəs] 종교적인
exploration [èkspləréiʃən] 탐험

(1) ☑ True / ☐ False
(2) ☑ True / ☐ False
(3) ☐ True / ☑ False
(4) ☐ True / ☑ False
(5) ☑ True / ☐ False

THINK AND TALK

3. Talk with your partner about future maps in your imagination.
상상 속 미래의 지도에 대해 짝과 대화하시오.

In the future, people will travel in flying cars, so they will use air maps.

I'd be interested to know what they look like!

해석

A: 미래에는, 사람들이 나는 자동차로 여행을 다닐 거야. 그래서 그들은 항공 지도를 사용할 거야.

B: 그것들이 어떻게 생겼을지 알고 싶다!

3~5차시 어휘 정리

▶ accurate 정확한
▶ commercial 상업의
▶ contour 등고선, 윤곽
▶ examine 조사하다
▶ map-making 지도 제작
▶ observation 관찰
▶ preserve 보존하다
▶ represent 나타내다
▶ route 길

▶ augment 늘리다
▶ compass 나침반
▶ development 발달
▶ function 기능
▶ mythical 신화 속에 나오는
▶ possibility 가능성
▶ projection 투사, 투영
▶ resemble 닮다
▶ spatial 공간의

▶ clay 점토
▶ contain ~이 들어있다
▶ distribute 분배하다
▶ geographical 지리적인
▶ navigation 항해
▶ prediction 예측
▶ purpose 목적
▶ revolutionize 혁신을 일으키다
▶ widespread 광범위한

활동 팁
짝과 토론하는 방법

1. 토론 주제에서 벗어나지 않도록 주의한다.

2. 짝에게 여러분의 생각을 말하기 전에 내용을 미리 정리해 둔다.

3. 다른 의견이나 하고 싶은 말이 있어도 짝의 말을 중간에 자르지 않고 경청한 후 그 뒤에 여러분의 의견을 내놓는다.

4. 친한 사이라고 하더라도 거친 어투나 장난스런 말투는 피한다.

5. 서로의 의견을 나누는 가운데 다양한 접근법을 익힐 수 있으므로 포용력 있는 마음가짐을 갖도록 한다.

Review Points

1. I read the passage about the development of maps and identified its topic and details rapidly and accurately.
나는 지도의 발전에 대한 본문을 읽었고 그것의 주제와 세부 사항을 빠르고 정확하게 확인했다.

2. I understood how maps have advanced and recognized how they are necessary and important in our lives.
나는 지도가 어떻게 발전했는지 이해했고 그것이 우리의 삶에 있어 얼마나 필요하고 중요한지를 깨달았다.

Language Notes

route: 사람들이 보통 따라가는 선
way: 가거나 바라보는 특정한 방향
path: 한 곳에서 다른 곳으로 가기
위해 사람들이 걷는 길고 좁은 땅
road: 사람들이 쉽게 운전하거나 타
는 길고 딱딱한 땅

 WORDS IN USE

route:	a line that people regularly travel along
way:	the particular direction that you're going in or looking toward
path:	a long narrow piece of ground that people walk along to get from one place to another
road:	a long piece of hard ground on which people can drive or ride easily from one place to the other

(1) 그에게 공원으로 가는 방향을 물
어보자.
(2) 내 강아지는 정원의 좁은 길을 따
라 걷는 것을 좋아한다.
(3) 곡선 도로에서 운전할 때 조심하
라.
(4) 나는 보통 도시의 서쪽으로 여행
할 때 이 길을 택한다.

1. Choose the appropriate word in each sentence. 각 문장에서 적절한 단어를 고르시오.

(1) Let's ask him the (road / <u>way</u>) to the park.
(2) My dog loves to walk along this garden (<u>path</u> / road).
(3) Be careful when you are driving on a curved (path / <u>road</u>).
(4) I usually take this (<u>route</u> / way) to travel to the west of the city.

 미니 백과

도로의 명칭

미국의 도로는 각 특징별로 여러 가지
명칭을 가진다.
• Boulevard(Blvd.)는 가로수가 양
쪽에 있는 넓은 도로, 혹은 2차선 이상
의 도로를 뜻한다.
• Drive(Dr.)는 주로 공원, 삼림, 주택
가의 차도를 뜻한다.
• Street(St.)는 차도 양쪽에 인도와
건물이 있는 길, 즉 길거리라는 말로 표
현된다.
• Road(Rd.)는 넓은 도로이기는 하
지만 속도가 제한되어 있는 통행 길을 뜻
한다. 따라서 이곳에는 주차를 위한 곳
도 있고 자전거가 다니거나 사람들도 통
행할 수 있도록 되어 있다.
• Avenue(Ave.)는 가로수 길로 어떤
지역에 도착한다는 의미를 가진 직선 도
로이다.

 PHRASES IN USE

be based on: to use an idea, a fact, or a situation to develop something
~에 근거하다, 기반하다: 무언가를 개발하기 위해 생각, 사실 혹은 상황을 사용하다
Modern map-making skills *are based on* a combination of ground observation and remote sensing.
근대의 지도 제작 기술은 접지 관측과 원격 탐사의 조합에 기반을 두고 있다.

be composed of: to be made from several things or people
~로 구성되어 있다: 몇몇 사물이나 사람들로 만들어지다
GIS *is composed of* computer hardware, software, and digital information.
GIS는 컴퓨터 하드웨어, 소프트웨어 그리고 디지털 정보로 구성되어 있다.

rely on: to depend on somebody or something ~에 의지하다: 사람이나 사물에 의지하다
These days, people *rely* heavily *on* maps.
요즘, 사람들은 지도에 심하게 의존한다.

(1) 어제의 축제는 서로 다른 테마의
세 부분으로 구성되었다.
(2) 나는 매일 교통 정보를 위해 내
휴대폰에 완전히 의존한다.
(3) 새로운 관광 프로젝트는 3,000
명의 관광객들의 견해에 기반을
둘 것이다.

2. Complete the sentences with the phrases above. You may need to change the form.
위의 어구를 이용해서 문장을 완성하시오. 형태를 바꿀 필요가 있을 수도 있습니다.

(1) Yesterday's festival <u>was composed of</u> three parts under different themes.
(2) I completely <u>rely on</u> my phone for traffic information every day.
(3) The new tourism project will <u>be based on</u> the comments of 3,000 tourists.

 FOCUS ON FORM

- There is no denying **the fact that** maps are more than just pieces of paper with geographical information on them.
  지도가 그저 지리적 정보가 있는 몇 장의 종이 그 이상이라는 것은 부정할 수 없는 사실이다.

- People at the time had **the belief that** such maps had great value for military and economic purposes.
  그 시대의 사람들은 그러한 지도가 군사적 그리고 경제적 목적을 위해 대단한 가치가 있다는 믿음을 갖고 있었다.

- **No other technology** has been **as** revolutionary **as** the geographic information system (GIS).
  그 어떤 기술도 지리 정보 시스템(GIS)만큼 혁명적이었던 것은 없었다.

- **No other geography book** was **as** comprehensive **as** *Sinjeungdonggukyeojiseungram*.
  그 어떤 지리책도 *신증동국여지승람*만큼 포괄적인 것은 없었다.

3. Change the underlined sentences into the correct form. 밑줄 친 문장을 알맞은 형태로 고치시오.

I'm going to be like those beautiful birds one day.

Ha! (1) You should remember the fact(→ fact that) you are just an ugly duckling. You will never become one of those birds.

A few months later...
(2) This is the proof(→ proof that) I've been right!

Source: Hans Christian Andersen, *The Ugly Duckling*

4. Place the given words in the correct order. 주어진 단어들을 알맞은 순서대로 정렬하시오.

(1) No other parking lot can accommodate (as / cars / as / many) this one.
  ▶ as many cars as

(2) (other / no / trip) has been as memorable as my first field trip in high school.
  ▶ No other trip

(3) (road / no / sign / other) could be as difficult to understand as the one on this road.
  ▶ No other road sign

(4) No other restaurant in the area serves (delicious / as / food / as) the new restaurant.
  ▶ as delicious food as

Improve Yourself

Check or write down the words, expressions, or sentences you didn't understand well in this unit. Explain at least one of them to your group members. (여러분이 이 단원에서 잘 이해하지 못했던 단어, 표현, 문장들을 체크하거나 적어보세요. 그것들 중 적어도 하나를 모둠원에게 설명해 보세요.)

☐ resemble
  (닮다)

☐ reveal
  (드러내다)

☐ what is more
  (게다가)

Your Own ▶ 스스로 해보기

About Forms

동격의 that
동격의 that은 바로 앞에 있는 명사를 구체적으로 진술하는 역할을 한다. that 앞에는 대개 「the+추상명사」가 오는데 이 추상적인 내용을 that 이하에서 구체적으로 설명해준다. 주로 the fact that(~라는 사실), the belief that(~라는 믿음), the news that(~라는 소식), the rumor that(~라는 소문), the opinion that(~라는 의견), the claim that(~라는 주장), the idea that(~라는 생각), the possibility that(~라는 가능성), the decision that(~라는 결정) 등의 명사와 함께 쓰인다.

원급을 이용한 최상급 표현
「부정어~+is as[so]+원급+as A」의 형태로 '어떤~도 A만큼 …한 것은 없다'라는 뜻이다. 즉, 'A가 가장 ~'라는 최상급의 의미가 되는 표현이다. 부정어라고 하는 것은 '부정의 의미를 가진 말'로 「no-」 또는 「no+명사」 형태의 어휘들이다.

해석
미운 오리: 나는 언젠가는 저렇게 아름다운 새들처럼 될 거야.
오리들: 하! 넌 그저 못생긴 새끼 오리라는 사실을 기억해야 할 거야. 넌 절대로 저런 새들처럼 될 수 없어.
몇 달 후...
미운 오리: 이게 내가 옳았다는 것의 증거야!

해석
(1) 그 어떤 주차장도 이 주차장만큼 차를 많이 수용할 수 없다.
(2) 그 어떤 여행도 고등학교 첫 현장 체험 학습만큼 기억에 남는 것은 없었다.
(3) 그 어떤 도로 표지판도 이 도로에 있는 표지판만큼 이해하기 어려울 수 없었다.
(4) 그 지역의 그 어떤 식당도 그 새로운 식당만큼 맛있는 음식을 제공하지는 않는다.

✎ Write It Right

Topic

> **Construction notice** (공사 안내문)
>
> Have you ever seen a construction notice in your neighborhood? Assume that you are a construction project manager and think about how to deliver important information to the neighborhood people. 여러분의 동네에서 공사 안내문을 본 적이 있나요? 당신이 건설 프로젝트 매니저라고 가정하고 동네 주민에게 중요한 정보를 전달할 방법에 대해 생각해 보세요.

● STEP 1 ● **LISTEN TO WRITE** 듣고 써 보시오.

1. Listen to the dialogue and fill in the blanks referring to the map of Suji's town below. 🔊 대화를 듣고 아래의 수지네 동네 지도를 보며 빈칸을 채우시오.

해석

• 새로운 <u>지역 문화 센터</u>가 수지네 동네에 지어질 것이다

• 수지는 더 이상 학교에서 집으로 가기 위해 <u>공원</u>을 가로질러 갈 수 없다.

• 그녀는 집에 가기 위해 주차장을 <u>빙 돌아서 가야</u> 한다.

• 아직 <u>공사 안내문</u>이 없다.

어휘

construction [kənstrʌ́kʃən]
건설, 공사

M: Hi, Suji. ① **Have you heard about** the new construction project in our town?

W: Yes. I heard that a new community center will be built. But I don't know when it starts.

M: It starts tomorrow. Which path have you been taking to get home from school?

W: I have been taking the one through the park. A lot of people take that route to ② **get to** the town hall **from** the big road.

M: Oh, you can't go that way anymore. The park is near the construction site.

W: Oh. Then, which way should I go to get home?

M: You need to go around the parking lot to get home.

W: Did you find out how long the construction will take?

M: It will take about two months.

W: Okay. Thank you for telling me. ③ **I wonder why** there is no construction notice.

남: 안녕, 수지야. 우리 동네에 세워질 새로운 건설 프로젝트에 대해 들었어?

여: 응. 새로운 지역 문화 센터가 건설될 거라고 들었어. 하지만 언제 시작하는지는 모르겠어.

남: 내일 시작된대. 학교에서 집으로 가기 위해 어떤 길로 다니고 있어?

여: 공원을 가로지르는 길로 다녔어. 많은 사람들이 Big Road에서 동사무소로 가기 위해 그 길을 이용해.

남: 아, 그 길은 더 이상 못 가. 그 공원이 건설 현장과 가깝거든.

여: 아. 그러면 집에 가려면 어떤 길로 가야 할까?

남: 집에 가려면 주차장을 빙 돌아가야 해.

여: 공사가 얼마나 오래 진행될지 알아봤어?

남: 두 달 정도 걸릴 거야.

여: 알겠어. 말해줘서 고마워. 왜 공사 안내문이 없는지 모르겠다.

• A new <u>community center</u> will be built in Suji's town.

• Suji can't go through the <u>park</u> to go home from school anymore.

• She has to <u>go around</u> the parking lot to get home.

• There is no <u>construction notice</u> yet.

⟮ 구문 ⟯ 📑

① Have you heard about ~?는 '~에 대해 들어본 적이 있는가?'라는 뜻으로 경험을 물을 때 쓰는 표현이다.
   ex.) Have you heard about Korean food? (한국 음식에 대해 들어본 적이 있나요?)

② get to *A* from *B*는 'B에서 A로 가다'라는 뜻이다.
   ex.) How do I get to the hospital from the school? (학교에서 병원으로 가려면 어떻게 해야 하죠?)

③ I wonder why~는 '왜 ~인지 궁금해'라는 뜻으로 I wonder why 다음에는 사건이나 현상 등이 온다.
   ex.) I wonder why nobody asked me. (왜 아무도 나에게 묻지 않았는지 궁금하다.)

2. People in Suji's town need a construction notice. Select everything that the notice should include based on the information mentioned in the dialogue. 수지네 동네 주민들은 공사 안내문이 필요합니다. 대화에서 언급된 정보를 기반으로 안내문이 포함시켜야 할 모든 것을 고르시오.

☑ Purpose of notice (안내문의 목적) ☑ Location of construction (공사 위치)
☑ Alternative route (다른 길) ☑ Period of construction (공사 기간)
☐ Number of construction workers (공사 근로자의 수)

STEP 2 **ORGANIZE YOUR IDEAS** 당신의 생각을 조직화하시오.

Listen again and answer the questions based on the map and the information in Step 1. 다시 듣고 Step 1의 지도와 정보를 기반으로 하여 질문에 답하시오.

1. What will be built in the town?
   A new community center will be built in the town.

2. Where will the construction take place?
   The construction will take place near the park.

3. What route have people been taking to get from the Big Road to the Town Hall?
   People have been taking Route 1.

4. What route can people take during the construction period?
   People can take Route 2.

5. How long will the construction take?
   The construction will take about two months.

해석

1. 동네에 무엇이 건설될 것인가?
   새로운 지역 문화 센터가 동네에 건설될 것이다.
2. 공사는 어디에서 이루어질 것인가?
   공사는 공원 근처에서 이루어질 것이다.
3. Big Road에서 동사무소로 가기 위해 사람들은 어떤 길을 이용해 왔는가?
   사람들은 Route 1을 이용해 오고 있다.
4. 공사 기간 동안 사람들은 어떤 길을 이용할 수 있는가?
   사람들은 Route 2를 이용할 수 있다.
5. 공사가 얼마나 오래 걸릴 것인가?
   공사는 약 두 달 걸릴 것이다.

STEP 3 **WRITE A NOTICE** 안내문을 쓰시오.

1. Complete a notice to people livnig in Suji's town based on the information in the previous steps. 이전 단계들의 정보를 기반으로 수지네 동네에 사는 사람들을 위한 안내문을 완성하시오.

NOTICE

We would like to notify everyone that a new community center will be built in the town. The construction will take place near the park. So, people who have been taking Route 1 to get from the Big Road to the Town Hall are advised to take Route 2. There is no denying the fact that the project will cause you inconvenience. However, it will take only about two months. Thank you in advance for your cooperation.

UNDER CONSTRUCTION

해석

모든 사람들에게 동네에 새로운 지역 문화 센터가 건설될 거라는 것을 알리고자 합니다. 공사는 공원 근처에서 이뤄질 것입니다. 따라서, Big Road에서 동사무소를 가기 위해 Route 1을 이용했던 사람들은 Route 2를 이용할 것을 권합니다. 이 공사가 여러분에게 불편을 끼친다는 것은 부인할 수 없는 사실입니다. 하지만, 두 달 밖에 안 걸릴 것입니다. 여러분의 협조에 미리 감사드립니다.

2. Check your writing. 당신의 작문을 점검하시오.

☐ Is the information on the notice correct and clear? 안내문의 정보가 정확하고 분명한가?
☐ Is the notice effective and easy to understand? 안내문이 이해하기에 효과적이고 쉬운가?

Review Points

1. I thought about ways to effectively deliver images and messages to people who need specific information.
   나는 특정 정보가 필요한 사람들에게 효과적으로 그림과 메시지를 전달할 방법에 대해 생각했다.
2. I wrote a notice to inform people of a construction project using the information from the dialogue and the map.
   나는 건설 프로젝트에 관해 사람들에게 알리기 위해 대화와 지도의 정보를 사용하여 안내문을 작성했다.

Around the World

Unique Maps of the World 세계의 독특한 지도들

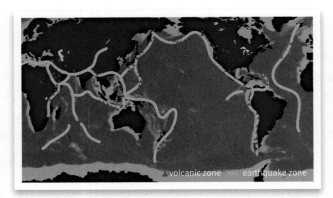

volcanic zone   earthquake zone

Earthquakes and Volcanoes

This map shows that many of the world's earthquake zones coincide with the distribution of volcanoes.

지진과 화산
이 지도는 세계의 많은 지진 지역이 화산의 분포와 일치한다는 것을 보여준다.

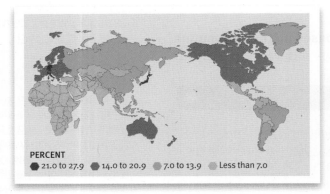

PERCENT
● 21.0 to 27.9   ● 14.0 to 20.9   ● 7.0 to 13.9   ● Less than 7.0

Older Population

This is a map displaying the percentage of the population aged over 65 in the world as of 2015.

노령 인구
이 지도는 2015년 일자로 세계의 65세 이상의 인구 퍼센트를 보여주고 있다.

Source: U.S. Census Bureau, 2013 International Data Base and 2014 U.S. population projections, 2016

415,059
97,148
75,438
54,394
32,772
15,568
3,782

Foreigners in Korea

This is a map with the number of foreigners for each region in Korea as of 2014. According to this map, Gyeonggi-do has the most foreigners in the country.

한국에 있는 외국인
이것은 2014년 일자로 한국의 각 지역에 있는 외국인의 인원수가 포함된 지도이다. 이 지도에 따르면, 경기도에 나라에서 가장 많은 외국인이 있다.

Source: MOI, 2014

[CREATIVE PROJECT: Your Own Unique Map]

STEP 1

Search the Internet to find interesting numerical information about an area, country, region, or the world.
인터넷을 검색하여 한 지역, 나라, 또는 세계에 관한 흥미로운 수와 관련된 정보를 찾으시오.

예시 답안

Useful information can be found on:
- statistical information about Korea: http://kostat.go.kr
- international statistics: http://world-statistics.org
- world statistics in real time: www.worldometers.info

The rate of green in Korea
Ulsan 69.8%
Daegu 61.1%
Busan 52.42%
.
.
.
Seoul 30.2%

STEP 2

List the information you found in the table. 여러분이 표에서 찾은 정보를 나열하시오.

예시 답안

Topic
e.g., birth rates in Korea by regions

Area/Country/Region
e.g., Chungcheongnam-do

Range
e.g., between 12,000 and 18,000

Design
e.g., different colors for each range

Topic
The rate of green in Korea

Area/Country/Region
17 regions in Korea

Range
Percentage

Design
different colors for each range

STEP 3

Mark the information in the table on a map. 표에 있는 정보를 지도에 그려 표시하시오.

예시 답안

STEP 4

Introduce your map to your classmates. Exchange opinions on each group's map and vote for the best one.
여러분의 지도를 급우들에게 소개하시오. 각 조의 지도에 관해 의견을 나누고 가장 좋은 것에 투표하시오.

✅ Check Your Progress

[1-2] Listen and answer the questions. 🎧 듣고 질문에 답하시오.

M: Why are you looking at a map? Are you planning to go on a trip?

W: No. This is not a regular map. It's a map of famous restaurants in Korea.

M: That sounds awesome! I'd be interested to know about good restaurants in Korea.

W: Then, this map will be very useful to you.

M: Can I take a look at it?

W: Sure. Go ahead.

M: This is great! I'm surprised that it even has information about the restaurants in my neighborhood.

W: Yes. It also has tips on prices, quality of service, and parking.

M: Do you know who made it?

W: An expert food critic made the map. So, I think it's quite reliable.

M: With this map, I won't have trouble finding a good place to eat. Thanks a lot!

W: No problem!

남: 왜 지도를 보고 있어? 여행 갈 계획이니?

여: 아니. 이건 평범한 지도가 아니야. 이건 한국에 있는 유명한 식당 지도야.

남: 멋지다! 나는 한국의 좋은 식당들에 대해 알고 싶어.

여: 그러면, 이 지도는 너에게 매우 유용할 거야.

남: 한 번 봐도 돼?

여: 물론이지. 어서 봐.

남: 이거 엄청나다! 심지어 내가 사는 동네의 식당에 관한 정보도 있다는 게 놀라워.

여: 응. 가격, 서비스의 질과 주차에 대한 조언도 있어.

남: 누가 만들었는지 알아?

여: 어떤 전문 음식 비평가가 그 지도를 만들었어. 그래서 꽤 믿을 만한 것 같아.

남: 이 지도를 가지고 있으면, 먹기에 좋은 곳을 찾는 데에 어려움이 없겠어. 정말 고마워!

여: 천만에!

해설

1. 여자의 네 번째 말에서 식당 지도가 가격, 서비스의 질과 주차에 관한 정보를 나타내고 있다는 것을 알 수 있다.

어휘

useful [júːsfəl] 유용한
neighborhood [néibərhùd] 동네
quality [kwɑ́ləti] 품질
critic [krítik] 비평가
reliable [riláiəbl] 믿을 만한

해석

그녀는 어떤 전문 음식 비평가가 만들었기 때문에 그것이 믿을 만하다고 생각한다.

해설

2. 여자의 두 번째 마지막 말에서 전문 음식 비평가가 이 지도를 만들었다고 했다.

---

1. What are the speakers mainly talking about? 화자들이 주로 무엇에 대해 이야기하는가?

  ⓐ. what a map of restaurants shows 식당 지도가 무엇을 보여주는지
  b. how to make a map of restaurants 식당 지도를 만드는 방법
  c. where to find a map of restaurants 식당 지도를 찾을 수 있는 곳

2. Why does the woman think the map is reliable? 여학생은 왜 지도가 믿을 만하다고 생각하는가?

  → She thinks it's reliable because an expert <u>food critic</u> made it.

3. Choose one of the following maps and complete the dialogue. Then describe it to your partner. 다음 지도 중 하나를 골라 대화를 완성하시오. 그러고 나서 짝에게 그것을 묘사하시오.

A map of a movie location

A map of a famous person's place of birth

A map of a biking route

A: What is that you are looking at?
B: I'm looking at a map of a <u>movie location</u>.
A: Really? That's what I've been looking for. I'd be interested to know about <u>movie locations</u> in Korea.
B: Then, this map will be very useful for you. It also shows the locations of a(n) <u>photo zone</u> and a(n) <u>restaurant</u>.
A: This is great! Thanks a lot!
B: No problem!

해석

1. 영화 촬영지 지도
2. 유명인의 생가 지도
3. 자전거 도로 지도

A: 네가 보고 있는 그게 뭐야?
B: 나는 <u>영화 촬영지</u> 지도를 보고 있어.
A: 정말? 내가 찾던 게 그거야. 나는 한국의 <u>영화 촬영지</u>에 대해 알고 싶어.
B: 그러면, 이 지도는 너에게 아주 유용할 거야. 이것은 <u>포토 존</u>과 <u>식당</u>의 위치도 보여주고 있어.
A: 이거 엄청나다! 고마워!
B: 천만에!

해설

3. a map of는 '~의 지도'라는 뜻이므로 세 가지 지도 중 하나를 골라서 넣고 A가 그것에 대한 관심을 표현하고 있으므로 그 다음 빈칸에도 첫 번째 빈칸과 같은 것이 오는 게 자연스럽다. 다음 두 빈칸에는 그 지도에 표시되어 있는 관광 명소를 하나씩 넣어서 말한다.

READ / WRITE

[4-5] Read the passage and answer the questions. 글을 읽고 물음에 답하시오.

These days, people rely heavily on maps for business activities, national defense, the exploration of the human body, academic research, and the prediction of geographical changes. It won't be long before many companies have their products delivered to customers with the help of drones and robots equipped with GPS navigation systems. In the future, more advanced technology will be used for making maps. There is a great _____ that future maps will contain information about everything in physical space, including indoor areas. So you may get directions not only to a shopping center, but also to the inside of the stores. What is more, you might even be able to walk into an augmented reality map to go shopping. You'll be surprised to see what future maps will look like!

4. What is the best title for the passage? 이 글의 제목으로 가장 적절한 것은?

a. The Future of Maps 지도의 미래
b. The History of Map-making Skills 지도 제작 기술의 역사
c. The Effects of Maps on People's Lives 지도가 사람들의 삶에 미치는 영향

5. Which word is NOT appropriate for the blank? 빈칸에 들어갈 말로 적절하지 않은 것은?

a. risk 위험
b. chance 기회
c. possibility 가능성

해석

요즘, 사람들은 경영 활동, 국방, 인체의 탐험, 학술 연구, 그리고 지리적 변화의 예측을 위해 지도에 아주 많이 의존한다. GPS 운행 유도 시스템을 탑재한 드론과 로봇의 도움으로 많은 회사들이 그들의 제품을 고객에게 배송할 날이 머지않았다. 미래에는, 지도를 제작하는 데에 더 선진화된 기술이 사용될 것이다. 미래의 지도는 실내 공간을 포함하여 물리적 공간에 있는 모든 것에 대한 정보를 담고 있을 가능성이 높다. 따라서 여러분은 쇼핑센터로 가는 길뿐만 아니라 가게 내부의 길을 안내받을 수도 있다. 게다가, 심지어 쇼핑을 가기 위해 증강 현실 지도로 걸어 들어갈 수도 있다. 미래의 지도가 어떻게 생겼을지 보면 놀랄 것이다!

해설

4. 글의 후반부로 갈수록 지도가 미래에 어떻게 발전되고 쓰일 수 있는지를 이야기하고 있으므로 가장 적절한 제목은 a. The Future of Maps 이다.

5. 미래의 지도가 물리적 공간에 대한 모든 정보를 담을 기회 혹은 가능성이 있다고 하는 것이 자연스럽다. 그러나 위험성은 없으므로 정답은 a. risk이다.

6. Write a notice about a restroom using the information on the sign.
표지판에 있는 정보를 이용하여 화장실에 대한 안내문을 쓰시오.

해석

고장

• 수리는 오늘 오후 6시까지 진행될 것입니다.
• 다른 층의 화장실을 사용하세요.
• 불편함을 드려 죄송합니다.
• 궁금한 점은, 345-6789로 연락주세요.

이 화장실은 현재 고장난 상태입니다. 수리는 오늘 오후 6시까지 진행될 것입니다. 다른 층에 있는 화장실을 사용할 것을 당부드립니다. 이것이 여러분에게 불편을 끼치는 것은 부인할 수 없는 사실입니다. 이 화장실을 제시간에 고치는 것이 그 어떤 일 보다도 시급하다는 것을 이해해 주시길 바랍니다. 만일 궁금하신 점이 있다면 345-6789로 연락주십시오. 여러분의 협조에 미리 감사드립니다.

해설

정보에 따르면 화장실은 현재 고장이므로 첫 번째 빈칸에는 out of order가 와야 한다. 다음 빈칸에는 in progress(진행 중)에서 progress를 넣어야 한다. 오늘 오후 6시까지 진행되므로 세 번째 빈칸에는 6 p.m. today를 쓴다. 공사로 인해 불편함을 끼칠 것이기 때문에 네 번째 빈칸에는 inconvenience가 들어가야 하고 다음 두 빈칸에는 질문(questions)이 있다면 연락하세요(contact)를 넣은 후 전화번호(345-6789)를 적으면 된다.

OUT OF ORDER

• Repair work in progress until 6 p.m. today.

• Please use the restroom on another floor.

• We are sorry for the inconvenience.

• For questions, contact
  🕿 345-6789.

This restroom is currently <u>out of order</u>. The repair work will be in <u>progress</u> until <u>6 p.m. today</u>. We advise you to use the restroom on <u>another floor</u>. There is no denying the fact that this will cause you <u>inconvenience</u>. Please understand that no other matter is as urgent to us as repairing this restroom on time. If you have any <u>questions</u>, please <u>contact 345–6789</u>. Thank you for your cooperation in advance.

Self-Evaluation

🎧 I can understand the main point and details of dialogues about maps and our lives. ☆ ☆ ☆
듣기 나는 지도와 우리의 삶에 관한 대화를 듣고 요지와 세부 사항을 이해할 수 있다.

🗨 I can express my opinion and exchange information about good restaurants. ☆ ☆ ☆
말하기 나는 좋은 식당에 관한 나의 의견을 표현하고 정보를 교환할 수 있다.

📖 I can understand the topic and details of a passage about the history of maps. ☆ ☆ ☆
읽기 나는 지도의 역사에 관한 본문의 주제와 세부 사항을 이해할 수 있다.

✏ I can write a construction notice using information from a dialogue and a picture. ☆ ☆ ☆
쓰기 나는 대화와 사진으로부터 나온 정보를 사용하여 공사 안내문을 작성할 수 있다.

Further Study

Find more about maps and spatial information on the following website.
다음 사이트에서 지도와 지형 공간 정보에 대해 더 알아보시오.

• spatial data: www.nsdi.go.kr
  공간 데이터

📇 Words and Phrases

정답과 해설 p. 364

다음 단어와 어구의 뜻을 쓰시오.

1. accommodate _____
2. accurate _____
3. application _____
4. augment _____
5. clay _____
6. commercial _____
7. compass _____
8. constantly _____
9. contain _____
10. contour _____
11. development _____
12. difference _____
13. distribute _____
14. equally _____
15. examine _____
16. exist _____
17. explore _____
18. frequently _____
19. function _____
20. geographical _____
21. investigate _____
22. journey _____
23. location _____
24. look up _____
25. map-making _____

26. means _____
27. mythical _____
28. navigation _____
29. neighborhood _____
30. observation _____
31. offer _____
32. possibility _____
33. prediction _____
34. preserve _____
35. projection _____
36. purpose _____
37. quality _____
38. reasonable _____
39. represent _____
40. resemble _____
41. revolutionize _____
42. route _____
43. similarity _____
44. spatial _____
45. tourist attraction _____
46. tourist spot _____
47. transportation _____
48. way _____
49. widespread _____
50. 나만의 단어 / 어구 _____

📷 Functions

▶ I'd be interested to know about tourist spots.
알고 싶어 하는 것에 대한 궁금증을 나타내는 표현.

▶ I'm surprised that they had the means to develop maps at that time.
어떤 것에 대해 놀랐을 때 쓰는 표현.

📋 Forms

▶ There is no denying **the fact that** maps are more than just pieces of paper with geographical information on them. (동격의 that)

• 동격의 that은 바로 앞에 있는 명사를 구체적으로 진술하는 역할을 한다. 동격의 that 앞에는 대개 「the+추상명사」가 오는데 이 추상적인 내용을 that 이하에서 구체적으로 설명해준다. the fact that(~라는 사실), the belief that(~라는 믿음), the news that(~라는 소식), the rumor that(~라는 소문), the opinion that(~라는 의견), the claim that(~라는 주장), the idea that(~라는 생각), the possibility that(~라는 가능성), the decision that(~라는 결정) 등과 함께 쓰이는 경우가 많다.

ex.) **The rumor that** she is a criminal may not be true.
(그녀가 범죄자라는 소문은 거짓일 수도 있다.)

• 동격의 that 다음에는 「주어+동사(완전한 문장)」가 오는 반면 관계대명사 that 뒤에는 불완전한 문장이 온다.

ex.) 동격의 that
The fact that <u>he returned</u> is true. (그가 돌아왔다는 사실은 정말이다.) _(완전한 문장)

cf.) 관계대명사 that
Did you recognize **the fact that** <u>was overlooked here</u>? (여기서 간과된 사실을 알아냈나요?) _(불완전한 문장)

▶ **No other technology** has been **as** revolutionary **as** the geographic information system(GIS). (원급을 이용한 최상급 표현)

• 「부정어 ~ as[so]+원급+as A」 또는 「부정어 ~ 비교급 than A」 또는 「주어 ~ 비교급 than any other + 단수명사」의 형태로 'A가 가장 ~하다'라는 최상급의 의미를 나타낼 수 있다.

• 이때 부정어는 「nothing / no other + 단수명사」 등을 말한다.

ex.) **Nothing is as** important **as** health. (어떤 것도 건강만큼 중요한 것은 없다.)
= Nothing is so important as health.
= Nothing is more important than health.
= Health is the most important thing.
= Health is more important than any other thing.

ex.) **No one** in his class **is as** tall **as** Tom. (그의 반에서 어떤 사람도 Tom만큼 키가 큰 사람은 없다.)
= No one in his class is so tall as Tom.
= No one in his class is taller than Tom.
= Tom is taller than any other person in his class.
= Tom is the tallest person in his class.

date: 　.　　.　　.　　　　　　　　　　student number: 　　name: 　　　　/25

1 주어진 단어의 뜻을 <u>잘못</u> 연결한 것을 고르시오. 　[3점]
① resemble: 닮다
② widespread: 좁은
③ develop: 발달하다
④ examine: 조사하다
⑤ revolutionize: 혁신을 일으키다

2 다음 중 영영풀이가 <u>잘못</u> 연결된 것을 고르시오. 　[3점]
① accommodate: to have less space
② exist: to be present in the world as a real thing
③ explore: to travel around a place to find out what it is like
④ investigate: to try and find out what happened or what is the truth
⑤ look up: to discover by resorting to a work of reference, such as a dictionary

3 다음 중 숙어의 뜻이 <u>잘못</u> 연결된 것을 고르시오. 　[3점]
① rely on: ~에 의지하다
② bring about: ~을 유발하다
③ be based on: ~에 근거하다
④ be composed of: ~로 작곡하다
⑤ hang out with: ~와 시간을 보내다

4 다음 중 〈보기〉와 비슷한 의미의 표현이 <u>아닌</u> 것을 고르시오. 　[3점]

> 보기 » I'd be interested to know more about you.

① I'm curious about you.
② I want to get to know you.
③ Can you tell me more about you?
④ I would like to know more about you.
⑤ I'm surprised that you want to know about me.

5 다음 〈보기〉의 우리말과 같도록 할 때, 빈칸에 알맞은 표현을 고르시오. 　[3점]

> 보기 » 나는 그녀가 떠난다는 게 놀라워.
> → I'm _____ that she's leaving.

① worried　　　　② relieved
③ surprised　　　④ satisfied
⑤ frightened

[6~7] 다음 대화를 읽고, 물음에 답하시오.

> A: Let's go to the *Hanbat Library* in Daejeon this weekend.
> B: Okay. I'll look up how to get there on the Internet.
> A: Why don't you use a map application? It will give you the fastest route and the best transportation service.
> B: That's a great idea! Can you tell me more about the application? <u>I'd be interested to know how it works.</u>

6 위 대화의 밑줄 친 부분의 우리말 뜻으로 알맞은 것을 고르시오. 　[3점]
① 작동 방법이 흥미롭구나.
② 어떻게 갈 수 있는지 궁금해.
③ 나는 그것에 대해 흥미가 생겼어.
④ 어떻게 일할 수 있는지 알고 싶어.
⑤ 그것이 어떻게 작동하는지 알고 싶어.

7 위 대화에서 A가 권한 것이 무엇인지 우리말로 쓰시오. 　[5점]
_____

8 다음 대화에서 B가 보고 있는 것이 무엇인지 우리말로 쓰시오. 　[3점]

> A: Hey, what are you doing?
> B: I'm enjoying famous tourist attractions in London using an online map service.
> A: Really? That's amazing. I'm surprised that we can travel online.
> B: It's great for people who don't have enough time and money to travel.

_____

[9~10] 다음 대화를 읽고, 물음에 답하시오.

> A: I'd be interested to know where I can buy clothes at reasonable prices in Busan.
> B: Why don't you go to Seomyeon? It's not far from here.
> A: Seomyeon? Let me take a look at the subway map. Oh, I just have to take line number 1.
> B: Right. After getting off at Seomyeon Station, just check the tourist information map to find shopping centers.

9 위 대화에서 A가 알고 싶어 하는 것을 고르시오. [3점]

① 옷의 가격
② 여행지로 가장 적절한 곳
③ 적정한 가격의 옷을 살 곳
④ 관광객 안내소로 가는 방법
⑤ 지하철 지도를 얻을 수 있는 곳

10 위 대화에서 쇼핑센터로 가기 위해 B가 권한 방법을 우리말로 쓰시오. [5점]

_____

[11~12] 다음 대화를 읽고, 물음에 답하시오.

A: Hello, and welcome to *All About Eating Out*. Today, we're going to explore good Korean restaurants in the neighborhood. Our first choice is *Seoulite*. This restaurant offers over 70 different kinds of Korean food in 10 different categories. The menu includes popular (a) d_____ like *bulgogi* and *bibimbap* as well as some lesser known but equally good ones. This restaurant can comfortably (b) a_____ 200 guests. And it's always full! Let me talk to one of the customers waiting here.
A: Hello. What's your name?
B: I'm Sarah.
A: Sarah, I'm surprised that this huge restaurant can be so full of people! Are you a regular customer here?
B: Yes. I've been coming here regularly since the restaurant opened three years ago.
A: I'd be interested to know why you like this place so much.
B: I can always enjoy a great variety of delicious Korean food at reasonable prices.

11 위 대화의 빈칸 (a)와 (b)에 들어갈 말을 주어진 철자로 시작하여 각각 쓰시오. [5점]

(a) _____
(b) _____

12 B가 이곳을 좋아하는 이유를 우리말로 쓰시오 [5점]

_____

13 다음 대화를 읽고, 빈칸에 들어갈 말로 가장 적절한 것을 고르시오. [3점]

A: Excuse me.
B: Good morning. How can I help you?
A: I'd be interested to know about tourist spots in Seoul.
B: There are many beautiful places you can visit in Seoul. The nearest one is *Gyeongbokgung*. It's a famous palace.
A: Great! I've always wanted to visit a palace in Korea. _____
B: Turn right at the next corner and walk straight to the end of the block.
A: Okay. Let me write that down.
B: Then turn left and go straight for about 10 meters. You'll see the palace on your right.
A: Great! Thank you for your help.
B: You're welcome. Enjoy your tour!

① Have you been there?
② Do you want to come with me?
③ Can you tell me how to get there?
④ How much does it cost to get there?
⑤ Is *Gyeongbokgung* a popular tourist destination?

14 다음 글의 빈칸에 들어갈 알맞은 말을 괄호 안에 주어진 단어들을 사용하여 쓰시오. [5점]

The invention of printing made maps much more widely available in the 15th century. Map-making skills advanced during the Age of Exploration in the 15th and 16th centuries. Coast lines, islands, rivers, and harbors were described on maps. Compass lines and other navigation aids were included, and new map projections were devised. _____ (people, the, belief, the, time, had, that, at) such maps had great value for military and economic purposes and often treated them as national or commercial secrets. Whole-world maps that resemble those of today began to appear in the early 16th century, following voyages by Columbus and others to the New World.

15 다음 글을 읽고, 내용과 일치하지 <u>않는</u> 것을 모두 고르시오. 3점

The earliest surviving map of the world is preserved on a clay tablet made in ancient Babylonia in about 6th century B.C. It represents the earth as a flat circle with oceans and mythical islands around it. The European maps made during the Middle Ages were heavily influenced by religious views. For example, a map of the world created in the 6th century shows that the world is flat, and the heavens are shaped like a box with a curved lid. All of these early maps were, of course, drawn and illustrated by hand. The invention of printing made maps much more widely available in the 15th century.

① 현존하는 가장 초기의 세계 지도는 고대 바빌로니아에서 만들어졌다.
② 점토판에 만들어진 세계 지도는 지구가 동그란 원인 것처럼 묘사했다.
③ 중세 시대 유럽의 지도는 경제적 관점에 영향을 받았다.
④ 중세 시대 유럽의 지도는 손으로 그려졌다.
⑤ 인쇄술의 발명은 지도가 15세기에 더욱 널리 이용 가능하도록 만들었다.

[16~17] 다음 글을 읽고, 물음에 답하시오.

Maps became increasingly accurate and factual during the 17th, 18th, and 19th centuries with the application of scientific methods. First introduced in 1500, the bird's-eye view, or a view from a great height, became widely used in the 17th and 18th centuries. Shading and contour lines were used to show geographical features in more detail. The widespread use of air photos following World War I brought about a great leap in map-making skills. This technology revealed even the most remote places to the rest of the world. Modern map-making skills are based on a combination of ground observation and remote sensing.

The advancement of science and increased exchanges among people and countries have led to the development of more advanced technologies for making maps. _____
the geographic information system (GIS), which emerged in the 1970s and 1980s. This system, which is composed of computer hardware, software, and digital information, makes it possible for people to create searches, analyze spatial information, and edit map information on their own. It is used nowadays for maps, navigation systems, transportation information, analysis of business zones, and other purposes.

16 다음 〈보기〉의 단어들을 이용하여 빈칸에 들어갈 알맞은 말을 쓰시오. 필요하면 형태를 고치시오. 5점

보기 » as, revolutionary, technology, been, other, as, has, no

→ _____

17 윗글의 내용과 일치하지 <u>않는</u> 것을 고르시오. 3점

① 조감도는 19세기에 처음으로 사용되었다.
② 항공 사진은 제1차 세계 대전 이후 널리 사용되었다.
③ 근대의 지도 제작 기술은 접지 관측과 원격 탐사의 조합에 기반을 두고 있다.
④ 지리 정보 시스템은 1970년대와 1980년대에 생겨났다.
⑤ 지리 정보 시스템은 컴퓨터 하드웨어, 소프트웨어와 디지털 정보로 구성되어 있다.

[18~20] 다음 글을 읽고, 물음에 답하시오.

Hannah is a college student who likes to ①<u>hang</u> out with her friends. She woke up late this morning, so she ②<u>took</u> a cab to get to class on time. The cab driver used a GPS navigation system to find the shortest r_____ to her school. For lunch, Hannah took her friends to one of the places she found through an online map of ③<u>bad</u> restaurants. After her afternoon classes, she learned how she could ④<u>get</u> to the city library through an online map service. On her way to the library, a group of foreign tourists ⑤<u>asked</u> for directions to a famous park. Hannah used the subway map to give them directions. When she got home in the evening, she turned on her computer and examined several tourist information maps on the Internet for a family trip.

18 윗글의 밑줄 친 ①~⑤ 중 문맥상 <u>어색한</u> 것을 고르시오. 3점

① ② ③ ④ ⑤

19 윗글의 빈칸에 들어갈 알맞은 말을 주어진 철자로 시작하여 쓰시오. 5점

_____

20 윗글의 내용과 일치하는 것을 고르시오. 3점

① 한나는 아침에 버스를 타고 등교했다.
② 한나와 친구들은 점심을 건너뛰었다.
③ 한나는 오전 수업을 마치고 시립 도서관에 가는 방법을 알아냈다.
④ 관광객 한 무리가 한나에게 길을 알려줬다.
⑤ 한나는 밤에 집에서 가족 여행을 준비했다.

21 다음 〈보기〉의 우리말과 같도록 주어진 단어를 이용하여 빈칸에 알맞은 말을 쓰시오. [5점]

> **보기 »** 나는 나의 부모님에게 의지한다. (rely)

→ I _____ my parents.

22 다음 중 어법상 옳지 <u>않은</u> 것을 고르시오. [3점]

① No one is as pretty as you.
② Nothing is as important as health.
③ Nothing can be as bitter as this medicine.
④ No other trip has been as perfectly as this.
⑤ No other restaurant serves as delicious food as the one across the street.

23 다음 글의 밑줄 친 ①~⑤ 중 문맥상 <u>어색한</u> 것을 고르시오. [3점]

A: Good morning, everyone. For next week's geography class, we are going to ① <u>examine</u> the old maps of our city. We will also compare them with the city's ② <u>latest</u> maps. You'll be very ③ <u>indifferent</u> to see how much the city's features have changed in the past few decades. But before we investigate maps next week, today we are going to look at some old photos of our city. First, find some pictures of the city from the past on the Internet. Then, write down some similarities and differences between the city's past and present. Lastly, I want you to share what you found with the rest of the class. I'd be ④ <u>interested</u> to know what ⑤ <u>kind</u> of things you can learn just by looking at the photos.

①   ②   ③   ④   ⑤

24 다음 〈보기〉의 우리말을 주어진 단어들을 이용하여 쓰시오. [5점]

> **보기 »** 지도가 그저 지리적 정보가 있는 몇 장의 종이 그 이상이라는 것은 부정할 수 없는 사실이다.
> (that, fact, denying, there, no, is, the)

→ _____ maps are more than just pieces of paper with geographical information on them.

25 다음 〈보기〉를 참조하여 교내에 게시할 공사 안내문을 쓰시오. [10점]

> **보기 »**
>
> ### NOTICE
>
> We would like to notify everyone that a new cafeteria will be built in our school. The construction will take place behind the main building. So, students who have been coming to school from the back gate are advised to come through the front gate only. There is no denying the fact that the project will cause you inconvenience. However, it will take only about 3 months. Thank you in advance for your cooperation.

서술형 평가

1 다음 뜻풀이에 해당하는 말을 주어진 철자로 시작하여 쓰시오. 　각 4점

(1) r_____ : a way from one place to another

(2) m_____ : something or someone that exists only in myths and is therefore imaginary

(3) p_____ : to say what you think will happen

(4) o_____ : the action or process of carefully watching someone or something

(5) r_____ : a long piece of hard ground on which people can drive or ride easily from one place to the other

2 다음 우리말과 같도록 빈칸에 알맞은 말을 쓰시오. 　각 6점

(1) We have been _____ told so by our teacher. (우리는 선생님께 끊임없이 그렇게 들어왔다.)

(2) This story is _____ personal experience. (이 소설은 개인적인 경험을 기반으로 한다.)

(3) The _____ worker is driving a tractor. (건설 직원이 트랙터를 몰고 있다.)

(4) He is _____ to work. (그는 직장으로 가는 중이다.)

(5) There is a high _____ that I will change my mind. (내가 마음을 바꿀 가능성이 높다)

(6) There is some _____ in the way they sing. (그들이 노래하는 방식이 약간 유사하다.)

3 우리말에 맞게 괄호 안의 어휘를 사용하여 문장을 완성하시오. 　각 6점

(1) 그 계획은 두 부분으로 구성되어 있다.
_____ two parts.
(composed/ plan/ of/ the/ is)

(2) 중대한 시기가 오면 그는 내 지지에 의지해도 된다.
_____ when the crunch comes.
(can/ on/ my/ he/ support/ rely)

(3) 젊은이들은 외국문화에 영향을 받기 쉽다.
Young people are apt to _____.
(culture/ by/ be/ foreign/ influenced)

(4) 이 광경은 그림처럼 아름답다.
This scene is _____.
(picture/ beautiful/ as/ as/ a)

수행 평가

4 다음 〈보기〉를 참조하여 고장난 것에 대한 수리를 안내하는 글을 쓰시오. 　20점

보기 » **OUT OF ORDER**

This computer is currently out of order. The repair work will be in progress until 5 p.m. today. We advise you to use the computer in the computer room. There is no denying the fact that this will cause you inconvenience. Please understand that no other matter is as urgent to us as repairing this computer on time. If you have any questions, please contact 123–4567. Thank you for your cooperation in advance.

UNIT **10**

What Matters Most in Life

Topic   인생의 목표, 삶의 의미

Functions   May I ask you a favor? (요청하기)
It sounds like you need help. (의견 표현하기)

Forms   1. **To be honest,** I know who you are. (독립부정사)
2. I **would** not **have survived if** you **had** not **saved** my life. (가정법 과거완료)

Listen and Speak

The most important thing (가장 중요한 것)

Have you ever considered certain things important? Listen to the dialogues and think about something that is important to you.

어떤 것들이 중요한지 생각해 본 적이 있나요? 대화를 듣고 여러분에게 중요한 것에 대해 생각해 보세요.

GET READY

Listen and write the number of the dialogue on the correct picture. 🎧

대화를 듣고 어울리는 사진에 알맞은 번호를 쓰시오.

📑 About Functions

May I ask you a favor?는 '도움을 요청해도 될까요?'의 뜻으로 이에 대한 긍정의 응답은 Sure. / Of course. / Certainly. 등으로 한다.

It sounds like ~는 '~인 것 같다'의 뜻으로 자신의 의견을 표현할 때 쓰인다. It seems like ~를 이용할 수도 있다.

해설

1. 첫 번째 사진에서 여학생이 무언가를 찾고 있으므로 휴대폰을 찾고 있는 상황인 3번 대화가 적절하다.
2. 두 번째 사진에서는 컴퓨터에 블루 스크린이 떠 있는 것으로 보아 2번 대화와 일치한다.
3. 세 번째는 짐을 옮기는 내용이므로 첫 번째 대화와 일치한다.

어휘

way [wei] 아주
stuff [stʌf] 물건

미니 백과

blue screen of death는 줄여서 BSOD라고도 부르는데, 파란색 바탕에 하얀 글씨가 나타나는 화면이다. 여러 가지 이유로 PC에 문제가 있음을 나타낸다. Windows 10에서 Your PC ran into a problem and needs to restart. We're just collecting some error info and then we'll restart for you. (여러분의 PC에 문제가 생겨 다시 시작해야 합니다. 에러 정보를 수집한 뒤 다시 시작하겠습니다.)라는 메시지가 뜬다.

1.

W: ① **Can I ask you a favor?**
M: Of course. How can I help you?
W: I have to move some stuff this weekend, but I need a helper. Some of my stuff is ② **way** too heavy.
M: It sounds like you need more than just one helper. Let's get Jinu, too.

2.

W: May I ask a favor of you?
M: ③ **Of course. What do you need?**
W: My computer keeps giving me the "blue screen of death."
M: Let me check and find out what the problem is.

3.

W: Can you do me a favor?
M: Sure. I'd be glad to help out.
W: Can you call me? I can't find my cell phone anywhere.
M: I'll call you now!

여: 도움을 청해도 될까?
남: 물론이지. 어떻게 도와줄까?
여: 이번 주말에 물건을 좀 옮겨야 하는데 도와줄 사람이 필요해서. 물건 몇 개는 너무 무겁거든.
남: 도와줄 사람이 한 명 이상 필요한 것 같구나. 진우도 부르자.

여: 도움을 청해도 될까요?
남: 물론입니다. 무엇을 도와드릴까요?
여: 제 컴퓨터에 계속 "죽음의 블루 스크린"이 뜨네요.
남: 제가 확인해 보고 무슨 문제가 있는지 알아보겠습니다.

여: 나 좀 도와줄 수 있어?
남: 물론. 기꺼이 도울게.
여: 나한테 전화해 줄 수 있어? 휴대폰을 아무데서도 못 찾겠어.
남: 지금 걸게!

구문

① 도움을 요청할 때는 Can[May] I ask you a favor? / Can you do me a favor? / Can you help me? 등으로 물을 수 있다.
② way가 부사 및 전치사와 함께 쓰여 '아주, 훨씬'의 의미를 나타낼 수 있다.
　　ex.) This shirt is way too small. (이 셔츠는 너무 작다.)
③ 도움을 요청하는 말에 대해. Sure. What is it? / Of course. What do you need? / Okay. I'd be glad to help out. 등으로 긍정의 대답을 할 수 있다.

• LISTEN IN •

DIALOGUE 1 | Listen and answer the questions. 🎧 다음을 듣고 물음에 답하시오.

1. **What does the boy ask the girl to do?** (남학생은 여학생에게 무엇을 부탁하는가?)
   - ⓐ to recommend a book (책을 추천해 주기)
   - b. to help him move books (책 옮기는 것 도와주기)
   - c. to let him know where the library is (도서관이 어디인지 알려주기)

2. **Listen again and complete the table.** (다시 듣고 표를 완성하시오.)

Time is important because … (시간은 중요하다 왜냐하면…)	
Past(과거)	We learn a lot from (1) <u>experience</u> in the past. (우리는 과거의 경험으로부터 많이 배울 수 있다.)
Future(미래)	It is full of excitement and (2) <u>possibilities</u>.(그것은 흥분과 가능성으로 가득하다.)
Present(현재)	We can take (3) <u>action</u> in the present.(우리는 현재에 행동을 취할 수 있다.)

M: Hi, Leah. Can I ask you a favor?
W: ①**Sure, how can I help you?**
M: I know you like reading books. Can you recommend a good book?
W: No problem. What kind of books do you like to read?
M: I like to read novels.
W: What about this novel written by a French author?
M: Can you tell me more about it? 📋 Listening Tip 1
W: Hector, the main character, travels to find the answer to ②**the question of** when the most important time in a person's life is. Have you ever thought about this question before?
M: Well… I think the past is the most important ③**given the fact that** we learn a lot from experience in the past.
W: Of course. History is important, but the past is the past. 📋 Listening Tip 3
M: What about the future? The future is full of excitement and possibilities.
W: The future is also important, but it hasn't come yet. 📋 Listening Tip 2
M: Oh, I see. You mean that the most important time is now because in the present we can take action.
W: Yes, you got it. ④**That's what this book is about.**

남: 안녕, Leah. 도움을 요청해도 될까?
여: 물론이지. 어떻게 도와줄까?
남: 네가 책 읽기 좋아한다는 거 알아. 좋은 책을 추천해 줄 수 있니?
여: 물론이지. 어떤 종류의 책을 읽기 좋아하니?
남: 나는 소설책 읽는 것을 좋아해.
여: 프랑스 작가가 쓴 이 소설책 어때?
남: 그것에 대해 좀 더 이야기해 줄래?
여: 주인공 Hector는 한 사람의 인생에서 가장 중요한 때가 언제인가라는 질문에 대한 대답을 찾기 위해 여행을 해. 이 질문에 대해 전에 생각해 본 적 있니?
남: 글쎄… 우리가 과거의 경험에서 많은 것을 배운다는 사실에 비추어 나는 과거가 가장 중요하다고 생각해.
여: 물론이지. 역사는 중요하지만 과거는 과거야.
남: 미래는 어떨까? 미래는 흥분과 가능성으로 가득해.
여: 미래도 역시 중요해. 하지만 아직 오지 않았어.
남: 아, 알겠어. 네 말은 우리는 현재에 행동을 취할 수 있기 때문에 가장 중요한 시간은 지금이라는 거구나.
여: 그래, 맞아. 그게 바로 이 책이 말하는 거야.

해설

1. Can you recommend a good book?이라고 묻는 것으로 보아 책을 추천해달라고 부탁하는 것임을 알 수 있다.

2. 사람의 인생에서 언제가 가장 중요한 때냐고 묻는 여학생의 질문에 대한 남자의 답에 (1)에 들어갈 내용이 나온다. 그리고 The future is full of excitement and possibilities.라고 한 남학생의 말에서 (2)의 빈칸의 내용이 언급되어 있다. 남학생이 ~ because in the present we can take action.이라고 말한 것에서 (3)의 내용을 알 수 있다.

어휘

recommend [rèkəménd] 추천하다
novel [nάvəl] 소설
given [gívən] ~을 고려해 볼 때
possibility [pὰsəbíləti] 가능성

📋 Listening Tip

To complete the summary

1. Listen for the specific information you want.
2. Try to anticipate what the speaker will say.
3. Do not worry if there is a word you do not understand; you may not need to use it.

요약문을 완성하려면
1. 원하는 특정한 정보를 잘 들어라.
2. 화자가 말하려는 것을 예상하려고 노력하라.
3. 이해하지 못하는 단어가 있어도 걱정하지 말아라; 그것을 사용할 필요가 없을 수도 있다.

구문

① 도움을 요청하는 말에 대해 긍정의 응답으로 Sure. / Of course. 등에 이어서 How can[may] I help you?로 친절함을 나타낼 수 있다.

② the question of ~는 '~에 대해 논의[처리]해야 할 문제'라는 뜻이다. of는 동격의 의미로 쓰여 '~라는'의 의미로 쓰였다.
   ex.) It's just a question of how we use them. (그건 단지 우리가 그것을 어떻게 사용하느냐의 문제이다.)

③ Given the fact that + 주어 + 동사 ~는 '~라는 사실을 고려해 볼 때'라는 뜻이다.
   ex.) Given the fact that he is eighty, he is so healthy. (그가 80세라는 사실을 고려해 볼 때, 그는 아주 건강하다.)

④ That's what + 주어 + 동사는 '그게 바로 ~하는 거야.'의 의미이다.

Listen and Speak

DIALOGUE 2 | Listen and choose the word that best describes the girl's feelings. 🎧 다음을 듣고 여학생의 심경을 가장 잘 묘사하는 단어를 고르시오.

| a. hopeful (희망적인) | ⓑ angry (화난) | c. indifferent (무관심한) |

해설

Oh, I was wondering why you had such a long face.라고 남자가 말한 것에서 여학생이 화가 나 있음을 알 수 있다

어휘

have a long face 우울해하다
exactly [igzǽktli] 정확하게
be mad at ~에 화나다
indifferent [indífərənt] 무관심한

W: Edward, may I ask you a favor?
M: I'd be glad to help out. What is it?
W: I argued with my mom this morning. ①**And I don't know what to do.**
M: Oh, I was wondering why you had such a long face. What happened exactly?
W: I went to bed late last night because I was playing online games until late, which my mom really hates. Then I got up late this morning. My mom was really mad at me ②**as if I were a little girl.**
M: Your mom was really mad at you because she worries about you.
W: I know, but I also know that I kept being rude. This made her even angrier.
M: You should always remember that the most important person is the one closest to you.
W: I know. ③**But it's easier said than done.**
M: You'd better go and say sorry to her as soon as possible.
W: Okay, I will. Thank you for your advice.

여: Edward, 도움을 요청해도 되겠니?
남: 도울 수 있다면 좋지. 뭔데?
여: 오늘 아침에 엄마랑 말다툼을 했어. 어떻게 해야 할지 모르겠어.
남: 왜 그렇게 우울한지 의아했어. 정확히 무슨 일이 있었니?
여: 늦게까지 온라인 게임하느라 어제 밤늦게 잠자리에 들었는데, 그것은 엄마가 정말 싫어하시는 거야. 그러고 나서 오늘 아침에 늦게 일어났지. 엄마는 내가 어린애인 것처럼 나한테 정말 화를 내셨어.
남: 너의 어머니가 진짜로 화를 내신 것은 너를 걱정하시기 때문이야.
여: 알아, 하지만 내가 계속 예의 없었다는 것도 알아. 이게 엄마를 더 화나시게 했어.
남: 가장 중요한 사람은 너와 가장 가까이 있는 사람이라는 것을 항상 기억해야 해.
여: 알아. 그런데 말하는 것처럼 행동이 쉽지가 않아.
남: 가능하면 빨리 가서 엄마한테 죄송하다고 말씀드려.
여: 알았어, 그렇게. 충고 고마워.

📖 구문

① I don't know what to do.는 I don't know what I should do.의 의미이다. what to ~는 '무엇을 ~할지,' where to는 '어디서[어디로] ~할지', when to는 '언제 ~할지'의 뜻이다.
ex.) Let me know when to start. (언제 출발해야 하는지 알려 줘.)

② as if + 가정법 은 '마치 ~인 것처럼(실제는 아니지만)'의 의미이다.
ex.) He talks as if he knew everything about the case. (그는 그 사건에 대해 모든 것을 아는 것처럼 말한다.)

③ It's easier than said than done.은 '행동하기보다 말하기가 쉽다.'는 의미의 격언으로 Doing is better than saying.도 비슷한 의미이다.

DIALOGUE 3 | Listen and fill in the blanks with the proper expressions. 🎧
듣고 알맞은 표현으로 빈칸을 채우시오.

해석

Chris는 오는 길에 Edward를 만나 잠시 그와 이야기하기 위해 멈췄기 때문에 모임에 또 늦었다. 선미는 그들에게 시간이 별로 없다고 생각한다.

Chris is (1) ⓐ <u>late again</u> for his meetings because he met Edward (2) ⓒ <u>on his way</u> and stopped to talk with him for a while. Seonmi thinks that they (3) ⓑ <u>don't have much time</u>.

ⓐ late again   ⓑ don't have much time   ⓒ on his way

W: Chris! You're late again.
M: Sorry, I'm late.
W: ① **What happened this time?**
M: I met Edward on my way here and stopped to talk with him for a second. I didn't know that I would be late for this meeting.
W: Oh, Chris. It sounds like you don't know when to do what with whom.
M: You're right, Seonmi. I often get confused when deciding what I need to do first, and then I make mistakes.

여: Chris! 또 늦었네.
남: 늦어서 미안해.
여: 이번엔 무슨 일이었니?
남: 여기 오는 길에 Edward를 만났는데 그 애랑 이야기하느라 잠깐 멈춰 있었어. 오늘 모임에 늦을지 몰랐어.
여: 오, Chris. 너는 언제 누구랑 무엇을 해야 하는지 모르는 것 같구나.
남: 맞아, 선미야. 나는 먼저 해야 할 일을 결정할 때 종종 혼란스러웠어, 그러고 나서 실수를 해.

W: ②**You'd better** stick with the plan you made in the first place. ③**Otherwise** you'll get behind your schedule.

M: Thanks, Seonmi. I'll keep that in mind.

W: So let's start working on this team project. If we don't, we're not going to be able to meet the due date.

M: Okay. Let's get started. And thank you for your advice.

여: 맨 먼저 세운 계획에 집중하는 게 좋아. 그렇지 않다면 일정이 늦어질 거야.

남: 선미야, 고마워, 기억할게.

여: 그러면, 이 팀 프로젝트를 시작하자. 그렇지 않으면 일정에 맞출 수 없을 거야.

남: 좋아. 시작하자. 그리고 충고 고마워.

해설

(1) Chris! You're late again.으로 보아 Chris가 또 늦었음을 알 수 있으므로 빈칸에 late again이 온다.

(2) I met Edward on my way here으로 보아 빈칸에 on his way가 온다.

(3) 여학생이 If we don't, we're not going to be able to meet the due date.라고 말한 것에서 시간이 없음을 알 수 있으므로 빈칸에 don't have much time이 온다.

어휘

stick with 계속하다
otherwise 그렇지 않다면
behind one's schedule 일정보다 늦게
keep ~ in mind ~을 기억하다

구문

① What happened?는 What's the matter?의 의미로 무슨 일이 있었는지 묻는 표현이다.
   ex.) A: What happened? (무슨 일 있었니?) B: I missed the bus. (버스를 놓쳤어.)

② You'd better + 동사원형 ~은 '~하는 게 낫다'는 뜻으로 충고할 때 쓰인다.

③ otherwise는 '다른 경우라면'이라는 의미로 무언가를 나열하거나 설명하고 나서 사용된다.
   ex.) Wear a sweater. Otherwise, you may come down with a cold. (스웨터 입어, 안 그러면 감기 걸릴지도 몰라.)

► SPEAK OUT

Role-play the dialogue with your classmates. Then, take turns playing the different roles. 짝과 함께 아래의 대화로 역할극을 하시오. 그러고 나서 다른 역할로 바꾸어 해 보시오.

Source: O. Henry, *The Gift of the Magi*

해석

점원: 무엇을 도와드릴까요?
Magi: 네... 부탁을 드려도 될까요?
점원: 무슨 일이시죠?
Magi: 제 머리카락을 사 주실 수 있나요?
(저녁에)
Magi: 여보! 당신 시계와 어울리는 시곗줄을 샀어요. 시계 좀 줘 보세요.
Jim: 어, 지금 안 갖고 있어요. 팔았어요. 당신의 멋진 머리카락과 어울리는 빗을 샀어요.
Magi: 뭐라고요? 내게 빗을 주기 위해 그걸 팔았다는 거예요?
Jim: 응, 미안해요, 여보.
Magi: 아, Jim. 당신에게 할 말이 있어요. 내 머리카락의 값은 20달러였어요.
Jim: 뭐라고? 오, 안 돼! 당신 말은...
Magi: 미안해요, 여보.
Jim: 우리 둘 다 바보 같군요.
Magi: 네, 하지만 우리는 행복한 바보네요. 사랑해요.
Jim: 나도 사랑해요.

Review Points

1. I understood the main idea of the dialogues about the most important thing.
   나는 가장 중요한 것에 관한 대화의 주제를 이해했다.

2. I role-played a part of literature and thought about important things in life.
   나는 문학의 일부분으로 역할극을 했고 인생에서 중요한 것들에 관해 생각했다.

 **Into Real Life**

Topic

Leo Tolstoy (레오 톨스토이)

Have you come in contact with a work of art such as music, literature, or art? Listen to a lecture about Tolstoy and discuss your favorite artists and their works. 음악, 문학, 미술 같은 예술 작품에 접한 적이 있나요? Tolstoy에 대한 강의를 듣고 좋아하는 예술가들과 그들의 작품에 관해 토의하세요.

STEP 1 **LISTEN TO THE LECTURE.** 강의를 들으시오.

Listen and answer the questions. 🎧 듣고 질문에 답하시오.

1. What is the best title for this lecture? (이 강의의 제목으로 가장 알맞은 것은 무엇인가?)
   a. Tolstoy's Life and Works (Tolstoy의 삶과 작품들)
   b. Tolstoy's Autobiography (Tolstoy의 자서전)
   c. Tolstoy's Famous Novel *War and Peace* (Tolstoy의 유명한 소설 '전쟁과 평화')

2. Listen again and correct the wrong information. (다시 듣고 잘못된 정보를 고치시오.)

a. Tolstoy was a Russian novelist. (Tolstoy는 러시아의 소설가였다.)
b. Tolstoy became famous when he was in his thirties.(→ twenties)
   (Tolstoy는 30대(→ 20대)에 유명해졌다.)
c. Tolstoy wrote plays and short stories as well as novels.
   (Tolstoy는 소설뿐 아니라 희곡과 단편 소설도 썼다.)
d. Tolstoy died at 82. (Tolstoy는 82세에 죽었다.)

해설

1. So we need to learn about its author.라고 말한 것에서 연극의 저자 톨스토이의 삶에 관한 내용이 이어질 것임을 알 수 있고 작품들도 대화에서 구체적으로 언급된다.

2. he first achieved literary fame in his twenties에서 20대에 문학적 명성을 얻었음을 알 수 있다

어휘

adapt from ~에서 각색하다
regard *A* as *B*: A를 B로 간주하다
achieve [ətʃíːv] 이루다
philosophical [filəsáfikəl] 철학적인
consistently [kənsístəntli] 지속적으로

M: Good morning, students. Today we are going to read a great play that was adapted from a story written by Leo Tolstoy. So we need to learn about its author. As you may know, Leo Tolstoy was a Russian novelist, regarded as one of the greatest novelists of all time. He ①**is best known for** *War and Peace* and *Anna Karenina*.
W: I've heard of those. ②**They sound like great novels.**
M: Yes, he first achieved literary fame ③**in his twenties.**
W: May I ask a question?
M: Sure. What is it?
W: Did he write any plays or short stories?
M: That's a good question. He wrote plays and several philosophical short stories. Until his death from a serious disease at the age of 82, Tolstoy consistently attempted to find the truth through his works and in his real life.

남: 안녕하세요, 학생 여러분. 오늘 우리는 Leo Tolstoy가 쓴 이야기에서 각색된 훌륭한 연극을 읽으려고 합니다. 그래서 우리는 저자에 대해 배워야 합니다. 알다시피, Leo Tolstoy는 역대 가장 위대한 소설가 중 한 명으로 간주되는 러시아의 소설가였습니다. 그는 '전쟁과 평화'와 '안나 카레니나'로 가장 유명하죠.
여: 그것들을 들어 봤어요. 훌륭한 소설인 것 같습니다.
남: 그래요. 그는 20대에 처음 문학적 명성을 이루었어요.
여: 질문해도 될까요?
남: 네. 질문이 뭐죠?
여: 그는 희곡이나 단편 소설도 썼나요?
남: 좋은 질문입니다. 그는 희곡과 몇 가지 철학적인 단편 소설들을 썼습니다. 82세에 중병으로 사망할 때까지, Tolstoy는 그의 작품과 실생활을 통해 진실을 찾으려고 지속적으로 시도했습니다.

 구문

① be best known for ~는 '~로 가장 유명하다'라는 뜻으로 be well-known for의 최상급 형태이다.
  ex.) The city is best known for its beautiful river. (그 도시는 아름다운 강으로 가장 유명하다.)

② They sound like good novels.는 It sounds like they are good novels.의 의미이다. sound like 뒤에 명사가 오기도 한다.
  ex.) She sounds like a real gem. (그녀는 보석같은 사람 같군요.)

③ in one's twenties는 '~의 20대에'의 의미로 숫자의 복수형을 써서 나타낼 수 있다.
  ex.) He wrote his first poem in his thirties. (그는 30대에 첫 시를 썼다.)

 **PREPARE TO PRESENT** 발표를 준비하시오.

Fill in the blanks with the information about your favorite author/movie director/artist. 여러분이 가장 좋아하는 작가/영화감독/예술가에 관한 정보로 빈칸을 채우시오.

Your favorite author/ movie director/artist	His/Her works	Why do you like him/her?
My favorite author is Park Kyeongni.	She wrote the novel Land.	I like her writing style. I like the way she creates characters that we can really care about.

해석

가장 좋아하는 작가/영화감독/화가 : 내가 좋아하는 작가는 박경리이다.
그의/그녀의 작품들: 그녀는 '토지'라는 소설을 썼다.
왜 그/그녀를 좋아하는가?: 나는 그녀의 글 쓰는 스타일을 좋아한다. 우리가 정말 좋아할 수 있는 인물들을 참조하는 방식을 좋아한다.

 **PRESENT YOUR FAVORITE AUTHOR** 좋아하는 작가를 발표하시오.

Tell your classmates about your favorite author/movie director/artist and his/her works. 좋아하는 작가/영화감독/화가와 그/그녀의 작품에 관해 짝에게 이야기하시오.

> My favorite author(movie director, artist) is <u>Jo Sumi</u>.
> He(She) is(was) famous for <u>her song, "If I Leave."</u>. I admire him(her) because <u>she has a sweet voice</u>.

해석

내가 좋아하는 작가[영화감독, 예술가]는 조수미이다. 그녀는 노래 "나 가거든"으로 유명하다. 나는 그녀가 아름다운 목소리를 가지고 있어서 그녀를 존경한다.

어휘

admire [ædmáiər] 존경하다

STEP **4**　　**SHARE YOUR IDEAS** 아이디어를 공유하시오.

Ask and answer the questions about your classmates' favorite artists and his/her works. 여러분의 급우들이 좋아하는 예술가와 그 / 그녀의 작품에 대해 질문하고 답하시오.

해석

A: 내가 좋아하는 화가는 <u>Vincent van Gogh야.</u>

B: 네가 <u>미술에 관심이 있는 줄 몰랐어.</u>

A: 나는 <u>그의 그림들이 아름다워서</u> 그를 존경해.

C: 그는 <u>그의 작품 "아를의 Vincent의 침실"</u>로 유명해.

I admire him because his pictures are beautiful.

My favorite painter is Vincent van Gogh.

I didn't know you were interested in the arts.

He(She) is(was) famous for his work, "*Vincent's Bedroom in Arles.*"

• 1~2차시 어휘 정리

▶ achieve 이루다
▶ be mad at ~에 화나다
▶ consistently 지속적으로
▶ given ~을 고려해 볼 때
▶ indifferent 무관심한
▶ philosophical 철학적인
▶ otherwise 그렇지 않다면
▶ recommend 추천하다
▶ stuff 물건

▶ adapt from ~에서 각색하다
▶ behind one's schedule 일정보다 늦게
▶ exactly 정확하게
▶ have a long face 우울하다
▶ novel 소설
▶ regard A as B A를 B로 간주하다
▶ possibility 가능성
▶ stick with 계속하다
▶ way 아주, 훨씬

Review Points

1. I understood the lecture about Tolstoy.
   나는 Tolstoy에 대한 강의를 이해했다.

2. I exchanged opinions about my favorite artists and works with my classmates.
   나는 내가 좋아하는 예술가와 작품에 관해 급우들과 의견을 교환했다.

Topic

The three important things (세 개의 중요한 것들)
What is the most important thing in your life? Read the play, understand what is important in the play, and compare it to your own situation.
여러분의 인생에서 가장 중요한 것은 무엇인가요? 희곡을 읽고 희곡에서 무엇이 중요한지 이해하고 그것을 자신의 상황과 비교하세요.

1. Talk with your partner about the important things in your life. 여러분의 인생에서 중요한 것들에 관해 짝과 이야기하시오.

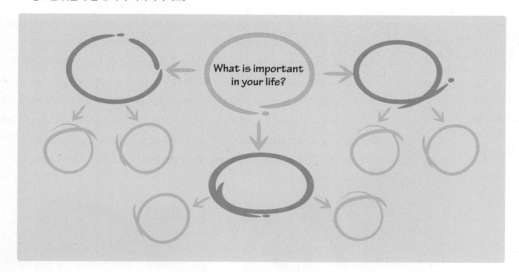

해석
여러분의 인생에서 무엇이 중요한가?

2. Before you read the passage, check out the elements of a play. 본문을 읽기 전에 희곡의 요소들을 확인해 보시오.

Elements of a Play

- SCRIPT/TEXT – What happens?
  The script/text is composed of clearly defined problems for the characters to solve.

- CHARACTERS – ① **To whom does it happen?**
  Characters provide the reasons for the events in the plot.

- AUDIENCE – What does a play require?
  For all of the arts, public performance is essential. The audience can inspire actors.

해석
희곡의 요소들
- 스크립트/대본 – 무슨 일이 일어나는가?
  스크립트/대본은 등장인물들이 해결할 분명하게 정의된 문제들로 구성되어 있다.
- 등장인물들 – 누구에게 그 일이 일어나는가?
  인물들은 구성에 있어 사건에 대한 이유들을 제공한다.
- 관객 – 희곡은 무엇을 필요로 하는가?
  모든 예술에 있어서, 대중 공연은 필수적이다. 관객은 배우들을 고무시킨다.

어휘
be composed of ~로 구성되다
plot [plɑt] 구성
essential [isénʃəl] 필수적인
inspire [inspáiər] 고무시키다

구문 ① To whom does it happen?은 의문사가 목적어가 된 구문으로 전치사를 의문사 앞에 쓰기도 한다. *ex.*) In what way do they differ? (어떤 방식으로 그들이 다른가?)

On Your Own

Read the passage quickly and figure out the meaning of the title.
본문을 빠르게 읽고 제목의 의미를 이해하시오.

Read and Think

Interpretation

[1]인생에서 가장 중요한 것 세 가지

[2]인물: 왕, 은자, 수염 난 사람, 의사, 경호원

[3]한 왕이 세 가지 주요 질문에 대한 답을 알고 싶었다: 첫째, 인생에서 이뤄야 할 가장 중요한 것은 무엇인가? 둘째, 언제 가장 중요한 것을 이루어야 하는가? 그리고 세 번째, 그 임무를 이루도록 그를 도와줄 적당한 사람들은 누구인가? [4]그는 만약 그가 이 질문들에 대한 답을 안다면 어떤 것에도 실패하지 않을 것이라고 생각했다. [5]그래서 그는 그의 왕국 전체에서 세 가지 질문에 답할 수 있는 그 누군가에게 큰 보상을 하겠다고 선언했다. [6]그러나 그 나라의 누구도 그에게 만족할 만한 답을 줄 수 없었다. [7]그러자 왕은 현명한 은자에게 상담하기로 결정했다. [8]은자는 평범한 사람들만 받았기에. 그래서 왕은 평범한 옷을 입고 그를 방문했다.

The Three Most Important Things in Life

[2]Characters: King, Hermit, Bearded Man, Doctor, Bodyguard

[3]A certain king wanted to know the answers to three key questions: First, what is the most important thing to accomplish in life? Second, when should he accomplish the most important thing? And third, who are the right people to help him accomplish that task? [4]He thought that if he knew the answers to these questions, he would never fail in anything. [5]So he declared throughout his kingdom that he would give a large reward to anyone who could answer the three questions. [6]However, no one in the country was able to give him satisfying answers. [7]The king then decided to consult a wise hermit. [8]The hermit only received common people, so the king visited him wearing simple clothes.

Words and Idioms

hermit: 은자 ⏵ Emperor Constantine visited the wise hermit for counsel. (Constantine 황제는 조언을 위해 현명한 은자를 방문했다.)

bearded: 턱수염 난 ⏵ He saw an elderly, bearded man standing in front of his house. (그는 늙고 턱수염 난 남자가 집 앞에 서 있는 것을 보았다.)

bodyguard: 경호원 ⏵ He used to be a bodyguard. (그는 경호원이었다.)

declare: 선언하다 ⏵ The court declared that the case should be reviewed. (법원은 그 사건이 재고되어야 한다고 선언했다.)

Over to you
Think about the three most important things in your life.

당신의 인생에서 가장 중요한 세 가지에 관해 생각하시오.

reward: 보상 ⊙ The reward is dependent on your success. (보상은 당신의 성공에 달려 있다.)

consult: 상담하다 ⊙ Why don't you consult this with your teacher? (네 선생님과 상의하지 그러니?)

common: 평범한 ⊙ That situation is quite common. (그 상황은 아주 흔하다.)

Key Points

3 A certain king wanted to know the answers to three key questions: First, what is the most important thing **to accomplish in life**? Second, when should he accomplish the most important thing? And third, who are the right people **to help him accomplish that task**?: to accomplish ~와 to help 이하는 앞의 명사를 꾸며주는 to부정사의 형용사적 용법이다. to부정사의 형용사적 용법은 '~할'로 해석한다.

4 He thought that **if he knew** the answers to these questions, **he would never fail** in anything.: 주절로 보아 시제는 과거인데, 현재 사실에 대한 불가능을 나타내는 가정법 과거의 어순이 쓰여(~, 주어 + 조동사의 과거 + 동사원형) 시제의 일치에 어긋나는 것처럼 보이지만, 주절의 시제의 영향을 받지 않는다.

5 So he declared throughout his kingdom **that** he would give a large reward to anyone **who** could answer the three questions.: that은 접속사로 declared의 목적어 역할을 한다. who 이하는 anyone을 꾸며주는 관계대명사절로 이때 who는 주격 관계대명사이다.

6 However, no one in the country was able to give him **satisfying** answers.: satisfying은 현재분사로 answers를 꾸며준다. 현재분사는 꾸밈을 받는 말과 능동의 관계일 때 쓰인다.

7 The king then **decided to** consult a wise hermit.: decide는 advise, want, would like 등과 같이 to부정사를 목적어로 취하는 동사이다.

8 The hermit only received common people, so the king visited him **wearing simple clothes**.: wearing simple clothes는 분사구문으로 이때 wearing은 '~을 입은 채로'의 뜻으로 동시에 일어난 일을 나타낸다.

Mini Test

정답과 해설 p. 365

1. 다음 괄호 안의 단어들을 순서대로 배열하시오.

(1) Who are the right people (task, to, him, help, accomplish, that)?

(2) No one in the country was able to (answers, give, satisfying, him).

2. 다음 우리말에 맞게 빈칸에 알맞은 말을 쓰시오.

(1) 그는 만약 그가 이 질문들에 대한 답을 안다면 어떤 것에도 실패하지 않을 것이라고 생각했다.
He thought that ＿＿＿＿＿＿＿＿＿＿ the answers to these questions, he would never fail in anything.

(2) 은자는 평범한 사람들만 받았고, 그래서 왕은 평범한 옷을 입고 그를 방문했다.
The hermit only received common people, so the king visited him ＿＿＿＿＿＿＿＿＿＿.

3. 다음 주어진 표현을 이용하여 문장을 완성하시오.

(1) decide to + 동사원형 : ~하기로 결정하다
They ＿＿＿＿＿＿＿＿＿＿ their first meeting.
(그들은 첫 번째 회의를 미루기로 결정했다.)

(2) consult + 목적어 : ~ 에게 상의하다 / ~에게 진찰받다
If the pain persists, ＿＿＿＿＿＿＿＿＿＿.
(통증이 지속되면, 의사에게 진찰받으시오.)

(3) declare that + 주어 + 동사 ~: ~라고 선언하다
He held a press conference and ＿＿＿＿＿＿＿＿＿＿
＿＿＿＿＿ innocent.
(그는 기자 회견을 열어서 자신이 결백하다고 선언했다.)

Interpretation

1막 1장

¹왕은 자신의 오두막 앞에서 땅을 파고 있는 은자를 만난다. ²은자는 왕을 한 번 보고서 인사를 하고 계속 땅을 판다.

³왕: (다가서며) 세 가지 질문을 하려고 당신에게 왔습니다. 현명한 은자님. 제가 주목할 만한 가치가 있는 가장 중요한 것은 무엇입니까? 그 중요한 일을 할 적당한 시간은 언제입니까? 그리고 그것을 완수하는 저를 돕기 위해 저에게 가장 필요한 사람들은 누구입니까?

⁴(한 마디도 하지 않고 은자는 아무것도 못들은 것처럼 땅을 계속 판다.)

⁵왕: 피곤해 보이시는군요. (은자에게 다가가며) 제가 삽을 들고 당신을 위해 일을 해드리죠.

⁶은자: 감사합니다!

⁷(삽을 왕에게 주고 그는 땅에 앉는다.)

1막 2장

⁸은자: (왕이 땅을 파는 것을 보며) 솔직히 말해서 나는 당신이 누군지 알고 있습니다. 제 생각에 당신은 원하는 모든 것을 소유하고 있습니다. 아직도 만족하지 못하십니까?

⁹왕: 물론 아닙니다!

¹⁰은자: (잠시 생각에 빠져있다가 자리에서 일어나며) 이제 잠깐 쉬시죠, 제가 일을 좀 하겠습니다. 이 일을 끝내야 해서요.

¹¹(그에게 삽을 주지 않고 왕은 계속 땅을 판다. 태양은 나무 뒤로 지기 시작한다.)

¹²왕: 제 질문에 대한 대답을 찾아 당신에게 왔습니다. 은자님. 아무것도 주실 게 없다면, 그렇다고 말씀해 주세요. 그럼 집에 돌아가겠습니다.

Act 1, Scene 1

¹*The king meets the hermit, who is digging the ground in front of his hut.* ²*Glancing at the king, the hermit greets him and goes on digging.*

³**King:** *(Approaching)* I have come to you, wise hermit, to ask you to answer three questions: What is the most important thing that deserves my attention? When is the right time to do that important thing? And who are the people I need most to help me accomplish it?

⁴*(Without saying a word, the hermit continues digging as if he had heard nothing.)*

⁵**King:** You look tired. *(Reaching for the hermit)* Let me take the spade and work awhile for you.

⁶**Hermit:** Thanks!

⁷*(Giving the spade to the king, he sits down on the ground.)*

Act 1, Scene 2

⁸**Hermit:** *(Watching the king digging the ground)* To be honest, I know who you are. I think you possess everything you want. Are you still not satisfied?

⁹**King:** Of course not!

¹⁰**Hermit:** *(Losing himself in thought for a while and rising from his seat)* Now rest awhile and let me work a bit. I have to get this job done.

¹¹*(Not giving him the spade, the king continues to dig. The sun begins to set behind the trees.)*

¹²**King:** I came to you, wise man, for answers to my questions. If you can give me none, tell me so, and I will return home.

While you read

Q1. What are the king's three questions?

왕의 세 가지 질문은 무엇인가?

─────────────────

 "What is the most important thing to do?", "When is the right time to do that job?", and "Who can help him accomplish that task?"

해야 할 가장 중요한 일은 무엇인가?, 그 일을 할 적당한 때는 언제인가?, 그 일을 완수하는 데 누가 그를 도울 수 있을까?

해설 3번 문장에 세 가지 질문이 나와 있다.

Words and Idioms

dig: 파다 ▶ Dig down about 30 centimeters. (약 30센티미터 정도 파시오.)

go on -ing: 계속 ~하다 ▶ He went on working until he was 75. (그는 75세까지 계속 일했다.)

deserve: ~할 가치가 있다 ▶ Mr. Silver's original creation deserves attention. (Silver 씨의 독창적인 창작품은 주목받을 만 하다.)

spade: 삽 ▶ We need a spade to dig the ground. (우리는 땅을 파기 위해 삽이 필요하다.)

awhile: 잠깐 ▶ Please sit down and stay awhile. (잠깐 앉아 계세요.)

possess: 소유하다 ▶ Neither of them possessed a car. (그들 중 아무도 차가 없었다.)

satisfied: 만족한 ▶ Are you satisfied with your work? (당신의 일에 만족하나요?)

lose oneself in: ~에 몰두하다 ▶ He was losing himself in thought when I called his name. (내가 그의 이름을 불렀을 때, 그는 생각에 몰두해 있었다.)

Key Points

2 **Glancing** at the king, the hermit greets him and goes on digging.: As he glances at the king ~의 의미를 가진 분사구문이다.

3 **King:** (*Approaching*) I have come to you, wise hermit, to ask you to answer three questions: What is the most important thing that deserves my attention? When is the right time to do that important thing? And who are the people I need most to help me accomplish **it**?: it이 가리키는 것은 앞에 나온 the most important thing이다.

4 (*Without saying a word, the hermit continues digging as if he had heard nothing.*) : Without -ing 는 '~하지 않은 채로'의 뜻으로 부대상황을 나타낸다. / 「as if + 가정법 과거완료」는 '마치 ~한 것처럼'의 뜻으로 '실제로 들었지만 마치 못들은 것처럼'의 의미를 가진다.

5 **King:** You **look tired**.: 「look + 형용사」가 와서 '~처럼 보이다'의 뜻을 갖는다.

7 (*Giving the spade to the king, he sits down on the ground.*) : 분사구문으로 after he gives the spade to the king ~

의 의미이다.

8 **Hermit:** (*Watching the king digging the ground*) **To be honest**, I know who you are. I think you possess everything you want. Are you still not satisfied?: To be honest는 독립부정사구로 '솔직히 말해서'의 뜻이며 숙어처럼 쓰인다. To be honest with you로 쓰기도 한다.

9 **King: Of course not!** : No에 대한 강조를 나타내며 '물론 아니지.'의 의미이다.

10 **Hermit:** (*Losing himself in thought for a while and rising from his seat*) Now rest awhile and let me work a bit. I have to **get this job done**.: 「get + 목적어 + 과거분사」 구문으로 '~을 …되게 하다'의 뜻이다. 이때 목적보어로 쓰인 과거분사는 목적어와 수동의 관계이다.

11 (*Not giving him the spade, the king continues to dig. The sun begins to set behind the trees.*): 분사구문의 부정은 분사 앞에 not을 붙여서 나타낸다. 여기서는 As the king doesn't give him the spade, ~의 의미이다.

Mini Test

정답과 해설 p. 365

1. 다음 괄호 안의 단어들을 순서대로 배열하시오.

(1) I have to (get, done, this, job).

(2) (him, not, giving, the, spade), the king continues to dig.

2. 다음 우리말에 맞게 빈칸에 알맞은 말을 쓰시오.

(1) 왕을 한 번 보고서, 은자는 인사를 하고 계속 땅을 판다.
_____, the hermit greets him and goes on digging.

(2) 솔직히 말해서, 나는 당신이 누군지 알고 있습니다.
_____, I know who you are.

3. 다음 주어진 표현을 이용하여 문장을 완성하세요.

(1) go on -ing: 계속 ~하다
He _____ without listening to me.
(그는 내 말을 듣지 않고 계속 말했다.)

(2) deserve attention: 주목할 만하다
These two _____.
(이 두 제안이 주목할 만하다.)

(3) without saying: 아무 말도 없이
He left _____ goodbye.
(그는 작별 인사도 없이 떠났다.)

(4) lose oneself in : ~에 몰두하다
She listened to the music, _____ in its lyrics.
(그녀는 가사에 몰두해서 그 음악을 들었다.)

Interpretation

2막 1장

¹숲에서 어떤 소리가 들린다. 수염 난 남자가 나타난다.

²은자: 여기 누군가 걸어오고 있습니다. 누군지 알아봅시다

³수염 난 남자: (불안정하게 걸어오면서, 다급한 목소리로) 도와주세요. 자비를 베풀어 주세요. (의식 없이 땅에 쓰러지며)

왕: ⁴(남자의 배에 난 커다란 상처를 발견하고서) 무슨 일이 있었는가? 이보게! 괜찮나? ⁵(살아 있는지 살피기 위해 의식 없는 남자의 목에 손을 대고) 상처로 보건데, 출혈을 멈추게 하기 위해 뭔가 해야 해! ⁶의사! 의사! (상처 난 남자를 오두막으로 옮기면서)

2막 2장

⁷오두막에서 의사가 의식 없이 땅에 넘어진 수염 난 남자를 돌보고 있다.

⁸왕: 그가 회복될까?

⁹의사: 잘 모르겠습니다, 전하.

¹⁰왕: 이 사람이 누군지 궁금하군. 어쨌든 지금으로서는 시간이 없네. 그의 생명을 구하기 위해 최선을 다해야 하네.

¹¹의사: 네, 전하. 최선을 다하겠습니다.

Act 2, Scene 1
¹*A sound is heard in the woods. A bearded man appears.*

²**Hermit:** Here comes someone walking. Let us see who it is.

³**Bearded man:** *(Walking unsteadily, in an urgent voice)* Help me, please. Have mercy on me. *(Falling down on the ground unconsciously)*

King: ⁴*(Finding a large wound on the man's stomach)* What happened to you? Come on! Are you okay? ⁵*(Putting his hand on the unconscious man's neck to see if he is alive)* Judging from your wound, I need to do something to stop the bleeding! ⁶Doctor! Doctor! *(Carrying the wounded man into the hut)*

Act 2, Scene 2
⁷*In the hut, a doctor is caring for the bearded man who fell down on the ground unconscious.*

⁸**King:** Is he going to make it?

⁹**Doctor:** I am not sure, Your Majesty.

¹⁰**King:** I wonder who this man is. Anyway, there's no time for that now. You must do your best to save his life.

¹¹**Doctor:** Yes, Your Majesty. I will do my best.

While you read

Q2. What does the king do when he sees the bearded man?

왕은 수염 난 남자를 보고 무엇을 하는가?

[예시 답안] He carries the bearded man into the hut and calls his doctor to save the man.

그는 수염 난 남자를 오두막으로 데리고 가서 그를 구해줄 의사를 부른다.

[해설] 4~6번에 왕이 수염 난 남자를 보고 한 행동이 드러나 있다.

 Words and Idioms

unsteady: 불안정한 ▶ Her voice was unsteady and nervous. (그녀의 목소리는 떨리고 긴장하고 있었다.)

have mercy on: ~에게 자비를 베풀다 ▶ Almighty God, have mercy on us. (전능하신 하느님, 저희들에게 자비를 베푸소서.)

unconscious: 의식을 잃은, 무의식적인 ▶ Everybody has an unconscious need to be loved. (모두에게는 사랑 받으려는 무의식적인 욕구가 있다.)

wound: 상처 ▶ It will take several weeks for his wounds to heal.(그의 상처가 낫는 데는 몇 주 걸릴 것이다.)

judging from: ~로 판단하건대 ▶ Judging from his accent, he is from southern Australia. (그의 억양으로 보건데, 그는 호주 남부 출신이다.)

bleed: 피 흘리다 ▶ Your nose is bleeding. (너 코피가 나고 있어.)

make it: 이겨 내다, 살아남다 ▶ The doctors think he's going to make it. (의사들은 그가 병을 이겨 낼 거라고 생각한다.)

majesty 장엄함, 폐하 Your Majesty: 전하 ▶ The prime minister is here to see you, Your Majesty. (수상이 여기 뵈러 왔습니다. 전하.)

Key Points

1. A sound **is heard** in the woods. A bearded man appears.: is heard는 수동태이며 능동태로 쓰일 경우 주어가 분명하지 않으므로 수동태로 쓰였다.

2. **Hermit:** Here comes someone walking. Let us see **who it is.**: 간접의문문은 의문사가 이끄는 절이 문장의 주어나 목적어 등으로 쓰인 경우를 말하며 「의문사 + 주어 + 동사」의 어순을 취한다.

5. (*Putting his hand on the unconscious man's neck to see if he is alive*) Judging from your wound, I need to do something to stop the bleeding!: 의문사가 없는 간접의문문은 「if[whether] + 주어 + 동사」의 형태로 쓰며 '~인지 아닌지'의 의미이다. / judging from ~ 은 독립분사구로 '~로 판단하건대'의 의미이며 숙어처럼 쓰인다.

6. Doctor! Doctor! (*Carrying the **wounded** man into the hut*)

: wound가 '상처를 입히다'는 동사로 쓰인 경우 wound-wounded-wounded로 과거, 과거분사가 쓰인다. 여기서는 '상처받은'의 의미로 수동으로 쓰이므로 과거분사인 wounded가 명사를 수식한다.

7. In the hut, a doctor is caring for the bearded man **who fell down on the ground unconscious.**: 주격 관계대명사 who가 이끄는 형용사절이 선행사 the bearded man을 수식한다.

8. **King:** Is he going to **make it**?: 여기서 make it은 '(심각한 질병·사고 후에) 살아남다[이겨 내다], (힘든 경험 등을) 버티다[이겨 내다]'의 의미로 쓰였다.

10. **King: I wonder who this man is.** Anyway, there's no time for that now. You must do your best to save his life.: 「I wonder + 목적어절 ~」은 '~인지 궁금하다'의 의미이다. 이때 목적어절을 이끄는 접속사로는 의문사나 if[whether] 등이 온다.

Mini Test

정답과 해설 p. 365

1. 다음 괄호 안의 단어들을 순서대로 배열하시오.

(1) Here comes someone walking. Let us (is, see, it, who).

(2) (from, judging, wound, your), I need to do something to stop the bleeding!

2. 다음 우리말에 맞게 빈칸에 알맞은 말을 쓰시오.

(1) 그는 살아 있는지 살피기 위해 손을 의식 없는 남자의 목에 댄다.
He puts his hand on the unconscious man's neck to see
_____.

(2) 오두막에서 의사가 의식 없이 땅에 넘어진 수염 난 남자를 돌보고 있다.
In the hut, a doctor is caring for the bearded man
_____ on the ground unconscious.

3. 다음 주어진 표현을 이용하여 문장을 완성하시오.

(1) have mercy on ~: ~에게 자비를 베풀다
May God _____!
(신이시여, 저에게 자비를 베푸소서)

(2) judging from ~: ~로 판단하건대
_____, she must be angry.
(그녀의 목소리로 판단하건대, 화난 것이 분명하다.)

(3) make it : 회복되다
I'm not sure he's going to _____.
(그가 곧 회복될지 확실하지 않다.)

(4) wonder + 의문사 ~: ~인지 궁금하다
_____ at the airport.
(나는 그가 언제 공항에 도착할지 궁금하다.)

Interpretation

3막 1장

¹은자는 다음날 아침 일찍 일어나 일하러 떠난다.

²은자가 간 후 왕의 경호원은 왕에게 달려간다.

³경호원: (달려가서 다급한 목소리로) 전하, 이곳이 전하께 위험한 것 같습니다.

⁴왕: 왜 그러느냐?

⁵경호원: 어젯밤에, 무기를 든 낯선 사람을 찾아 냈습니다. 가능한 한 빨리 이곳을 떠나야 할 것 같습니다.

⁶왕: 알겠다. 은자를 만난 후에 궁으로 돌아가겠다.

3막 2장

⁷왕은 수염 난 남자가 깨어 있는 것을 본다.

⁸수염 난 남자: (약한 목소리로) 용서해 주십시오!

⁹왕: 지금은 괜찮은가?

¹⁰수염 난 남자: 용서해 주십시오!

¹¹왕: 무슨 뜻이냐? 나는 너를 용서할 게 전혀 없다. 수염 난 남자: ¹²있습니다, 전하. ¹³전하는 저를 모르시지만 저는 전하를 알고 있습니다. ¹⁴전하께서 제 재산을 빼앗아 가시고 제 동생을 죽이셨다는 것을 알고, 저는 전하께 복수를 하려고 한 전하의 적이었습니다. ¹⁵은자를 만나러 홀로 가셨다는 것을 알고 저는 전하께서 돌아가시는 길에 죽일 계획이었습니다. ¹⁶하지만 여기 오는 길에 전하의 군사들을 우연히 마주쳤고 그들이 저에게 상처를 입혔습니다. ¹⁷전하께서 제 생명을 구하지 않으셨다면 저는 죽었을 것입니다. ¹⁸허락해 주신다면 저는 전하의 가장 충실한 신하로 봉사하겠습니다. ¹⁹저를 용서해 주십시오, 전하!

²⁰왕: 너를 용서한다! 그리고 또한 너를 내 부하 중 하나로 받아들이겠다.

Act 3, Scene 1

¹The hermit wakes up early the next morning and leaves for work. ²After the hermit is gone, the king's bodyguards rush to the king.

³**Bodyguard:** (*Rushing to the king, in an urgent voice*) Your Majesty, I'm afraid this place is dangerous for you.

⁴**King:** Why?

⁵**Bodyguard:** Last night, we found a strange man carrying a weapon. I think we had better leave this place as soon as possible.

⁶**King:** Okay. I'll return to my palace after I meet the hermit.

Act 3, Scene 2

⁷The king sees the bearded man awake.

⁸**Bearded man:** (*In a weak voice*) Forgive me!

⁹**King:** Are you okay now?

¹⁰**Bearded man:** Forgive me!

¹¹**King:** What do you mean? I have nothing to forgive you for.

Bearded man: ¹²Yes, Your Majesty. ¹³You do not know me, but I know you. ¹⁴Seeing that you took away my property and put my brother to death, I was an enemy of yours who sought to get back at you. ¹⁵Knowing you had gone alone to see the hermit, I planned to kill you on your way back. ¹⁶But on my way here, I came upon your soldiers, who wounded me. ¹⁷I would not have survived if you had not saved my life. ¹⁸If you allow it, I will serve you as your most faithful servant. ¹⁹Forgive me, Your Majesty!

²⁰**King:** I forgive you! And I also accept you as one of my men.

While you read

Q3. Why does the bearded man ask for forgiveness?

수염 난 남자는 왜 용서를 구하는가?

예시 답안 He tried to get back at the king, but the king saved his life.

그는 왕에게 복수를 하려고 했으나 왕은 그의 목숨을 구해줬다.

Words and Idioms

be gone: 사라지다 ▶ I turned round for my bag but it was gone. (나는 가방을 찾아 돌아보았지만 그것은 사라지고 없었다.)

rush to: ~에게 몰려오다 ▶ Tommy was rushed to hospital by his neighbors. (Tommy는 이웃들에 의해 급하게 병원으로 옮겨졌다.)

weapon: 무기 ▶ The country is not allowed to develop nuclear weapons. (그 나라는 핵무기를 개발하도록 허락되어 있지 않다.)

forgive: 용서하다 ▶ I will try to forgive him for what he did. (나는 그가 한 일에 대해 그를 용서하려고 노력할 것이다.)

take away: 빼앗다, 가져가다 ▶ This pill will take away your pain. (이 알약이 통증을 없애줄 거

야.)

property: 재산, 부동산 ▶ We're not responsible for any loss or damage to guests' personal property. (우리는 손님들의 개인 재산에 대한 어떤 분실이나 손해에 책임을 지지 않습니다.)

put ~ to death: ~를 죽게 하다 ▶ No one has been put to death in over several decades. (몇 십 년 넘게 아무도 사형되지 않았다.)

get back at: ~에게 복수하다 ▶ He is finding a way to get back at you. (그는 너에게 복수할 길을 찾고 있어.)

come upon: 우연히 만나다, 우연히 떠오르다 ▶ I came upon a friend in the park. (나는 공원에서 우연히 친구를 만났다.)

Key Points

3 **Bodyguard:** (*Rushing to the king, in an urgent voice*) Your Majesty, **I'm afraid** this place is dangerous for you.: 「I'm afraid (that) + 주어 + 동사 ~」는 '~인 것 같다'는 뜻으로 안 좋은 예감을 나타낼 때 또는 꺼내기 힘든 말을 할 때 쓰인다.

5 **Bodyguard:** Last night, we found a strange man **carrying a weapon**. I think we **had better** leave this place as soon as possible.: carrying a weapon은 앞의 a strange man을 꾸며주는 분사구이다. man과 carry의 관계가 능동이므로 현재분사가 쓰였다. / had better는 '~하는 게 낫다'의 뜻으로 부드러운 듯 들리나 강요의 의미를 가지고 있다.

11 **King:** What do you mean? I have nothing to **forgive** you for.: 「forgive A for B」가 'B에 대해 A를 용서하다'의 뜻이므로 전치사 for를 살려서 쓴다.

14 **Seeing** that you took away my property and put my brother to death, I was an enemy of yours **who sought to get back at you.**: seeing ~은 분사구문으로 As I saw that ~ 의 의미이다. / who 이하는 an enemy of yours를 선행사로 취하는 관계대명사절이다.

15 **Knowing** you had gone alone to see the hermit, I **planned to kill** you on your way back.: As I knew you had gone ~의 분사구문 형태이다. / plan은 decide, want와 마찬가지로 목적어로 to부정사를 취한다.

17 **I would** not **have survived if you had** not **saved** my life.: 「주어 + 조동사의 과거 + have + 과거분사~, if + 주어 + had + 과거분사~」의 형태로 가정법 과거완료 구문이다. 가정법 과거완료는 '~했다면, …했을 텐데'의 뜻으로 과거 사실을 반대로 상상할 때 쓰인다.

18 **If you allow it, I will serve you **as** your most faithful servant.: as 는 전치사로 자격을 나타낸다. '~으로서'로 해석된다.

Mini Test

정답과 해설 p. 365

1. 다음 괄호 안의 단어들을 순서대로 배열하시오.

(1) I think we (leave, had, better, place, this) as soon as possible.

(2) I have nothing (to, for, forgive, you).

2. 다음 우리말에 맞게 빈칸에 알맞은 말을 쓰시오.

(1) 어젯밤에, 무기를 든 낯선 사람을 찾아냈습니다.
Last night, we found a strange man _____ _____.

(2) 당신이 제 생명을 구하지 않으셨다면 저는 죽었을 것입니다.
I would not have survived if _____ _____.

3. 다음 주어진 표현을 이용하여 문장을 완성하시오.

(1) take away : 빼앗다, 가져가다
She _____ from the bag.
(그녀는 가방에서 공을 가져갔다.)

(2) put ~ to death : ~를 죽이다
The judge decided the murderer should _____ _____.
(판사는 살인범이 사형되어야 한다고 결정했다.)

(3) get back at ~: ~에게 복수하다
This is his way of _____ for arguing with him.
(이것은 자기와 논쟁한 것에 대해 그가 나에게 하는 복수 방식이다.)

(4) come upon: 우연히 만나다, 우연히 떠오르다
I have _____ any of my discoveries through the process of rational thinking.
(나는 단 한 번도 이성적인 사고를 통해 그 어떤 발견을 한 적이 없다.)

Interpretation

4막 1장

¹은자는 전날 팠던 땅에 씨를 뿌리며 밖에 있다.

²왕: (은자에게 다가가며) 마지막으로, 현명한 이여, 내 질문들에 대답해 주기를 부탁하네.

³은자: 전하의 질문들은 부상당한 남자가 나타났을 때 응답 받았습니다.

⁴왕: 무슨 뜻인가?

은자: ⁵전하께서, 저를 위해 화단을 파지 않으셨다면, 그 남자는 전하를 공격했겠지요. ⁶전하는 죽임을 당했을지도 모릅니다. ⁷그래서 가장 중요한 때는 전하께서 화단을 파고 있었을 때이고 저는 가장 중요한 사람이었으며, 저를 도운 것이 전하의 가장 중요한 일이었습니다. ⁸그 후, 그 남자가 우리에게 달려왔을 때, 가장 중요한 때는 전하께서 그를 돌보고 계셨던 때입니다. ⁹만약 의사로하여금 그의 생명을 구하게 하지 않았더라면, 수염난 남자는 전하와 화해하지 못하고 죽었을 것입니다. ¹⁰그래서 그는 가장 중요한 사람이었고 그를 위해 전하께서 하신 일은 전하께서 하실 가장 중요한 일이었습니다.

¹¹왕: 자네가 맞네. 맞아. 그 당시에는 그것에 대해서는 전혀 몰랐네.

Act 4, Scene 1

¹*The hermit is outside, planting seeds in the ground that had been dug the day before.*

²**King:** *(Approaching the hermit)* For the last time, I beg you to answer my questions, wise man.

³**Hermit:** Your questions were answered only when the wounded man appeared.

⁴**King:** What do you mean?

Hermit: ⁵If you had not dug these beds for me, that man would have attacked you. ⁶You might have been killed. ⁷So the most important time was when you were digging the beds, and I was the most important man, and helping me was your most important task. ⁸Afterwards, when that man ran to us, the most important time was when you were attending to him. ⁹If you had not had the doctor save his life, the bearded man would have died without having made peace with you. ¹⁰So he was the most important man, and what you did for him was the most important thing for you to do.

¹¹**King:** You're right. You're right. I didn't know anything about that at that time.

While you read

Q4. When is the most important time in the king's life according to the story?

위 이야기에 따르면 왕의 인생에서 가장 중요한 때는 언제인가?

예시 답안 The most important time is now.

가장 중요한 때는 지금이다.

 Words and Idioms

beg: 애원하다, 부탁하다 ⊙ I beg all of you to stand up. (모두 일어나 주시기 바랍니다.)

appear: 나타나다 ⊙ A taxi appeared around the corner. (택시 한 대가 모퉁이를 돌아 나타났다.)

attack: 공격, 공격하다 ⊙ There have been several attacks on foreigners in this city. (이 도시에서 외국인들에 대한 몇 차례 공격이 있었다.)

afterwards: 그 후에 ⊙ Afterwards, he studied medicine at the university and became a doctor. (그 후 그는 대학에서 의학을 공부했고 의사가 되었다.)

attend to: ~를 돌보다, 시중들다 ▶ I have some important business to attend to. (나는 처리할 중요한 사업이 있다.)

make peace: 화해하다 ▶ She has struggled to make peace with her friends. (그녀는 친구들과 화해하려고 애써왔다.)

Key Points

1 The hermit is outside, planting seeds in the ground **that had been dug the day before.**: that had been dug the day before는 the ground를 꾸며주는 관계대명사절이다. / had been dug은 과거완료형 수동태(had been + 과거분사)로 '~파졌었다'로 해석한다.

2 King: (*Approaching the hermit*) For the last time, I **beg you to** answer my questions, wise man.: 「beg + 목적어 + to부정사」는 '~에게 …하도록 부탁하다'의 의미이다.

3 Hermit: Your questions were answered **only when** the wounded man appeared.: Only when은 '그제서야, ~해서야 비로소'로 해석된다.

5 Hermit: **If you had** not **dug** these beds for me, **that man would have attacked** you.: 「If + 주어 + had + 과거분사 ~, 주어 + 조동사의 과거 + have + 과거분사 ~」의 형태이며 가정법 과거완료이다. 가정법 과거완료는 과거에 이루지 못한 소망이나 과거 사실의 반대를 나타내며 '~했었다면, … 했었을 텐데'로 해석된다.

6 You **might have been killed.**: might have been p.p.는 '~되

었을지도 모른다'의 뜻으로 「조동사 + have p.p.」 구문의 수동형이다. might는 may보다 약한 추측을 나타낸다.

7 So the most important time was **when you were digging the beds**, and I was the most important man, and helping me was your most important task.: when ~은 선행사 the time이 생략된 관계부사절로 주격보어의 역할을 한다. 여기서 beds는 flower beds를 말한다.

9 **If you had** not **had** the doctor save his life, **the bearded man would have died without having made** peace with you.: 「If + 주어 + had + 과거분사 ~, 주어 + 조동사의 과거 + have + 과거분사 ~」 형태로 가정법 과거완료 구문이다. If you had not had ~에서 뒤의 had는 '~하게 시키다'는 사역동사 have의 과거분사이다. / without having made에서 「having p.p.」는 완료동명사로 주절보다 앞선 시제를 나타낸다.

10 So he was the most important man, and what you did for him was the most important thing **for you to do.**: for you는 to부정사의 의미상의 주어로 to부정사 앞에 「for + 목적격」을 써서 나타냈다.

Mini Test

정답과 해설 p. 365

1. 다음 괄호 안의 단어들을 순서대로 배열하시오.

(1) The most important time was (when, digging, you, were) the beds.

(2) What you did for him was the most important thing (do, you, for, to).

2. 다음 우리말에 맞게 빈칸에 알맞은 말을 쓰시오.

(1) 당신의 질문들은 부상당한 남자가 나타났을 때야 비로소 응답받았습니다.
Your questions were answered _____ _____ the wounded man appeared.

(2) 만약 당신이 의사로 하여금 그의 생명을 구하게 하지 않았더라면, 수염 난 남자는 당신과 화해하지 못하고 죽었을 것입니다.
If you _____ the doctor save his life, the bearded man would have died without having made peace with you.

3. 다음 주어진 표현을 이용하여 문장을 완성하시오.

(1) beg + 목적어 + to부정사: ~에게 …하라고 부탁하다
I _____ what I have done.
(제가 한 일을 잊어 주시기 바랍니다.)

(2) might have p.p. : ~했을지도 모른다
We _____ some kind of effect on the election.
(우리가 그 선거에 어떤 영향을 미쳤을지도 모르겠다.)

(3) attend to + 사람/사물: ~를 시중들다, ~를 처리하다
I have several _____ today .
(나는 오늘 처리할 몇 가지 일들이 있다.)

(4) make peace with ~: ~와 화해하다
I wanted to _____ .
(나는 남동생과 화해하고 싶었다.)

Interpretation

¹은자: 우리 중 아무도 미래에 우리를 위해 무엇이 준비되어 있는지 모릅니다.

²왕: 지혜의 말씀을 해 주시는군요, 노인이시여.

³은자: 중요한 때는 오직 한 번이 있고 그때가 지금임을 기억하십시오. ⁴현재가 전하께서 부여받은 조종할 수 있는 유일한 시간이라는 것으로 보아, 현재가 가장 중요한 시간입니다. ⁵어떤 다른 사람과 어떤 교제를 하게 될지 결코 알지 못하기 때문에 가장 중요한 사람은 당신과 함께 있는 사람입니다.

⁶왕: (은자의 눈을 들여다보며) 오, 이것을 깨달을 만큼 더 현명했어야 했는데. ⁷저에게 주신 답에 대해 감사드립니다. ⁸이제 나는 세 가지 대답을 찾아냈습니다!

4막 2장

⁹왕: (흥분해서) 경호원, 경호원!

¹⁰경호원: (숲에서 뛰어나오면서) 예, 전하.

¹¹왕: 이 분 덕에 세 가지 질문에 대한 답을 다 얻었네. ¹²내 부하들을 궁전에서 불러, 그들로 하여금 그가 원하는 것은 무엇이든 주도록 하게.

¹³경호원: (머리를 숙이고) 예, 전하.

¹⁴질문에 완전히 답을 얻고서 왕은 은자의 위대한 가르침에 따라 살기로 결심한다.

Over to you

Think about the three most important things in your life again, and discuss your ideas with your classmates.

다시 한 번 여러분의 인생에서 가장 중요한 세 가지에 대해 생각하고 여러분의 생각을 급우들과 토론하시오.

---

¹**Hermit:** Yes, none of us knows what the future has in store for us.

²**King:** You speak words of wisdom, old man.

³**Hermit:** Remember that there is only one time that is important: that time is now. ⁴Seeing that the present is the only time you are granted that you have control over, it is the most important time. ⁵The most important person is the one you are with, for you will never know whether you will ever have dealings with anyone else.

⁶**King:** (*Looking into the eyes of the hermit*) Oh, I should have been wiser to realize this. ⁷I am grateful for the answers you have given to me. ⁸I have now found all three answers!

Act 4, Scene 2

⁹**King:** (*Excited*) Bodyguard, bodyguard!

¹⁰**Bodyguard:** (*Running out of the woods*) Yes, Your Majesty.

¹¹**King:** Thanks to this man, I have all the answers to the three questions. ¹²Call my men from the palace and have them grant him anything that he wishes for.

¹³**Bodyguard:** (*Lowering his head*) Yes, Your Majesty.

¹⁴With his questions fully answered, the king makes up his mind to live by the hermit's great teachings.

Source: Leo Tolstoy, *Three Questions*

Words and Idioms

in store for: ~을 비축하여 ▶ What's in store for you today? (너는 오늘 스케줄이 어떻게 되니?)

grant: 부여하다 ▶ I'd like to grant her wish. (나는 그녀의 소망을 들어주고 싶다.)

dealing: 교제, 거래 ▶ We've had dealings with him several years before. (우리는 몇 년 전에 그와 거래했었다.)

be grateful for: ~에 대해 감사하다 ▶ I'm so grateful for all your help. (당신의 모든 도움에 대해 무척 감사드립니다.)

make up one's mind: 결심하다 ▶ I made up my mind to move to a new school. (나는 새로운 학교로 옮기기로 결심했다.)

teaching: 가르침 ▶ She will follow the teachings of the religion on this matter. (그녀는 이 문제에 있어서 종교의 가르침을 따를 것이다.)

 ## Key Points

1 **Hermit:** Yes, none of us knows **what the future has in store for us.**: 의문사 what이 이끄는 명사절이 문장의 목적어로 쓰였다.

3 **Hermit:** Remember that there is only one time **that is important:** that time is now.: that is important는 앞의 only one time을 선행사로 취하는 관계대명사절이다. 선행사에 only, 최상급, the very 등이 있는 경우 관계대명사 that을 쓰는 경우가 많다.

4 Seeing that the present is the only time **you are granted that you have control over**, it is the most important time.: (that) you are granted와 that you have control over는 앞의 the only time을 꾸며주는 관계대명사절이다. (이중수식)

5 The most important person is the one you are with, **for** you will never know **whether** you will ever have dealings with anyone else.: for는 이유를 나타내는 접속사로 '왜냐하면'의 뜻이다. because보다 간접적인 이유를 나타낸다. / 접속사 whether는 '~인지 아닌지'의 뜻으로 명사절을 이끌며, 여기서는 접속사 if와 바꾸어 쓸 수 있다.

6 **King:** (*Looking into the eyes of the hermit*) Oh, I **should have been** wiser to realize this.: 「should have p.p.」는 '~했어야 했는데 (하지 못했다)'라는 뜻으로 후회의 감정을 나타낼 수 있다.

7 I am grateful for the answers **you have given to me.**: (that) you have given to me는 앞의 선행사 the answers를 꾸며주는 관계명사절로, 목적격 관계대명사 that이 생략되어 있다.

12 Call my men from the palace and **have them grant** him anything that he wishes for.: have는 사역동사로 목적보어로 동사원형을 취하고 있다. them(my men)과 grant의 관계가 능동이므로 동사원형이 쓰였다.

14 **With his questions fully answered**, the king makes up his mind to live by the hermit's great teachings.: 「with + 목적어 + 과거분사」는 '~한 채로'의 뜻으로 부대상황을 나타낸다. his questions와 answer의 관계가 수동이므로 과거분사 answered가 쓰였다.

Mini Test

정답과 해설 p. 365

1. 다음 괄호 안의 단어들을 순서대로 배열하시오.

(1) The most important person is the one you are with, (will, you, for, never, know) whether you will ever have dealings with anyone else.

(2) I am grateful for the answers (me, to, you, have, given).

2. 다음 우리말에 맞게 빈칸에 알맞은 말을 쓰시오.

(1) 내 부하들을 궁전에서 불러, 그들이 그가 원하는 것을 주도록 하게.
Call my men from the palace and _____ him anything that he wishes for.

(2) 그의 질문들에 완전히 답을 얻고서 왕은 은자의 위대한 가르침에 따라 살기로 결심한다
_____, the king makes up his mind to live by the hermit's great teachings.

3. 다음 주어진 표현을 이용하여 문장을 완성하시오.

(1) in store for ~: ~을 비축하여
I think he has something _____.
(그가 너를 위해 준비한 뭔가가 있는 것 같다.)

(2) should have p.p.: ~했어야 했는데
You _____ a little earlier.
(너는 좀 일찍 도착했어야 했는데.)

(3) be grateful for ~: ~에 대해 감사하다
I _____ all those who came to my wedding.
(제 결혼식에 오신 모든 분들에게 매우 감사드립니다.)

(4) make up one's mind : 결심하다
She _____ to be nice to the kids.
(그녀는 아이들에게 친절하기로 결심했다.)

📖 After You Read

1. Number the pictures in the correct order. 순서에 맞게 그림에 번호를 쓰시오.

해설

왕은 세 가지 질문에 대한 응답을 얻기 위해 은자에게 갔고 거기서 수염 난 남자를 만나 그의 목숨을 구해준다. 그리고 은자에게서 질문에 대한 응답을 얻게 되는 내용이므로 3-2-1-4의 순서가 된다.

어휘

save [seiv] 구하다
appear [əpíər] 나타나다

The king saves the bearded man's life.
왕은 수염 난 남자의 생명을 구한다.

The bearded man appears in the woods.
수염 난 남자가 숲에서 나타난다.

The king meets the hermit.
왕은 은자를 만난다.

The three questions are answered.
세 개의 질문들이 응답받는다.

2. Listen and select True or False. 🎧 듣고 맞으면 True, 틀리면 False를 고르시오.

해설

(2) 1막 2장의 왕의 마지막 말에서 왕은 은자가 아무것도 줄 것이 없다고 말하면 돌아가겠다고 말했다.

(3) 수염 난 남자는 왕의 적이 아니라 왕의 군사들(soldiers)에 의해 부상당했다.

(4) 왕은 수염 난 남자를 오두막으로 옮겨 치료받게 했다.

(5) 은자는 왕이 돌아가기 전에 답을 주었다.

어휘

plain [plein] 평범한

(1) The hermit recognized the king even though the king was in plain clothes.

(2) The king said he would not return home until the hermit had given him the answers.

(3) The bearded man was wounded by the king's enemy in the woods.

(4) The king didn't want to save the bearded man because he knew that the man had been planning to kill him.

(5) The hermit did not give answers to the king until the king had returned home.

(1) 은자는 왕이 평범한 옷을 입었음에도 왕을 알아보았다.

(2) 왕은 은자가 답을 줄 때까지 집에 돌아가지 않을 거라고 말했다.

(3) 수염 난 남자는 숲에서 왕의 적에 의해 부상당했다.

(4) 왕은 수염 난 남자가 그를 죽일 계획을 세우고 있었다는 것을 알았기 때문에 그를 구하고 싶지 않았다.

(5) 은자는 왕이 집에 돌아갈 때까지 왕에게 답을 주지 않았다.

(1) ☑ True ☐ False
(2) ☐ True ☑ False
(3) ☐ True ☑ False
(4) ☐ True ☑ False
(5) ☐ True ☑ False

THINK AND DO

3. Role-play with your group members using the main text.
본문을 이용하여 모둠원과 역할극을 하시오.

Characters
King, Hermit, Bearded Man, Doctor, Bodyguard

1) Get into groups of 3~5.

2) Decide which act you are going to present.

3) Decide which person will play each role.

4) Do the role play.

해석

등장인물
왕, 은자, 수염 난 남자, 의사, 경호원
1) 3~5명의 모둠으로 나누시오.
2) 어떤 부분을 공연할지 결정하시오.
3) 누가 각각의 역할을 할지 결정하시오.
4) 역할극을 하시오.

활동 팁

역할극 하기

1. 모둠을 나누고 자신에게 맞는 역할을 정한다.
2. 자기 역할이 무엇인지 말해본다.
3. 대본을 나누어 가지고 집에서 외워온다.
4. 모둠별로 역할극 연습을 한다.
5. 역할극 시연 시 관찰자는 바른 자세로 듣는다.
6. 역할극 시연 후 공연을 한 사람과 관찰자는 대화를 나눈다.

3~5차시 어휘 정리

▶ awhile 잠깐
▶ bodyguard 경호원
▶ consult 상담하다
▶ declare 선언하다
▶ forgive 용서하다
▶ have mercy on ~에게 자비를 베풀다
▶ lose oneself in ~에 몰두하다
▶ make peace 화해하다
▶ property 재산, 부동산
▶ spade 삽
▶ unsteady 불안정한

▶ bearded 턱수염 난
▶ common 평범한
▶ dealing 거래, 교제
▶ deserve ~할 가치가 있다
▶ get back at ~에게 복수하다
▶ hermit 은자
▶ majesty 장엄함, 폐하
▶ make up one's mind 결심하다
▶ put ~ to death ~를 죽게 하다
▶ take away 빼앗다, 가져가다
▶ weapon 무기

▶ bleed 피 흘리다
▶ come upon 우연히 만나다, 우연히 떠오르다
▶ dig 파다
▶ grant 부여하다
▶ judging from ~로 판단하건대
▶ make it 이겨내다, 살아남다
▶ possess 소유하다
▶ reward 보상
▶ unconscious 의식을 잃은
▶ wound 상처

Review Points

1. I properly understood what the passage said was important.
   나는 본문에서 말하는 내용이 중요하다는 것을 잘 이해했다.
2. I compared the important things in the passage to my own important things.
   나는 본문에 나온 중요한 것들과 내 자신에게 중요한 것들을 비교했다.

Language Notes

📄 About Words

다의어 act

① *n.* one thing that you do (행위)

② *n.* a law that has been officially accepted by Parliament or Congress (법률)

③ *n.* one of the main parts into which a stage play, opera etc. is divided (막(연극에서))

④ *v.* to do something in a particular way or for a particular reason (행동하다)

해석

(1) 친구들에게 그렇게 <u>못되게</u> 하지 마.

(2) 숫자들의 <u>중간 값</u>을 계산하라.

(3) 그 단어의 뜻은 <u>무엇</u>이니?

(4) 우리는 의사소통의 <u>수단</u>이 없었다.

✌ WORDS IN USE

mean

① *v.* to have a specific meaning 특정한 의미를 가지다

② *adj.* not kind 친절하지 않은

③ *n.* occupying a middle position 중간 위치를 차지함

④ means: *n.* a way of doing something: 어떤 것을 하는 방식(복수형)

1. Find the appropriate definition for each underlined word from the box and put down the right number. 글 상자에서 밑줄 친 단어에 맞는 적절한 정의를 찾아 알맞은 숫자를 적으시오.

(1) Don't be so <u>mean</u> to your friends. (②)

(2) Calculate the <u>mean</u> from the numbers. (③)

(3) What does the word <u>mean</u>? (①)

(4) We had no <u>means</u> of communication. (④)

🔑 PHRASES IN USE

have mercy on: to feel pity for ~에게 자비를 베풀다: ~를 동정하다
Help me, please. *Have mercy on* me.
도와주세요. 저에게 자비를 베풀어 주세요.

get back at: to pay somebody back for a wrong he or she has committed
복수하다: 누군가 저지른 잘못에 대해 되갚다
I was an enemy of yours who sought to *get back at* you.
저는 복수할 길을 찾던 당신의 적이었습니다.

make peace: to make up with 화해하다: ~와 화해하다
The bearded man would have died without having *made peace* with you.
수염 난 남자는 당신과 화해하지 못하고 죽었을 것입니다.

해석

(1) 그녀는 아들과 <u>화해하고</u> 싶어한다.

(2) 그는 적들에게 <u>복수하기</u>로 약속했다.

(3) 왕은 하인에게 <u>자비를 베풀었다</u>.

2. Complete the sentences with the phrases above. You may need to change the form.
위의 어구들로 문장을 완성하시오. 형태를 바꿔야 할 수도 있습니다.

(1) She wants to <u>make peace</u> with her son.

(2) He promised to <u>get back at</u> his enemies.

(3) The king <u>had mercy on</u> his servant.

FOCUS ON FORM

- **To be honest,** I know who you are.
  솔직히 말해서, 나는 당신이 누군지 알고 있습니다.
- **To begin with,** I need to do something to stop the bleeding!
  먼저, 나는 출혈을 멈추기 위해 뭔가를 해야 해!

- I **would** not **have survived if** you **had** not **saved** my life.
  당신이 내 생명을 구하지 않았다면, 나는 살아남지 못했을 것이다.
- If you **had** not **had** the doctor save his life, the bearded man **would have died** without having made peace with you.
  당신이 의사로 하여금 그의 생명을 구하게 하지 않았다면, 수염 난 남자는 당신과 화해하지 못하고 죽었을 것이다.

About Forms

독립부정사

「to + 동사원형」이 콤마(,)로 분리되어 독립적으로 쓰이는 부정사로 문장 전체를 수식하는 부사구이다. 숙어처럼 외우도록 한다.

가정법 과거완료

「If + 주어 + had + p.p. ~, 주어 + 조동사 과거형 + have + p.p. ~」의 형태로 주로 지난 과거에 대한 후회나 아쉬움을 나타낸다.

---

3. Change the underlined words into the correct form. 밑줄 친 단어를 알맞은 형태로 고치시오.

Crying is a natural response to pain.
I'm not crying.

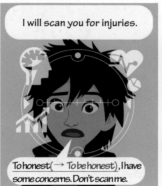
I will scan you for injuries.
To honest(→ To be honest), I have some concerns. Don't scan me.

Scan complete! You have no injuries.

Source: The Walt Disney Company, *Big Hero 6*

해석

베이멕스: 우는 것은 고통에 대한 자연스런 반응이야.
히로: 난 우는 게 아니야.
베이멕스: 상처가 있는지 너를 훑어볼게.
히로: 솔직히 말해서, 나는 걱정이 있어. 나를 훑어보지 마.
베이멕스: 스캔 완료! 너는 상처가 없어.

---

4. Place the given words in the correct order. 주어진 단어들을 알맞은 순서대로 배열하시오.

(1) If they had agreed, they <u>would have worked</u> (have / would / worked) together.
(2) If I had known the truth, I <u>would not have punished</u> (not / would / punished / have) him.
(3) If you hadn't told me about your experience, I <u>would have failed</u> (have / would / failed).
(4) If I had had a camera with me, I <u>would have taken</u> (taken / have / would) a picture of the accident.

해석

(1) 그들이 동의했다면, 그들은 함께 <u>일했을 텐데.</u>
(2) 내가 사실을 알았더라면, 나는 그를 <u>벌하지 않았을 텐데.</u>
(3) 네가 너의 경험에 대해 말하지 않았더라면, 나는 <u>실패했을 텐데.</u>
(4) 내가 카메라를 가져갔더라면, 나는 그 사고의 사진을 <u>찍었을 텐데.</u>

Improve Yourself

Check or write down the words, expressions, or sentences you didn't understand well in this unit. Explain at least one of them to your group members. (여러분이 이 단원에서 잘 이해하지 못했던 단어, 표현, 문장들을 체크하거나 적어보세요. 그것들 중 적어도 하나를 모둠원에게 설명해 보세요.)

☐ deserve (~할 가치가 있다)　☐ grant (수여하다)　☐ take away (빼앗다)

☐ make up one's mind (결심하다)

Your Own ▶ 스스로 해보기

Write It Right

Summarizing (요약하기)

Have you ever summarized a work that you had read deeply? Take a look at the work you read and summarize it. 탐독했던 작품을 요약해 본 적 있나요? 읽은 작품을 살펴보고 요약해 보세요.

STEP 1 **GENERATE IDEAS** 아이디어를 만들어 내시오.

Fill in the blanks of the headings that represent the text structure.
본문 구조를 나타내는 표제의 빈칸을 채우시오.

해석

세 가지 질문들

왕의 세 가지 <u>질문들</u>
왕과 <u>수염 난 남자</u>와의 만남
은자의 <u>대답</u>

어휘

heading [hédiŋ] 표제, 제목
encounter [inkáuntər] 만남

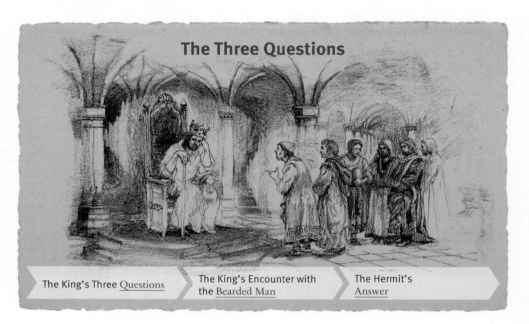

The Three Questions

| The King's Three <u>Questions</u> | The King's Encounter with the <u>Bearded Man</u> | The Hermit's <u>Answer</u> |

STEP 2 **ORGANIZE YOUR IDEAS** 당신의 생각을 조직화하시오.

Write a short outline based on the text structure given in Step 1.
step 1의 본문 구조에 근거해 짧은 개요를 쓰시오.

해석

제목: 세 가지 질문
도입: 이야기는 질문에 대한 대답을 얻기 위해 은자에게 묻는 왕에 대한 것이다.
본문: 이야기는 왕이 대답을 위해 은자에게 묻고 은자는 왕이 이미 질문에 대한 답을 얻었음을 보여준다.
결론: 이야기는 우리에게 현재에서 다른 사람들을 위해 좋은 일을 하는 것의 중요성을 상기시켜 준다.

어휘

remind A of B: A에게 B를 생각나게 하다

Title	The Three Questions
Introduction	The story is about <u>a king who asks a hermit for answers to his questions</u>.
Body	The story shows <u>that the king asks the hermit for his answers, and the hermit responds that he has just had his questions answered</u>.
Conclusion	The story reminds us <u>of the importance of doing good things for others in the present</u>.

 **WRITE YOUR OWN SUMMARY** 여러분 자신의 요약문을 쓰시오.

1. Write a summary of the main text using the information in Step 2. Step 2의
정보를 이용하여 본문에 대한 요약문을 쓰시오.

		예시 답안
title ▶	The Three Questions	
introduction ▶	The story is about a king who asks a hermit for answers to his questions: What is the most important thing to do? When is the right time to do it? And who matters most?	
body ▶	The story shows that the king asks the hermit for his answers, and the hermit responds that he has just had his questions answered. He said that the most important time is now. The most important person is the person you are with. And the most important thing is to do good things for the person.	
conclusion ▶	The story reminds us of the importance of doing good things for others in the present.	

해석

제목: 세 가지 질문

도입: 이야기는 질문에 대한 대답을 얻기 위해 은자에게 묻는 왕에 대한 것이다 : 가장 중요한 할 일은 무엇인가? 그것을 할 적당한 때는 언제인가? 그리고 누가 가장 중요한가?

본문: 이야기는 왕이 대답을 구하기 위해 은자에게 묻고 은자는 왕이 질문에 대한 답을 방금 얻었다고 답한다. 그는 가장 중요한 시간은 지금이라고 말했다. 가장 중요한 사람은 당신과 같이 있는 사람이다. 그리고 해야 할 가장 중요한 일은 그 사람을 위해 좋은 일을 하는 것이다.

결론: 이야기는 우리에게 현재에서 다른 사람들을 위해 좋은 일을 하는 것의 중요성을 상기시켜 준다.

2. Check your writing. 여러분의 영작문을 점검하시오.

☐ Have you written enough about the story to help readers understand your respones?
독자들이 여러분의 대답을 이해하는 데 도움이 되도록 이야기에 대해 충분히 썼나요?

☐ Have you supported your statements with details from the story?
이야기에 나오는 세부 사항들로 여러분의 서술을 뒷받침했나요?

 **SHARE YOUR SUMMARY** 요약문을 공유하시오.

Share your work with other group members. 다른 모둠원과 여러분의 작품을 공유하시오.

> The book sounds really touching. I'd like to read the book.

> The book is very helpful because it reminds us of life lessons.

해석

A: 그 책은 정말 감동적인 것 같아. 그 책을 읽고 싶어.

B: 그 책은 우리에게 삶의 교훈을 생각나게 하기 때문에 아주 유용해.

Review Points

1. I properly understood the elements of the work that I read.
나는 내가 읽은 작품의 요소들을 제대로 이해했다.

2. I summarized the work of literature so that other people could understand the steps in my composition.
나는 다른 사람들이 내 작문의 단계를 이해할 수 있도록 문학 작품을 요약했다.

Around the World

International Play Festivals 국제 연극 페스티벌

Napoli Teatro Festival (Italy)

- An international festival that takes place every year during the month of June in Naples, Italy

나폴리 Teatro 페스티벌 (이탈리아)
이탈리아 나폴리에서 매년 6월에 열리는 국제 페스티벌

Festival d'Avignon (France)

- Founded in 1947 by Jean Vilar
- An annual arts festival held in the French city of Avignon every summer in July in locations around the city

아비뇽 페스티벌 (프랑스)
Jean Vilar에 의해 1947년에 설립됨
프랑스 아비뇽시 주변 지역에서 매년 여름 7월에 열리는 연례 예술 페스티벌

〔 CREATIVE PROJECT: Perform Your Own Play 〕

 STEP

Get into group of 4. Search basic information about a play using the Internet. 네 개의 모둠으로 나누시오. 인터넷을 이용하여 연극에 대한 기본 정보를 찾으시오.

예시 답안

The year it came out:
2016

The director's name:
Kim Tae Hyang, Jo Jun

The title of the play:
Beautiful Life

The names of the cast members: Kim Tae Hyang, Jo Jun ....

The play poster:
_____

Sydney Festival (Australia)

- Established in 1977
- A major arts festival in Australia's largest city, Sydney, that runs for three weeks every January

시드니 페스티벌 (호주)
1977년에 설립됨
매년 1월의 3주 동안 호주의 가장 큰 도시 시드니에서 열리는 주요한 예술 페스티벌

Edinburgh Festival Fringe (Scotland)

- Established in 1947
- The world's largest arts festival
- Featured 50,459 performances of 3,314 shows in 313 locations in 2005
- Takes place annually in Scotland's capital in the month of August

에딘버러 프린지 페스티벌 (스코틀랜드)
1947년에 설립됨
세계에서 가장 큰 예술 페스티벌
2005년에 313개 장소에서 3314개 프로그램의 50,459편의 공연들이 선보였음
스코틀랜드 수도에서 매년 8월에 개최됨

 STEP 2

Choose a novel. Then adapt the novel into a play.
소설을 고르시오. 그리고 소설을 희곡으로 각색하시오.

 STEP 3

Share your play with your classmates. 급우들과 연극을 공유하시오.

> (1) Write the title of the novel.
>   소설의 제목을 쓰시오.
>
> (2) Write the author of the novel.
>   소설의 작가를 쓰시오.
>
> (3) Complete the list of characters.
>   인물들의 목록을 완성하시오.
>
> (4) Write a play based on the characters.
>   인물들에 기초하여 연극을 쓰시오.

Check Your Progress

`● LISTEN / SPEAK ▶`

[1-2] Listen and answer the questions. 🎧 듣고 질문에 답하시오.

W: Chris, are you going to give your presentation next week?

M: Yes. It is my turn ① **to present** for the project work.

W: Are you ready for your presentation?

M: Well... I'm working on it.

W: I know you've got a really tight schedule.

M: No problem. I'm going to complete the project on time. By the way, may I ask you a favor?

W: Sure. What is it?

M: I decided to change my presentation topic to tsunamis.

W: That sounds great! That's a really interesting topic.

M: I searched on the Internet for more information, but actually, I couldn't find much information on tsunamis.

W: It sounds like you need some help. Don't worry. I think I can ② **help you with your new topic.**

M: Thank you, Ms. Smith.

여: Chris, 너 다음 주에 발표할 거니?

남: 네, 프로젝트 한 것을 발표할 차례입니다.

여: 발표 준비는 되어 있니?

남: 저... 지금 하고 있어요.

여: 네 일정이 정말 빡빡하다는 것 알아.

남: 문제없습니다. 제 시간에 프로젝트를 완성할 거예요. 그런데, 부탁 하나 드려도 될까요?

여: 그럼, 뭔데?

남: 저의 발표 주제를 쓰나미로 바꾸기로 결정했어요.

여: 잘했구나! 정말 재미있는 주제야.

남: 제가 인터넷에서 정보를 좀 더 찾아봤는데, 사실 쓰나미에 대한 정보를 많이 못 찾았어요.

여: 도움이 필요한 것 같구나. 걱정 마. 너의 새로운 주제를 도와줄 수 있을 것 같아.

남: 고맙습니다, Smith 선생님.

해설

1. I searched on the Internet for more information, but actually, I couldn't find much information on tsunamis.라고 말한 것에서 남학생의 문제는 쓰나미에 대한 정보가 충분하지 않은 것임을 알 수 있다.

2. Don't worry. I think I can help you with your new topic.이라고 말한 것으로 보아 남학생의 새 주제를 도와줄 것임을 알 수 있다.

1. What problem does the boy have? 남학생은 무슨 문제를 가지고 있는가?

  a. He has no time to complete the paper. 보고서를 완성할 시간이 없다.

  ⓑ He doesn't have enough information on tsunamis. 쓰나미에 대한 정보를 충분히 가지고 있지 않다.

  c. He doesn't want to change his term paper topic to tsunamis. 기말 보고서 주제를 쓰나미로 바꾸고 싶지 않다.

2. What is the woman going to do for the boy? 여자는 남학생을 위해 무엇을 할까?

  a. She will give him some homework. 숙제를 내 줄 것이다.

  b. She will introduce him to a new teacher. 새로운 교사를 소개할 것이다.

  ⓒ She will help him with his new topic on tsunamis. 남학생의 새로운 주제, 쓰나미를 도와줄 것이다.

`( 구문 ▤ )`

① to present(to 부정사)가 앞에 나온 명사 turn을 수식하는 형용사적 용법으로 쓰였다. 보통 '~할'로 해석한다.

② help A with B는 'A가 B 하는 것을 돕다'라는 뜻이다.

3. Imagine that you have a problem. Explain the problem to your partner and ask for help. 여러분이 문제를 가지고 있다고 상상해 보시오. 짝에게 그 문제를 설명하고 도움을 요청하시오.

My computer won't connect to the Internet.

I can't find my pencil case.

I had an argument with my brother.

A: Can I ask you a favor? <u>My computer won't connect to the Internet.</u> So I need a <u>helper.</u>

B: Of course. How can I help you? It sounds like <u>you need a helper.</u> Let's get Jinu. He is good at fixing computers.

해석

내 컴퓨터가 인터넷에 연결이 안 돼.
필통을 못 찾겠어.
남동생과 말다툼을 했어.

A: 도움을 요청해도 될까? 컴퓨터가 인터넷에 연결이 안 돼서 그래. 그래서 도와줄 사람이 필요해.

B: 물론이지. 어떻게 도와줄까? 도움 줄 사람이 필요한 것 같은데. 진우를 데려오자. 컴퓨터 고치는 것 잘하잖아.

> **READ / WRITE**

4. Which one is NOT correct? 옳지 않은 것은 어느 것인가?

Characters: King, Hermit, Bearded Man, Doctor, Bodyguard

A certain king wanted to know the answers to three key questions: First, what is the most important thing to accomplish in life? Second, when should he accomplish the most important thing? And third, who are the right people to help him accomplish that task? He thought that if he knew the answers to these questions, he would never fail in anything. Even though he declared throughout his kingdom that he would give a large reward to anyone who could answer the three questions, no one gave him any satisfying answers. Therefore, the king decided to go consult a wise hermit. The hermit only received common people, so the king visited him wearing simple clothes.

a. The characters in the play include the King, the Hermit, the Bearded Man, the Doctor, and the Bodyguard. 연극에서 등장인물들은 왕, 은자, 수염 난 남자, 의사, 그리고 경호원이다.

b. The king wanted to know what the most important thing to accomplish in life was. 왕은 인생에서 이룰 가장 중요한 것이 무엇인지 알고 싶었다.

ⓒ. The king met the hermit wearing fine clothes and gave him a large reward. 왕은 좋은 옷을 입고 은자를 만났고 그에게 큰 보상을 했다.

해석

등장인물: 왕, 은자, 수염 난 사람, 의사, 경호원

한 왕이 세 가지 주요한 질문에 대한 답을 알고 싶었다: 첫째, 인생에서 이뤄야 할 가장 중요한 것은 무엇인가? 둘째, 언제 가장 중요한 것을 이루어야 하는가? 그리고 세 번째, 그 임무를 이루도록 그를 도와줄 적당한 사람들은 누구인가? 그는 만약 그가 이 질문들에 대한 답을 안다면 어떤 것에도 실패하지 않을 것이라고 생각했다. 그는 그의 왕국에서 세 가지 질문에 답할 수 있는 누군가에게 큰 보상을 하겠다고 선언했지만 그 나라의 누구도 그에게 만족할 만한 답을 줄 수 없었다. 그러자 왕은 현명한 은자에게 상담하기로 결정했다. 은자는 평범한 사람들만 받았고, 그래서 왕은 평범한 옷을 입고 그를 방문했다.

해설

~ so the king visited him wearing simple clothes로 보아 평범한 옷을 입고 갔음을 알 수 있으므로 c는 내용과 다르다. 또한 보상을 했다는 내용은 언급되지 않았다.

어휘

certain [sə́ːrtn] 어떤, 특정한
accomplish [əkámpliʃ] 성취하다

5. Take a look at the summary below. Fill in the blanks using the given words. 아래의 요약문을 살펴보시오. 주어진 단어들을 이용하여 빈칸을 채우시오.

In Gary Soto's short story, *The No-Guitar Blues*, the main character, a teenage boy named Fausto, takes advantage of some rich people. The story shows that deep down people want to do the right thing.

The story shows how Fausto changes <u>from a selfish person to a selfless person</u> (from / person / a / selfish / to / selfless / person / a). In the beginning, he only focuses on singing in a band, but when he experiences kindness from a man and a woman, he feels guilty and understands that he must change. Gary Soto uses expressions, such as "Money doesn't grow on trees" or "What do you think we are, bankers?" to explain how Fausto changes.

In summary, Gary Soto's story, *The No-Guitar Blues*, examines how a person can <u>change due to life experiences</u> (due / life / to / experiences / change).

Self-Evaluation

I can complete the summary of a dialogue. 듣기 나는 대화의 요약문을 완성할 수 있다.	☆ ☆ ☆
I can express my opinion about my favorite author. 말하기 나는 내가 좋아하는 작가에 대한 의견을 표현할 수 있다.	☆ ☆ ☆
I can understand the main idea after reading the play. 읽기 나는 희곡을 읽은 뒤 주제를 이해할 수 있다.	☆ ☆ ☆
I can write a summary of a piece of literature. 쓰기 나는 문학 작품의 요약문을 쓸 수 있다.	☆ ☆ ☆

Further Study

Search the Internet and find out the differences between the novel and the movie of Leo Tolstoy's *Anna Karenina*.
인터넷을 찾아 Leo Tolstoy의 작품 *Anna Karenina*의 소설과 영화의 차이점을 찾아보시오.
• Anna Karenina: www.kqed.org/arts/2012/11/15/anna_karenina_rushing_headlong_toward_her_train/

Words and Phrases

정답과 해설   p. 365

다음 단어와 어구의 뜻을 쓰시오.

1. achieve _____
2. adapt from _____
3. be mad at _____
4. behind one's schedule _____
5. consistently _____
6. exactly _____
7. given _____
8. have a long face _____
9. indifferent _____
10. novel _____
11. philosophical _____
12. regard *A* as *B* _____
13. otherwise _____
14. possibility _____
15. recommend _____
16. stick with _____
17. stuff _____
18. way _____
19. attack _____
20. awhile _____
21. bearded _____
22. bleed _____
23. bodyguard _____
24. common _____
25. come upon _____

26. declare _____
27. deserve _____
28. dig _____
29. forgive _____
30. get back at _____
31. grant _____
32. have mercy on _____
33. hermit _____
34. judging from _____
35. lose oneself in _____
36. majesty _____
37. make it _____
38. make peace _____
39. make up one's mind _____
40. possess _____
41. property _____
42. put ~ to death _____
43. reward _____
44. spade _____
45. take away _____
46. unconscious _____
47. unsteady _____
48. weapon _____
49. wound _____
50. 나만의 단어 / 어구 _____

Functions

► May I ask you a favor?
도움을 요청할 때 쓰는 표현.

► It sounds like you need help.
자신의 의견을 표현할 때 쓰는 표현.

Forms

► **To be honest**, I know who you are. (독립부정사)
- 독립된 의미를 갖고 문장 전체를 수식하는 to부정사가 포함된 부사구를 독립부정사라고 하며 숙어처럼 외우는 것이 좋다.
  ex.) **To tell the truth**, I have never met him. (사실을 말하면, 나는 그를 만나 본 적이 없다.)
  To be frank with you, I don't like her. (솔직히 말하자면, 나는 그녀를 좋아하지 않는다.)
  She sings well, *to be sure*, but she can't dance. (그녀는 노래는 잘하지만, 확실히 춤은 못 춘다.)
  She got fired. **To make matters worse**, she got an injury from a car accident. (그녀는 해고되었다. 설상가상으로 교통사고에서 부상을 입었다.)
  I love this shirt. I always wear it when I go out. It is a uniform for me, **so to speak**. (나는 이 셔츠를 좋아한다. 외출할 때 항상 그것을 입는다. 말하자면, 나에게는 유니폼이다.)

► **I would** not **have survived if you had** not **saved** my life. (가정법 과거완료)
- 가정법 과거완료는 과거 사실에 대한 반대를 나타내며 '만일 ~했었더라면, …했었을 텐데'로 해석된다.
- 형식 「If + 주어 + had + 과거분사~, 주어 + 조동사의 과거 + have + 과거분사 ~」
  ex.) **If I had been** wiser, **I wouldn't have said** like that. (내가 현명했다면, 그런 말은 하지 않았을 텐데.)
- 가정법 과거완료는 직설법 과거의 의미이며, 긍정과 부정은 반대가 된다.
  ex.) **If I had had** money, **I could have bought** a fancy car. = As I didn't have money, I couldn't buy a fancy car. (내게 돈이 있었더라면, 나는 멋진 차를 살 수 있었을 텐데. = 내게 돈이 없었기 때문에 나는 멋진 차를 살 수 없었다.)
  - 앞의 had는 과거완료를 나타내는 조동사이고 뒤의 had는 '가지다'라는 의미의 본동사 have의 과거분사이다.

date: .   .   .   student number: name: /25

---

1 주어진 단어의 뜻을 <u>잘못</u> 연결한 것을 고르시오. 3점

① grant: 수여하다
② possess: 소유하다
③ forgive: 용서하다
④ declare: 선언하다
⑤ deserve: 거절하다

2 다음 영영풀이에 해당하는 단어를 고르시오. 3점

> the thing or things that someone owns

① spade   ② reward
③ wound   ④ weapon
⑤ property

3 다음 중 숙어의 뜻이 <u>잘못</u> 연결된 것을 고르시오. 3점

① take away: 빼앗다
② make peace: 화해하다
③ get back at: ~에 돌아가다
④ make up one's mind: 결심하다
⑤ have mercy on: ~에게 자비를 베풀다

4 다음 중 〈보기〉와 비슷한 의미의 표현이 <u>아닌</u> 것을 고르시오. 3점

> **보기 »** Can I ask a favor of you?

① Can you help me?
② What do you need?
③ May I ask you a favor?
④ Can you do me a favor?
⑤ Can you give me a hand?

5 다음 〈보기〉의 우리말과 같도록 빈칸에 알맞은 표현을 고르시오. 3점

> **보기 »** 그는 지금 문제에 처한 것 같다.
> → It _____ he is in trouble now.

① is true   ② doesn't matter
③ is strange   ④ cannot be true
⑤ sounds like

6 다음 대화의 빈칸에 들어가기에 가장 알맞은 것을 고르시오. 3점

> A: Can I ask you a favor?
> B: Of course. _____
> A: I have to move some stuff this weekend, but I need a helper. Some of my stuff is way too heavy.
> B: It sounds like you need more than just one helper. Let's get Jinu, too.

① I'm afraid not.
② How can I help you?
③ I couldn't agree more.
④ I don't know what to do.
⑤ Thank you for helping me.

7 다음 대화를 순서대로 배열한 것을 고르시오. 3점

> May I ask a favor of you?
> (A) My computer keeps giving me the "blue screen of death."
> (B) Of course. What do you need?
> (C) Let me check and find out what the problem is.

① (A) − (C) − (B)
② (B) − (A) − (C)
③ (B) − (C) − (A)
④ (C) − (A) − (B)
⑤ (C) − (B) − (A)

8 다음 대화에서 A가 B에게 한 부탁이 무엇인지 우리말로 쓰시오. 5점

> A: Can you do me a favor?
> B: Sure. I'd be glad to help out.
> A: Can you call me? I can't find my cell phone anywhere.
> B: I'll call you now!

[9~10] 다음 대화를 읽고, 물음에 답하시오.

A: Hi, Leah. Can I ask you a favor?
B: Sure, how can I help you?
A: I know you like reading books. Can you recommend a good book?
B: No problem. What kind of books do you like to read?
A: I like to read novels.
B: What about this novel written by a French author?
A: Can you tell me more about it?
B: Hector, the main character, travels to find the answer to the question of when the most important time in a person's life is. Have you ever thought about this question before?
A: Well... I think the past is the most important given the fact that we learn a lot from e_____ in the past.
B: Of course. History is important, but the past is the past.
A: What about the future? The future is full of excitement and possibilities.
B: The future is also important, but it hasn't come yet.
A: Oh, I see. You mean that the most important time is now because in the present we can take action.
B: Yes, you got it. That's what this book is about.

9 Why does B think the future is not as important as the present? [3점]
① We can't learn from the future.
② We can't take action in the future.
③ After all, the future hasn't come yet.
④ We know the future is not full of possibilities.
⑤ We can't predict what will happen in the future.

10 위 대화의 빈칸에 알맞은 말을 주어진 철자로 시작하여 쓰시오. [5점]

_____

11 다음 대화의 밑줄 친 ①~⑤ 중 문맥상 <u>어색한</u> 것을 고르시오. [3점]

A: Chris! You're late again.
B: Sorry, I'm late.
A: What happened this time?
B: I met Edward on my way here and ①<u>stopped</u> to talk with him for a second. I didn't know that I would be late for this meeting.
A: Oh, Chris. It sounds like you don't know when to do what with whom.
B: You're right, Seonmi. I often get ②<u>confused</u> when deciding what I need to do first, and then I make ③<u>mistakes</u>.
A: You'd better stick with the plan you made in the first place. ④<u>Therefore</u>, you'll get behind your schedule.
B: Thanks, Seonmi. I'll keep that in mind.
A: So let's start working on this team project. If we don't, we're not going to be able to meet the ⑤<u>due</u> date.
B: Okay. Let's get started. And thank you for your advice.

①　　　②　　　③　　　④　　　⑤

[12~13] 다음 대화를 읽고, 물음에 답하시오.

A: Good morning, students. Today we are going to read a great play that was adapted from a story ___(a)___ (write) by Leo Tolstoy. So we need to learn about its author. As you may know, Leo Tolstoy was a Russian novelist. ___(b)___ (regard) as one of the greatest novelists of all time. He is best known for *War and Peace* and *Anna Karenina*.
B: I've heard of those. They sound like great novels.
A: Yes, he first achieved literary fame in his twenties.
B: May I ask a question?
A: Sure. What is it?
B: Did he write any plays or short stories?
A: That's a good question. He wrote plays and several philosophical short stories. Until his death from a serious disease at the age of 82, Tolstoy consistently attempted to find the truth through his works and in his real life.

12 위 대화의 빈칸 (a)와 (b)에 괄호 안의 말을 알맞은 형태로 고쳐 쓰시오. [5점]

(a) _____

(b) _____

13 위 대화의 내용에 맞게 Tolstoy가 문학작품에서 추구한 것이 무엇인지 우리말로 쓰시오. [5점]

_____

14 다음 대화의 빈칸에 들어갈 알맞은 말을 주어진 단어를 사용하여 쓰시오. [5점]

> A: Edward, may I ask you a favor?
> B: I'd be glad to help out. What is it?
> A: I argued with my mom this morning. And I don't know what to do.
> B: Oh, I was wondering _____ (long, you, such, why, had, a, face). What happened exactly?
> A: I went to bed late last night because I was playing online games until late, which my mom really hates. Then I got up late this morning. My mom was really mad at me as if I were a little girl.
> B: Your mom was really mad at you because she worries about you.

15 주어진 글에 이어질 순서로 가장 알맞은 것을 고르시오. [3점]

> A certain king wanted to know the answers to three key questions: First, what is the most important thing to accomplish in life? Second, when should he accomplish the most important thing? And third, who are the right people to help him accomplish that task?
> (A) The king then decided to consult a wise hermit. The hermit only received common people, so the king visited him wearing simple clothes.
> (B) He thought that if he knew the answers to these questions, he would never fail in anything.
> (C) So he declared throughout his kingdom that he would give a large reward to anyone who could answer the three questions. However, no one in the country was able to give him satisfying answers.

① (A) – (C) – (B)　　② (B) – (A) – (C)
③ (B) – (C) – (A)　　④ (C) – (A) – (B)
⑤ (C) – (B) – (A)

[16~17] 다음 대화를 읽고, 물음에 답하시오.

> **King**: *(Approaching the hermit)* For the last time, I beg you to answer my questions, wise man.
> **Hermit**: Your questions were answered only when the wounded man appeared.
> **King**: What do you mean?
> **Hermit**: If you had not dug these beds for me, that man would have attacked you. You might have been killed. So the most important time was when you were digging the beds, and I was the most important man, and helping me was your most important task. Afterwards, when that man ran to us, the most important time was when you were attending to him. If you had not had the doctor save his life, the bearded man would have died w_____ having made peace with you. So he was the most important man, and what you did for him was the most important thing for you to do.
> **King**: You're right. You're right. I didn't know anything about that at that time.

16 위 대화의 빈칸에 알맞은 말을 주어진 철자로 시작하여 쓰시오. [5점]

_____

17 According to the hermit, the most important time in our lives is _____. [3점]

① the past　　　　　② the present
③ the future　　　　④ when someone helps us
⑤ when we look back on the past

18 다음 대화에 나타난 경호원의 심경으로 가장 알맞은 것을 고르시오. [3점]

> *The hermit wakes up early the next morning and leaves for work. After the hermit is gone, the king's bodyguards rush to the king.*
> **Bodyguard**: *(Rushing to the king, in an urgent voice)* Your Majesty, I'm afraid this place is dangerous for you.
> **King**: Why?
> **Bodyguard**: Last night, we found a strange man carrying a weapon. I think we had better leave this place as soon as possible.
> **King**: Okay. I'll return to my palace after I meet the hermit.

① angry　　　　② lonely
③ pleased　　　④ desperate
⑤ comfortable

Bearded man: *(In a weak voice)* Forgive me!
King: Are you okay now?
Bearded man: Forgive me!
King: What do you mean? I have nothing to forgive you for.
Bearded man: Yes, Your Majesty. You do not know me, but I know you. Seeing that you took away my property and put my brother to death, I was an enemy of yours who sought to get back at you. Knowing you had gone alone to see the hermit, I planned to kill you on your way back. But on my way here, I came upon your soldiers, who wounded me. I would not have survived if you had not saved my life. If you allow it, I will serve you as your most faithful servant. Forgive me, Your Majesty!
King: I forgive you! And I also accept you as one of my men.

19 왕이 수염 난 남자에게 내린 결정이 무엇인지 우리말로 쓰시오.

[5점]

_____

20 위 대화의 내용과 일치하는 것을 고르시오. [3점]
① 수염 난 남자는 왕의 목숨을 구했다.
② 수염 난 남자는 왕의 군사들을 부상 입혔다.
③ 수염 난 남자는 강도에게 재산을 빼앗겼다.
④ 수염 난 남자는 왕의 부하들 중 한 명이었다.
⑤ 수염 난 남자는 왕이 은자를 만난다는 것을 미리 알았다.

21 다음 〈보기〉의 우리말과 같도록 빈칸에 알맞은 말을 쓰시오.

[5점]

보기 » 솔직히 말해서, 나는 Sam이 테니스를 정말로 잘한다고 생각하지 않는다.
→ _____. I don't think Sam is really good at tennis.

22 다음 문장과 의미가 가장 가까운 것을 고르시오. [3점]

It would have been easier if I had brought my own car.

① I brought my own car, so the situation was easier.
② I brought my own car, so the situation is difficult.
③ I brought my own car, so the situation was easier.
④ I didn't bring my own car so the situation is easier.
⑤ I didn't bring my own car, so the situation was difficult.

23 다음 문장의 빈칸에 들어갈 말로 알맞은 것을 고르시오. [3점]

If Jim had had the money, he _____ a fancy car.

① bought
② had bought
③ would buy
④ would be bought
⑤ would have bought

24 다음 〈보기〉의 우리말에 맞게 괄호 안의 단어들을 배열하시오. [5점]

보기 » 설상가상으로, 숲에 비가 내렸다.
(make / worse/ to / matters), it poured rain in the woods.

→ _____

25 다음 〈보기〉를 참고하여 The Three Most Important Things in My Life를 주제로 글을 쓰시오. [10점]

보기 » **The Three Most Important Things in My Life**
I think love is one of the most important things. With love, you can turn the anger or hatred into peace and forgiveness. Second, I think work is also important in life. I can fulfill my goal through my work in life. Another important thing is my family. Family stay with me at any situation. They will understand me more than anyone else. They will be with me at happy times and hard times.

서술형 평가

1 다음 뜻풀이에 해당하는 말을 주어진 철자로 시작하여 쓰시오. 각 5점

(1) g_____: to give someone something or allow them to have something that they have asked for

(2) u_____: shaking or moving in a way you cannot control

(3) w_____: an injury to your body that is made by a weapon such as a knife or a bullet

(4) d_____: to move earth, snow etc. or to make a hole in the ground, using a spade or your hands

2 다음 우리말과 같도록 빈칸에 알맞은 말을 쓰시오. 각 6점

(1) We never know what the future has in _____ _____ us. (우리는 미래가 우리에게 무엇을 준비해 놓았는지 결코 알 수 없다.)

(2) Maybe he's _____ at you. (아마, 그가 너에게 복수할 거야.)

(3) May God have _____ his soul. (신이 그의 영혼에 자비를 베풀기를.)

(4) This will _____ some of the pain. (이것이 통증을 좀 없애줄 것이다.)

(5) The doctors think he's going to _____ _____. (의사들은 그가 회복할 거라고 생각한다.)

(6) I _____ to attend a business class. (나는 무역(상업) 수업을 듣기로 결심했다.)

3 우리말에 맞게 괄호 안의 어휘를 사용하여 문장을 완성하시오. 각 6점

(1) 그는 말하자면 내 가정교사이다. 항상 내 보고서를 도와준다.
He's my tutor, (to/so/speak). He always helps me with my report.

(2) 그는 확실히 똑똑하지만 또한 아주 게으르다.
He is intelligent, (sure/to/be), but he's also very lazy.

(3) 그녀의 전화번호를 알았더라면 초대장을 보냈을 텐데.
If I (telephone/known/had/number/her), I would have sent her an invitation.

(4) 내가 공부하지 않았더라면, 시험에 합격하지 못했을 텐데.
If I hadn't studied, I (not/have/could/passed) my exams.

수행 평가

4 다음 〈보기〉를 참조하여 자신의 읽은 책을 소개하는 글을 쓰시오. 작가, 내용, 느낀 점이 포함되도록 쓰시오. 20점

보기 » "Ivan the Fool," written by Leo Tolstoy in 1886, is a short story. It is also known as "Ivan the Fool and his Two Brothers." Ivan's two brothers follow money and power while Ivan the Fool, the main character, lives a simple life. He is honest and works hard. Later, he defeats the Old Devil and becomes the ruler of the country. As a king, he still works on the field and all the people working hard feel happy. I was moved by Ivan's honesty and diligence and realized that we could find happiness while we were working.

High School English

Answers and Explanations

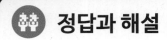
정답과 해설

UNIT 1 | Getting Off to a Great Start

Mini Test > P. 17

정답 » **1.** (1) have been looking forward to joining (2) various clubs on the school website **2.** (1) freshman (2) advised me to log on **3.** (1) was able to (2) got used to (3) advised me to (4) looking forward to

Mini Test > P. 19

정답 » **1.** (1) give you the chance to (2) By making your own **2.** (1) more alive and realistic (2) take part in **3.** (1) is in control of (2) answering to (3) promised to (4) Don't miss the chance

Mini Test > P. 21

정답 » **1.** (1) to keep our energy up (2) with the joy of baking **2.** (1) decided to (2) the best part **3.** (1) feel happy (2) needed to buy (3) decided to quit (4) taste the best part of

Mini Test > P. 23

정답 » **1.** (1) key to happiness lies (2) choosing one among **2.** (1) in order to (2) have been working **3.** (1) lies in (2) in need (3) such as soccer, baseball, and basketball (4) got information about him from

S Note > P. 35

정답 » **1.** 특별 활동 **2.** 공지, 알림 **3.** 만화가 **4.** 수평선, 시야 **5.** 신입생 **6.** 적성 **7.** 접속하다 **8.** 검색하다 **9.** 대본, 스크립트 **10.** 얻다 **11.** 화려한, 고급의 **12.** 조립하다 **13.** 비행기 **14.** 매년의, 연례의 **15.** 상, 수상 **16.** 달성하다 **17.** 참여하다 **18.** 만들어내다, 창조하다 **19.** 전문가 **20.** 브라우니 **21.** 밀가루 **22.** 맨 처음부터 **23.** 비밀 **24.** 배달하다 **25.** 나이가 많은, 손 위의 **26.** 깨닫다 **27.** 필요로 하는 (사람들) **28.** 결국에는 **29.** 고려하다 **30.** 미성숙한 **31.** 무책임한 **32.** 간접적인 **33.** 불법의 **34.** 불행한 **35.** 포함하다 **36.** 시 **37.** 낭송, 암송 **38.** (중간 정도의) 형식적인 **39.** 학문의 **40.** 다문화의 **41.** 보여주다; 화면 **42.** 가능성 있는 **43.** 오케스트라 **44.** 조리법 **45.** ~하기를 기대하다 **46.** 그런데 **47.** 물론 **48.** 갈망하다 **49.** ~하는 데 시간을 쓰다

Test for Unit 1 > PP. 36-39

정답 » **1.** ① **2.** ③ **3.** ④ **4.** ③ **5.** ③ **6.** ③ **7.** 친구들과 고아원을 방문할 것 **8.** ② **9.** ③ **10.** 추리 소설 **11.** ③ **12.** (a) By the way (b) community service **13.** working as a volunteer teacher (for two years at the community center) **14.** Finding the right club **15.** ③, ⑤ **16.** By making your own **17.** ③ **18.** ④ **19.** happiness **20.** ⑤ **21.** in control of **22.** ② **23.** ③ **24.** Search for information about the volunteering clubs. **25.** 〈예시 답안〉 How to Cook Shrimp Spaghetti 1. Boil water and put noodles in the pot. 2. Keep boiling for 10 minutes, then pour out the boiled water. 3. Add some oil and put in the tomato sauce, then fry it for 3 minutes. 4. Add the shrimp and keep frying for 3 minutes.

해설 »

1. vehicle은 '탈 것'이라는 뜻이다.
2. ① semi-는 '절반의, 어느 정도의'라는 뜻이다. ② -ly가 붙으면 형용사형 또

는 부사형이 된다. ④ bi-는 '둘의, 두 개의'라는 뜻이다. ⑤ en-은 '~하게 만들다'의 뜻이다.
3. take part in은 '참여하다'라는 뜻이다.
4. 〈보기〉의 What are you interested in?은 '무엇에 관심이 있니?'라는 뜻이다. ① 너는 무엇을 좋아하니? ② 네 취미는 무엇이니? ③ 너의 강점은 무엇이니? ④ 너는 무엇에 흥미가 있니? ⑤ 너는 여가 시간에 보통 무엇을 하니?
5. '~하고 싶다'는 want, wish, hope, would like to 등을 쓸 수 있으며 여기서는 의미상 to부정사 다음에 visit가 오는 것이 자연스러우므로 want to visit인 ③이 알맞다.
6. I didn't know that ~: ~인지는 몰랐다
7. A는 B에게 친구들과 함께 고아원을 방문할 것을 권했다. (As your homeroom teacher, I'd like to recommend that you visit an orphanage with some friends.)
8. B는 마지막에 Sounds good. Thank you for your advice, Ms. Kim. (좋은 말씀이네요. 조언에 감사드립니다. 김 선생님.)이라고 말했다.
9. B의 첫 번째 말에서 가능한 한 많은 책을 읽고 싶다고 했다.
10. B는 detective novels(추리 소설)를 읽는 것을 좋아한다고 했다.
11. B는 물리가 쉽지 않을 것이라는 것을 안다고 말했으므로 빈칸에는 물리가 쉽지 않다는 내용이 오는 것이 자연스럽다. 따라서 알맞은 것은 ③이다.
    ① 너는 과학과 수학을 싫어해, 맞지?
    ② 물리는 네가 제일 좋아하는 과목이야, 맞지?
    ③ 물리는 나에게 가장 어려운 과목이야.
    ④ 어떤 학생들은 물리가 가장 쉬운 과목이라고 생각해.
    ⑤ 왜 그랬니? 나는 네가 스페인어를 선택할 것이라고 생각했는데.
12. 첫 번째 빈칸 앞과 뒤에서 화제가 갑자기 바뀌고 있으므로 이에 적절한 어구는 by the way(그런데)이다. 두 번째 빈칸에서는 '매주 토요일 베트남 아이들을 가르치는 것'을 일컫는 말이므로 적절한 어구는 community service이다.
13. 밑줄 친 it은 바로 앞 문장에 나온 내용 전체를 가리킨다.
14. 빈칸 뒤에 is가 있으므로 빈칸에는 주어의 형태가 와야 한다. 〈보기〉 중에서 동사는 find이므로 find의 동명사 형태인 finding 다음에 목적어인 the right club을 붙이는 것이 적절하다.
15. 고학년들의 연주가 있을 것이라고 했고, 악기를 가져올 것을 잊지 말라고도 말하고 있다.
    ① 이 글은 안내 방송이다.
    ② 이시아는 학교 오케스트라 단장이다.
    ④ 오디션은 강당에서 5시에 열릴 것이다.
16. you can 이하가 주절이며 빈칸 다음의 aircraft and vehicles는 목적어이므로 동사 make의 동명사 형태인 making이 오는 것이 적절하다. 하지만, 내용상 you can 앞까지의 내용이 '수단'이 되므로 여기서는 making 앞에 by를 붙여야 한다.
17. ③ *No Limits*는 액션, 로맨틱 영화 등의 주인공이 되고 싶은지 물었으므로 그와 같은 장르의 영화를 만든다는 것을 유추할 수 있다.
18. 자원봉사 동아리를 소개하는 내용으로 미루어 빈칸에 알맞은 말은 helping임을 알 수 있다.
19. 글의 맨 처음에 happier person(더 행복한 사람)이 되고 싶은지 물었으므로 빈칸에 적절한 말은 happiness다.
20. ① 노인들을 돕기도 한다. ② 기금 마련뿐 아니라 다른 여러 활동도 병행한다. ③ 예나는 내가 잘하는 것과 흥미를 고려하라고 했다. ④ 'I'는 영화 보는 것과 스토리 창작을 좋아한다.
21. in control of: ~를 관리하는, 통제하는
22. ①, ⑤ 목적어, ③ 목적보어 역할을 하는 to부정사의 명사적 용법 ② 이유를 나타내는 to부정사의 부사적 용법 ④ 주어 역할을 하는 to부정사의 명사적 용법
23. ③ 주어가 사람이므로 He has been working for you. 또는 He has worked for you. 등으로 나타내야 한다.
24. 명령문이므로 동사구인 search for를 맨 앞에 쓰고 동아리에 관한 정보는

information about the volunteering clubs로 나타낸다.

25. '~하는 방법'은 how to ~로 나타내고, 단계마다 명령문을 이용하여 나타낸다. 명령문은 동사로 시작함에 유의한다.

📝 모의 서술형 / 모의 수행 평가   > P. 40

정답 》 🗂서술형 평가 **1.** (1) donate (2) participate (3) display (4) expert **2.** (1) take part in (2) By the way (3) in the end (4) from scratch (5) search for (6) In brief **3.** (1) when he is in need (2) too large to download (3) was fascinated by his performance (4) an indirect result of 🗂수행 평가 **4.** [예시 답안] *Haneul* / Welcome to our club, *Haneul*. *Haneul* is a volunteering club. We visit orphanages and do performances such as magic show, singing, playing instruments, etc. We also deliver lunch to the elderly in need. If you join our club, I'm sure you will be more active and passionate. Don't miss the chance to help those in need. Please contact me if you are interested.

4. 해석 》 1976 MTB와 함께 달려요, 달려요, 달려요.

1976 MTB는 우리 학교에서 가장 인기 있는 자전거 동아리이다. 자전거가 없나요? 걱정하지 마세요. 우리 동아리에는 신입 동아리원을 위한 다섯 대의 자전거가 있습니다. 3개월 간 무료로 사용하세요. 우리는 매주 일요일 아침 자전거를 탑니다. 와서 문을 두드리세요. 실망하지 않을 겁니다. 흥미가 있다면 제게 연락주세요.

평가 기준	항목	배점		
내용	동아리 특징을 잘 서술했는가?	5점	3점	0점
	동아리 가입을 유도하는 내용이 잘 서술되었는가?	5점	3점	0점
형식	분량은 적절한가?	5점	3점	0점
	맞춤법, 구두법을 잘 지켰는가?	5점	3점	0점
합계				점

UNIT 2   Living Life to the Fullest

Mini Test   > P. 51

정답 》 **1.** (1) In order to do so (2) may not seem valuable **2.** (1) Let's say (2) Although failing **3.** (1) Let's get the most out of (2) struggling with (3) led a miserable life (4) Sometimes, at other times

Mini Test   > P. 53

정답 》 **1.** (1) see some people keeping (2) Those that fall under **2.** (1) that actually matter (2) Without planning **3.** (1) figure out the main idea (2) been caught up with (3) prevent parents from leaving (4) take control of the world

Mini Test   > P. 55

정답 》 **1.** (1) able to concentrate better (2) you can be most productive **2.** (1) nothing much (2) yourself having **3.** (1) continued until late at night (2) at your best (3) That's when I realized

Mini Test   > P. 57

정답 》 **1.** (1) All I have to do (2) the things we did or didn't **2.** (1) the second most (2) the time we have **3.** (1) assign a new role to (2) do some research (3) based on the novel

S Note   > P. 69

정답 》 **1.** 기사 **2.** 분석하다 **3.** 관련시키다 **4.** ~할 예정이다 **5.** 늦어지다 **6.** 따라잡다 **7.** 호기심 **8.** 직접의 **9.** 조사하다 **10.** 고립된 **11.** 의미 없는 **12.** 평균적으로 **13.** 성격 **14.** 과정; 가공하다 **15.** 추론 **16.** 전략 **17.** ~하려고 애쓰다 **18.** 천천히 하다 **19.** 위험을 무릅쓰다 **20.** 성취하다 **21.** 올빼미형 인간 **22.** 배치하다 **23.** A를 B에 부과하다 **24.** 한창 때에 **25.** 항목 **26.** 집중하다 **27.** 중요하다 **28.** 조사하다 **29.** 효율적으로 **30.** 이해하다 **31.** 이행하다 **32.** 최대한 활용하다 **33.** 어울리다 **34.** 거대한 **35.** 생활을 하다 **36.** 제한된 **37.** 미리 **38.** 조직화하다 **39.** 읽을 수 있는 **40.** 귀중한 **41.** 현재(의), 선물 **42.** 압박 **43.** 생산적인 **44.** ~하는 것을 막다 **45.** 할 일, 책임 **46.** 제어하다 **47.** 붙잡다 **48.** ~덕분에 **49.** 가치 있는

📝 Test for Unit 2   > PP. 70-73

정답 》 **1.** ④ **2.** ② **3.** ③ **4.** ⑤ **5.** ③ **6.** ① **7.** 개인 수첩을 사용하는 것 **8.** ① **9.** ① **10.** ② **11.** help **12.** smiling **13.** when there is nothing to smile about **14.** time **15.** get the most out of **16.** ①, ④ **17.** urgency, importance 혹은 importance, urgency **18.** ④ **19.** seize the day **20.** ④ **21.** ④ **22.** ③ **23.** ② **24.** find yourself looking for a resolution **25.** 〈예시 답안〉 What a wonderful day today! In the morning I started for Busan with my family. Today was the first day of our three-day trip. To begin with, we visited some tourist attractions. In the late afternoon, I made a sand castle with my brother while my parents were walking along the beach. At night, we had the greatest seafood dinner we had ever had. It seems that I will never forget this quality time with my family.

해설 》

1. valuable 은 '가치 있는'이라는 뜻이다.

2. in advance는 '미리'라는 뜻으로 beforehand와 같은 뜻이다. later는 '나중에'의 뜻으로 in advance와 반대의 의미이다.

3. figure out은 '이해하다, 문제를 해결하다'의 뜻이다.

4. 〈보기〉는 '당신이 다루고 있는 직업이나 임무인 어떤 것'의 뜻이므로 '할 일, 책임'의 뜻인 responsibility에 대한 설명이다.

5. 과자를 구웠냐는 물음에 그렇다는 긍정의 대답인 (B)가 이어지고 이에 대해 칭찬하는 내용인 (C)가 뒤에 이어진다. 가르쳐 줄 수 있느냐는 말에 대해 긍정의 대답인 (A)가 마지막에 오는 것이 흐름상 자연스러우므로 (B)-(C)-(A)가 알맞다.

6. It looks like you'd better ~는 '~하는 게 더 나을 것 같다'는 충고의 표현이다. 여기서는 효율적인 시간 관리법을 배우라고 충고하고 있다.

7. it은 앞에 나온 using a personal planner를 뜻하므로 '개인 수첩을 사용하는 것'이라고 하면 된다.

8. 시간이 제한되어 있고 오늘이 없다면 내일도 없다는 내용이 주를 이루고 있으므로 이 글의 주제는 '시간의 중요성'이다.

9. 빈칸을 중심으로 앞 부분에 대한 결과가 이어지므로 '따라서'에 해당하는 연결어인 therefore가 오는 것이 적절하다.

10. What time should I expect you?는 What time can you come?의 뜻으로 언제 올 수 있는지 묻는 표현이다.
   ① 몇 시에 떠나니?
   ③ 몇 시에 돌아올 거니?
   ④ 얼마나 거기 있었니?
   ⑤ 언제 그 일이 일어났다고 생각하니?

11. Jin이 ~ but my mom asked for help when I was about to leave라고 말한 것에서 엄마를 돕기 위해 일찍 출발하지 못했음을 알 수 있다.

12. What do we spend the least time on, then?에 대해 Smiling.이라고 답하고 있으므로 웃는 데 가장 적은 시간을 보낸다는 것을 알 수 있다.

13. 양보의 부사절을 만들기 위해 even when으로 시작하며, nothing을 수식하는 to부정사의 쓰임에서 자동사 smile 뒤에 전치사 about을 붙이는 것에 주의한다.

14. 여가 시간을 지혜롭게 사용하라는 말과 10분이라는 짧은 시간도 활용하라는 내용이므로 빈칸에는 time이 오는 것이 적절하다.

15. get the most out of 는 '~을 최대한 활용하다'의 뜻이다.

16. 지각동사 hear 는 목적어와 목적보어의 관계가 능동이면 목적보어로 동사원형 또는 현재분사가 오고, 수동이면 과거분사가 된다. 여기서는 능동이므로 whisper 또는 whispering을 쓸 수 있다.

17. ~ put them into four different categories based on their urgency and importance로 보아 긴급함과 중요성에 따라 항목을 나누었음을 알 수 있으므로 빈칸에는 urgency와 importance가 온다.

18. '방법'의 의미로 쓰인 ④만 제외하고 나머지는 '유행'의 의미로 쓰였다.
   ① 모피코트는 유행이 지났다.
   ② 그녀는 항상 최신 유행을 입는다.
   ③ 긴 머리는 남자들에게 다시 유행이다.
   ④ 그 회의는 우호적인 방식으로 시작했다.
   ⑤ 그것은 스포츠와 유행에 대한 프로그램이다.

19. in order to seize the day의 의미로 '오늘을 즐기기 위해서'의 뜻이다.

20. 「find + 목적어 + 목적보어」 구문으로 목적어인 yourself와 pass의 관계가 능동이므로 목적보어로 -ing가 온다.

21. 마지막에 ~ what is the best way to lead our daily lives with these 86,400 seconds?라는 질문이 나오는 것으로 보아 이어질 내용은 이 시간을 어떻게 잘 활용할 것인지에 대한 내용임을 추측할 수 있다.
   ① 스트레스 받는 것을 피하는 법
   ② 일에서 압박을 감소시키는 법
   ③ 일을 제 시간에 끝내는 법
   ④ 시간을 현명하게 관리하는 법
   ⑤ 젊어서 즐겁게 사는 법

22. 4가지 항목으로 활동을 나누라는 주어진 문장에 대해 첫 번째 항목을 설명하는 (B)가 먼저 오는 것이 적절하고 이를 예로 든 (C)가 뒤에 이어진다. (C)에 대해 반대되는 내용인 (A)를 However로 연결하는 것이 흐름상 적절하므로 (B)-(C)-(A)가 알맞다.

23. 첫 번째 문장은 사물을 선행사로 취하는 주격 관계대명사, 두 번째 문장은 사람을 선행사로 취하는 목적격 관계대명사이므로 모두에 해당하는 것은 관계대명사 that이다.

24. 「find + 목적어 + 목적보어」 구문으로 yourself 와 look의 관계가 능동이므로 -ing가 온다. 따라서 find yourself looking for a resolution이 알맞다.

25. 하루의 일과를 시간대 별로 서술하고 느낀 점을 적는다.

모의 서술형 / 모의 수행 평가   > P. 74

정답 》 **서술형 평가** **1.** (1) urgent (2) category (3) pressure (4) account (5) productive

2. (1) make it (2) struggling with (3) in advance (4) thanks to (5) figure out (6) at my best

3. (1) I get your advice on (2) time is good for you (3) myself getting more interested (4) some ants climbing all over

수행 평가 **4.** [예시 답안] My Resolution
I will set a practical and effective goal.
I will set a realistic deadline for my task and stick to it.
I will perform my tasks on a daily basis.
I will try to complete hard tasks first.
I will only focus on what is to be done and when it is to be completed by.

4. 해석 》 나의 결심
- 나는 시간을 더 현명하게 보낼 것이다.
- 나는 할 일을 중요도에 따라 배치할 것이다.
- 나는 개인 수첩을 사용하고 일일 일정표를 작성할 것이다.
- 나는 한 주의 계획을 미리 세울 것이다.
- 나는 내가 최상의 상태인 때를 찾고 그것을 이용할 것이다.

평가 기준	항목	배점		
내용	시간 관리법 5가지를 각각 특징있게 서술했는가?	5점	3점	0점
	시간 관리법에 관련된 내용이 잘 서술되었는가?	5점	3점	0점
형식	5개의 문장을 완성했는가?	5점	3점	0점
	맞춤법, 구두법을 잘 지켰는가?	5점	3점	0점
합계		점		

UNIT **3** | **Together We Make a Family**

Mini Test > P. 85

정답 >> **1.** (1) have heard it hundreds of times (2) wondered why he held **2.** (1) had no choice but to (2) used to **3.** (1) enjoys watching (2) kept yelling (3) one of my friends (4) in front of us

Mini Test > P. 87

정답 >> **1.** (1) asked my father how I could (2) suggested the idea to my grandfather **2.** (1) On the other hand (2) had taken **3.** (1) suggested the plan to (2) feel sorry for me (3) Why don't you (4) There seems to be

Mini Test > P. 89

정답 >> **1.** (1) runs in the family (2) moved from his hometown to Seoul **2.** (1) different from (2) has been **3.** (1) decided to (2) suffered from (3) introduced herself to (4) to put up with

Mini Test > P. 91

정답 >> **1.** (1) found it interesting to make (2) has already selected her favorite song **2.** (1) felt closer (2) looked happy **3.** (1) finish studying (2) looked hungry (3) felt tired

S Note > P. 103

정답 >> **1.** 받아들이다 **2.** 태도 **3.** 발생하다 **4.** 간극을 메우다 **5.** 연결하다 **6.** 건설, 건축 **7.** 대회 **8.** 다른 **9.** 어려움 **10.** 디지털 격차 **11.** (돈을) 벌다 **12.** 가족 유대감 **13.** 격차 **14.** 세대 **15.** 보이지 않는 **16.** 무관심한 **17.** 좁히다 **18.** 이동식의 **19.** 공연 **20.** 가난 **21.** 깨닫다 **22.** 받다 **23.** 분리하다 **24.** 강화되다 **25.** 고통받다 **26.** 완전히 **27.** 악화되다 **28.** 접근권 **29.** 사실은 **30.** 조정하다 **31.** 간략하게 **32.** 통신 **33.** 복잡한 **34.** 고려하다 **35.** 존재하다 **36.** 세대 **37.** 손님 **38.** 습관 **39.** 사용 설명서 **40.** 당연한 **41.** 상황 **42.** 해결책 **43.** 구체적인 **44.** 가정하다 **45.** 용어 **46.** 불편한 **47.** 유용한 **48.** 조심하다 **49.** 작동하다

 Test for Unit 3 > PP. 104-107

정답 >> **1.** ② **2.** ① **3.** ① **4.** ①,② **5.** ② **6.** ② **7.** 태블릿이 너무 복잡해서 **8.** ④ **9.** ③ **10.** TV를 고치는 것 **11.** ② **12.** (a) satisfied (b) avoiding **13.** Internet slang **14.** wondered why he held **15.** ④ **16.** bridge the gap between **17.** ⑤ **18.** broke out **19.** ⑤ **20.** ② **21.** worsened **22.** ② **23.** ③ **24.** I had never heard before **25.** 〈예시 답안〉 The digital divide between generations has worsened because of the cost of digital devices. Many digital devices are too expensive for the elderly to afford. To bridge the gap between generations, the companies manufacturing digital devices should lower their selling price. If the digital devices are affordable, the older generation would buy them more.

해설 >>

1. solution은 '해결책'이라는 뜻이다.

2. ① useful의 영영풀이는 something you can use이다.

3. in front of는 '~앞에'라는 뜻이다.

4. 〈보기〉의 Why don't you ask your teacher for help?는 '선생님께 도

움을 요청하는 게 어떠니?'라는 뜻이다. ①과 ②는 다른 뜻이다.
① 선생님께서는 너를 도와주시니?
② 너는 언제 선생님께 도움을 요청하니?

5. 과거의 습관을 나타내는 used to는 '~하곤 했다'는 뜻이다.

6. It's not working again.: 또 작동하지 않는다.

7. B는 태블릿이 너무 복잡하다고 했다. I'm not happy with this tablet. It's too complicated.라고 말하고 있다.

8. A는 Let me show you how to use it. 즉 '사용하는 방법을 보여줄게.'라고 말했다.

9. B는 It was because of my old TV. I'm not satisfied with my TV's bad speakers. 라고 말했다. TV가 너무 낡았고 상태가 안 좋은 스피커가 만족스럽지 않다고 했다.

10. A는 I think you should fix it. '그것을 고치는 게 좋을 것 같아.'라고 말했다.

11. A는 Why don't you try helping your grandfather this time?이라고 말했으므로 빈칸에는 Can you help him? '그를 도와줄 수 있겠니?'라는 내용이 오는 것이 자연스럽다.

12. 첫 번째 빈칸 앞에서 B는 부모님과 대화하는 것이 힘들다고 이야기하고 있으므로 상황에 대해 만족스럽지 (satisfied) 않다는 표현이 적절하다. 두 번째 빈칸 앞에서 A는 How about ~이라는 표현을 사용해서 제안을 하고 있으며 빈칸 뒤에는 language like that이라고 말하면서 그러한 언어를 피할 것 (avoiding)을 제안하고 있다.

13. 밑줄 친 that kind of language는 A의 바로 이전 발언에 나온 Internet slang을 가리킨다.

14. 명사절을 이끄는 의문사의 어순은 「의문사 + 주어 + 동사 」이다.

15. 할아버지께서는 디지털 기기로 인해 세대 차이가 더 악화된다고 믿고 계시므로 ④ positive가 아닌 negative attitude (부정적인 태도)이다.

16. bridge the gap은 '간극을 메우다'라는 뜻이다.

17. ⑤ 진아의 할아버지는 웃으며 제안을 받아들이셨다.

18. break out은 '(전쟁 등이) 발생하다, 발발하다'라는 뜻이다.

19. suffer from 은 '~으로부터 고통받다'라는 뜻이다.

20. ① 할아버지는 과거를 잘 기억하신다.
③ 할아버지의 어머니는 편찮으셨다.
④ 할아버지의 가족 중 할아버지만 유일하게 돈을 벌 수 있었다.
⑤ 할아버지는 수 년 동안 해외에서 일하셨다.

21. worsen: 악화되다

22. ②는 이유를 묻는 의문사로 부사적으로 쓰인 반면 나머지는 의문사가 명사절을 이끌고 있다.

23. ③ The meeting started when I woke up.
내가 잠에서 깨어난 것 이전에 회의가 이미 시작되었으므로 The meeting had already started라고 써야 한다.

24. 소개해준 것 'introduced'보다 이전의 경험에 대해 이야기하고 있으므로 「과거완료 had+p.p.」를 사용하여 I had never heard before라고 쓴다.

25. 디지털 격차가 심해지는 이유를 대고 그것을 해결할 수 있는 방안을 서술한다.

정답과 해설

모의 서술형 / 모의 수행 평가 > P. 108

정답 》 (서술형 평가) **1.** (1) e a r n (2) p o v e r t y (3) i n v i s i b l e (4) strengthen **2.** (1) bridge (2) put up with (3) finish studying (4) On the other hand (5) decided to (6) broke out **3.** (1) enjoy traveling around the world (2) different from each other (3) had already picked someone / had picked someone already (4) to strengthen your body (수행 평가) **4.** [예시 답안] How to send a message 1. Tap the Message icon. 2. Tap the Write icon and insert the phone number. 3. Use the keypad to type your message. 4. Press the Send button. Tip: If you want to attach photos, tap the Camera icon and choose a photo you want.

4. 해석 》 휴대폰의 밝기를 바꾸는 방법. 1. 설정 아이콘을 누른다. 2. 디스플레이 밑에 있는 밝기를 누른다. 3. 원하는 수준의 밝기로 조정한다.

조언: 만일 자동 밝기 설정을 사용한다면, 당신의 휴대폰은 바뀌는 조명 상태에 따라 자동으로 밝기가 조정된다.

평가 기준	항목	배점		
내용	사용하려는 기능을 잘 서술했는가?	5점	3점	0점
	그 기능을 위한 사용법을 순서대로 잘 서술했는가?	5점	3점	0점
형식	분량은 적절한가?	5점	3점	0점
	맞춤법, 구두법을 잘 지켰는가?	5점	3점	0점
합계				점

UNIT 4 Let's Make Every Day Earth Day

Mini Test > P. 119

정답 》 **1.** (1) what our planet will be like (2) left many people homeless **2.** (1) The total number of (2) 18-hour storm **3.** (1) resulted in (2) with his arms folded (3) be like (4) since I was 18

Mini Test > P. 121

정답 》 **1.** (1) from crossing into Korea (2) is now being developed **2.** (1) has been (2) started 10 years ago **3.** (1) despite the bad weather (2) blocks the wind from (3) along with his friends (4) root out corruption

Mini Test > P. 123

정답 》 **1.** (1) are being trapped within (2) which is a famous tourist destination **2.** (1) higher than (2) It takes **3.** (1) resulted in (2) caused her to (3) led to (4) wondered why

Mini Test > P. 125

정답 》 **1.** (1) air produced by (2) Heating up the green car **2.** (1) number of companies (2) been struggling to **3.** (1) will be set to (2) to make up for (3) help me find (4) regarding the matter

S Note > P. 137

정답 》 **1.** 가뭄 **2.** 지진 **3.** 환경의 **4.** 이제부터 계속 **5.** 경고를 내리다 **6.** 해양의 **7.** 재료 **8.** 재사용하다 **9.** 극심한 **10.** 구호, 표어 **11.** ~로 시달리다 **12.** 조치를 취하다 **13.** 버리다 **14.** 제출하다 **15.** 황사 **16.** 대체의 **17.** 북극의 **18.** 마침내 **19.** 강당 **20.** 의식, 관심 **21.** ~할 예정이다 **22.** 격려, 북돋다 **23.** 증강하다 **24.** 이산화탄소 **25.** 분류하다 **26.** 기후 **27.** 재해 **28.** 놀랄만한 **29.** 방출 **30.** 능가하다 **31.** 화석연료 **32.** 온실가스 **33.** 수소 **34.** 부상 **35.** 강도 **36.** 오래 지속되는 **37.** 전체의, 전부의 **38.** 보상하다 **39.** 미세 먼지 **40.** 공식적인 **41.** 줄이다 **42.** 자원 **43.** 신재생의 **44.** ~결과가 되다 **45.** 뿌리를 뽑다 **46.** 부족 **47.** 중요한, 의미있는 **48.** 남동(의) **49.** 폭풍

Test for Unit 4 > PP. 138-141

정답 》 **1.** ① **2.** ③ **3.** ③ **4.** ③ **5.** ① **6.** ④ **7.** oil and gas business **8.** ③ **9.** ③ **10.** ③ **11.** 포스터 대회 작품 제출 **12.** (a) holding (b) size **13.** the intensity of storms with higher wind speeds **14.** ④ **15.** ③ **16.** is now being developed 또는 is being developed now **17.** ② **18.** drop **19.** ② **20.** who **21.** ④ **22.** ④ **23.** The future of urban transportation is being discussed. **24.** make up for **25.** 〈예시 답안〉 The pie chart shows the sources of micro dust. Cars make up the largest part of the chart. On the other hand, cooking and others make up the smallest part. Heating makes up the second largest source of micro dust.

해설 》

1. shortage는 '부족'이라는 뜻이다.
2. '비가 적거나 없는 긴 기간'을 뜻하므로 '가뭄'에 해당하는 drought가 적절하다.
3. take action은 '조치를 취하다'라는 뜻이다.
4. 〈보기〉의 Let's get it started.는 제안하는 표현으로 ①, ②, ④, ⑤는 모두 시작하자는 제안의 표현인데 비해 ③은 '우리가 시작해야 하니?'의 뜻이다.

5. turn in은 '제출하다'의 뜻이다.

6. 전등을 끄지 않았다고 아빠가 선미에게 말하자 곧 돌아갈 거라고 말하는 (C)가 처음에 오고 (A)에는 전등을 사용하지 않을 때는 끄라는 아빠의 말이 이어진다. 마지막으로 (B)에는 아빠에게 사과하는 선미의 말이 이어진다.

7. Some scientists found out the earthquakes were caused by the oil and gas business.에서 human activities에 해당하는 것이 the oil and gas business임을 알 수 있다.

8. '가스 사용하는 것을 그만두라'라는 의미이므로 using이 알맞다. stop to use는 '사용하기 위해서 멈추다'라는 뜻이다.

9. 환경 문제에 대한 문제점들을 나열하면서 조치를 취해야 한다는 경각심을 불어 넣기 위해 쓴 글이다.

10. 빈칸 다음 문장에 나오는 The water levels of lakes are getting lower and lower.로 보아 자연재해는 가뭄임을 알 수 있다.

11. When do we have to turn the poster in?에 대해 By next Friday.라고 말한 것에서 금요일까지 포스터 마감임을 알 수 있으며 둘이 팀으로 참가한다고 미리 언급된 것으로 보아 포스터를 제출할 것임을 알 수 있다.

12. (a) hold a contest는 '대회를 개최하다'의 뜻이다.
(b) 이어지는 여자의 말에 포스터의 크기가 나오므로 size를 묻는 내용이 적절하다.

13. 세계 기온의 상승이 더 강한 바람 속도를 가진 폭풍의 강도를 증가시킨다는 내용이므로 the intensity of storms with higher wind speeds가 적절하다.

14. Experts explain that the tree serves ~와 마지막 문장에서 중국에서 오는 미세 먼지의 감소가 예시임을 알 수 있다.

15. 빈칸의 앞쪽에는 한국 연구자들의 노력이 언급되고 뒤쪽에는 그 성공적인 결과가 이어지므로 빈칸에는 in the end (결국)가 적절하다.

16. '지금 개발되어지고 있다'는 현재진행형 수동태가 적절하므로 is now being developed가 온다.

17. 온실가스가 대기 안에 갇혀져 있다는 내용이 적절하므로 trap(가두다)의 과거분사가 오는 것이 적절하다.

18. Little Ice Age가 이어지는 것으로 보아 1도나 2도의 하락이 원인으로 나오는 것이 적절하다. 따라서 하락에 해당하는 drop이 알맞다.

19. 기온 상승에 대한 이유를 묻는 (B)가 가장 먼저 오고 이에 대한 이유를 구체적인 예를 들어 설명하는 (A)가 이어진다. 마지막으로 이를 해결하기 위한 노력을 언급하는 (C)가 마지막에 온다.

20. 나는 남동생에게 지원을 제공해 왔는데, 그는 필리핀에 산다.
→ 선행사 a brother를 설명하는 주격 관계대명사 who가 오는 것이 적절하다.

21. 그 축제는 하루 종일 지속되었는데, 퍼레이드로 끝이 났다. 축제가 퍼레이드로 끝났다는 정보를 추가하고 있다.
→ the festival이 사물을 나타내므로 관계대명사 which가 온다. 이때 콤마로 보아 계속적 용법으로 쓰였으므로 that은 올 수 없다.

22. ① 우리 중 많은 사람들이 즐기는 스파게티는 요리하기 쉽다.
② 그녀는 Henry에게 편지를 썼는데, 그녀는 지난 달에 그를 만났었다.
③ 그녀는 나에게 요리법을 가져다 주었는데, 나는 그것을 받고 싶었다.
④ 그의 새로운 책은 베스트셀러인데, 모두가 그것에 대해 이야기하고 있다.
⑤ 나는 내 개를 지킬 누군가를 찾고 있는데, 그것은 어렵다.
④ → 관계대명사 that은 계속적 용법으로 쓰일 수 없다.

23. 현재진행형 수동태인 「be being p.p.」가 '~ 되어지고 있다'의 뜻이므로 is being discussed를 쓴다.

24. 잃어버리거나 손상된 어떤 것을 대신하다라는 의미는 make up for로 나타낼 수 있다.

25. make up (구성하다)을 이용하여 각 부분이 차지하는 내용을 설명함에 유의한다.

모의 서술형 / 모의 수행 평가   > P. 142

정답 >> 서술형 평가 **1.** (1) intensity (2) classify (3) marine (4) injury **2.** (1) From now on (2) issued (3) make up for (4) resulted in (5) root out (6) set to **3.** (1) whose leg was broken (2) which Jack had built (3) is being painted (4) was held 수행 평가 **4.** [예시 답안] My Ecofriendly City / Everywhere in the city, I can enjoy natural beauty. Whenever I want to relax, I can take a walk safely on a long walking path with beautiful scenery. Also, there are lots of bike paths around the city parks. The districts are filled with playgrounds, benches and fountains.

4. **해석 >>** 나의 환경친화적 도시
내가 살고 있는 도시는 녹색 길로 가득하다. 자전거를 타는 이들이 도시를 빠르고 안전하게 지나가는 데 도움이 되도록 만들어졌다. 건물의 담장들은 녹색 식물로 가득하다. 그 지역은 많은 공원을 즐길 수 있기에 그곳에 사는 가족들에게 인기가 있다.

평가 기준	항목	배점		
내용	환경친화적 도시의 특징을 잘 서술했는가?	5점	3점	0점
	살고 싶은 도시를 나타내기 위해 다양한 표현을 사용했는가?	5점	3점	0점
형식	분량은 적절한가?	5점	3점	0점
	맞춤법, 구두법을 잘 지켰는가?	5점	3점	0점
합계				점

UNIT 5 | Bon Voyage

Mini Test > P. 153

정답 » **1.** (1) where a whole city was influenced by (2) were the Nasrid Palaces **2.** (1) amazed (2) why **3.** (1) one of the oldest animals (2) I'd like to introduce (3) because of the bad weather (4) between war and peace

Mini Test > P. 155

정답 » **1.** (1) why I decided to go to Brazil (2) If you're on the Brazilian side **2.** (1) in person (2) Once **3.** (1) as quiet as (2) I was planning to (3) describe my sadness in words (4) Since we were

Mini Test > P. 157

정답 » **1.** (1) like some of the footballs used in (2) the perfect place to absorb the beauty of nature **2.** (1) a must-visit (2) No wonder **3.** (1) He can't wait (2) is filled with (3) will go on a vacation (4) am a huge fan of

Mini Test > P. 159

정답 » **1.** (1) a home to thousands of animals (2) made my jaw drop **2.** (1) which is (2) have kept **3.** (1) goes well (2) thousands of people (3) spent six months (4) made him

S Note > P. 171

정답 » **1.** 고마워하다, 감상하다 **2.** 엄청난 **3.** 배경 **4.** 방송하다 **5.** 해안의 **6.** 결정 **7.** 목적지 **8.** 현장 학습 **9.** 형성 **10.** 인상적인 **11.** 강사 **12.** 여정, 여행 **13.** 위치 **14.** 기억할 만한 **15.** 놓치다 **16.** 박물관 **17.** 천문대 **18.** 공연 **19.** 전문적인 **20.** 예약 **21.** 상징적인 **22.** 뜻밖의 **23.** 소중한 **24.** 전망 **25.** 마을 **26.** 작품 **27.** 호주 원주민의 **28.** 절대적인 **29.** 흡수하다 **30.** 모험 **31.** 건축학의 **32.** 깜짝 놀라게 하다 **33.** 국경 **34.** 해안 **35.** 문화의 **36.** 절대, 분명히 **37.** 우아하게 **38.** 호수 **39.** 번득 비치는 것; 희미하게 빛나다 **40.** 직접 **41.** 풍경 **42.** 전설 **43.** 궁전 **44.** 열정 **45.** 지키다 **46.** 경치 **47.** 영혼 **48.** 땀 **49.** 폭포

✏ Test for Unit 5 > PP. 172-175

정답 » **1.** ⑤ **2.** ② **3.** ⑤ **4.** ① **5.** ⑤ **6.** ① **7.** 에이프릴 백화점으로 가는 길 **8.** 분명히 찾을 것이다. **9.** ② **10.** 이번 여행에 파블로 피카소 미술관을 방문한 것 **11.** ③ **12.** Appreciating a beautiful night sky and the Milky Way on the mountain **13.** take **14.** why the palace wasn't destroyed **15.** ②, ⑤ **16.** They were why I decided to go to Brazil. **17.** ① **18.** ② **19.** football **20.** ⑤ **21.** in person **22.** ⑤ **23.** ② **24.** I told her the reason why he didn't come **25.** 〈예시 답안〉 My School Field Trip / Hi, I'm Jinho. I want to go to Ulleungdo and Dokdo for my school field trip. First, I want to take a tour around rock formations and coastal cliffs. Also, I would like to learn about the history of Dokdo and go sea fishing. To get there, it takes about six hours by bus and ship in total. Although it is a long ride, I will have so much fun talking with my friends on the way.

해설 »

1. memorable은 '기억할 만한'이라는 뜻이다.

2. ② symbolic은 '상징적인'이라는 뜻으로 영영풀이는 다음과 같다. something that represents an important change, although it has little practical effect

3. keep someone posted는 '~에게 소식을 전하다'라는 뜻이다.

4. 〈보기〉의 How do I get to the bank?는 '은행에 가려면 어떻게 해야 합니까?'라는 뜻으로 길을 묻는 표현이다. ① Can you go to the bank for me?는 '나를 위해 은행에 가줄 수 있습니까?'라는 뜻이므로 〈보기〉와 비슷한 의미의 표현이 아니다.

5. make a reservation은 '예약을 하다'라는 뜻이다.

6. You can say that again.은 상대방의 말에 동의하는 표현으로 '정말 그렇네.'라는 뜻이다.

7. A의 말 how do I get to April department store?로 미루어 보아 A가 물어본 것은 에이프릴 백화점으로 가는 길/ 방법임을 알 수 있다.

8. You can't miss it.은 '반드시 찾을 것이다, 놓칠 리가 없다'라는 뜻이다.

9. A의 말인 It was a good decision to come to the Pablo Picasso Art Museum on this trip.으로 미루어 볼 때 정답은 ② 미술관이다.

10. B는 이번 여행에서 피카소 미술관을 방문한 것이 좋은 결정이었다는 A의 말에 동의하고 있다.

11. 대화의 흐름상 B는 길을 안내해 준 A에게 고마움을 표현하는 것이 적절하기 때문에 답은 ③ I really appreciate your help.이다.

12. 밑줄 친 (a) this는 바로 앞 문장에 나온 내용 자체를 가리킨다.

13. (b) take a tour는 '둘러보다, 구경하다'라는 뜻으로 빈칸에 들어갈 말은 take이다.
(c) 「take +시간」은 '~하는 데에 (얼마의)시간이 걸리다'라는 뜻으로 빈칸에 들어갈 말은 take이다.

14. 빈칸에 들어갈 표현은 관계부사절로 선행사 the reason이 생략된 형태이다. 관계부사 why가 가장 먼저 오고 그 뒤로 주어, 동사인 the palace wasn't destroyed가 차례로 온다.

15. 7번째 줄에서 the north area라고 했으므로 북쪽 지역에 위치해 있다. 끝에서 두 번째 줄에서 화자는 동물원에서만 악어를 봤었다고 했으므로 야생 악어를 본 경험은 없었다.

16. 주어인 They 뒤로 동사 were가 오며, 선행사 the reason은 생략되어 있으므로 바로 관계부사인 why가 온다. 관계부사 뒤에는 완전한 절인 I decided to go to Brazil이 온다.

17. ① Chris는 이번 여름 방학에 남아메리카에 간다고 했다.

18. 빈칸 (a)에는 '필수로 방문해야 할'이라는 뜻의 must-visit이 들어가야 한다.

19. 빈칸 (b) 뒤에 'fans'가 있는 것으로 보아 빈칸에는 'football'이 들어가야 한다.

20. Grace는 브라질에 가는 것을 추천하고 있으므로 정답은 ⑤이다.

21. in person은 '직접'이라는 뜻이다.

22. ⑤의 간접의문문에서 주절의 동사가 think이기 때문에 의문사인 where가 문장의 맨 앞으로 나와 Where do you think we can find a post office?가 되어야 한다.

23. B가 앞에서 Well, my family was really impressed by the cultures of India라고 말했으므로 ② hated가 아닌 liked가 와야 한다.

24. 「주어+동사+간접목적어+직접목적어」의 순서대로 I told her the reason why he didn't come.이 정답이다. the reason은 관계부사절의 선행사로 관계부사 앞에 온다. 관계부사 why 뒤에는 완전한 절이 오기 때문에 'he didn't come'이 옳다.

25. 체험 학습 장소를 선택한 뒤 그곳을 택한 이유, 그곳에서 하고 싶은 활동, 그리고 교통편 등을 서술한다.

모의 서술형 / 모의 수행 평가 > P. 176

정답 » 〔서술형 평가〕 **1.** (1) appreciate (2) museum (3) village (4) adventure **2.** (1) by himself (2) in words (3) made a reservation (4) as tall as (5) keep you posted (6) filled with **3.** (1) a huge fan of (2) thousands of messages (3) took a tour (4) How do I get to 〔수행 평가〕 **4.** [예시 답안] My Trip to Australia / This summer, I would like to visit Australia because of its beautiful nature and famous architecture. It takes about 10 hours by airplane to get there, and I am planning to stay there for 7 days. The first place I want to go to is the Blue Mountain. I would like to enjoy the wonderful scenery riding a cable car in the mountains. Next, I want to go to Darling Harbour and enjoy the beautiful night sky while having dinner. I will take a picture of the Opera House and the Harbour Bridge, too. It's going to be so much fun!

4. 해석 » 싱가포르로의 여행

이번 여름에, 나는 재미있고 다양한 문화 때문에 싱가포르를 방문하고자 한다. 그곳에 가려면 비행기로 약 8시간 정도 걸리며 나는 그곳에 5일 동안 머무를 계획이다. 내가 가고 싶은 첫 번째 장소는 센토사이다. 이곳은 우리가 박물관, 유니버설 스튜디오, 그리고 워터월드를 둘러볼 수 있는 인기 있는 섬 리조트이다. 두 번째로 가고 싶은 곳은 리틀 인디아다. 나는 그곳에서 인도 음식을 먹어보고 싶고 친구들 기념품도 사고 싶다. 정말 재밌을 것 같다!

평가 기준	항목	배점		
내용	여행지에서 방문하고자 하는 장소 두 군데를 잘 서술했는가?	5점	3점	0점
	여행지에 가고 싶은 이유와 하고자 하는 것들이 잘 서술되었는가?	5점	3점	0점
형식	분량은 적절한가?	5점	3점	0점
	맞춤법, 구두법을 잘 지켰는가?	5점	3점	0점
합계				점

UNIT 6 **Fuel Your Creativity**

 Mini Test > P. 187

정답 » **1.** (1) The way most people approach (2) the golfer hitting in a straight direction **2.** (1) Start thinking (2) what you are used to **3.** (1) comes to your mind (2) tend to need (3) turning it off (4) used to studying

Mini Test > P. 189

정답 » **1.** (1) laughed at the other two (2) asked them to do **2.** (1) It seemed that everyone had (2) making his point **3.** (1) fenced off (2) except for special occasions (3) None of them (4) the other way around

Mini Test > P. 191

정답 » **1.** (1) lived a rich king (2) It is also helpful to step **2.** (1) Loving his wife (2) Neither looking closely **3.** (1) step out of your comfort zone (2) It is not until she was fifty (3) flying upside down (4) neither French nor German

Mini Test > P. 193

정답 » **1.** (1) seem difficult at first (2) let your creativity work **2.** (1) Solving this problem (2) the ability to make (3) enjoy pumping up **3.** (1) are five senses (2) pump up the volume (3) thought outside the box (4) get drier

S Note > P. 205

정답 » **1.** 얼룩 **2.** ~ 한 숟가락 **3.** 유지하다 **4.** 장애 **5.** 매일 **6.** ~에 익숙하다 **7.** 의식의 **8.** 심리적인 **9.** 왕조 **10.** 학자 **11.** 놀랄만한 **12.** 발달 **13.** 흘리다; 흘림 **14.** 편리한 **15.** 전략 **16.** 혼란스러워지다 **17.** ~을 다루다 **18.** 경고를 내리다 **19.** 비판적으로 **20.** 실용적인 **21.** 기억할 만한 **22.** 발표하다 **23.** ~에 다가가다 **24.** ~을 넘어서 **25.** 결합하다 **26.** 생각나다 **27.** 창의성 **28.** 대각선으로 **29.** ~을 제외하고 **30.** 울타리를 치다 **31.** 오감 **32.** 한 번 보기 **33.** 상상의 **34.** 포함하다 **35.** 틀리게 **36.** 무한한 **37.** A도 B도 아닌 **38.** 물리학자 **39.** 초상화 **40.** 증가시키다 **41.** ~하는 경향이 있다 **42.** 창의적으로 생각하다 **43.** 안주하는 영역에서 나오다 **44.** 바꾸다 **45.** 거꾸로 **46.** 철사 **47.** 구역 **48.** 논리 **49.** 발명가

 Test for Unit 6 > PP. 206-209

정답 » **1.** ⑤ **2.** ⑤ **3.** ⑤ **4.** ④ **5.** ① **6.** ② **7.** ② **8.** It was used to handle heavy building materials. / It was used to lift huge stones. **9.** ① **10.** Watching an old movie **11.** color **12.** 감정과 정서 **13.** ① **14.** special chemicals that help your brain to work faster **15.** ⑤ **16.** the lowest number of swings that it would take **17.** ⑤ **18.** ① **19.** ④ **20.** ② **21.** seem to be **22.** ⑤ **23.** brain **24.** imagination **25.** 〈예시 답안〉 Bell and Telephone / Alexander Graham Bell was born in Scotland and later moved to America. He is famous for his greatest revolutionary invention — telephone. While he was teaching at a school in Boston for the deaf, he studied hard to invent a machine that would transmit speech over wires. On March 7 in 1876, when he was 29 years old, he received a patent for his invention.

해설 >>

1. diagonally는 '대각선으로'라는 뜻이다.

2. '어떤 것, 특히 계획이나 결정에 관해 사람들에게 공식적으로 말하다'에 해당하는 것은 announce (발표하다)다.

3. the other way around는 '반대쪽으로'의 뜻이다.

4. What a brilliant answer!는 멋진 대답이라고 상대방을 칭찬하는 표현이다.

5. Do you know how to + 동사원형 ~?은 '~하는 법을 아니?'의 뜻으로 능력 여부를 묻는 표현이다.

6. 음식 얼룩 제거를 할 수 있는지 묻는 말에 대해 그렇다고 대답하는 (B)가 제일 처음에 오고, (B)의 대답을 다시 묻는 (A)가 뒤에 이어진다. (A)에서 작동 원리를 묻자 이에 대해 대답하는 (C)가 제일 마지막에 온다.

7. (b)는 남자가 말한 것을 가리키지만 나머지는 모두 '거중기'를 가리킨다.

8. the system he invented to handle heavy building materials 에서 무거운 건물 자재를 다루는 거중기의 용도가 나와 있다. 그리고 I was surprised to see it lifting huge stones.에서 무거운 돌을 들어올리는 데에도 사용되었음을 알 수 있다.

9. ① 그 가게에 도착했을 때 그곳이 문을 닫았음을 알았다.
   → When I arrived at the store ~를 분사구문으로 고친 것으로 Arrived 는 Arriving이 되어야 한다.
   ② 트럭을 닦고 나서, Fred는 근육이 아팠다.
   ③ 버스를 향해 달리면서, 그녀는 남편에게 전화했다.
   ④ 안경을 벗고 그는 내용물을 확인했다.
   ⑤ 화재로 무너진 후 그 건물은 재건축되지 않았다.

10. 동시동작을 나타내는 분사구문을 이용하여 '보면서'에 해당하는 watching이 분사구로 온다.

11. white, red, blue, green, yellow, and black 모두를 포함하는 단어는 color이다.

12. The red hat loves feelings and emotions.로 보아 빨간 모자가 다루는 영역은 감정과 정서임을 알 수 있다.

13. 어서 해보라는 의미의 Bring it on!이 빈칸에 어울린다.

14. '두뇌가 더 빨리 일하게 도울 특별한 화학물질'을 뜻하므로 special chemicals를 관계대명사절이 꾸며주는 방식이 적절하다.

15. think "inside the box"와 반대되는 내용이 와야 하므로 stepping outside your imaginary box(상상의 상자 밖으로 나오는 것)가 적절하다.

16. '최소한의 수의 스윙'에 해당하는 the lowest number of swings 뒤를 관계대명사 that절이 꾸며준다.

17. 앞 부분의 straight direction은 4번의 swing이 필요한 반면 diagonal(대각선의) 방향으로는 2번만 swing하면 된다는 내용이다.

18. 개는 영어를 이해하는 것처럼 보인다.

19. 농부가 어려운 문제를 제시하는 부분인 (C)가 제일 먼저 오고 physicist 를 가리키는 He가 오는 (A)부분이 뒤에 이어진다. 마지막으로 해답을 찾은 mathematician의 설명이 나오는 (B)가 온다.

20. mathematician이 드디어 문제에 관한 해답을 찾는 내용이므로 '마침내'에 해당하는 finally가 내용상 적절하다.

21. 「It seems that + 주어 + 동사 ~ 구문」은 「주어 + seem(s) to + 동사원형 ~」과 바꾸어 쓸 수 있다.

22. 신체뿐 아니라 두뇌에도 운동이 필요하다는 정보를 주는 글이다.
   ① 비행기 좌석을 예약하려고
   ② 식당 자리를 예약하려고
   ③ 주문을 취소하려고
   ④ 연사를 소개하려고

23. 신체뿐 아니라 두뇌도 훈련하라는 내용이므로 brain이 알맞다.

24. 창의성을 사용하라는 말은 상상력을 사용하라는 말과 통하므로 빈칸에 imagination이 온다.

25. 발명가와 발명품을 소개하는 내용으로 invent, invention 등의 어구를 이용한다.

모의 서술형 / 모의 수행 평가
> P. 210

정답 >> 〈서술형 평가〉 **1.** (1) physicist (2) upside down (3) portrait (4) include **2.** (1) outside the box (2) tends to (3) fenced off (4) except for (5) neither, nor (6) the other way around **3.** (1) It seems there is (2) It seems to rain (3) Wandering through the street (4) Carrying a heavy pile of books 〈수행 평가〉 **4.** [예시 답안] Training your brain is as important as your training your body. You need to maintain brain training on a regular basis to make it work better. Brain games like puzzles, memory games, square games will be good for your brain workout. This square game is an example for your brain exercise. To solve this puzzle, you need to match the numbers from 1 to 9 in different ways. Therefore, solving this kind of problems will keep you getting your brain in good shape.

4. **해석 >>** Square Game (스퀘어 게임)
   1. 1부터 9까지의 숫자를 사용할 수 있다.
   2. 같은 숫자를 한 번 초과해서 사용할 수 없다.
   3. 숫자를 대각선으로, 수직으로, 수평으로 배열해서 15가 나오게 한다.

평가 기준	항목	배점		
내용	두뇌 운동의 중요성을 잘 서술했는가?	5점	3점	0점
	예시된 내용에 대한 서술이 잘 되어 있는가?	5점	3점	0점
형식	분량은 적절한가?	5점	3점	0점
	맞춤법, 구두법을 잘 지켰는가?	5점	3점	0점
합계				점

UNIT 7 | The Name of the Game in Creative Industries

Mini Test > P. 221

정답 >> **1.** (1) that are related to using (2) who gave life to Frodo **2.** (1) to have earned (2) where the movie was filmed **3.** (1) A great number of cars (2) so smart that (3) should be based on (4) combined with teamwork

Mini Test > P. 223

정답 >> **1.** (1) whose cultural attractions have earned major tourism dollars (2) are estimated to have gained **2.** (1) If you had the chance to visit Broadway (2) Not only that **3.** (1) to make use of (2) as well as (3) features (4) is estimated to

Mini Test > P. 225

정답 >> **1.** (1) the audience feels as if the singer were (2) the characters can expand into other fields **2.** (1) If you were (2) to have been **3.** (1) are attracted to (2) as if he were (3) flock to (4) prove to be wrong

Mini Test > P. 227

정답 >> **1.** (1) a country with rich cultural and historical resources (2) to promote Japanese creative industries **2.** (1) attracting more and more fans (2) As some scholars predict **3.** (1) along with two other men (2) More and more People (3) such as novels and comics (4) just like a child

S Note > P. 239

정답 >> **1.** 해외에 **2.** 장점 **3.** 나중에 **4.** 기사 **5.** 예술적인 **6.** 끌어들이다 **7.** 관객 **8.** 이기다 **9.** 도표 **10.** 의상 **11.** 공상가 **12.** 10년 **13.** 전달하다 **14.** 역동적인 **15.** 경제적인 **16.** 추정하다 **17.** 화려함 **18.** 감사하는 **19.** 홀로그램(입체화상) **20.** 우상, 상징 **21.** 창의적인, 상상력이 풍부한 **22.** 포함하다 **23.** 나타내다 **24.** 간접적인 **25.** 영향 **26.** 문학 **27.** 의미있는 **28.** 기회 **29.** 공연 예술 **30.** 원형 도표, 원그래프 **31.** 연극 **32.** 인기 **33.** 제품 **34.** 제조하다 **35.** 마케팅 전략 **36.** 유령 **37.** 현상 **38.** 작품 속 광고 **39.** 수익 **40.** 홍보하다 **41.** 사실적인 **42.** 개봉 **43.** 드러내다 **44.** 활기를 되찾다 **45.** 공상 과학의 **46.** 이야기 하기; 이야기를 하는 **47.** 멋진 **48.** 독특성 **49.** 가치

Test for Unit 7 > PP. 240-243

정답 >> **1.** ③ **2.** ① **3.** ⑤ **4.** ③ **5.** ⑤ **6.** ③ **7.** ⑤ **8.** 뮤지컬 **9.** ① **10.** ④ **11.** 캐릭터 상품 **12.** (a) tickets (c) greeted **13.** international fans **14.** The graph reveals that **15.** ② **16.** is known to have earned **17.** ③ **18.** ④ **19.** movie **20.** ④ **21.** make use of **22.** ⑤ **23.** ③ **24.** If I were you, I would never give up. **25.** 〈예시 답안〉 History Movies: Looking Back at Our Past / My favorite type of movie is History movies. My favorite movies of this type are *Life is Beautiful* and *Ode to My Father*. There are two reasons why I like them. First, I can learn about the past. Through the movies, I can learn more about what really happened and learn from the mistakes of the past. Second, history movies have laughter and tears. Since they deal with historical incidents and people from the past, I am deeply moved and become sad after watching the movies. They make me remember the hardships our ancestors have gone through.

해설 >>

1. strength는 '강점'이라는 뜻이다.

2. flock to는 '~로 모여들다'라는 뜻이다.

3. ⑤는 economy에 대한 뜻풀이다.

4. 〈보기〉의 I'm really into musicals.는 '나는 뮤지컬에 관심이 있어. 뮤지컬을 좋아해'라는 뜻이다.
   ① 나는 뮤지컬을 정말 좋아해.
   ② 나는 뮤지컬에 관심이 있어.
   ③ 뮤지컬은 나랑 잘 안 맞아.
   ④ 나는 뮤지컬 보는 것을 즐겨.
   ⑤ 나는 뮤지컬이 최고라고 생각해

5. Attracted는 '~에 끌려서'라는 뜻이므로 빈칸에는 Attracted가 적절하다.

6. Nothing compares to the original.: 원전에 견줄 것은 없다.

7. A가 밴드만을 위한 축제냐고 물었을 때 B는 'No.'라고 대답했고 빈칸 다음 A가 '모든 공연 예술을 위한 축제니?'라고 물었을 때 긍정의 대답이 나왔으므로 알맞은 것은 ⑤ This festival includes plays, comedy, dance, and concerts.이다.

8. A는 뮤지컬을 좋아한다. (I'm really into musicals.)

9. B는 마지막에 Do you want to go see it together? (같이 가서 볼래?)라고 말했다.

10. B의 첫 번째 말에서 친구의 생일 선물을 찾고 있다고 했다.

11. A는 캐릭터 상품을 권했다.

12. 첫 번째 빈칸 앞에서 월드투어 콘서트에 대한 내용이 있고 빈칸 뒤에는 축하한다는 내용이 있으므로 tickets가 많이 팔렸음을 알 수 있다. 두 번째 빈칸에서는 공항에서 해외 팬들이 반겨주는 내용이므로 greeted가 적절하다.

13. 밑줄 친 they는 international fans (해외 팬들)를 가리킨다.

14. The graph reveals that: 도표는 ~임을 나타낸다

15. 4번째 줄에서 40%의 학생들이 역사 영화를 선택했고 6번째 줄에서 35%의 학생들이 공상 과학 영화를 선택했으므로 가장 인기 있는 영화는 공상 과학 영화가 아닌 역사 영화이다.

16. Harry Potter 시리즈는 지금까지 영국에 많은 금액의 돈을 벌어들인 것으로 알려져 있다. 알려지기 전에 일어난, 완료의 의미를 가진 「to have+p.p.」의 형태를 사용해야 한다.

17. 끝에서 네 번째 줄에 아이들의 상상력을 키운다고 되어있으므로 storytelling club이 어른들만을 위한 동호회가 아님을 알 수 있다.

18. cultural attractions: 문화 명소

19. 유니버설 스튜디오에서 할리우드 영화를 기반으로 한 환상적인 쇼를 즐길 수 있다고 하는 것으로 보아 빈칸에 들어갈 말은 movie이다. movie industry: 영화 산업

20. 할리우드 스튜디오는 그들의 뛰어난 컴퓨터 그래픽을 이용한다고 했다.

21. make use of: ~을 사용하다

22. 수백 년 전에 이미 쓰여진 것으로 추정된다고 했으므로 The document is assumed to have been written hundreds of years ago.가 옳다.

23. 캐릭터들이 일단 인기가 있음이 드러나고 난 후 다른 분야로 확장될 수 있다는 내용이므로 ③unpopular가 아닌 popular가 와야 한다.

24. 가정법 과거 「If+주어+동사의 과거형(were) ~, 주어+would+동사원형 ~」을 사용하여 If I were you, I would never give up.이라고 쓴다.

25. 가장 좋아하는 장르의 영화를 서술한 후 그 장르 중 두 개의 영화를 쓰고 그에 대한 이유를 두 가지 선정하여 작성한다.

정답과 해설

모의 서술형 / 모의 수행 평가

정답 » 🖉 서술형 평가 **1.** (1) attract (2) international (3) economic (4) profit **2.** (1) features (2) flock to (3) prove to be (4) as well as (5) estimated to (6) combined with **3.** (1) A great number of people (2) give life to things (3) so surprised that (4) based on fact 🖉 수행 평가 **4.** [예시 답안] The K-Town / The K-Town is expected to be the new center of the Korean Wave. You will enjoy your stay here with our K-pop zone and K-food zone. You can visit our concert hall and record your own voice as you sing your favorite K-pop songs. Here you will feel as if you are a star. Not only that, you can try some Korean food in our K-food zone. You will be surprised because you can learn some cooking tips from a real chef. Your experience here will be exciting, dynamic, and fun.

4. 해석 » Hallyu-Town은 한류의 새로운 중심이 되리라 기대됩니다. 여러분은 이곳의 K-pop zone 그리고 K-beauty zone과 함께 이곳에서 좋은 시간을 보낼 것입니다. 여러분은 우리의 댄스 홀을 방문해서 여러분이 좋아하는 노래의 춤 동작도 배울 수 있습니다. 여기에서 여러분 자신이 스타인 것처럼 느낄 것입니다. 그뿐만 아니라, K-beauty 존에서는 화장도 해볼 수 있습니다. 전문 메이크업 아티스트로부터 아름다움에 대한 조언을 듣고 놀라게 될 것입니다. 이곳에서의 경험은 신나고, 역동적이고, 즐거울 것입니다.

평가 기준	항목	배점		
내용	문화 공원의 특징을 잘 서술했는가?	5점	3점	0점
	문화 공원을 방문하도록 유도하는 내용이 잘 서술되었는가?	5점	3점	0점
형식	분량은 적절한가?	5점	3점	0점
	맞춤법, 구두법을 잘 지켰는가?	5점	3점	0점
합계				점

Mini Test > P. 255

정답 » **1.** (1) how a responsible citizen should act (2) It is very fortunate that **2.** (1) people who didn't make way (2) when riding a bike **3.** (1) you ever played (2) pushed me aside (3) make way for (4) was ashamed of myself for getting

Mini Test > P. 257

정답 » **1.** (1) made it hard to fully enjoy (2) cared more about others **2.** (1) hurting others (2) had been hurt **3.** (1) had a hard time deciding (2) cleaned up after (3) do you keep order (4) don't care about

Mini Test > P. 259

정답 » **1.** (1) saw some neighbors trying (2) had been trapped inside **2.** (1) not neglect but help (2) had already moved **3.** (1) keep the children from throwing (2) put out (3) faced with a serious problem (4) Last but not least

Mini Test > P. 261

정답 » **1.** (1) ways to become a responsible citizen (2) help those in need **2.** (1) Helping neighbors in need (2) Each individual has the potential to **3.** (1) contributed to (2) willing to fly (3) Let's go back to basics (4) More and more people

S Note > P. 273

정답 » **1.** 절대적으로 **2.** 소지품 **3.** 감지하다 **4.** 응급처치 **5.** 손전등 **6.** 우습게 생긴 **7.** 불법인 **8.** 즉시 **9.** ~의 경우에, 만일 ~한다면 **10.** 무단 횡단하다 **11.** 그뿐 아니라 **12.** 당황; 허둥대다 **13.** 벌금, 처벌 **14.** 추천 **15.** 망치다 **16.** 수치 **17.** 구조(물) **18.** 10대의 **19.** 이동하다 **20.** ~에게 … 한 것을 부끄러워하다 **21.** ~에 직면하다 **22.** 기꺼이 ~하다 **23.** ~에 마음을 쓰다 **24.** 시민의 **25.** ~에 기여하다, ~에 영향을 주다 **26.** 재난 **27.** 불을 끄는 사람[기구], 소화기 **28.** 소방관 **29.** 폭죽, 불꽃놀이 **30.** 찌푸리다 **31.** 층 **32.** A가 ~하는 것을 막다 **33.** ~에게 길을 열어주다 **34.** 나쁜 행실 **35.** 두드러지게 **36.** 관찰하다, 준수하다 **37.** 보행자 **38.** 잠재력; 잠재력 있는 **39.** 막다 **40.** 공공의; 공중 **41.** 떠다밀다 **42.** 불을 끄다 **43.** 규범 **44.** 덜어주다 **45.** 구조하다; 구조 **46.** 쓰레기 **47.** 질서를 유지하다 **48.** 비극적인 **49.** 가두다; 덫

 Test for Unit 8 > PP. 274-277

정답 » **1.** ⑤ **2.** ① **3.** ④ **4.** ③ **5.** ① **6.** ① **7.** manners **8.** ① **9.** ⑤ **10.** 무단 횡단하다 교통사고를 당해서 **11.** ④ **12.** ④ **13.** risked **14.** fake **15.** ① **16.** relieved to see them safe **17.** ② **18.** for staying with me until the ambulance came **19.** prevent **20.** ④ **21.** ② **22.** having been married **23.** ④ **24.** The money had been received by Tom. **25.** 〈예시 답안〉 Biking Safety / 1. Wear a helmet for protection. 2. Use hand signals to show where you're going. 3. Use lights when biking at night. 4. Obey traffic rules and lights. 5. Don't listen to music or talk on the phone.

해설 »

1. recommendation은 '추천'이라는 뜻이다.

2. ① observe – obey는 둘 다 '준수하다'의 뜻으로 동의어로 쓰인다.

3. make way for는 '~에게 길을 내어주다'의 뜻이다.

4. 〈보기〉는 '그 코스를 제가 신청해야 할까요?'의 뜻으로 의무인지 묻는 표현이다. 그러므로 ③과 의미가 같다.
① 그 코스를 신청해도 될까요?
② 그 코스를 신청할 수 있을까요?
④ 제가 그 코스에 신청하기를 바라지 않나요?
⑤ 제가 그 코스에 신청할 필요가 있다고 짐작하시나요?

5. 책을 반납하지 않아서 10일 간 빌릴 수 없다는 말에 대해 '안됐구나!' 또는 '안타깝구나!'에 해당하는 표현인 What a shame!이 적절하다.

6. 싱가포르에서의 첫날이 어땠는지 묻고 있으므로 그에 대한 응답으로는 깨끗했다는 인상을 표현하는 (A)가 오는 것이 적절하고 이어서 거리가 깨끗한 이유를 말하는 (C)가 이어지는 것이 알맞다. 마지막으로 (C)의 내용에 대해 첨부해서 말하는 (B)가 오는 것이 알맞다.

7. 좋지 않은 예절 때문에 기분이 나빴다는 내용이므로 예절에 해당하는 단어인 manners가 적절하다.

8. What happened to her, then?이라고 묻자 Fortunately, she was transferred to the hospital immediately, ~라고 답한 것으로 보아 여자가 병원으로 이송되었음을 알 수 있다.

9. Jinu, you have to wait for the green light. / It seems like a little thing to just wait for the light, ~이라고 말한 것에서 신호등을 기다리는 것과 같은 작은 것을 지키라고 충고하고 있으므로 ⑤가 요지로 적절하다.
① 도움이 필요한 친구를 도와야 한다.
② 곧 회복하려면 쉬어야 한다.
③ 이번 주말에 친구를 방문해야 한다.
④ 외출 시 전등을 꺼야 한다.

10. Last Friday she got hit by a car while jaywalking and broke her arm.으로 보아 무단 횡단하다 교통 사고를 당했음을 알 수 있다.

11. 수동의 의미가 되어야 하므로 ① Sally의 생명은 의사 Rich에 의해 구해졌다. ② 그 문제들은 Tim에 의해 해결되었니? ③ 그 은행들은 두 사람에 의해 강도당했다. ④ → Another planet had been discovered by them. (또 다른 행성이 그들에 의해 발견되었다.)이 적절하다. ⑤ 그 초대는 그녀에 의해 받아들여지지 않았었다.

12. Make sure you do not use the elevators.라고 말한 것에서 엘리베이터를 이용하지 말라는 지시가 나온다.

13. 위험한 행동을 한 것에 대해 비난하고 있으므로 '목숨을 걸다'라는 뜻에는 risk one's life라는 표현을 쓴다. 빈칸에는 risk의 과거형인 risked가 오는 것이 적절하다.

14. 사진 속의 남자는 가짜 절벽에 매달려 있기 때문에 위험하지 않다는 내용이므로 '가짜'에 해당하는 fake가 빈칸에 적절하다.

15. 화재가 난 상황이므로 긴급한 전화를 받았다는 내용이 문맥상 어울리기 때문에 ① pleasant (즐거운)를 urgent (긴급한)로 고치는 것이 알맞다.

16. 「감정의 형용사 + to + 동사원형」은 '~하게 되어 …감정을 느끼다'의 뜻이므로 relieved to see ~로 이어지는 것이 어법상 적절하다.

17. 빈칸을 중심으로 앞 부분에는 구급차가 힘들게 이동한 내용이 나오므로 제 때 도착한 것은 행운이라는 내용이 오는 것이 적절하다.

18. thank *A* for *B*는 'A에게 B에 대해 감사하다'의 뜻이므로 이에 맞도록 단어를 배열한다.

19. 많은 비극적 사고를 예방할 수 있다는 내용이 적절하므로 prevent (예방하다)가 오는 것이 적절하다.

20. 앞에서 말한 내용들을 간단하게 반복해서 정리하고 있다. ④ in other words는 '다시 말해서'라는 뜻이다.

21. 좋은 예절을 갖추도록 설득하고 있으므로 ②persuasive (설득적인)가 알맞다. ① 냉소적인 ③ 비관적인 ④ 감상적인 ⑤ 동정적인

22. 부정하는 것은 현재시제, 결혼했던 것은 과거시제이므로 더 앞선 시제를 나타내는 완료동명사가 적절하다.

23. 주절과 종속절의 시제가 다르고 분명하게 시제를 나타낼 필요가 있으므로 완료동명사를 쓴다.

24. 과거완료수동태는 「had been + 과거분사 + by + 목적격」의 형태로 '~에 의해 …되어졌었다'의 의미이다.

25. 명령문을 이용하여 '~하라' 또는 '~하지 마라'는 의미를 나타낸다. 명령문은 동사원형으로 시작함에 유의한다.

📝 모의 서술형 / 모의 수행 평가 > P. 278

정답 » 🔖 서술형 평가 **1.** (1) jaywalk (2) frown (3) pedestrian (4) public **2.** (1) pushed me aside (2) observe the law (3) cared about (4) put out (5) make way for (6) am willing to **3.** (1) had been defended by (2) had been broken by (3) without having spoken (4) denies having met 🔖 수행 평가 **4.** [예시 답안] Class Rules /1. Follow directions. 2. Study quietly and do not disturb others. 3. Come to class on time. 4. Throw paper away in the trash can. 5. Do not run. Walk at all times.

4. 해석 » 학교 규칙 1. 선생님과 반 친구들에게 인사하시오. 2. 교실을 깨끗하게 하시오. 3. 복도에서는 걸으시오. 4. 학교와 개인 재산을 존중하시오. 5. 안전하게 걷고 노시오.

평가 기준	항목	배점		
내용	학급에서 지켜야 할 규칙의 내용이 장소의 특성에 맞게 잘 서술되었는가?	5점	3점	0점
	학급 규칙의 내용이 명령문의 형태로 간결하게 잘 서술되었는가?	5점	3점	0점
형식	분량은 적절한가?	5점	3점	0점
	맞춤법, 구두법을 잘 지켰는가?	5점	3점	0점
합계				점

정답과 해설

Mini Test > P. 289

정답 》 **1.** (1) took a cab to get to class on time (2) one of the places she found **2.** (1) On her way to the library (2) denying the fact that **3.** (1) There is no telling (2) here on time (3) on my way (4) pass on to

Mini Test > P. 291

정답 》 **1.** (1) with oceans and mythical islands around it (2) were heavily influenced by **2.** (1) illustrated by hand (2) at the time had the belief that **3.** (1) was influenced by (2) by hand (3) has a great value (4) Treat others as

Mini Test > P. 293

정답 》 **1.** (1) brought about a great leap in (2) No other technology has been as revolutionary as **2.** (1) are based on (2) no other geography book was as comprehensive as **3.** (1) brought about (2) lead to trouble (3) make it possible for me (4) is composed of

Mini Test > P. 295

정답 》 **1.** (1) the place where we live (2) to revolutionize the way we live **2.** (1) It won't be long before (2) What is more **3.** (1) rely on (2) with the help of his uncle (3) is equipped with (4) You look like

S Note > P. 307

정답 》 **1.** 수용하다 **2.** 정확한 **3.** 애플리케이션, 앱 **4.** 늘리다 **5.** 점토 **6.** 상업의 **7.** 나침반 **8.** 끊임없이 **9.** ~이 들어있다 **10.** 등고선 **11.** 발달 **12.** 차이점 **13.** 분배하다 **14.** 똑같이 **15.** 조사하다 **16.** 존재하다 **17.** 탐험하다 **18.** 자주 **19.** 기능 **20.** 지리적인 **21.** 조사하다 **22.** 여정 **23.** 위치 **24.** 검색하다 **25.** 지도 제작 **26.** 수단 **27.** 신화 속에서 나오는 **28.** 항해 **29.** 이웃 **30.** 관찰 **31.** 제공하다 **32.** 가능성 **33.** 예측 **34.** 보존하다 **35.** 투영 **36.** 목적 **37.** 품질 **38.** 적정한 **39.** 나타내다 **40.** 닮다 **41.** 혁신을 일으키다 **42.** 길 **43.** 유사점 **44.** 공간의 **45.** 관광 명소 **46.** 관광지 **47.** 교통편 **48.** 길 **49.** 광범위한

Test for Unit 9 > PP. 308-311

정답 》 **1.** ② **2.** ① **3.** ④ **4.** ⑤ **5.** ③ **6.** ⑤ **7.** 지도 애플리케이션을 사용할 것 **8.** 온라인 지도 서비스로 런던의 유명 관광지를 보고 있다 **9.** ③ **10.** 전철 1호선을 타고 서면역에서 내려 관광 정보 지도를 확인한다 **11.** (a) dishes (b) accommodate **12.** 맛있는 다양한 한식을 적정한 가격에 항상 먹을 수 있어서 **13.** ③ **14.** People at the time had the belief that **15.** ②, ③ **16.** No other technology has been as revolutionary as **17.** ① **18.** ③ **19.** route **20.** ⑤ **21.** rely on **22.** ④ **23.** ③ **24.** There is no denying the fact that **25.** 〈예시 답안〉 NOTICE / We would like to notify everyone that a new gym will be built in our school. The construction will take place next to the basketball court. So, students who have been playing basketball on basketball courts are advised to use the soccer field only. There is no denying the fact that the project will cause you inconvenience. However, it will take about 2 months. Thank you in advance for your cooperation.

해설 》

1. ② widespread는 '광범위한'이라는 뜻이다.
2. ① accommodate는 '수용하다'라는 뜻으로 영영풀이는 to have enough room for someone or something이다.
3. ④ be composed of는 '~로 구성되다'라는 뜻이다.
4. 〈보기〉의 I'd be interested to know more about you.는 '너에 대해 더 알고 싶어.'라는 뜻이다.
① 너에 대해 궁금해.
② 너에 대해 알고 싶어.
③ 너에 대해 더 말해줄 수 있니?
④ 너에 대해 더 알고 싶어.
⑤ 네가 나에 대해 알고 싶다니 놀랍다.
5. I'm surprised that~은 '~라는 것이 놀라워'라는 뜻이다.
6. I'd be interested to know how it works.는 '그것이 어떻게 작동하는지 알고 싶어.'라는 뜻이다.
7. A는 B에게 지도 애플리케이션을 사용할 것을 권했다. (Why don't you use a map application?)
8. B의 첫 번째 말에서 B는 온라인 지도 서비스로 런던의 유명 관광지를 보고 있다고 말했다.(I'm enjoying famous tourist attractions in London using an online map service.)
9. A는 적정한 가격의 옷을 살 수 있는 곳이 어디인지 알고 싶어 한다. (I'd be interested to know where I can buy clothes at reasonable prices in Busan.)
10. B는 전철 1호선을 타고 서면역에 내려 관광 정보 지도를 찾아 쇼핑센터로 가라고 했다.
11. 첫 번째 빈칸 앞에서 '메뉴가 인기 있는 ~을 포함한다'라고 했으므로 빈칸에는 dishes(요리)가 와야 한다. 두 번째 빈칸 앞에는 '편안하게', 뒤에는 '200명의 손님들'이라는 말이 있으므로 accommodate(수용하다)가 와야 한다.
12. B가 이곳을 좋아하는 이유는 마지막 줄 I can always enjoy a great variety of delicious Korean food at reasonable prices.에 드러나 있다.
13. 빈칸 다음의 B의 말에서 경복궁으로 가는 길을 설명하고 있으므로 ③ Can you tell me how to get there? (그곳으로 가는 방법을 말해줄 수 있어?)가 답이다.
14. 그 시대의 사람들: People at the time
~라는 믿음을 갖고 있었다: had the belief that(동격의 that을 사용)
15. 세 번째와 네 번째 줄에서 지구를 납작한 원으로 묘사했다고 했으며 여섯 번째 줄에서 지도가 종교적인 관점에 의해 영향을 받았다고 했다.
16. 원급을 이용한 최상급 표현(부정어~+is as+원급+as A)을 사용하여 No other technology has been as revolutionary as라고 쓴다.
17. 조감도는 1500년에 처음으로 소개되었고 17세기와 18세기에 폭넓게 사용되기 시작했다.
18. 하나가 온라인 지도를 통해 알아낸 좋은 식당으로 친구들을 데려갔으므로 ③ bad restaurants가 아닌 good restaurants여야 한다.
19. '가장 짧은 길'이라는 내용이므로 route를 쓴다.
20. ① 택시를 탔다.
② 좋은 식당으로 친구들을 데려갔다.
③ 오후 수업을 마치고 도서관에 가는 방법을 알아냈다.
④ 하나가 관광객들에게 길을 알려줬다.
21. rely on: ~에 의지하다
22. 원급을 이용한 최상급 표현(부정어~+is as+원급+as A)에서 ④ perfectly는 형용사 원급인 perfect여야 한다.
23. 도시의 특징이 지난 10년 간 변화해 온 것을 보면 ③ 무관심(indifferent)한 것이 아니라 놀랄(surprised) 것이다.
24. 동격의 that을 사용한다. There is no denying the fact that
25. 무엇이 새로 생기는지, 어디에서 공사가 이루어지는지, 무엇을 권하는지, 공사가 얼마나 지속되는지 등의 내용이 있어야 한다. 공식적인 안내문이므로 formal language를 사용한다.

모의 서술형 / 모의 수행 평가 > P. 312

정답 >> 〔서술형 평가〕 **1.** (1) route (2) mythical (3) predict (4) observation (5) road **2.** (1) constantly (2) based on (3) construction (4) on his way (5) possibility (6) similarity **3.** (1) The plan is composed of (2) He can rely on my support (3) be influenced by foreign culture (4) as beautiful as a picture 〔수행 평가〕 **4.** [예시 답안] OUT OF ORDER / This elevator is currently out of order. The repair work will be in progress until 5 p.m. today. We advise you to use the elevator in Building 2. There is no denying the fact that this will cause you inconvenience. Please understand that no other matter is as urgent to us as repairing this elevator on time. If you have any questions, please contact 123-4567. Thank you for your cooperation in advance.

4. 해석 >> 이 컴퓨터는 현재 고장입니다. 오늘 오후 5시까지 수리가 진행될 것입니다. 컴퓨터실에 있는 컴퓨터를 사용할 것을 권합니다. 이것이 불편을 끼친다는 것은 부인할 수 없는 사실입니다. 제 시간에 이 컴퓨터를 고치는 것만큼 급한 일은 없다는 것을 이해해 주세요. 질문이 있다면 123-4567번으로 연락주세요. 여러분의 협조에 미리 감사드립니다.

평가 기준	항목	배점		
내용	안내문의 특징을 잘 서술했는가?	5점	3점	0점
	수리 기간, 대체품, 연락처 등의 내용이 잘 서술되었는가?	5점	3점	0점
형식	분량은 적절한가?	5점	3점	0점
	맞춤법, 구두법을 잘 지켰는가?	5점	3점	0점
합계				점

 UNIT 10 | **What Matters Most in Life**

Mini Test > P. 323

정답 >> **1.** (1) to help him accomplish that task (2) give him satisfying answers **2.** (1) if he knew (2) wearing simple clothes **3.** (1) decided to delay (2) consult a doctor (3) declared that he was

Mini Test > P. 325

정답 >> **1.** (1) get this job done (2) Not giving him the spade **2.** (1) Glancing at the king (2) To be honest **3.** (1) went on saying (2) suggestions deserve attention (3) without saying (4) losing herself

Mini Test > P. 327

정답 >> **1.** (1) see who it is (2) Judging from your wound **2.** (1) if he is alive (2) who fell down **3.** (1) have mercy on me (2) Judging from her voice (3) make it soon (4) I wonder when he will arrive

Mini Test > P. 329

정답 >> **1.** (1) had better leave this place (2) to forgive you for **2.** (1) carrying a weapon (2) you had not saved my life **3.** (1) took away the ball (2) be put to death (3) getting back at me (4) never come upon

Mini Test > P. 331

정답 >> **1.** (1) when you were digging (2) for you to do **2.** (1) only when (2) had not had **3.** (1) beg you to forget (2) might have had (3) things to attend to (4) make peace with my brother

Mini Test > P. 333

정답 >> **1.** (1) for you will never know (2) you have given to me **2.** (1) have them grant (2) With his questions fully answered **3.** (1) in store for you (2) should have arrived (3) am very grateful for (4) made up her mind

S Note > P. 345

정답 >> **1.** 이루다 **2.** ~에서 각색하다 **3.** ~에 화나다 **4.** 일정보다 늦게 **5.** 지속적으로 **6.** 정확하게 **7.** ~을 고려해 볼 때 **8.** 우울해하다 **9.** 무관심한 **10.** 소설 **11.** 철학적인 **12.** A를 B로 간주하다 **13.** 그렇지 않다면 **14.** 가능성 **15.** 추천하다 **16.** 계속하다 **17.** 물건 **18.** 아주, 훨씬 **19.** 공격; 공격하다 **20.** 잠깐 **21.** 턱수염 난 **22.** 피 흘리다 **23.** 경호원 **24.** 평범한 **25.** 우연히 만나다 **26.** 선언하다 **27.** ~할 가치가 있다 **28.** 파다 **29.** 용서하다 **30.** ~에게 복수하다 **31.** 부여하다 **32.** ~에게 자비를 베풀다 **33.** 은자 **34.** ~로 판단하건대 **35.** ~에 몰두하다 **36.** 장엄함, 폐하 **37.** 이겨내다, 살아남다 **38.** 화해하다 **39.** 결심하다 **40.** 소유하다 **41.** 재산, 부동산 **42.** ~를 죽게 하다 **43.** 보상 **44.** 삽 **45.** 빼앗다, 가져가다 **46.** 의식을 잃은 **47.** 불안정한 **48.** 무기 **49.** 상처

 Test for Unit 10 > PP. 346-349

정답 >> **1.** ⑤ **2.** ⑤ **3.** ③ **4.** ② **5.** ⑤ **6.** ② **7.** ② **8.** 자신에게 전화를 걸어 달라는 것 **9.** ③ **10.** experience **11.** ④ **12.** (a) written (b) regarded **13.** 진실을 찾는 것 **14.** why you had such a long face **15.** ③ **16.** without

17. ② **18.** ④ **19.** 용서하고 부하로 받아들인 것 **20.** ⑤ **21.** To be honest [To be frank] **22.** ⑤ **23.** ⑤ **24.** To make matters worse **25.** 〈예시 답안〉 The Three Most Important Things in My Life / Health is one of the three most important things in life. You cannot do anything without health. In reality, it is not always easy to stay healthy—both physically and mentally. Second, my parents are as important as health to me. They support me and they love me rain or shine. They provide me with a safe environment. Lastly, friends are also important in life because true friendship is lifelong.

해설 》》

1. deserve는 '할 가치가 있다'라는 뜻이다.

2. '누군가가 소유한 것이나 것들'이므로 '소유물'을 나타내는 property의 영영 풀이이다. ① 삽 ② 보상 ③ 상처 ④ 무기

3. get back at은 '~에게 복수하다'의 뜻이다.

4. 〈보기〉의 Can I ask a favor of you?는 '부탁해도 될까요?'의 뜻으로 도움을 요청하는 표현이다. 이에 반해 What do you need?는 '무엇이 필요하세요?'의 뜻이다.

5. It sounds like ~는 '~인 것 같다'는 뜻으로 의견을 표현할 때 쓰인다.

6. 도움을 요청하는 상황에서 긍정의 대답이 이어지므로 How can I help you?(어떻게 도와줄까?)가 적절하다.

7. 도움을 요청하자 (B)에서 긍정의 대답을 한 뒤 내용을 묻자 (A)에서 문제가 되고 있는 상황을 설명하고 있다. 마지막으로 (C)에서 해결하겠다는 말을 하고 있다.

8. Can you call me? I can't find my cell phone anywhere.라고 말한 것에서 전화를 걸어달라는 부탁임을 알 수 있다.

9. The future is also important, but it hasn't come yet.이라고 말한 부분에서 미래가 아직 오지 않았기 때문에 현재만큼 중요하지 않다는 의미를 전달하고 있다.

10. 과거의 경험에서 많이 배운다는 내용을 유추할 수 있으므로 experience(경험)가 빈칸에 적절하다.

11. Therefore는 '따라서'의 뜻이므로 글의 흐름상 맞지 않는다. ④에는 Otherwise(그렇지 않다면)가 오는 것이 적절하다.

12. a story와 write는 수동의 관계이므로 과거분사 written으로 꾸며준다. a Russian novelist와 regard의 관계도 수동이므로 과거분사 regarded가 오는 것이 알맞다.

13. 마지막 문장에서 Tolstoy consistently attempted to find the truth ~로 보아 진실을 찾는 것을 끊임없이 시도했음을 알 수 있다.

14. 의문사절이 목적어로 쓰이고 있으므로 「의문사 + 주어 + 동사 ~」의 형태가 와야 한다. 또, '그러한'의 의미를 지닌 such는 「such a/an + 명사」의 형태를 취하므로 why you had such a long face가 오는 것이 적절하다.

15. 주어진 글은 왕의 질문들에 관한 것이고 these questions로 이를 나타내는 (B)가 이어지는 것이 적절하다. (B)에 대한 결과를 나타내는 (C)가 다음에 오고 왕의 마지막 결정을 나타내는 (A)가 맨 마지막에 오는 것이 흐름상 적절하다.

16. without -ing는 '~하지 않은 채'의 뜻으로 부대상황을 나타낸다. 여기서는 '화해하지 못한 채'의 의미가 와야 하므로 빈칸에는 without이 알맞다.

17. 은자가 So the most important time was when you were digging the beds,~라고 말하고 when that man ran to us, the most important time was when you were attending to him이라고 말한 부분에서 우리 삶에서 가장 중요한 것이 현재임을 암시하고 있다.

18. 경호원의 행동, rushing, urgent 등의 어구들과 I'm afraid this place is dangerous for you. / I think we had better leave this place as soon as possible.이라고 말한 부분에서 절박한(desperate) 마음을 알 수 있다.

19. 마지막에 I forgive you! And I also accept you as one of my men.이라고 말한 것에서 왕은 수염 난 남자를 용서하고 자신의 부하로 받아들인다는 것을 알 수 있다.

20. Knowing you had gone alone to see the hermit, ~으로 보아 왕이 혼자 은자를 만나러 갔다는 것을 알았다는 내용이 나오므로 ⑤가 내용과 일치한다.

21. To be honest (with you)/ To be frank (with you)는 '솔직히[정직하게] 말해서'의 뜻이다.

22. 가정법 과거완료는 직설법 과거와 같으므로 문장이 과거가 되어야 하고, 가정법 과거완료에서 긍정의 문장은 직설에서 부정이 되어야 하므로 내용상 ⑤가 의미를 가장 잘 나타낸다.

23. 가정법 과거완료는 「If + 주어 + had + 과거분사 ~, 주어 + 조동사의 과거 + have + 과거분사 ~」의 형태이므로 would have bought가 오는 것이 적절하다.

24. '설상가상으로'는 'to make matters worse'라는 독립부정사구를 써서 나타낸다.

25. the most important가 '가장 중요한'의 뜻이므로 이를 이용하고, 세 가지를 구분하여 나타낸다.

✎ 모의 서술형 / 모의 수행 평가　　> P. 350

정답 》 〔서술형 평가〕 **1.** (1) grant (2) unsteady (3) wound (4) dig **2.** (1) store for (2) getting back (3) mercy on (4) take away (5) make it (6) made up my mind **3.** (1) so to speak (2) to be sure (3) had known her telephone number (4) could not have passed 〔수행 평가〕 **4.** [예시 답안] Anna Karenina is a classic love story written by Leo Tolstoy. I think this is one of the most admired novels in world literature. The novel is composed of eight parts. The unhappily married Anna Karenina, the main character, is in tragic love with Count Vronsky, but love isn't the only theme of this novel. I could see how Russian people lived in turbulent social conditions. I continued asking myself the deepest questions about how to live a fulfilled life while reading this novel.

4. **해석 》** 1886년에 Leo Tolstoy가 쓴 '바보 이반'은 단편 소설이다. 그것은 또한 '바보 이반과 두 형제들'로도 알려져 있다. 이반의 두 형제들은 돈과 힘을 추구하는 반면 주인공 바보 이반은 단순한 삶을 산다. 그는 정직하며 열심히 일한다. 나중에 그는 Old Devil을 물리치고 나라의 통치자가 된다. 왕으로서 그는 여전히 들에서 열심히 일하고 열심히 일하는 모든 사람들은 행복해 한다. 나는 이반의 정직함과 근면성에 감명받았고 열심히 일하는 동안 행복을 찾을 수 있음을 깨달았다.

평가 기준	항목	배점		
내용	책의 제목과 작가, 내용을 잘 서술했는가?	5점	3점	0점
	책을 읽고 느낀 점이 잘 서술되었는가?	5점	3점	0점
형식	분량은 적절한가?	5점	3점	0점
	맞춤법, 구두법을 잘 지켰는가?	5점	3점	0점
합계				점

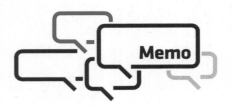